TOUT RÉUSSIR EN CUISINE

SÉLECTION DU READER'S DIGEST

TOUT RÉUSSIR

EN CUISINE

Secrets, recettes et techniques des chefs

Sélection
Reader's Digest

Sélection du Reader's Digest (Canada) Ltée, Montréal

TOUT RÉUSSIR EN CUISINE

ÉQUIPE DE SÉLECTION DU READER'S DIGEST

Direction éditoriale

Vice-présidente Livres, musique et vidéos : **Deirdre Gilbert**
Directeur artistique : **John McGuffie**
Directrice de l'édition : **Loraine Taylor**

Réalisation de l'ouvrage

Rédaction : **Agnès Saint-Laurent**
Graphisme : **Cécile Germain**
Lecture-correction : **Gilles Humbert**
Fabrication : **Holger Lorenzen**
Coordination : **Susan Wong**

Collaborateurs externes

Traduction : **Suzette Thiboutot-Belleau**
Secrétariat de rédaction : **Geneviève Beullac**
Lecture-correction : **Joseph Marchetti**
Index : **France Laverdure**

Tout réussir en cuisine est l'adaptation de *Kitchen Secrets*

Copyright © 1998, The Reader's Digest Association (Canada) Ltd.
Copyright © 1997, The Reader's Digest Association, Inc.

Rédaction : Anita Winterberg

COLLABORATEURS

Textes
K&N Bookworks Inc.

Photographie
Martin Jacobs

Stylisme
Polly Talbott
Carrie Orthner
Debrah E. Donahue

Développement des recettes
Jo Ann Brett
Sandra Gluck
Helen Taylor Jones
Karen Pickus

Tests des recettes
Georgia Downard
Susan Shapiro Jaslove
Jeanne Lesem
Leslie Glover Pendleton
Miriam Rubin
Sabrina Buck Shear

Illustrations
Lionel Kalish

CONSULTANTS

Chef consultant
Jean Anderson

Analyse nutritionnelle
Barbara Deskins

Barbecue
Ben Barker

Viande et volaille
Merle Ellis

Cuisine italienne
Mary Ann Esposito

Fruits de mer
Nancy Harmon Jenkins

Cuisson au four
Nick Malgieri

Réceptions
Sara Moulton

Cuisine française
Jacques Pépin

Boissons
Gary Regan

Équipement culinaire
Mardee Haidin Regan

Données de catalogage avant publication (Canada)

Vedette principale au titre :
  Tout réussir en cuisine : secrets, recettes et techniques des chefs

  Traduction de : Kitchen Secrets.
  Comprend un index.

  ISBN 0-88850-637-6

  1. Cuisine. I. Sélection du Reader's Digest (Canada) (Firme).

TX652.K4614 1998   641.5   C98-940560-5

TABLE DES MATIÈRES

Avant-propos

On ne peut pas faire la cuisine sans se retrouver, un jour ou l'autre, devant des problèmes imprévus. Pourquoi le soufflé, qui montait si bien la semaine dernière, ne gonfle-t-il pas aujourd'hui ? Par quoi remplacer le babeurre si l'on n'en a pas sous la main ? C'est à des questions comme celles-là que ce livre répond.

Dans Tout réussir en cuisine, nous avons tenté d'aborder tous les procédés et les ingrédients qui caractérisent notre cuisine, mélange de traditions françaises et d'apports internationaux. Pour chaque recette, nous essayons de prévoir les problèmes qui peuvent dérouter les débutants, mais aussi les cordons-bleus : comment réussir la pâte feuilletée, par exemple, ou éviter que la quiche tourne, ou faire un bouillon de poulet impeccable ? Les réponses apparaissent sous forme de conseils, d'explications et de tableaux de référence, allant du procédé illustré étape par étape jusqu'aux façons de réduire la teneur en cholestérol d'une recette, de remplacer un ingrédient par un autre et de choisir le bon équipement. Et, au besoin, vous retrouverez sans peine ces renseignements en consultant l'index à la fin du livre.

Si vous êtes de ceux qui aiment bien manger, vous ne résisterez pas à la tentation de parcourir Tout réussir en cuisine, pas plus qu'à celle de mettre la main à la pâte pour réaliser l'une ou l'autre des délicieuses recettes illustrées au fil des pages.

UNE CUISINE BIEN ÉQUIPÉE

Il ne faut ni beaucoup d'espace ni beaucoup d'appareils pour faire de la bonne cuisine. Vous trouverez ici une énumération d'articles utiles et, dans certains cas, une description de leurs caractéristiques.

ÉTABLIR SES PRIORITÉS

En matière de batterie de cuisine et d'électroménagers, le choix est aujourd'hui à peu près illimité. Avant de vous laisser emporter par l'enthousiasme, estimez vos besoins en vous posant quelques questions.

Aimez-vous les plats simples ou la fine cuisine ? Cuisinez-vous souvent ou à l'occasion ? Combien de convives servez-vous habituellement ? De combien d'espace disposez-vous ? Autant de réponses qui vous aideront à déterminer ce qu'il vous faut.

Pour vous aider à faire un choix éclairé, voici, par ordre d'utilité décroissante, une liste d'ustensiles de cuisine et d'ingrédients de base.

PETITS APPAREILS ÉLECTROMÉNAGERS

Certains appareils, comme le mélangeur, sont devenus presque essentiels ; d'autres, comme le four à micro-ondes, sont utiles mais non indispensables. Une règle d'or : toujours acheter des appareils de qualité.

Indispensables : cafetière, mélangeur ou robot, batteur à main (si possible avec deux jeux de fouets), grille-pain avec des fentes assez larges pour le pain tranché à la main.

Utiles : presse-agrumes, moulin à café, mélangeur ou robot (celui que vous n'avez pas déjà), faitout électrique, aiguise-couteau, four à micro-ondes, mijoteuse, gaufrier.

Commodes : robot à boulanger, friteuse, ouvre-boîte électrique, machine à espresso, mélangeur à main, centrifugeuse, mini-robot, machine à faire des pâtes, batteur sur socle (si possible avec deux jeux de fouets), four grille-pain.

BATTERIE DE CUISINE

N'achetez que des articles de qualité : ils dureront plus longtemps et donneront de meilleurs résultats. Choisissez le matériau selon les caractéristiques désirées.

Aluminium. C'est le meilleur conducteur de chaleur après le cuivre. Mais en réaction aux aliments acides, il peut en altérer le goût et se décolorer.

L'aluminium anodisé perd en partie ces défauts ; c'est un matériau durable, facile d'entretien et raisonnablement antiadhésif. Choisissez des récipients à la fois épais et légers ; ils conviendront aussi bien pour la cuisinière que pour le four.

Fonte noire. Parce qu'elle se réchauffe lentement et uniformément et qu'elle garde sa chaleur, on la recommande pour les fritures, la cuisson au four et à l'étuvée. En contrepartie, elle tend à absorber les saveurs, réagit au contact de certains aliments acides et rouille facilement. La fonte émaillée élimine ces inconvénients.

Il faut conditionner la fonte noire avant de l'utiliser et de

ENDUITS ANTIADHÉSIFS

Ces enduits s'améliorent d'année en année. Appliqués sur des métaux réactifs comme l'aluminium, ils les isolent en plus de les rendre antiadhésifs.

Les batteries de cuisine en aluminium antiadhésif se vendent à des prix très abordables. Celles qui sont en acier inoxydable antiadhésif comportent une partie centrale en aluminium pour améliorer la conduction. Elles sont plus chères mais, avec une telle structure, elles acquièrent beaucoup de résistance et conservent leur revêtement antiadhésif presque indéfiniment.

MIJOTEUSE

La mijoteuse est un appareil électrique très commode. La cuisson, qui s'effectue à faible température, peut durer aussi longtemps que nécessaire sans exiger de surveillance. Même au réglage le plus bas, la température de la mijoteuse demeure supérieure à 74 °C (165 °F) de façon à inhiber la croissance des bactéries. Le fabricant inclut toujours des directives pour adapter vos recettes ordinaires à la cuisson lente.

temps à autre par la suite, faute de quoi les aliments se remettent à attacher.

Multimétaux. Divers métaux sont réunis par étamage, chacun fournissant ses caractéristiques : par exemple, le cuivre pour sa bonne conduction thermique avec l'acier inoxydable pour sa résistance et sa facilité d'entretien.

Cuivre. Il est coûteux, mais il n'y a pas de meilleur conducteur de chaleur. Il devrait être épais et lourd.

Comme le cuivre réagit à certaines substances en libérant des composés toxiques, l'intérieur doit être étamé au fer-blanc, au nickel ou à l'acier inoxydable. Pour faire briller le cuivre, frottez-le avec un produit spécial ou une pâte faite de vinaigre et de sel avant de rincer et de polir.

Terre cuite. Elle retient bien la chaleur mais sa conduction est mauvaise. La terre cuite est vulnérable aux changements brusques de température et ne supporte pas la cuisson en direct ; c'est un matériau pour le four. Suivez les instructions du fabricant.

Métal émaillé. Les récipients de fonte ou d'acier émaillés sont attrayants et durables. Il y en a à tous les prix et la plupart peuvent aller de la cuisinière à la table. Mais comme ils s'écaillent facilement, il faut les traiter avec beaucoup de douceur.

Verre, poterie et porcelaine. Ce sont des matériaux d'entretien facile, mais leur conduction est mauvaise : on les réserve pour la cuisson au four. Les nouvelles poteries peuvent passer directement du congélateur au four classique et au four à micro-ondes.

Acier laminé. Sa conduction est excellente. Il supporte un feu vif et convient, de ce fait, aux sauteuses et aux woks. Néanmoins, il rouille et les aliments ont tendance à attacher. On l'entretient comme la fonte noire.

Acier inoxydable. Il est durable, mais sa conduction est mauvaise. C'est pourquoi on l'associe généralement à un autre métal, notamment au cuivre ou à l'aluminium.

DE LA QUALITÉ AVANT TOUT

Un matériau bon marché se déforme, s'ébrèche et se tache. Commencez donc par acheter une ou deux pièces de qualité et complétez avec des ustensiles moins chers que vous remplacerez petit à petit.

Un budget même limité vous permettra d'avoir une bonne batterie de cuisine car, dans chaque matériau, la gamme de prix est étendue. Encore une

fois : choisissez la meilleure qualité selon vos moyens.

OUVREZ L'ŒIL

Allez dans un magasin qui offre un bon choix. Prenez les récipients en main ; notez leur équilibre et leur tenue ; pensez au poids qu'aura une rôtissoire quand elle contiendra une dinde de 10 kg. Vérifiez si les couvercles s'ajustent bien. Lisez la garantie, le mode d'emploi et le mode d'entretien.

À VOS CHAUDRONS

Attention aux poignées, aux manches et aux queues : ils doivent être isolés, robustes et commodes. Vérifiez leur tenue en main. Assurez-vous qu'ils peuvent supporter au four des températures de 180 °C à 200 °C (350 °F à 400 °F) et aller sous le gril.

Indispensables : sauteuse moyenne de 25 cm (10 po) ; petite sauteuse de 15 à 18 cm (6-7 po) ; petite casserole de 1 litre avec couvercle ; deux casseroles de 3 litres avec couvercles ; marmite ou faitout de 4 à 6 litres à fond épais ; très grande marmite pour les bouillons et les pâtes ; rôtissoire ou lèchefrite de 33 x 22 x 5 cm (13 x 9 x 2 po) ; et un moule à pain.

Utiles : grande sauteuse de 30 cm (12 po) ; casserole de 2 litres ; rôtissoire avec couvercle aussi grande que le four le permet ; bain-marie (le verre à feu est commode mais plus fragile que le métal).

Commodes : sautoir de 25 cm (10 po) ; casserole de 1,5 litre ; poissonnière ; marmite à vapeur avec panier perforé ; éclatoir à maïs ; autocuiseur ; poêle-gril ; wok.

BOLS, MOULES, PLATS À GRATIN

Indispensables : deux plaques en aluminium poli de 43 x 35 cm (17 x 14 po) ; un plat à gratin de 1 litre avec couvercle allant au micro-ondes ; un autre de 3 litres ; très grand bol à mélanger ; trois moules à four en verre à feu de tailles variées ; moule à gâteau roulé de 40 x 25 cm (15 x 10 po) ; jeu de bols à mélanger en verre ou en acier inoxydable ; deux moules à muffins ; moule à tarte ; deux moules à gâteaux de 20 ou 22 cm (8 ou 9 po) ; deux petites grilles à gâteau.

Utiles : grande grille à gâteau ; emporte-pièces à biscuits de 4, 5 et 7 cm (1½, 2 et 3 po) et

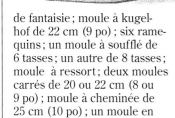

de fantaisie ; moule à kugelhof de 22 cm (9 po) ; six ramequins ; un moule à soufflé de 6 tasses ; un autre de 8 tasses ; moule à ressort ; deux moules carrés de 20 ou 22 cm (8 ou 9 po) ; moule à cheminée de 25 cm (10 po) ; un moule en couronne de 4 tasses ; un autre de 6 tasses.

Commodes : plaque de marbre ou de céramique ; moule à charlotte ; moules à pain croûté ; moule à fond amovible de 25 cm (10 po) ; moule à tout petits muffins ; planche à pâtisserie ; moule à pizza.

LE BON MOULE

À défaut du moule spécifié dans la recette, voici quelques règles de substitution.

On peut remplacer deux moules ronds de 22 cm (9 po) par : deux moules carrés de 20 x 20 x 5 cm (8 x 8 x 2 po) ; un moule rectangulaire de 33 x 22 x 5 cm (13 x 9 x 2 po) ; un moule à gâteau roulé de 40 x 25 x 5 cm (15 x 10 x 2 po) ; ou un moule tubulaire de 22 cm (9 po).

On peut remplacer deux moules ronds de 20 cm (8 po) par : un moule carré de 22 x 22 x 5 cm (9 x 9 x 2 po) ; ou deux moules à muffins de 6 alvéoles.

Aussi, on peut remplacer un moule tubulaire de 22 cm (9 po) par deux moules à pain de 22 x 12 x 7 cm (9 x 5 x 3 po).

LE BON COUTEAU

Les bons couteaux coûtent cher. Équipez-vous d'abord des plus importants : un couteau de chef de 20 à 25 cm (8-10 po) et un petit couteau d'office.

Les lames en acier au carbone, courantes autrefois, s'affûtent bien, mais se tachent, rouillent, perdent vite leur fil et donnent un goût métallique aux aliments acides. On leur préfère aujourd'hui les lames forgées ou tail-

lées, en acier inoxydable à haute teneur en carbone.

Dans les bons couteaux, le bout supérieur de la lame, appelé soie, traverse le manche dans toute sa longueur et lui est assujetti par des rivets.

Avant de choisir, vérifiez la bonne tenue du couteau ; il doit être lourd pour sa taille, bien équilibré et facile à manipuler.

LE BON TRANCHANT

C'est le plus souvent avec un couteau mal affûté qu'on se coupe. L'aiguisoir à couteau est donc un instrument utile. Les meilleurs sont électriques et comportent trois fentes, pour affûter, pour polir et pour retoucher. Ne lésinez pas sur la qualité. L'affiloir ou fusil donne de bons résultats, pourvu qu'on sache s'en servir.

ENTRETIEN

Si vous soignez vos couteaux, ils dureront longtemps. Lavez-les à la main dans de l'eau chaude et essuyez-les immédiatement. Rangez-les dans un râtelier magnétique ou à fentes. Ne raclez pas la planche à découper avec le fil de la lame mais avec le dos.

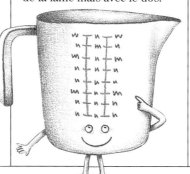

COUTEAUX ET CISEAUX

Indispensables : couteau de chef de 20 à 25 cm (8-10 po) ; ciseaux de cuisine à une lame crantée ; râtelier magnétique ou à fentes ; couteau d'office de 5 à 10 cm (2-4 po) ; couteau-scie à pain ; couteau à parer de 15 cm (6 po).

Utiles : couteau et fourchette à découper ; couteau d'office à bout incurvé ; cisaille à volaille ; deuxième couteau d'office ; couteau à trancher de 20 à 25 cm (8-10 po) ; couteau à parer de 15 à 20 cm (6-8 po).

Commodes : fendoir ; couteau à aliments surgelés ; couteau à pamplemousse ; couperet.

USTENSILES À MESURER

Indispensables : jeu de tasses graduées pour aliments secs ; jeu de cuillers à mesurer ; trois tasses de tailles variées pour mesurer les liquides.

Utiles : autre jeu de tasses graduées et de cuillers ; bol verseur gradué ; mesure à alcool.

Commodes : balance de cuisine. Choisissez de préférence une balance électronique, plus précise que la balance à

ressort et moins chère que la balance à fléau. La balance à godet est commode pour mesurer les petites quantités.

ACCESSOIRES

Indispensables : pipette à jus ; passoire en acier inoxydable ou en plastique (moins durable) ; étuveuse ; planche à découper en bois ou en plastique ; tamis fins de 15 cm (6 po) et de 20 cm (8 po) ; tamis de 25 cm (10 po) pouvant servir à la farine ; râpe universelle ; thermomètre de réfrigérateur et de congélateur ; cuiller à trous ; louche ; cuiller à long manche ; thermomètre à viande classique ou électronique ; thermomètre de four ; spatule à large lame ; mélangeur à pâte ; moulin à poivre ; pilon à pommes de terre ; rouleau à pâtisserie ; deux spatules de caoutchouc ; règle en métal de 45 cm (18 po) ; essoreuse à salade ; minuterie ; pince métallique ; fourchette à découper à deux fourchons ; fouets (ballon, allongé et plat), trois cuillers en bois.

Utiles : étuveuse en bambou ; thermomètre à bonbons ; thermomètre à grande friture ; moulin à légumes ; entonnoirs de tailles variées ; moules à aspic de tailles variées ;

thermomètre de gril ; batte à viande ; attendrisseur à viande ; écumoire ; roulette coupe-pâte (découpe aussi la pizza) ; presse-purée ; autre minuterie ; autre passoire ; autre planche à découper ; six brochettes de 20 cm (8 po) ; fourchette de cuisine à trois fourchons.

Commodes : diffuseur de chaleur ; dégraisseur à sauce ; mandoline (pour râper, émincer et trancher les légumes) ; cuiller à goûter.

PETITS OUTILS

Indispensables : décapsuleur ; ouvre-boîte ; moulinette à fromage ; presse-agrumes ; couteau zesteur ; tire-bouchon ; tranche-œuf ; presse-ail ; piques de boucher ; couteau-éplucheur.

Utiles : vide-pomme ; sonde à gâteau ; couteau éminceur à fromage ; presse-citron ; cuiller tire-boules ; cuiller à crème glacée ; spatule souple ; casse-noix ; deux pinceaux à pâtisserie ; couteau à tartiner ; pince à spaghetti ; brucelles.

Commodes : dénoyauteur à cerises ; pique-épi à maïs ; râpe à muscade ; équeute-fraises.

RÉCIPIENTS À MICRO-ONDES

Les récipients à micro-ondes, généralement en verre ou en

plastique, sont clairement identifiés. Sinon, voici comment savoir si un récipient en verre convient au micro-ondes. Mettez-y une tasse d'eau et enfournez-le 1 minute à *Maximum*. L'eau sera chaude ; mais si le plat l'est aussi, c'est qu'il ne convient pas au micro-ondes.

Certains plastiques, dont le polystyrène, ne supportent pas le micro-ondes. Pellicules de plastique et essuie-tout doivent être clairement identifiés à cet usage.

MICRO-ONDES

Plus votre four à micro-ondes est grand, plus il est puissant ; et plus il est puissant, plus il est rapide. Un four de 0,9 pi^3 et de 800 watts peut contenir un grand bol.

Le micro-ondes occupe beaucoup d'espace sur le comptoir ; pensez à le suspendre sous une armoire ou à l'installer au-dessus du four classique.

DIVERS

Indispensables : bocaux à épices ; bocaux étanches assortis (farine, sucre, céréales, café et craquelins) ; papier d'aluminium (ordinaire et robuste) ; linges à vaisselle en coton ; pellicule à congélation ; gants à four et poignées (épais et isolés) ; sacs en plastique pour aliments ; pellicule plas-

PLANCHES À DÉCOUPER

Bien que les planches en matière synthétique aillent au lave-vaisselle, on estime que les planches en érable sont plus hygiéniques parce que les bactéries, qui persistent sur les premières, ne survivent pas sur les secondes.

Dans les deux cas, la planche doit demeurer propre. Après chaque usage, il faut la laver à l'eau chaude et au savon, la rincer et la laisser sécher.

Après avoir coupé de la viande, de la volaille ou du poisson, faites tremper les planches en bois 2 minutes dans une solution stérilisante (3 c. à soupe d'agent de blanchiment diluées dans 16 tasses d'eau). Rincez bien et laissez sécher. Faites de même pour les cuillers en bois et les billots de boucherie.

Pour stériliser les planches en matériau synthétique, n'utilisez que 1 c. à soupe d'agent de blanchiment pour 16 tasses d'eau. Faites-les tremper 5 à 10 minutes, rincez et laissez sécher à l'air.

tique ; essuie-tout ; éponges ; brosses ; tampons à récurer ; bocaux de rangement (en verre ou en plastique et de formats variés) ; papier ciré.

Utiles : tabliers ; boîte à pain ; assiette à gâteau avec cloche ;

pots à couvercle en liège (pour pâtes et légumineuses) ; papier ciré.

Commodes : étamine de coton ; napperons en dentelle de papier ; godets à muffins en papier ordinaire ou papier d'aluminium ; contenants en plastique (1, 2 et 4 tasses) pour le congélateur.

INGRÉDIENTS DE BASE

Certains ingrédients – secs, en bouteille, en conserve ou surgelés – étant d'usage quotidien, il importe de toujours en avoir sous la main.

AU GARDE-MANGER

Indispensables : bouillons en granules ou en cubes ; soupes ; consommé ; jus de tomate ; concentré de tomate (en boîte ou en tube) ; coulis de tomates ; tomates (entières, hachées et concassées) ; haricots en conserve ; thon ; huile d'olive ; huile à cuisson ; olives ; champignons déshydratés ; pois et haricots secs ; fruits et compote de pommes en conserve ; fruits séchés ; sel (de table et à mariner) ; cacao ; café ; gélatine ; noix ; beurre d'arachide ; garnitures à tarte ; confitures ; thé et tisanes.

Utiles : anchois ou pâte d'anchois ; cœurs d'artichauts ; pousses de bambou ; câpres ; chilis ; jus de palourdes ; palourdes ; piments doux rôtis.

GRAINS, FARINES ET PÂTES ALIMENTAIRES

Indispensables : farine tout usage ; farine de maïs ; chapelure ; craquelins ; pâtes alimentaires variées ; petites pâtes pour la soupe ; riz (blanc, brun, italien) ; farine d'avoine.

Utiles : mélange à farce ; orge ; couscous ; maïs lessivé ; kacha ; tortillas ; riz sauvage.

PRODUITS SURGELÉS

Indispensables : bouillons ; sauce tomate ; légumes (petits pois, carottes, épinards, maïs, etc.) ; concentrés de jus de fruits ; croûtes de tarte.

Utiles : pâte à pain ; pâte brisée ; pâte feuilletée ; filo ; pâte à pizza.

CONDIMENTS

Indispensables : ketchup ; mayonnaise ; moutarde préparée douce et forte ; sauces à salade ; vinaigres (blanc, de cidre, balsamique, de vin rouge et de vin blanc) ; sauce soja ; sauce à bifteck ; sauce Worcestershire ; pesto.

Utiles : câpres ; chutney ; sauce Tabasco ; sauce au raifort ; huile de sésame.

ÉPICES

Épices et fines herbes devraient être gardées dans un endroit sombre et frais. Elles n'ont guère plus de saveur au bout d'un an : inscrivez donc sur l'étiquette la date du premier usage.

Indispensables : basilic ; feuilles de laurier ; poivre noir (en grains et moulu) ; thym ;

estragon ; origan ; cerfeuil ; aneth ; romarin ; sauge ; poivre de Cayenne ; piment rouge en flocons ; graines de sésame ; cannelle (en bâton et moulue).

Utiles : graines de carvi ; graines de céleri ; clous de girofle (entiers et moulus) ; cari ; cumin moulu ; macis moulu ; marjolaine ; moutarde (en graines et en poudre) ; muscade (en noix et moulue) ; paprika ; cardamome ; assaisonnement à volaille ; safran en filaments ; sarriette ; poivre blanc (en grains ou moulu) ; sel assaisonné (ordinaire ou hyposodique).

PÂTISSERIE

Indispensables : farine à gâteau ; levure chimique ; bicarbonate de soude ; fécule de maïs ; essence de vanille ; essence d'amande ; lait évaporé ; lait concentré ; miel ; mélasse ; sucre granulé ; sucre glace ; cassonade (blonde et brune) ; huile à cuisson ; graisse végétale ; levure sèche.

Utiles : éléments décoratifs ; produits à base de chocolat ; noix de coco râpée ; sirop de maïs (blond et brun).

LE MOULIN À POIVRE

Son apparence est uniquement matière de goût, mais son efficacité dépend de la qualité du mécanisme de broyage. Celui-ci doit être en acier inoxydable de qualité pour conserver son mordant, ne pas réagir à l'action du poivre et rester inaltérable à l'humidité.

Un bon moulin à poivre broie une bonne quantité de poivre à chaque tour, vous donne la mouture désirée, qu'elle soit très fine ou grossière, et cette mouture est uniforme ; enfin, il se remplit facilement. Avant de l'acheter, vérifiez si le moulin est facile à régler et à utiliser.

L'AUTOCUISEUR

L'autocuiseur vous permet d'accélérer la cuisson des aliments qui exigent une cuisson longue avec une certaine quantité de liquide. Ragoûts, volaille, soupe, viandes et légumes cuisent deux ou trois fois plus vite que le temps normalement exigé.

Choisissez un modèle d'une capacité de 6 à 8 litres, en acier inoxydable ou en aluminium émaillé, dont le fond épais lui assure une bonne conduction thermique.

BOISSONS ET HORS-D'ŒUVRE

Cafés Variés

Les Européens nous ont enseigné les raffinements du café : serré, allongé, tassé, café crème, espresso, cappuccino, viennois, pour n'en nommer que quelques-uns, permettent de varier de temps à autre les plaisirs.

CAFÉS CLASSIQUES

Espresso. Ce café très corsé que les Italiens dégustent dans de petites tasses sert de base à plusieurs variations. Bien torréfié et moulu très fin, il est infusé à partir de vapeur d'eau surchauffée. Si vous n'avez pas de machine chez vous, il existe d'excellents espressos instantanés.

Café au lait. Le matin, les Européens allongent une petite quantité de café bien corsé avec beaucoup de lait chaud. En principe, ce lait n'est pas mousseux, mais une telle pratique permet d'utiliser du lait écrémé. En effet, moins il y a de gras dans le lait, plus il y aura de mousse. La raison en est simple : le gras adhère aux bulles et les crève.

Cappuccino. Il s'agit d'un café espresso nappé de lait mousseux et poudré de cannelle ou de chocolat en poudre. Le rapport café-lait est normalement de 40 à 60 ou moitié-moitié.

Café viennois. Cette boisson, très séduisante en hiver, associe du café fort, du chocolat chaud et du lait ; on la sert volontiers couronnée de crème fouettée.

CAFÉ À LA CARTE

Pour obtenir un café plus fort, augmentez de moitié la quantité de café moulu.

Pour réchauffer le lait au micro-ondes, versez-le dans une mesure en verre de 4 tasses et réchauffez-le à *Medium* pendant 2 minutes ou jusqu'à ce qu'il se forme des bulles tout autour.

Personnalisez votre café en l'aromatisant, par exemple avec de la muscade frais râpée, de la cannelle moulue ou des graines de cardamome verte. (Les Arabes en garnissent le bec de la cafetière ; le café, en y passant, se charge de leur parfum.)

CAFÉ AU LAIT

Vous pouvez aromatiser à votre guise la recette de la page ci-contre. Quelques suggestions :

Au chocolat à la menthe. Avant de verser le café, mettez dans chaque tasse **une pastille de menthe** enrobée de chocolat. Décorez de fragments de pastilles.

À l'orange. Avant de verser le café, mettez dans chaque tasse **1 c. à soupe de liqueur à l'orange.** Décorez de zeste d'orange.

LE CACAO

Pour préparer le cacao, les fabricants en extraient presque toutes les matières grasses (beurre de cacao) avant de moudre le résidu. Le cacao hollandais est dégraissé à la potasse : il est plus noir, plus riche et se dissout mieux que le cacao ordinaire. L'un et l'autre s'emploient dans le café viennois, mais écartez le cacao sucré.

CAFÉ VIENNOIS

La recette de base que nous suggérons connaît aussi d'appétissantes variantes. Par exemple :

À la liqueur. Mettez **1 c. à soupe de liqueur au café** ou à un autre parfum dans chaque tasse avant d'y verser le café viennois.

À la vanille. En suivant la recette ci-contre, mettez **1 gousse de vanille fendue** dans les ingrédients secs ou ajoutez hors du feu **2 c. à thé d'essence de vanille.**

À la crème glacée. Déposez sur le café viennois **1 petite boule de crème glacée** ou de yogourt glacé. Poudrez de cacao.

Pour obtenir un chocolat homogène, mélangez le cacao aux autres ingrédients secs en écrasant bien tous les grumeaux et délayez-les en premier lieu avec une partie du liquide (environ ½ tasse).

INGÉNIEUX !

Minimachine à vapeur

Même sans machine à espresso, vous pouvez faire mousser du lait comme dans un cappuccino avec cet appareil qui se réchauffe directement sur la cuisinière. Il se compose d'un contenant hermétique pour l'eau et d'un bec en saillie. Quand la vapeur sort du bec, vous plongez celui-ci dans un bol de lait chaud pour le faire mousser.

Café au lait

1½ tasse de lait écrémé ou allégé
⅔ tasse de café espresso ou de café bien corsé
Garnitures facultatives :
cannelle moulue
cacao sucré

1 Dans une petite casserole, réchauffez le lait à feu doux jusqu'à ce qu'il apparaisse des petites bulles tout autour (10-15 minutes) ; ne le faites pas bouillir. S'il se forme une peau, enlevez-la avec une cuiller.

2 Versez le café dans deux grandes tasses ; ajoutez dans chacune ⅓ tasse de lait chaud.

3 Avec un mélangeur à main ou un fouet, fouettez le reste du lait pour qu'il devienne mousseux. Versez-le à la cuiller dans les tasses ; poudrez de cannelle ou de cacao, s'il y a lieu. Donne 2 portions.

Par portion : Calories 66 ; Gras total 0 g ; Gras saturé 0 g ; Protéines 6 g ; Hydrates de carbone 9 g ; Fibres 0 g ; Sodium 96 mg ; Cholestérol 3 mg

Préparation : 15 minutes
Cuisson : 15 minutes

Café viennois

⅓ tasse de poudre de cacao (n'employez pas un mélange sucré)
⅓ tasse de sucre
2½ tasses de lait
1½ tasse d'espresso ou de café bien corsé

1 Mélangez le cacao et le sucre dans une casserole moyenne pour éliminer les grumeaux. Délayez-les en pâte avec environ ½ tasse de lait. Tout en fouettant, incorporez ensuite le café et le reste du lait.

2 Laissez cuire 8 à 10 minutes à petit feu, en remuant de temps à autre, jusqu'à ce que le mélange soit fumant, sans le laisser bouillir. Versez dans les tasses. Donne 4 portions.

Par portion : Calories 176 ; Gras total 6 g ; Gras saturé 4 g ; Protéines 6 g ; Hydrates de carbone 28 g ; Fibres 2 g ; Sodium 79 mg ; Cholestérol 21 mg

Préparation : 5 minutes
Cuisson : 8 à 10 minutes

Café au lait, à gauche, et café viennois, à droite. Un régal au petit déjeuner ou au goûter, que l'on déguste avec des petits pains ou des sablés.

BOISSONS GLACÉES

Si votre thé glacé n'est jamais infusé à votre goût, lisez attentivement la méthode proposée ci-dessous. Essayez aussi la citronnade gazeuse, une variante de la citronnade classique.

CHOIX DU THÉ

Un thé noir fermenté originant de l'Inde ou du Sri Lanka est le type qui convient le mieux au thé glacé : Darjeeling, Assam, Earl Grey (à la bergamote) et English Breakfast (mélange de thés de l'Inde et du Sri Lanka) se rangent dans cette catégorie. Le thé vert n'est pas assez corsé, mais les thés aromatisés et décaféinés font très bien l'affaire.

MÉTHODE D'INFUSION

Pour préparer le thé, il faut se servir d'une théière ou d'un pichet de verre, de porcelaine, ou de métal émaillé, car le métal confère un mauvais goût au thé.

Pour contrer l'amertume, retirer les sachets de thé au bout de 3 à 5 minutes et ne les pressez surtout pas.

Le thé glacé devient souvent trop faible à mesure que les glaçons fondent. En principe, on suggère de doubler la dose normale de thé.

Une méthode alternative consiste à employer des glaçons faits avec du thé.

UN THÉ CRISTALLIN

Si vous faites infuser le thé d'avance, laissez-le refroidir à la température ambiante et gardez-le au réfrigérateur dans un récipient couvert. Quand on le range encore chaud au réfrigérateur, il perd sa limpidité. S'il se brouille tout de même, ce n'est pas grave. En lui ajoutant un peu d'eau bouillante, vous lui rendrez son apparence cristalline.

SAVEURS NOUVELLES

Pour changer, remplacez le citron par de la lime ou de l'orange. Ou préparez une tisane de fruits – ananas, gingembre ou pomme – que vous aromatiserez avec des feuilles de menthe.

LES CITRONS

Cinq citrons moyens pèsent environ 500 g (1 lb). Quatre ou cinq gros citrons donnent une tasse de jus.

Choisissez des citrons lourds pour leur taille : ils sont plus juteux.

Avant de les presser, laissez-les reposer à la température ambiante ou passez-les 30 secondes au micro-ondes, à *Maximum*. Ensuite, roulez-les sur le comptoir dans le creux de la main : ce traitement brise la pulpe et dégage le jus.

CONCENTRÉ DE CITRONNADE

Préparez votre propre concentré de citronnade. Pour obtenir une douzaine de portions, mélangez 2 tasses de jus de citron, ½ tasse de sucre et 1 tasse de Sirop de sucre (recette à droite). Gardez ce concentré au réfrigérateur dans un bocal fermé. Au moment voulu, agitez le bocal, versez ¼ tasse de mélange dans un verre et ajoutez-y de l'eau et des glaçons.

À défaut, employez du jus de citron surgelé et décongelé plutôt que du concentré de limonade, qui a tendance à être trop sucré.

METTEZ-Y DU ZESTE

On appelle zeste la partie externe colorée, sapide et un peu huileuse de l'écorce des agrumes ; en dessous se trouve une peau blanche amère. On prélève le zeste avec un zesteur ou un couteau-éplucheur à lame mobile. Lavez toujours le fruit avant de le zester.

SIROP DE SUCRE

On se sert de sirop de sucre pour sucrer les boissons glacées car le sucre ne fond pas dans un liquide froid.

Dans une petite casserole, mélangez **2 tasses de sucre** et **2½ tasses d'eau**. Faites cuire à feu moyen en remuant souvent. Quand le sucre est fondu, retirez-le du feu, couvrez et attendez 1 ou 2 minutes que la vapeur fasse fondre les cristaux sur la paroi.

Versez le sirop dans un grand bocal que vous garderez, bouché, au réfrigérateur. Il servira à sucrer le thé glacé et toutes les boissons froides. Donne 3 tasses.

COMMENT ZESTER

Avec un couteau-éplucheur ou un couteau d'office, prélevez une mince épluchure de zeste. Pour une spirale de zeste, faites tourner le fruit dans votre main en l'épluchant latéralement.

Thé glacé aux canneberges

Suivez les étapes 1 et 2 de la recette à droite en doublant la quantité de thé. Filtrez le thé ; ajoutez **2 tasses de cocktail aux canneberges** et du Sirop de sucre à volonté. Décorez avec des canneberges entières, fraîches ou surgelées. Donne 4 portions.

Pour une touche de fantaisie, doublez la recette et versez-en la moitié dans les alvéoles d'un bac à glaçons après avoir déposé 1 ou 2 canneberges dans chacun. Servez ces glaçons avec le thé.

Limonades gazeuses

À la lime. Suivez la recette de la citronnade, à droite, en remplaçant le citron par du **zeste et du jus de lime** et en augmentant le Sirop de sucre à 1 tasse. Décorez avec des tranches de lime et des fraises fraîches. Donne 4 portions.

Aux trois agrumes. Suivez la recette de la citronnade, à droite, en utilisant deux lamelles chacun de **zeste de pamplemousse,** de **zeste de citron** et de **zeste d'orange,** 1/3 tasse du jus de chacun des trois agrumes et 1/3 tasse de Sirop de sucre. Décorez de tranches d'agrume. Donne 4 portions.

Thé glacé

4 **tasses d'eau froide**
2 **c. à soupe de feuilles de thé ou 6 sachets**
   Sirop de sucre (page ci-contre) au goût
Garnitures facultatives :
   quartiers de citron
   feuilles de menthe fraîche

1 Rincez la théière avec un peu d'eau bouillante. Amenez 2 tasses d'eau froide à grande ébullition.

2 Déposez le thé au fond de la théière et versez lentement l'eau bouillante. Couvrez et laissez infuser 3 à 5 minutes.

3 Remuez une fois. Filtrez le thé ou retirez les sachets. Ajoutez 2 tasses d'eau froide et du sirop de sucre à volonté.

4 Versez le thé dans quatre grands verres remplis de glaçons ; décorez à votre gré. Donne 4 portions.

Par portion : Calories 4 ; Gras total 0 g ; Gras saturé 0 g ; Protéines 0 g ; Hydrates de carbone 1 g ; Fibres 0 g ; Sodium 11 mg ; Cholestérol 0 mg

Préparation : 15 minutes
Infusion : 3 à 5 minutes

Citronnade gazeuse

4 **lamelles de 7 cm (3 po) de zeste de citron, émincées**
1 **tasse de jus de citron frais**
1/2 **tasse de Sirop de sucre (page ci-contre)**
3 **tasses d'eau gazeuse froide**
Garnitures facultatives :
   tranches de citron
   feuilles de menthe fraîche

1 Déposez le zeste de citron dans un pot de 2 litres. Ajoutez le jus et le sirop de sucre. Mélangez.

2 Incorporez l'eau gazeuse et versez dans quatre grands verres remplis de glaçons ; ôtez le zeste. Décorez à votre gré. Donne 4 portions.

Par portion : Calories 209 ; Gras total 0 g ; Gras saturé 0 g ; Protéines 0 g ; Hydrates de carbone 55 g ; Fibres 0 g ; Sodium 38 mg ; Cholestérol 0 mg

Préparation : 15 minutes
Réfrigération : 2 à 3 heures

TORTILLAS FOURRÉES

Plusieurs spécialités de la cuisine tex-mex se font avec des tortillas. Il n'est pas nécessaire de les faire vous-même puisqu'on en trouve maintenant à l'épicerie ; encore faut-il savoir s'en servir !

CHOISIR LA BONNE TORTILLA

Il existe deux sortes de tortillas : au blé et au maïs.

Au blé. Les tortillas faites avec de la farine de blé sont plates, rondes, souples et minces comme des crêpes ; elles mesurent 20 à 25 cm (8-10 po) de diamètre. Cuites sans se colorer, elles restent souples et se prêtent à la confection des burritos (tortillas enroulées sur une farce relevée), des chimichangas (tortillas en aumônières garnies de fromage ou de viande) et des quesadillas (page ci-contre). Au Mexique, on les sert, chaudes, en guise de pain.

Au maïs. Faites de farine de maïs blanche, jaune ou bleue, ces tortillas doivent leur fine saveur de noix au maïs lessivé qui entre dans leur fabrication, procédé qui permet d'enlever le tégument du grain. Les tortillas au maïs sont moins souples, moins fines que les précédentes et plus petites (15 cm/6 po). Elles servent à faire les tacos, les enchiladas et les tostados (croustilles de tortillas).

OÙ LES TROUVER

La plupart des supermarchés vendent maintenant des tortillas de blé ou de maïs dans les comptoirs réfrigérés. On trouve aussi des tortillas de maïs en conserve au rayon des spécialités mexicaines.

CONSERVATION

Suivez les instructions du fabricant. Ou empilez-les en mettant du papier ciré entre elles ; enveloppez-les de pellicule plastique ou glissez-les dans un sac autofermant en plastique avant de les congeler. Elles se gardent ainsi 6 mois.

DÉCONGÉLATION

Étalez-les sur le comptoir. Retirez les cristaux de glace qui risqueraient, en fondant, de détremper les tortillas.

OBJECTIF SANS GRAS

Les quesadillas sont généralement cuites en grande friture. Pour les rendre moins grasses, le mieux est de les cuire au four. Une seule quesadilla peut absorber jusqu'à 1 c. à soupe de matière grasse. Cela équivaut à 120 calories de plus et 14 g de graisse.

YOGOURT ÉGOUTTÉ

Autre façon de réduire le gras : plutôt que servir les quesadillas et les tacos avec de la crème sure, employez du yogourt égoutté. Doublez une grande passoire d'un filtre à café en papier. Versez-y 4 tasses de yogourt écrémé nature déjà bien égoutté et entaillez la masse plusieurs fois en croix. Déposez la passoire sur un bol, couvrez et laissez 24 heures au réfrigérateur. Le yogourt égoutté se garde une semaine et plus au réfrigérateur dans un contenant bien fermé. Fouettez-le avant de l'utiliser. Donne 1¾ tasse. Une cuillerée à soupe de yogourt égoutté ne renferme ni gras ni cholestérol et seulement 11 calories.

QUELQUES CONSEILS

Avant de râper du fromage au robot, mettez-le 20 minutes au congélateur : plus il est dur, mieux il se râpe.

Pour assouplir les tortillas lorsqu'elles sont cassantes, enveloppez-les ensemble dans du papier d'aluminium et réchauffez-les 10 minutes au four, à 180 °C (350 °F). Ou enveloppez-les dans de l'essuie-tout et laissez-les 15 à 20 secondes dans le micro-ondes, à *Medium*.

MINI-TACOS

Prenez deux tortillas et coupez-les en deux. Enveloppez-les ensemble dans du papier d'aluminium et réchauffez-les 5 minutes au four, à 220 °C (425 °F). Par ailleurs, mélangez **¼ tasse de salsa,** autant de **monterey jack râpé** (nature ou au piment), **2 oignons verts,** tranchés fin, et **60 g (2 oz) de chorizo,** haché fin. Étalez cette farce sur les demi-tortillas chaudes. Enroulez-les sur elles-mêmes, disposez-les sur une plaque non graissée et faites-les cuire 10 minutes au four sans les couvrir. Nappez de **crème sure** ou de yogourt égoutté (à gauche) et servez. Donne 4 portions.

Pour bien enfermer la farce dans les tacos et les quesadas, déposez-la d'un côté seulement, rabattez l'autre moitié et pressez tout autour.

Les quesadillas ne s'ouvriront pas durant la cuisson si vous prenez soin d'humecter les bords avant de les sceller.

Confectionnez des nachos en un clin d'œil : étalez les ingrédients des quesadillas (page ci-contre) sur des tostados ou des croustilles de tortillas et passez 1 à 1½ minute au micro-ondes, à *Medium*.

TACOS EN BOUCHÉES

Découpez des ronds de 5 cm (2 po) dans des tortillas. Garnissez-les, pliez-les en aumônière et passez-les 3 minutes au four.

CONFECTION DES QUESADILLAS

1 Étalez la tortilla. Près du centre, déposez en monticule un peu de chaque ingrédient de la recette, sauf la crème sure.

2 Humectez le bord de la tortilla, repliez-la sur elle-même et scellez-la.

3 Déposez chaque quesadilla au bord d'une feuille d'aluminium de 30 cm (12 po). Repliez les deux côtés de la feuille sur la quesadilla, puis retournez celle-ci sur elle-même.

Quesadillas au poivron rouge et au fromage

4 tortillas de blé de 20 cm (8 po)
1 tasse (125 g/4 oz) de monterey jack nature ou pimenté, râpé
1 gros poivron rouge paré et épépiné, en lanières de 6 mm ($\frac{1}{4}$ po)
$\frac{1}{4}$ tasse de maïs en grains entiers, frais ou décongelé
3 oignons verts entiers, tranchés fin
$\frac{1}{4}$ tasse de coriandre fraîche hachée
$\frac{1}{2}$ tasse de salsa douce ou demi-piquante
Garnitures facultatives : crème sure légère yogourt égoutté

1 Préchauffez le four à 220 °C (425 °F). Sur chaque tortilla, déposez en monticule du fromage, du poivron rouge, du maïs, des oignons verts, de la coriandre et de la salsa. Repliez en aumônière, humectez les bords et pressez-les ensemble.

2 Enveloppez les quesadillas dans du papier d'aluminium (voir à gauche). Déposez-les sur une plaque, enfournez et laissez cuire 7 minutes. Retirez du four, déballez-les et nappez-les, s'il y a lieu, de crème sure ou de yogourt égoutté. Donne 4 portions.

Par portion : Calories 266 ; Gras total 13 g ;
Gras saturé 7 g ; Protéines 11 g ;
Hydrates de carbone 27 g ; Fibres 2 g ;
Sodium 446 mg ; Cholestérol 31 mg

Préparation : 12 minutes
Cuisson : 7 minutes

CRUDITÉS ET TREMPETTES

Les légumes crus font un excellent hors-d'œuvre. Préparez-en une bonne quantité à l'avance et servez-les, en famille ou entre amis, avec un assortiment de trempettes.

FORMES DÉCORATIVES

C'est moins compliqué qu'il n'y paraît de donner aux légumes crus des formes décoratives. Voyez à droite comment pratiquer cinq coupes ornementales pour décorer des assiettes ou présenter un plateau de crudités à l'heure de l'apéritif.

CHOIX DES LÉGUMES

Surtout quand il s'agit de les présenter crus, vous devez choisir des légumes frais, jeunes, sans meurtrissures.

Utilisez un bon couteau pour les tailler en bouchées. Pour une occasion spéciale, coupez-les la veille et gardez-les dans de l'eau au réfrigérateur. (Mais attention ! ils perdent ainsi une bonne part de leurs vitamines.)

LE BLANCHIMENT

Dans certains cas, il est préférable de blanchir les légumes, c'est-à-dire de les plonger 1 minute dans l'eau bouillante.

Plongez-les immédiatement après dans de l'eau glacée pour interrompre la cuisson.

MARIAGE DES COULEURS

Si vous avez l'intention de présenter de grands bols de légumes crus pour une réception, assortissez-les selon leurs coloris.

Les légumes rouges, jaunes et orange ont un air de fête : carottes, courges d'été, radis, poivrons rouges, orange et jaunes, tomates-cerises, haricots jaunes. Un plateau de légumes verts et blancs apporte une note d'élégance et de fraîcheur sur la table : champignons, oignons verts, asperges, endives, brocoli, concombres, chou-fleur, haricots verts, courgettes, radis blanc et pois mange-tout.

LA SALSA

Quand vous préparez la salsa, ajoutez la coriandre à la dernière minute ; autrement elle perd une partie de sa saveur.

CONSEIL DE CHEF

Sara Moulton

« Si vous n'avez pas le temps de confectionner des fonds de pâte pour vos hors-d'œuvre, utilisez des tranches minces de pain de mie. Aplatissez-les au rouleau à pâtisserie et badigeonnez-les de beurre fondu. Découpez des ronds ou des carrés de 4 à 5 cm (1½-2 po) ; vous n'aurez qu'à les garnir et à les passer au four, comme s'il s'agissait de pâte feuilletée. Ou bien façonnez des tartelettes en moulant des ronds dans des moules à mini-muffins ; passez-les 5 à 10 minutes au four préchauffé à 180 °C (350 °F). Garnissez-les ensuite de salsa, de guacamole ou de salade de crevettes. »

Hachez très fin les ingrédients : la salsa enrobera mieux les croustilles.

LES AVOCATS

Employez un couteau de chef court et bien tranchant pour d'abord entailler l'avocat jusqu'au noyau, puis faire tourner la lame autour de celui-ci.

Saisissez les deux moitiés, une dans chaque main, et tordez-les délicatement pour les dégager. Tenez la moitié non dénoyautée dans le creux d'une main et, de l'autre, insérez la pointe du couteau, prudemment mais fermement, jusqu'au centre du noyau. Retirez le couteau en l'agitant doucement : le noyau suivra.

Aspergez la chair de jus de citron pour l'empêcher de s'oxyder après l'avoir tranchée et remuez délicatement les morceaux pour bien les enrober.

L'AIL

Achetez des têtes d'ail fermes et lourdes pour leur taille. Celles qui sont nuancées de violet sont plus piquantes que les autres.

Il se vend maintenant une variété d'ail gigantesque dont chaque gousse équivaut à 8 ou 10 gousses de taille normale. Chose étonnante : cet ail est très doux.

Pour présenter une tartinade à l'ail, étalez-la autour de toasts melbas ronds en vous servant d'une poche à pâtisserie garnie d'une grosse douille en étoile.

LES TREMPETTES

Elles doivent être suffisamment épaisses pour bien adhérer aux légumes.

Si vous voulez transformer une trempette en tartinade, réduisez la quantité de liquide.

Présentez les trempettes dans de jolis bols ou, mieux encore, dans des poivrons parés et épépinés ou dans des choux rouges ou verts évidés.

Découpes de fantaisie

Prenez un petit couteau à parer, pointu, ferme et bien coupant. Préparez un bol rempli d'eau glacée. Déposez-y les bouchées de légumes au fur et à mesure que vous les taillez : elles se raffermiront et les « fleurs » s'ouvriront.

MARGUERITES

1 Coupez les oignons verts à 6 mm (¼ po) des racines, à l'endroit où les feuilles s'évasent.

2 Insérez le couteau dans la tige, à 5 cm (2 po) de la racine, et incisez. Répétez en faisant tourner l'oignon. Les « pétales » s'ouvrent dans l'eau glacée.

FRISONS

1 Avec un couteau-éplucheur, coupez des tranches très minces de carotte sur la longueur.

2 Enroulez chaque tranche autour du doigt ; retirez-la et fixez le frison avec un cure-dent. Mettez dans l'eau glacée. Retirez les cure-dents pour servir.

ÉVENTAILS

1 Coupez les poivrons en quatre, puis chaque quartier en deux transversalement. Aplatissez les pièces et entaillez-les jusqu'à 1 cm (½ po) du bout. L'« éventail » s'ouvrira dans l'eau glacée.

TOURNIQUETS DE RADIS

1 Taillez des tranches de 3 mm (⅛ po). Dans chaque tranche, pratiquez une incision unique à partir du centre.

2 Élargissez prudemment les fentes et insérez à angle droit une tranche dans l'autre pour former un tourniquet.

CHRYSANTHÈMES

1 Prenez des radis très ronds. Avec un couteau très tranchant, débarrassez-les de la racine et de la tige.

2 Pratiquez des coupes parallèles très fines et très rapprochées en hauteur jusqu'à 3 mm (⅛ po) du bas.

3 Pratiquez une autre série de coupes identiques mais perpendiculaires aux premières. Laissez les radis plusieurs heures dans l'eau glacée pour qu'ils s'ouvrent.

4 Piquez un cure-dent dans la base des radis et dans le haut d'un oignon vert taillé en marguerite pour donner une tige aux chrysanthèmes.

Tartinade à l'ail rôti (skordalia)

- **14** gousses d'ail non pelées
- **5** tranches de pain blanc à mie serrée, un peu rassis
- **1½** tasse de pommes de terre en purée
- **½** tasse de noix écalées
- **¼** tasse de jus de citron frais
- **¾** c. à thé de sel
- **¾** c. à thé de poivre noir
- **⅔** tasse d'huile d'olive

Garnitures facultatives :
brins de persil
zeste de citron

1 Préchauffez le four à 180 °C (350 °F). Enfermez l'ail dans du papier d'aluminium. Mettez-le dans un petit plat contenant 1 cm (½ po) d'eau. Enfournez et faites cuire 45 minutes.

2 Déposez le pain dans un grand récipient peu profond. Couvrez-le d'eau et laissez tremper 5 à 10 minutes.

3 Essorez le pain et mettez-le dans le robot. Pressez les gousses d'ail pour en extraire la chair et ajoutez-la au pain ; ajoutez aussi la purée de pommes de terre, les noix, le jus de citron, le sel et le poivre. Actionnez le robot pour réduire le tout en purée. Le moteur toujours en marche, ajoutez l'huile en mince filet.

4 Dressez la tartinade dans un bol de service et décorez à votre guise. Présentez avec des petits pains pitas ronds, fendus et grillés, ou un assortiment de croustilles et de crudités. Donne 3 tasses.

Par cuillerée à soupe :
Calories 51 ; Gras total 4 g ;
Gras saturé 1 g ; Protéines 1 g ;
Hydrates de carbone 4 g ; Fibres 0 g ;
Sodium 71 mg ; Cholestérol 0 mg

Préparation : 50 minutes
Cuisson : 45 minutes

Salsa aux tomates mûres

- **3** tomates moyennes bien mûres, pelées, épépinées et hachées
- **3** petits oignons verts, parés et hachés
- **1** piment jalapeño moyen, paré, épépiné et haché fin
- **1** gousse d'ail, hachée fin
- **¾** c. à thé de sel
- **⅓** tasse de coriandre fraîche hachée

Garniture facultative :
brins de coriandre

1 Mélangez soigneusement tous les ingrédients, sauf la coriandre, dans un grand bol. Laissez macérer 1 heure, le temps que les saveurs se marient.

2 Avant de servir, incorporez la coriandre hachée. Dressez la salsa dans un bol de service et décorez de brins de coriandre. Donne 3½ tasses.

Par cuillerée à soupe :
Calories 4 ;
Gras total 0 g ;
Gras saturé 0 g ;
Protéines 0 g ;
Hydrates de carbone 1 g ;
Fibres 0 g ;
Sodium 36 mg ;
Cholestérol 0 mg

Préparation : 30 minutes
Macération : 1 heure

Trempette
à l'avocat

- 1 tasse de crème sure
- 1 tasse de mayonnaise (ordinaire ou allégée, au choix)
- 1 petit avocat, pelé, dénoyauté et concassé
- 2 gros oignons verts, parés et tronçonnés
- ⅓ tasse de persil frais
- 2 c. à soupe de jus de citron
- 2 c. à thé de pâte d'anchois
- 1 gousse d'ail pelée
- 1 c. à thé d'estragon séché émietté
- ½ c. à thé de poivre noir
- ¼ c. à thé de sel

Garnitures facultatives :
    tranches d'avocat
    brins de persil

1 Réunissez tous les ingrédients (sauf ceux de la garniture) et défaites-les en purée au mélangeur ou au robot à grande vitesse. Au besoin, procédez en plusieurs portions.

2 Mettez la trempette dans un petit bol ; appliquez de la pellicule plastique sur la surface et réfrigérez 2 à 3 heures. Si la trempette vous semble trop épaisse, relâchez-la avec de la mayonnaise. Rectifiez l'assaisonnement.

3 Au moment de servir, dressez la trempette dans un bol et décorez-la s'il y a lieu de tranches d'avocat ou de brins de persil. Servez avec un assortiment de croustilles ou de craquelins. Donne 3 tasses.

Par cuillerée à soupe :
Calories 67 ; Gras total 7 g ;
Gras saturé 2 g ;
Protéines 1 g ;
Hydrates de carbone 1 g ;
Fibres 0 g ;
Sodium 64 mg ;
Cholestérol 7 mg

Préparation : 30 minutes
Réfrigération : 2 à 3 heures

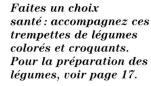

Faites un choix santé : accompagnez ces trempettes de légumes colorés et croquants. Pour la préparation des légumes, voir page 17.

RAVIOLIS CHINOIS

C e sont de petits carrés de pâte, minces comme une feuille de papier et garnis d'une farce relevée. Cuits à la vapeur et servis en sauce, ils sont dépourvus de matières grasses et fort plaisants.

PÂTE
À LA CHINOISE

La pâte à raviolis qu'utilisent les Chinois est faite de farine, de sel et d'eau et abaissée très mince. Pour vous éviter du travail, achetez des carrés de pâte à won ton de 8 cm (3¼ po) dans les grands magasins d'alimentation.

Les recettes varient d'une marque à l'autre : essayez-en plusieurs. Vous remarquerez que les meilleurs carrés de pâte sont les plus minces.

Vous pouvez congeler la pâte à won ton que vous n'utilisez pas. Glissez du papier ciré entre les carrés de pâte, puis enveloppez-les dans de la pellicule plastique et enfin dans du papier d'aluminium. Ils se garderont six mois au congélateur.

MANIPULATION
DE LA PÂTE

On apprend vite à faire les raviolis chinois. Encouragez les enfants à se joindre à vous ; ils s'amuseront à mouler la pâte autour d'une farce savoureuse. Les étapes sont illustrées à droite.

Une fois garnis, les raviolis deviennent vite collants au contact de la farce. Déposez-les sur une surface farinée, mais ne les couvrez pas.

INGRÉDIENTS
CHINOIS

Beaucoup des ingrédients qu'utilise la cuisine chinoise sont maintenant vendus dans les supermarchés. Nous vous suggérons des succédanés, mais, si vous avez le choix, ayez recours aux aliments authentiques : ils ont une saveur irremplaçable.

Les champignons noirs se vendent uniquement séchés, en petits sachets, dans les magasins d'épicerie fine. Si le sachet reste bien fermé, ils se garderont indéfiniment. Faites-les tremper une demi-heure dans l'eau pour les réhydrater. Ils prennent alors une texture tendre et une saveur fumée et boisée. Si vous n'arrivez pas à trouver des champignons chinois, remplacez-les par des champignons sauvages séchés.

L'huile de sésame est extraite de graines de sésame grillées. On s'en sert comme élément aromatique plutôt que comme huile ; elle ajoute une exquise saveur de noix aux plats, mais n'est pas essentielle à la recette.

GAGNEZ DU TEMPS

Vous pouvez apprêter les raviolis d'avance. Préparez la pâte, garnissez-la et repliez-la. Mettez les pièces côte à côte sur une plaque, sans qu'elles se touchent, et congelez-les. Une fois qu'elles sont bien fermes, réunissez-les dans un sac ou un contenant en plastique, fermez hermétiquement et remettez au congélateur. Au moment voulu, faites cuire les raviolis sur la grille de l'étuveuse en accordant 10 minutes de plus au temps de cuisson prévu pour la recette. Ne décongelez pas les raviolis avant la cuisson.

UNE ÉTUVEUSE
IMPROVISÉE

À défaut d'avoir une étuveuse à la chinoise, faites cuire les raviolis dans un panier perforé à fond plat en acier inoxydable, inséré dans un faitout qui ferme bien.

RAVIOLIS
AUX LÉGUMES

Suivez les étapes 1 et 2 de la recette de raviolis ci-contre, mais supprimez les crevettes ; réservez. Mettez **1 c. à soupe d'huile d'arachide** dans une grande sauteuse antiadhésive et faites-y sauter **170 g (6 oz) de champignons shiitake,** parés et hachés, ainsi qu'**un poivron rouge,** haché. Comptez 7 minutes de cuisson à feu moyen pour les attendrir. Ajoutez ce mélange aux champignons noirs ; garnissez, pliez et faites cuire les raviolis comme aux étapes 3, 4 et 5. Donne 32 raviolis.

Une grille ronde à gâteau peut même remplacer le panier. Toutefois, pour que l'eau bouillante n'atteigne pas les raviolis, installez-la par-dessus trois verres à jus placés dans le faitout.

INGÉNIEUX !

Étuveuse de bambou

L'étuveuse de bambou, un ustensile traditionnel en Chine, est un modèle d'efficacité. Elle se compose d'une boîte ronde en bambou, fermée par un couvercle et posée sur une base en lattes de bambou. On installe l'étuveuse dans un wok ou un  autre récipient contenant un peu d'eau. On peut n'utiliser qu'une boîte ou en superposer plusieurs ; la vapeur les traverse toutes et permet de faire cuire en même temps des raviolis, des légumes et du poisson.

PLISSER LES RAVIOLIS

1 Étalez un carré de pâte à won ton ; dressez au centre un monticule de farce.

2 Repliez la pâte en diagonale ; humectez les bords pour les souder et du bout des doigts évacuez l'air autour de la farce.

3 Plissez et gaufrez la bordure de la pâte en lui donnant une forme légèrement arrondie. Déposez les raviolis un à un sur du papier ciré ou sur une plaque farinée. Réfrigérez-les jusqu'au moment de vous en servir.

Raviolis chinois aux crevettes

6	champignons noirs séchés ou 6 champignons sauvages séchés
250	g (8 oz) de crevettes, décortiquées, parées et hachées
2	oignons verts, tranchés mince
1	gousse d'ail, hachée
1	c. à soupe de gingembre haché
½	c. à thé de sel
¼	tasse de châtaignes d'eau hachées fin
3	c. à soupe de sauce soja
1	c. à soupe de xérès sec
1	c. à thé d'huile de sésame (facultatif)
2	c. à thé de fécule de maïs
32	carrés de pâte à won ton
4	c. à thé de mélasse
2	c. à thé de cassonade brune
1	c. à soupe de jus de lime

1 Mettez les champignons séchés dans un petit bol et couvrez-les d'eau bouillante ; laissez tremper 20 minutes. Égouttez-les, parez-les et hachez-les. Réservez-les dans un bol moyen.

2 Ajoutez les crevettes, les oignons verts, l'ail, le gingembre, le sel, les châtaignes d'eau, 1 c. à soupe de sauce soja, le xérès, l'huile de sésame, s'il y a lieu, et la fécule de maïs. Mélangez.

3 Déposez 1 c. à thé de ce mélange sur chaque carré de pâte. Pliez et plissez (voir à gauche).

4 En vous y prenant en plusieurs fois s'il le faut, huilez la grille de l'étuveuse, mettez-y les raviolis et abaissez la grille dans l'étuveuse en vous assurant qu'elle ne touche pas à l'eau. Couvrez l'étuveuse et laissez cuire 5 à 7 minutes à la vapeur, le temps que la farce se raffermisse et que les crevettes soient bien cuites.

5 Dans un petit bol, fouettez le reste de la sauce soja avec la mélasse, la cassonade et le jus de lime ; présentez cette sauce trempette avec les raviolis.
Donne 32 raviolis.

Par ravioli : Calories 38 ; Gras total 0 g ;
Gras saturé 0 g ; Protéines 2 g ;
Hydrates de carbone 7 g ; Fibres 0 g ;
Sodium 188 mg ; Cholestérol 11 mg

Préparation : 25 minutes
Cuisson : 7 minutes

COQUILLAGES FARCIS

Les coquillages farcis se servent en hors-d'œuvre ou comme élément d'un buffet froid ou chaud. Ils font grand effet bien qu'ils soient faciles à préparer et, pour certains, bon marché.

ACHAT DES MOULES

Les moules mesurent 4 à 10 cm (1½-4 po) de longueur. Les petites sont les plus fines et les plus tendres ; les grosses ont une saveur plus prononcée et une texture plus ferme. Choisissez des moules de taille moyenne si vous voulez les garnir.

PRUDENCE

Les moules ont une existence brève en magasin et doivent être vivantes au moment de la cuisson.

Achetez-les le jour où vous comptez les utiliser. Si vous les achetez la veille, mettez-les dans un grand bol et couvrez-les de plusieurs épaisseurs d'essuie-tout ou de papier journal. Réfrigérez.

VÉRIFIEZ LEUR FRAÎCHEUR

Fiez-vous à votre nez. Les moules fraîches ont une odeur marine. Si elles sentent mauvais, elles sont impropres à la consommation.

À la poissonnerie, rejetez les moules dont la coquille est brisée ou qui ne sont pas bien

fermées. Au moment de les faire cuire, mettez 2 minutes au congélateur celles qui sont entrouvertes. Si elles ne se referment pas, jetez-les.

Après cuisson, jetez au contraire celles qui ne seront pas ouvertes.

NETTOYAGE

La plupart des moules qui se vendent aujourd'hui sont cultivées. Elles n'ont pas la finesse des moules sauvages, mais elles sont beaucoup plus faciles à nettoyer.

Grattez-les sous l'eau froide avec une brosse dure ou un couteau pour enlever les coquillages ou les herbes marines qui adhèrent aux valves.

Saisissez, au besoin avec une pince, le faisceau de filaments appelé byssus qui sort de la coquille et tirez-le lentement et fermement.

OUVREZ-LES

À la vapeur. Déposez-les dans une marmite contenant 2,5 cm (1 po) d'eau ou de bouillon mijotant. Couvrez et laissez cuire 4 à 5 minutes. Prenez-les avec une pince et déposez-les dans un plat.

Au micro-ondes. Dans un moule à tarte en verre, disposez en rond 6 à 8 moules froides, charnière à l'extérieur, et faites-les cuire à *Maximum* 1 à 2 minutes ; retirez-les dès qu'elles se sont ouvertes et nichez-les dans un lit de glace concassée.

Au couteau. Introduisez un couteau à parer près de la charnière et faites-le glisser doucement entre les deux valves en tordant légèrement la lame.

Retirez les moules aussitôt qu'elles sont ouvertes, en particulier si la recette exige une seconde cuisson ; autrement elles seront racornies.

GARDEZ LEUR EAU

L'eau des moules est très sapide. Filtrez-la à travers de l'étamine de coton et congelez. Elle vous sera utile dans des soupes ou des plats au riz.

LES PÉTONCLES

Les pétoncles sont toujours vendus hors de leur coquille. C'est que le muscle abducteur, qui en est la partie comestible, commence à se détériorer au contact de l'estomac sitôt que le mollusque sort de l'eau. Il faut donc l'en séparer rapidement.

PÉTONCLES FARCIS

Suivez la recette ci-contre, mais remplacez les moules par **375 g (12 oz) de pétoncles de mer hachés.**

Passez directement à l'étape 3 et préparez la farce comme il est dit, mais en supprimant les pignons et les raisins de Corinthe. Incorporez les **pétoncles** à cet apprêt et mouillez avec **½ tasse de bouillon**. Dressez la préparation dans quatre coquilles ou dans des ramequins individuels. Couvrez de papier d'aluminium et enfournez. Les pétoncles seront cuits en 10 minutes ou moins : retirez-les aussitôt. Donne 4 portions.

Si vous voulez servir les pétoncles dans leur coquille, achetez-en au magasin. Elles se vendent par paquets de 6 ou de 8 et en divers formats. Choisissez les plus petites.

CALEZ-LES

Pour les empêcher de basculer durant la cuisson, calez-les dans du gros sel ou dans des godets à muffins.

GAGNEZ DU TEMPS

Couvrez les coquillages farcis et réfrigérez-les tout au plus 24 heures avant la cuisson. Avant de les enfourner, ramenez-les à la température ambiante. Terminez la recette et servez immédiatement.

Moules farcies en coquilles

32	grosses moules, bien nettoyées
⅓	tasse d'eau
1	c. à soupe d'huile d'olive
¼	tasse d'oignon haché fin
2	gousses d'ail, hachées
1	paquet (300 g/10 oz) d'épinards hachés surgelés, décongelés et essorés
⅓	tasse de riz blanc cuit
¼	tasse d'aneth frais ciselé ou 1 c. à thé d'aneth séché
2	c. à soupe de pignons de pin
3	c. à soupe de raisins de Corinthe
¼	c. à thé de sel

1 Préchauffez le four à 200 °C (400 °F). Mettez les moules et l'eau dans une sauteuse profonde et lancez l'ébullition à feu vif. Couvrez et laissez mijoter à feu modéré environ 5 minutes.

2 Dès que les moules sont ouvertes, déposez-les dans un grand bol à l'aide d'une pince ou d'une cuiller trouée. Jetez sans hésitation les moules qui sont restées fermées. Filtrez l'eau de cuisson et gardez-la en réserve. Dès que vous pouvez les manipuler, retirez les moules de leurs coquilles et hachez-les ; gardez les coquilles.

3 Dans une sauteuse antiadhésive de taille moyenne, réchauffez l'huile pendant 1 minute à feu modéré. Faites-y revenir l'oignon et l'ail pendant 5 minutes en remuant souvent. Ajoutez les épinards et 1 c. à soupe de l'eau de cuisson réservée. Laissez cuire 4 minutes de plus en remuant souvent. Retirez du feu ; ajoutez le riz, l'aneth, les pignons, les raisins, le sel, les moules hachées et le reste de l'eau de cuisson réservée.

4 Dressez la préparation dans les coquilles ; pressez-la sans trop la tasser. Disposez les coquilles dans deux

moules à gâteau roulé, couvrez de papier d'aluminium, enfournez et passez au four environ 5 minutes pour que le tout soit très chaud. Donne 4 portions.

Par portion : Calories 180 ; Gras total 9 g ; Gras saturé 1 g ; Protéines 11 g ; Hydrates de carbone 18 g ; Fibres 3 g ; Sodium 349 mg ; Cholestérol 16 mg

Préparation : 20 minutes
Cuisson : 20 minutes

Nos coquilles de moules ou de pétoncles farcies sont calées dans un lit de sel gemme. Celui-ci permet aussi de stabiliser, durant la cuisson, les mollusques de mer à valve bombée.

PÂTE FILO

Les hors-d'œuvre dont il est question ici appartiennent à la cuisine grecque classique. La pâte filo, qui leur donne une fragilité exquise, n'en est pas moins facile à travailler.

LA PÂTE FILO

Elle est constituée de plusieurs feuilles de pâte, fines comme du papier de soie. On l'achète surgelée ; un paquet de 500 g (1 lb) renferme 24 feuilles d'environ 28 x 38 cm (11 x 15 po), soit l'équivalent de 60 triangles de 6 cm (2½ po) de côté.

Décongelez le filo selon les directives : certains fabricants recommandent de le faire à la température ambiante, d'autres au réfrigérateur. Une fois décongelé, le paquet qui n'a pas été ouvert se garde une semaine au réfrigérateur.

Ne le recongelez pas : les feuilles sécheront et adhéreront les unes aux autres.

MANIPULATION DU FILO

Travaillez rapidement, car le filo sèche à l'air libre. Gardez-le dans son emballage jusqu'au moment de vous en servir. Déroulez la masse sur une surface sèche ; si vous n'en employez qu'une partie, enroulez le reste, enveloppez-le de pellicule plastique bien serrée et réfrigérez.

Pour empêcher le filo de sécher pendant la manipulation, appliquez de la pellicule plastique sur la pile et recouvrez d'un linge humide. Retirez les feuilles une à une pour les travailler.

Procédez de la même façon pour empêcher les triangles de sécher avant cuisson.

BEURRE OU HUILE

Selon la recette, vous utiliserez de 3 à 17 feuilles de filo. Chacune doit être badigeonnée d'un peu de beurre fondu ou d'huile pour que la cuisson la rende croustillante. Le beurre convient tant aux mets salés que sucrés, l'huile aux mets salés seulement. Ces deux corps gras fournissent une quantité égale de calories, mais l'huile est dépourvue de cholestérol.

OBJECTIF SANS GRAS

Vous pouvez aussi délaisser beurre et huile et vaporiser les feuilles d'un enduit végétal antiadhésif à saveur de beurre ou d'huile d'olive.

LA FETA

Le fromage qui accompagne traditionnellement les farces aux épinards est la feta, à pâte blanche, salée et molle, qui est fabriquée avec du lait de brebis ou de chèvre.

Si la feta est vendue en saumure, rincez-la à l'eau claire avant de l'utiliser. Si possible, goûtez-y avant de l'acheter : elle est parfois très salée.

GAGNEZ DU TEMPS

Les triangles de filo (recette page ci-contre) peuvent être cuits 24 heures à l'avance. Disposez-les côte à côte, sans qu'ils se touchent, sur une plaque recouverte de pellicule plastique ; couvrez de pellicule plastique et d'un linge humide et réfrigérez.

Vous pouvez aussi les congeler avant la cuisson. Exécutez la recette, mais ne les badigeonnez pas de beurre fondu à la fin. Disposez-les côte à côte sur une plaque et congelez-les ainsi. Quand ils sont durs, mettez-les dans un sac de plastique à congélation ; ils se conservent trois mois.

Au moment voulu, déposez les triangles congelés sur une plaque beurrée ou doublée de papier sulfurisé et badigeonnez-les de beurre fondu. Faites-les cuire comme à l'étape 5, en calculant 10 minutes de plus. Ne décongelez pas les triangles avant cuisson : ils s'imbiberaient d'eau.

STRUDEL SALÉ AU FROMAGE DE CHÈVRE

300	g (10 oz) de fromage de chèvre, égrené
1	œuf, battu
1	gousse d'ail, hachée
½	c. à thé de sel
½	c. à thé de poivre noir
½	c. à thé de thym séché
10	feuilles de filo
4	c. à soupe de beurre fondu ou d'huile d'olive

1 Préchauffez le four à 180 °C (350 °F). Dans un bol moyen, mélangez le fromage, l'œuf, l'ail, le sel, le poivre et le thym.

2 Déposez une feuille de filo sur un linge humide et beurrez-la légèrement. Recouvrez-la d'une deuxième feuille beurrée. Continuez ainsi avec les autres feuilles.

3 Déposez la garniture sur un côté étroit du rectangle de pâte jusqu'à 5 cm (2 po) des bords. Repliez les bords sur la garniture et enroulez la pâte sur elle-même.

4 Déposez le strudel, pli par-dessous, sur une plaque doublée de papier sulfurisé et badigeonnez le dessus de beurre fondu. Faites cuire 25 minutes au four. Tranchez et servez chaud. Donne 8 portions.

1 Superposez les trois feuilles de filo beurrées et découpez-les en six lanières de 4,5 cm (1¾ po) de largeur.

2 Coupez-les en deux sur la longueur : vous aurez 12 lanières. Déposez ½ c. à thé de garniture à l'extrémité de chacune.

3 Repliez le bout de chaque lanière en diagonale pour enfermer la garniture : vous formerez un triangle. Continuez en repliant alternativement la pâte à droite et à gauche.

Triangles de filo aux épinards

- **1 petit oignon, haché fin**
- **4 c. à soupe et 2 c. à thé de beurre fondu ou de margarine**
- **1 paquet (300 g/10 oz) d'épinards hachés surgelés, décongelés et essorés**
- **1 c. à soupe d'aneth frais ciselé ou ¼ c. à thé d'aneth séché**
- **½ tasse de feta égrenée (60 g/2 oz)**
- **1 œuf, légèrement battu**
- **6 feuilles de filo surgelées, décongelées selon les directives**

1 Préchauffez le four à 180 °C (350 °F). Dans une grande sauteuse, faites revenir l'oignon à feu modéré dans 2 c. à thé de beurre pendant 3 à 5 minutes. Ajoutez les épinards et faites cuire encore 2 minutes. Incorporez l'aneth. Videz dans un grand bol ; ajoutez le fromage et l'œuf et mélangez.

2 Étalez une feuille de filo sur le plan de travail et badigeonnez-la de beurre fondu. Recouvrez-la d'une deuxième, puis d'une troisième feuille de filo, badigeonnées de la même façon.

3 Coupez, garnissez et pliez les feuilles en suivant les explications illustrées à gauche. Badigeonnez chaque triangle de beurre fondu (sauf si vous comptez les congeler).

4 Refaites toutes les opérations précédentes avec les trois autres feuilles de filo.

5 Déposez les triangles sur une plaque tapissée de papier sulfurisé ; enfournez et faites cuire 25 minutes. Donne 24 triangles.

Par portion : Calories 54 ; Gras total 4 g ; Gras saturé 2 g ; Protéines 2 g ; Hydrates de carbone 3 g ; Fibres 0 g ; Sodium 114 mg ; Cholestérol 18 mg

Préparation : 15 minutes
Montage : 30 minutes
Cuisson : 32 minutes

LÉGUMES RÔTIS

D'inspiration italienne, les légumes rôtis au four puis marinés font de délicieuses bouchées apéritives. Ils sont surtout délicieux en plein été, lorsque les légumes sont gorgés de soleil.

RÔTISSAGE

Si vous les aspergez avec un peu d'huile, les légumes rôtis au four garderont leur moelleux. Ajoutez-leur aussi un peu de sel. Le sel fait sortir l'eau de végétation et accentue les saveurs. Les légumes rôtis à point sont tendres mais encore croquants. Dégustez-les chauds ou tièdes; jamais glacés. Si vous avez le temps, laissez-les macérer au moins trois heures avant de les servir : leurs saveurs auront le temps de s'harmoniser.

CERCLES PARFAITS

Si vous désirez soigner la présentation des légumes rôtis, taillez-les de façon uniforme. Coupez les aubergines, les courgettes, les tomates et les patates douces en tranches de 6 mm à 1 cm (¼-⅜ po) d'épaisseur. Déposez-les sur une plaque huilée, badigeonnez d'huile (choisissez une huile d'olive de bonne qualité), enfournez à découvert dans un four préchauffé à 200 °C (400 °F) et faites cuire 10 à 15 minutes : les légumes seront tendres et bien dorés.

GAGNEZ DU TEMPS

Vous pouvez faire rôtir les légumes la veille du jour où vous comptez les servir. Laissez-les d'abord refroidir, couvrez-les de pellicule plastique et mettez-les au réfrigérateur. Mais laissez-les reposer à la température ambiante avant de les servir; autrement, ils n'auront aucun goût.

POIVRONS PELÉS

Pelez les poivrons en les faisant d'abord rôtir au four. Déposez-les dans une lèchefrite ou une plaque épaisse; enfournez à 5 à 7 cm (2-3 po) de l'élément déjà allumé et laissez griller 8 à 10 minutes en les tournant souvent pour qu'ils noircissent également. Déposez-les dans un grand bol, couvrez de pellicule plastique et laissez refroidir 10 minutes : la peau se dégagera et s'enlèvera facilement.

Une fois les poivrons pelés, coupez-les en deux sur la longueur et retirez les membranes et la semence. Taillez-les ensuite à votre guise : ils sont prêts à servir.

PRÉSENTATION

Les légumes marinés et rôtis peuvent entrer dans une salade ou servir d'accompagnement aux viandes et aux poissons. Mais c'est dans un assortiment de hors-d'œuvre qu'ils sont à leur mieux. Groupez-les selon leurs couleurs, leurs textures et leurs formes; disposez-les verticalement ou diagonalement dans un plateau rectangulaire; ou bien en cercles concentriques dans une grande assiette ronde.

NETTOYAGE DES CHAMPIGNONS

Frottez-les avec un linge doux ou une feuille d'essuie-tout, ou lavez-les rapidement à grande eau et épongez-les dans de l'essuie-tout.

Pour ôter le pied, tordez-le près du chapeau après avoir placé le champignon dans le creux de votre main.

PRÉPARATION DES NOIX

Étalez les pacanes ou les noisettes dans un plat à four non graissé et enfournez-les à découvert dans un four préchauffé à 150 °C (300 °F). Laissez rôtir 30 à 35 minutes en remuant souvent.

Vous pouvez hacher les noix au robot. Mais pour une petite quantité, le couteau suffira. Déposez-les au centre d'une planche à découper. Assujettissez la pointe d'un couteau de chef sur la planche en appuyant la main sur le côté non coupant de la lame et, avec un mouvement de bascule, hachez les noix à la finesse voulue.

CHAMPIGNONS FARCIS

Faites griller les chapeaux de champignons pour cette recette tandis que les autres légumes rôtissent. Les noix peuvent être grillées au four; ou à la poêle, sans gras, 3 à 4 minutes à feu modéré en agitant constamment l'ustensile.

Parez **1 kg (2 lb)** de petits champignons et essuyez-les. Hachez les pieds et réservez-les. Faites rôtir les chapeaux comme on le suggère pour les pommes de terre à l'étape 1 de la recette ci-contre.

Pour la farce, réchauffez **1 c. à soupe d'huile** à feu modéré dans une grande sauteuse et faites-y revenir **½ tasse d'oignon rouge** haché fin et **1 gousse d'ail** hachée pendant 2 minutes. Incorporez les pieds de champignons hachés et laissez cuire 5 minutes ou jusqu'à ce qu'ils soient presque secs. Ajoutez **¼ tasse de pacanes** ou de noisettes grillées hachées fin, **2 c. à soupe de parmesan râpé**, autant de **persil haché** et **¼ c. à thé de sel et de poivre**. Laissez refroidir 2 à 3 minutes avant d'incorporer **1 blanc d'œuf** battu.

Dressez cet apprêt dans les chapeaux de champignons, enfournez à découvert dans un four préchauffé à 230 °C (450 °F) et laissez cuire 10 à 12 minutes. Donne 6 portions.

Antipasto de légumes rôtis et marinés

500 g (1 lb) de petites pommes de terre nouvelles, coupées en quatre

3 c. à soupe d'huile d'olive

1 c. à soupe de romarin frais, haché, ou 1 c. à thé de romarin séché, émietté

1 c. à thé de sel

1 gros poivron rouge, paré, épépiné et coupé en lanières de 2 cm (1 po)

1 gros poivron vert, paré, épépiné et coupé en lanières de 2 cm (1 po)

1 courgette moyenne, coupée en tranches de 2 cm (1 po)

1 courge jaune moyenne, coupée en tranches de 2 cm (1 po)

2 petits oignons rouges, coupés en quartiers

250 g (8 oz) de petits champignons bien fermés, parés et essuyés

2 gousses d'ail, hachées

Marinade :

3 c. à soupe de vinaigre balsamique, de vinaigre de vin blanc ou de jus de citron

1 c. à soupe d'huile d'olive

1 c. à soupe de persil haché

2 c. à thé de thym frais, haché, ou ¼ c. à thé de thym séché, émietté

2 c. à thé de moutarde de Dijon

1 petite gousse d'ail, hachée

1 c. à thé de zeste de citron râpé fin (facultatif)

½ c. à thé de sel

¼ c. à thé de poivre noir

1 Préchauffez le four à 230 °C (450 °F). Dans un grand plat peu profond, tournez les quartiers de pommes de terre dans l'huile, le romarin et le sel. Enfournez à découvert et laissez rôtir 15 minutes.

2 Ajoutez les poivrons, la courgette, la courge jaune, les oignons, les champignons et l'ail. Prolongez la cuisson de 35 à 45 minutes, sans couvrir.

3 Préparez la marinade : dans un petit bol, fouettez le vinaigre avec l'huile, le persil, le thym, la moutarde, l'ail, le zeste de citron, s'il y a lieu, le sel et le poivre noir. Hors du four, versez cette marinade sur les légumes et remuez pour bien les enrober. Laissez tiédir. Donne 6 portions.

Par portion : Calories 178 ; Gras total 10 g ; Gras saturé 1 g ; Protéines 4 g ; Hydrates de carbone 22 g ; Fibres 3 g ; Sodium 583 mg ; Cholestérol 0 mg

*Préparation : 35 minutes
Cuisson : 1 heure*

Dans ce bel antipasto d'inspiration italienne, on retrouve des légumes rôtis et marinés, des champignons farcis, des olives et des tranches de mozzarella. Le rôtissage non seulement attendrit les légumes, mais accentue aussi leur saveur et leur couleur.

FEUILLETÉS

Les bouchées feuilletées ont toujours du succès en hors-d'œuvre. Maintenant que la pâte feuilletée s'achète toute prête au rayon des surgelés, on les prépare soi-même sans problème.

PÂTE FEUILLETÉE

C'est l'une des pâtes les plus étonnantes qui soient. Abaissez-la : vous obtenez une croûte à tarte d'apparence normale. Glissez-la dans un four chaud : elle gonfle de six à huit fois son volume et se transforme en feuilles légères et croustillantes. C'est avec la pâte feuilletée que les grands pâtissiers font les millefeuilles et autres douceurs exquises. C'est aussi la pâte feuilletée qui enveloppe le rosbif en croûte et donne une myriade de bouchées succulentes, comme dans les deux pages qui suivent.

RACCOURCIS

Pour préparer soi-même la pâte feuilletée, il faut y consacrer la journée. Si vous n'en avez pas le temps ou l'envie, n'ayez aucun scrupule à l'acheter toute prête au supermarché ou dans une pâtisserie. Elle se vend en pains d'environ 500 g (1 lb) ou en paquets de deux abaisses carrées de 22 cm (9 po) environ. Nos recettes emploient de la pâte feuilletée déjà abaissée, mais rien n'empêche d'utiliser de la pâte fraîche ou surgelée et de l'abaisser vous-même aux dimensions requises.

N'achetez rien d'autre, cependant, que de la pâte préparée avec du beurre véritable. Respectez la date de péremption inscrite sur le paquet : la pâte feuilletée rancit si elle est mal conservée. Dans des conditions idéales (–18 °C/0 °F), elle se conserve un an au congélateur.

Décongelez-la selon les directives. En général, on la laisse au réfrigérateur au moins 12 heures sans la déballer.

PRÉCAUTIONS

Un impératif absolu quand vous travaillez la pâte feuilletée : la garder au frais. Autrement, le beurre ramollira et la pâte ne pourra plus être travaillée. Abaissez-la par petites quantités à la fois ; enveloppez le reste dans de la pellicule plastique et gardez-le au réfrigérateur. Déposez les pièces prêtes sur une plaque non graissée, couvrez de papier ciré et réfrigérez au moins 40 minutes. Cette pause, tout en permettant à la pâte de se détendre, l'empêche de rétrécir ou de gonfler inégalement à la cuisson.

UNE COUPE NETTE

Pour découper cette pâte, employez un couteau très coupant à lame mince ou une roulette à pâtisserie (réchauffez-les : la coupe sera plus nette). Au besoin, prenez une règle à arête métallique.

MANIPULATION

Autant que possible, ne travaillez pas la pâte feuilletée par temps humide. Exercez une pression uniforme sur le rouleau à pâtisserie. Pour obtenir un carré, donnez un quart de tour à l'abaisse à chaque passage ; pour un cer-

cle, un huitième de tour. (Cette technique vaut pour tous les types de pâte.)

Employez les retailles uniquement pour confectionner des pailles au fromage ou autres petites bouchées : la perfection de la pâte a moins d'importance. Vous pouvez aussi les saupoudrer de sucre à la cannelle et les faire cuire.

Préchauffez le four complètement (15 à 20 minutes) avant d'enfourner les pièces.

GAGNEZ DU TEMPS

Si vous désirez prendre de l'avance, abaissez la pâte, découpez-la et façonnez-la selon les règles énoncées.

(suite à la page 30)

CHIMIE CULINAIRE

La pâte feuilletée ressemble à n'importe quelle pâte avant d'aller au four. Pourquoi gonfle-t-elle et se sépare-t-elle en feuilles croustillantes et légères ? Au début, il n'y a devant vous qu'un mélange de farine et d'eau, abaissé et enroulé autour d'un gros carré de beurre. Puis, vous l'abaissez de nouveau, vous le pliez en trois et vous l'abaissez encore. Ce procédé, appelé tourage, se répète six fois et la pâte passe au moins une demi-heure au réfrigérateur entre les étapes : c'est ainsi qu'elle emprisonne de l'air et que le beurre se distribue dans les centaines de feuilles (ou de plis) de la pâte. La manipulation active également le gluten de la farine et donne de l'élasticité à la pâte. Par contre, chaque passage au réfrigérateur ralentit cette activité qui ferait durcir la pâte si elle n'était pas maîtrisée. Sous l'action du four chaud, les couches de beurre en fondant séparent les feuilles de pâte et les rendent croustillantes, tandis que l'élasticité du gluten les fait gonfler.

PAILLES VARIÉES

À l'ail : Suivez la recette à droite, mais remplacez le parmesan et le cayenne par **1 c. à soupe d'assaisonnement au chile** mélangé à **1 c. à soupe d'ail** haché très fin. Donne 15 pailles.

Au cari : Suivez la recette à droite, mais remplacez le parmesan et le cayenne par **1 ou 2 c. à soupe de poudre de cari** mélangée à **½ c. à thé de sel.** Donne 15 pailles.

PRÉPARATION DES PAILLES

Tenez chaque lanière bien froide par les deux bouts et tordez-la. Déposez la paille sur la plaque ; écrasez les deux bouts pour bien l'ancrer.

Nos bouchées feuilletées, illustrées ici avec des pailles au fromage, sont garnies de tomates à la niçoise.

Pailles au fromage

- ½ **tasse de parmesan râpé**
- ¼ **c. à thé de cayenne**
- 1 **abaisse carrée de 22 cm (9 po) de pâte feuilletée, décongelée**
- 1 **jaune d'œuf battu dans 1 c. à soupe d'eau (dorure)**

1 Préchauffez le four à 200 °C (400 °F). Dans un petit bol, mélangez le parmesan et le cayenne.

2 Déposez l'abaisse sur une planche. Badigeonnez-la de dorure et saupoudrez-la de parmesan au cayenne. Tapotez pour le faire coller.

3 Avec un couteau bien tranchant, découpez l'abaisse en 15 lanières ; déposez-les sur une plaque non graissée et réfrigérez-les 5 minutes.

4 Tordez légèrement les lanières ; réfrigérez-les 5 minutes de plus.

5 Enfournez et laissez cuire de 12 à 15 minutes. Donne 15 pailles.

Par portion : Calories 110 ; Gras total 8 g ; Gras saturé 2 g ; Protéines 3 g ; Hydrates de carbone 8 g ; Fibres 0 g ; Sodium 104 mg ; Cholestérol 17 mg

Préparation : 20 minutes
Attente : 10 minutes
Cuisson : 15 minutes

Bouchées feuilletées garnies à la niçoise

2 tomates moyennes, pelées, épépinées et hachées fin	**4 filets d'anchois,** bien rincés et hachés fin
½ tasse d'olives noires dénoyautées et hachées	**½ c. à thé de thym** séché, émietté
2 gousses d'ail, hachées	**1 abaisse carrée** de 22 cm (9 po) de pâte feuilletée, décongelée

1 Préchauffez le four à 200 °C (400 °F). Préparez les tomates à la niçoise : dans un bol moyen, mélangez tous les ingrédients sauf l'abaisse.

2 Déposez le carré de pâte feuilletée sur une planche et abaissez-le pour former un rectangle de 28 x 25 cm (11 x 10 po), d'une épaisseur de 3 mm (⅛ po). Découpez-y 30 ronds avec un emporte-pièce de 4 cm (1½ po). Disposez ces ronds de pâte sur une plaque tapissée de papier sulfurisé en les espaçant de 4 cm (1½ po) de tous les côtés. Réfrigérez pendant 10 minutes.

3 Enfournez la plaque et laissez cuire 10 minutes : les bouchées seront dorées et bien gonflées.

4 Avec le manche d'une cuiller de bois, creusez le centre de chaque bouchée et mettez-y ½ c. à thé de tomate à la niçoise. Servez immédiatement. Donne 30 bouchées.

Par bouchée garnie : Calories 29 ; Gras total 2 g ; Gras saturé 0 g ; Protéines 0 g ; Hydrates de carbone 2 g ; Fibres 0 g ; Sodium 24 mg ; Cholestérol 0 mg

Préparation : 15 minutes • Montage : 10 minutes
Cuisson : 10 minutes

CONSEIL DE CHEF

Sara Moulton

« Une garniture à la niçoise est toujours sûre de renfermer des olives noires. Choisissez de préférence les toutes petites qu'on trouve à Nice. Voici un petit truc pour les dénoyauter rapidement. Groupez-les sur une planche, armez-vous d'un couteau de chef et assenez un bon coup avec le plat de la lame. »

---

tant 1 œuf dans 1 c. à soupe d'eau froide. N'en mettez pas du tout sur le tour, même pas une goutte.

Plus vite vous garnirez et servirez les bouchées feuilletées, meilleures elles seront. Si elles doivent attendre, empilez-les entre des feuilles de papier ciré dans un contenant bien fermé.

DERNIÈRE ÉTAPE

Préchauffez le four à 220 °C (425 °F). Disposez les bouchées sur une plaque non graissée, enfournez-la au centre de la grille du milieu et éteignez le four. Sortez-les après 5 minutes. Le secret pour avoir d'exquises bouchées feuilletées, c'est de les garnir au tout dernier moment.

CONFECTION DES VOL-AU-VENT

Achetez la pâte feuilletée en pain et décongelez-la selon les directives. Il vous faudra

deux emporte-pièces : un de 7 cm (3 po) et l'autre de 5 cm (2 po).

Abaissez la pâte en un rectangle de 22 x 35 cm (9 x 14 po), d'une épaisseur de 6 mm (¼ po). Avec le grand emporte-pièce, découpez 12 grands cercles. Avec le petit emporte-pièce, évidez le centre de six de ces cercles : vous obtenez six anneaux et six petits ronds.

Disposez les grands cercles à l'envers – ils gonfleront mieux ainsi – sur une plaque doublée de papier sulfurisé. Badigeonnez-les de dorure (voir les conseils, ci-dessus).

Dorez au jaune d'œuf battu le dessus des anneaux et déposez ceux-ci à l'envers sur les grands cercles. Dorez aussi le dessous des anneaux, mais n'en mettez pas sur le tour.

Enfin disposez les petits ronds à l'envers sur la plaque et dorez-les : ils vous serviront de couvercles. Laissez la plaque attendre 30 minutes à la température ambiante.

Préchauffez le four à 200 °C (400 °F). Enfournez la plaque dans le tiers inférieur du four. Après 20 minutes de cuisson, retirez la plaque du four. Enlevez délicatement toutes les parties qui n'ont pas cuit suffisamment, en particulier sous les vol-au-vent.

En plat principal, remplissez les vol-au-vent chauds de viande, de poisson ou de volaille en sauce crème ou au cari. Comme dessert, laissez-les refroidir et garnissez-les à la dernière minute de crème glacée, de flan ou de fruits tranchés et sucrés, comme des pêches ou des fraises. Donne 6 vol-au-vent et 6 couvercles.

(suite de la page 28)

Puis, disposez les pièces côte à côte, sans qu'elles se touchent, sur une plaque doublée de papier ciré et mettez-les au congélateur. Dès qu'elles sont fermes, rangez-les dans un contenant de plastique bien fermé. Elles se gardent trois mois congelées.

Quand vient le moment de la cuisson, ne les décongelez

pas : la pâte deviendrait molle. Disposez les pailles ou les bouchées sur une plaque non graissée et terminez la recette en prolongeant légèrement le temps de cuisson.

QUELQUES CONSEILS

Pour donner belle apparence aux bouchées feuilletées, badigeonnez le dessus avec une dorure préparée en bat-

SOUPES ET RAGOÛTS

BOUILLON DE BŒUF

Lorsque vous aurez découvert notre recette de bouillon de bœuf, vous ne voudrez plus jamais utiliser les bouillons en conserve ou à base de granules.

BOUILLON DE BŒUF MAISON

- 2 kg (4 lb) de jarret de bœuf
- 2 gros oignons, en petits quartiers
- 3 carottes moyennes, grattées et coupées en tronçons de 5 cm (2 po)
- 1 navet moyen, gratté et coupé en quatre
- 1 panais, gratté et coupé en tronçons de 5 cm (2 po)
- 2 branches de céleri, avec quelques feuilles, coupées en tronçons de 5 cm (2 po)
- 16 tasses d'eau
- 4 gousses d'ail, écrasées
- 6 brins de persil
- 8 grains de poivre noir
- 2 brins de thym frais ou ½ c. à thé de thym séché, émietté

1 Préchauffez le four à 230 °C (450 °F). Déposez les os dans une lèchefrite et faites-les rôtir 30 minutes en les tournant de temps à autre. Quand ils ont commencé à se colorer, ajoutez les oignons, les carottes, le navet, le panais et le céleri et prolongez la cuisson de 30 minutes.

2 Avec une cuiller à trous, mettez les os et les légumes rôtis dans une marmite de 8 litres, ajoutez 14 tasses d'eau et le reste des ingrédients. Jetez le gras de la lèchefrite. Mettez-y les 2 tasses d'eau qui restent et grattez le fond pour dégager les particules de viande qui ont attaché.

3 Versez ce liquide dans la marmite et lancez l'ébullition à feu vif ; écumez. Baissez le feu et laissez mijoter doucement pendant 3 heures, sans couvrir ; écumez encore au besoin.

4 Filtrez le bouillon ; jetez les os et les légumes. Laissez-le refroidir avant de le mettre au réfrigérateur. Quand il est bien froid, ôtez le gras figé en surface. Utilisez le bouillon réfrigéré dans les trois jours qui suivent ; congelé, il se garde trois mois. Donne 8 tasses.

LA MEILLEURE SAVEUR

Utilisez des légumes mûrs : ils sont plus aromatiques que les légumes jeunes. Ne pelez ni les oignons ni les carottes ; leur pelure donne couleur et saveur au bouillon.

Évitez d'employer des os d'agneau ou de jambon ; leur goût est trop appuyé. Gardez-les pour des recettes spécifiques.

Salez et poivrez avec modération. Avec la cuisson, les saveurs se concentrent.

CORPS ET SAVEUR GRÂCE AUX OS

Les bouillons bien étoffés sont cuisinés avec un juste équilibre de viande et d'os. La viande foncée, et surtout celle qui adhère aux os, est la plus goûteuse.

Les os à moelle, ceux du jarret par exemple, donnent du corps et de la saveur au bouillon à cause de la moelle justement, mais aussi des tendons qui dégagent de la gélatine. Quand il y en a trop, le bouillon devient sirupeux et prend en gelée. Fracturez les os avant de les faire rôtir.

UN BOUILLON CRISTALLIN

N'employez pas de féculents, comme des pommes de terre, car ils brouillent le bouillon. Dégraissez la viande.

L'ébullition fragmente le gras et rend le bouillon opaque : ne le laissez pas bouillir. Pour qu'il mijote uniformément, ne couvrez qu'à moitié.

À mesure que la cuisson avance, le bouillon se couvre d'écume. Retirez-la avec une écumoire pendant la première demi-heure et essuyez le bord intérieur de la marmite.

À la fin de la cuisson, passez le bouillon à travers une passoire fine ou deux épaisseurs d'étamine de coton humide.

Laissez-le refroidir complètement avant de le réfrigérer.

UN FOND PLUS RICHE

Versez le bouillon filtré dans une grande casserole et faites-le mijoter à découvert 30 à 45 minutes – sans bouillir – pour qu'il réduise.

BOUILLON EN CONSERVE

On peut améliorer le bouillon de bœuf en conserve. Prenez 400 ml (14 oz) de ce bouillon, ajoutez ¼ tasse d'oignon haché, autant de carottes hachées, 2 c. à soupe de céleri haché et 2 brins de persil. Laissez mijoter à feu modéré une demi-heure en remuant de temps à autre. Filtrez.

GAGNEZ DU TEMPS

Congelez le bouillon dans des contenants de 1 tasse remplis jusqu'à environ 1 cm (½ po) du bord. Ajustez les couvercles, étiquetez, datez et mettez au congélateur. Le bouillon congelé garde son bon goût pendant trois mois et vous en aurez sous la main à volonté.

Si vous avez de l'espace, congelez les os et les restes de viande ; au moment propice, tirez-en un bouillon sans les décongeler au préalable.

Soupe aux tomates avec bacon et laitue

4 tranches de bacon

2 carottes moyennes, pelées et hachées

1 gros oignon, haché

1 côte de céleri, hachée

1 grosse gousse d'ail, hachée

1 grosse boîte (796 ml/28 oz) de tomates entières

3 tasses de Bouillon de bœuf maison (page ci-contre) ou en boîte

2 c. à soupe de basilic frais, haché, ou 2 c. à thé de basilic séché, émietté

1 lamelle de zeste d'orange de 2 x 1 cm (1 x ½ po)

1 c. à thé de sel

½ c. à thé de sucre

¼ c. à thé de poivre noir

4 tasses de laitue romaine hachée

1 Empilez les tranches de bacon et coupez-les sur la largeur en fragments de 6 mm (¼ po).

2 Dans un faitout de 4 litres, faites revenir le bacon 4 à 5 minutes à feu assez vif. Épongez-le sur de l'essuie-tout. Gardez le gras au fond du faitout.

3 Mettez dans le faitout les carottes, l'oignon, le céleri et l'ail. Faites-les sauter dans le gras de bacon 7 à 8 minutes à feu modéré. Ajoutez les tomates avec leur jus, le bouillon, le basilic, le zeste, le sel, le sucre et le poivre. Quand l'ébullition est prise, couvrez et laissez mijoter de 25 à 30 minutes à feu assez doux. Retirez du feu et laissez tiédir.

4 Par petites quantités à la fois, réduisez les légumes en purée au mélangeur à grande vitesse ou au robot en 1 minute. Videz la purée dans le faitout et réchauffez-la 5 minutes à feu modéré. Incorporez la laitue hachée et laissez cuire encore 1 minute. Décorez les bols de soupe avec le bacon réservé. Donne 6 portions.

Par portion : Calories 137 ; Gras total 7 g ; Gras saturé 2 g ; Protéines 8 g ; Hydrates de carbone 12 g ; Fibres 3 g ; Sodium 808 mg ; Cholestérol 11 mg

Préparation : 20 minutes
Cuisson : 40 minutes

POT-AU-FEU

Rien n'est plus reconstituant, les soirs d'hiver, qu'un pot-au-feu fumant recouvert d'une croûte bien relevée. Le secret du succès : une cuisson lente et une coupe de viande appropriée.

À PROPOS DE POT-AU-FEU

C'est un plat long à faire mais facile à réussir. Préparez-le d'avance. Quelques heures d'attente le rendent encore plus savoureux et une seconde cuisson lui réussit à merveille.

LE BŒUF QU'IL FAUT

Les meilleures coupes pour le pot-au-feu sont à la fois les plus coriaces et les plus goûteuses. Parce qu'elles sont prélevées dans la région des muscles, elles dégagent beaucoup de gélatine sous l'action d'une cuisson lente et humide. Choisissez du bas de palette ou du bas de côte.

UN RÔTISSAGE À POINT

Une viande bien saisie a plus de saveur et aromatise mieux le plat parce qu'elle conserve ses sucs.

Faites-la revenir dans un faitout à bonne conduction.

Épongez-la auparavant avec de l'essuie-tout : la viande humide rôtit mal.

FARINAGE

Toutes les recettes n'exigent pas qu'on farine la viande. Pourtant, un léger farinage donne du corps au ragoût. En rôtissant avec la viande, la farine perd le goût amer qu'elle a quand elle est crue.

La façon la plus simple de fariner la viande est de mettre les morceaux dans un sac de plastique avec ¼ tasse de farine et d'agiter le sac. Retirez les morceaux un par un et tapotez-les pour faire tomber l'excédent de farine.

DÉGRAISSAGE

La meilleure technique consiste à réfrigérer le plat une fois bien refroidi. Le gras se fige et forme à la surface une couche qu'il suffit de retirer.

GRANDS-PÈRES

- **2 tasses de farine**
- **3 c. à thé de levure chimique**
- **2 c. à thé d'assaisonnement au chile**
- **½ c. à thé de bicarbonate de soude**
- **½ c. à thé de sel**
- **⅓ tasse de graisse végétale**
- **2 c. à soupe de beurre ou de margarine**
- **1 tasse de cheddar fort râpé**
- **¾ tasse de babeurre**

1 Dans un grand bol, mélangez la farine, la levure chimique, l'assaisonnement au chile, le bicarbonate de soude et le sel. Avec un mélangeur à pâte, incorporez la graisse et le beurre. Incorporez ensuite le cheddar et le babeurre. Quand la pâte est lisse, aplatissez-la à la main sur 2 cm (¾ po) d'épaisseur. Avec un emporte-pièce rond de 7 cm (3 po), découpez six cercles.

2 Déposez les grands-pères sur le ragoût qui mijote bien ; enfournez et laissez cuire à découvert 12 à 15 minutes pour que les galettes soient bien dorées.

ACCOMPAGNEMENT

Pour vraiment déguster un ragoût, il faut faire comme dit la chanson : « Trempe ton pain, Marie, trempe ton pain dans la sauce. »

Pour innover, garnissez le pot-au-feu avec des « grands-pères » (recette ci-dessus), comme c'était autrefois la coutume.

Ou bien préparez des dumplings (recette page 41). Déposez-les sur le ragoût en fin de cuisson ; ils cuiront dans la sauce.

Autre accompagnement sympathique : des pommes de terre grelots cuites séparément ou à même le pot-au-feu.

Essayez une présentation à la française : dressez le pot-au-feu sur un lit de purée de pommes de terre.

Enfin, pour varier, servez-le sur un nid de riz léger ou de nouilles aux œufs.

DÉGRAISSAGE

Voici comment dégraisser un bouillon ou un ragoût quand vous n'avez pas le temps de le réfrigérer.

Remplissez à demi de glaçons un sac de plastique robuste ; fermez-le hermétiquement et mettez-le au congélateur. Quand le ragoût aura refroidi, passez le sac sur la surface : le gras va y adhérer. Rincez et répétez autant de fois qu'il le faut.

Ragoût de bœuf garni de grands-pères

1,5	kg (3 lb) de bœuf maigre dans le bas de côte
¼	tasse de farine
3	c. à soupe d'huile
4	carottes moyennes, épluchées et détaillées en rondelles
1	gros oignon, haché
1	gousse d'ail, hachée
4	tasses de Bouillon de bœuf maison (page 32) ou en boîte
2	tasses de tomates italiennes
½	c. à thé de sel
½	c. à thé de thym séché, émietté
¼	c. à thé de poivre noir
1	tasse de petits oignons à mariner
1	recette de Grands-pères (page ci-contre)
¼	tasse de persil haché

1 Préchauffez le four à 180 °C (350 °F). Farinez les pièces de bœuf par petites portions dans un sac de plastique. Réservez.

2 Dans un faitout de 6 litres, réchauffez 1 c. à soupe d'huile 1 minute à feu assez vif. Faites-y revenir les carottes, l'oignon et l'ail 5 minutes pour les attendrir. Réservez les légumes dans un petit bol.

3 Réchauffez le reste de l'huile 2 minutes à feu assez vif. Mettez-y le bœuf fariné et faites-le rôtir 5 minutes en retournant les morceaux de tous les côtés. Il faudra sans doute procéder en plusieurs fois.

4 Ajoutez le bouillon, les tomates avec leur jus, le sel, le thym et le poivre. Lancez l'ébullition à feu vif, couvrez, enfournez et laissez cuire pendant 1 h 30 à 2 heures, jusqu'à ce que la viande soit presque tendre.

5 Incorporez les légumes réservés et les petits oignons, couvrez et prolongez la cuisson de 30 à 40 minutes. Dans l'intervalle, préparez les grands-pères.

6 Retirez le ragoût et portez la température du four à 230 °C (450 °F). Dégraissez la sauce.

7 Déposez les grands-pères sur le ragoût et faites-les cuire selon les indications de la page ci-contre. Saupoudrez de persil au moment de servir. Donne 6 portions.

Par portion : Calories 720 ; Gras total 40 g ;
Gras saturé 15 g ; Protéines 32 g ;
Hydrates de carbone 59 g ; Fibres 5 g ;
Sodium 1 195 mg ; Cholestérol 93 mg

Préparation : 35 minutes
Cuisson : 3 heures

Soupe à l'oignon

Trancher les oignons et faire gratiner le fromage : cela suffit pour réussir cette soupe célèbre dont voici deux versions. La première est la recette classique. La seconde lui associe les saveurs de huit proches parents.

QUELQUES CONSEILS DE BASE

Pour préparer la soupe à l'oignon classique, on utilise de préférence les oignons jaunes dont la saveur est bien accentuée et qui ne se défont pas en purée à la cuisson.

Après les avoir fait revenir doucement au beurre, laissez-les cuire sans hâte dans le bouillon.

Les oignons caramélisés donnent de la saveur et de la couleur à la soupe. Faites-les d'abord revenir à feu doux jusqu'à ce qu'ils soient translucides. Augmentez la chaleur et ajoutez ½ c. à thé de sucre. Prolongez la cuisson de 10 à 15 minutes à feu modéré en remuant de temps à autre : les oignons auront alors atteint une belle teinte dorée. Le sucre est imperceptible au goût ; il aide simplement les oignons à se colorer.

PRÉPARATION

Tranchez les oignons soit avec un couteau en acier inoxydable bien coupant (le jus d'oignon fait noircir l'acier

au carbone), soit à la râpe à chou, soit au robot équipé d'un disque à lame.

L'oignon renferme une huile volatile âcre qui irrite les yeux. Si vous êtes sensible à ce larmoiement, utilisez plutôt un robot dont le couvercle fera écran.

À défaut, servez-vous d'un couteau qui coupe bien : le jus giclera moins. Essayez d'allonger les bras le plus possible ou encore travaillez sous le robinet d'eau froide.

FOND DE CUISSON

Vous pouvez remplacer le bouillon de bœuf par du bouillon de poulet, comme cela se fait en Bourgogne, et l'allonger d'un peu de vin blanc sec.

PRÉSENTATION

La soupe à l'oignon se termine et se sert dans de petites terrines individuelles ou dans une soupière en faïence ou en terre cuite.

Pour un récipient de 3 litres, prévoyez 12 à 16 tranches de pain en baguette ; déposez-les sur la soupe et couvrez-les de fromage râpé.

Dans la soupe aux huit arômes, nous vous proposons de garnir les bols d'un feuilletage ; donnez à celui-ci un diamètre légèrement supérieur à celui du plat : autrement, il flottera. Pour la pâte feuilletée, voir page 28.

LAVER LE POIREAU

Il se glisse toujours un peu de terre entre les tuniques du poireau. Tranchez-le jusqu'à 2 ou 3 cm (1 po) des racines, écartez-en les tuniques et lavez à l'eau courante.

Huit proches parents

Ail. Achetez des têtes dodues, fermes et lourdes, teintées de violet.

Ciboulette. Cette herbe aromatique au goût léger s'emploie fraîche de préférence.

Échalotes. Moins âcres que l'ail, plus douces que l'oignon, elles ont une saveur très fine. Prenez des bulbes fermes.

Oignons jaunes. Ce sont les oignons les plus juteux et les plus piquants. Les oignons blancs sont plus doux.

Oignons rouges. Les Italiens en raffolent. Plus doux que les oignons jaunes, ils se laissent manger crus.

Oignons verts. On les appelle souvent, mais à tort, échalotes. Ils peuvent être très doux ou très piquants.

Petits oignons. Rouges, blancs ou jaunes, on les ébouillante pour les peler.

Poireau. Les parties comestibles sont le bulbe et la partie inférieure des tuniques.

INGÉNIEUX !
La moulinette

C'est un petit instrument de cuisine fort utile, composé d'éléments démontables pour faciliter le nettoyage : un godet, où vous introduisez le fromage, et un bloc râpeur comprenant une manivelle et un tambour-râpe à petits trous, à gros trous ou à lame. Avec la moulinette, le fromage se râpe rapidement, et vos doigts ne risquent rien.

SOUPE EN CROÛTE AUX HUIT ARÔMES

1 À l'étape 1 de la recette classique, n'utilisez que 1 c. à soupe de sucre pour caraméliser les oignons. Ajoutez-leur **2 poireaux, 1 oignon rouge** et **2 échalotes** tranchés mince, **5 gousses d'ail** écrasées et **20 petits oignons** pelés. Prévoyez 15 minutes au lieu de 10 pour caraméliser à feu vif, puis 15 minutes de cuisson lente.

2 À l'étape 2, doublez la quantité de bouillon de bœuf (7 tasses au lieu de 3½) et ajoutez **8 oignons verts** tranchés mince. Laissez mijoter 1 heure sans couvrir. Entre-temps, sur une planche farinée, étalez **2 abaisses de pâte feuilletée**, décongelée au réfrigérateur ; découpez huit cercles un peu plus grands que les bols.

3 Versez la soupe dans des bols allant au four ou dans des ramequins ; saupoudrez chacun avec **1 c. à soupe de ciboulette**.

4 Déposez le cercle de pâte sur le bol et pincez les bords pour les souder. Comptez environ 20 minutes de cuisson au four pour que la pâte gonfle et blondisse. Donne 8 portions.

Soupe en croûte aux huit arômes, à gauche, et soupe à l'oignon classique.

Soupe à l'oignon classique

- **2 c. à soupe de beurre ou de margarine**
- **5 oignons jaunes moyens, tranchés minces**
- **2 c. à soupe de sucre**
- **3½ tasses de Bouillon de bœuf maison (page 32) ou en boîte**
- **5 tasses d'eau**
- **¼ tasse de cognac ou de brandy (facultatif)**
- **½ c. à thé de sel**
- **½ c. à thé de poivre noir**
- **4 tranches de pain baguette de 1 cm (½ po) d'épaisseur, grillées**
- **4 c. à soupe de gruyère râpé (60 g/2 oz)**

1 Préchauffez le four à 200 °C (400 °F). Dans un faitout de 5 litres, faites fondre le beurre à feu assez vif. Ajoutez les oignons et le sucre et laissez caraméliser à feu vif 10 minutes environ. Baissez le feu et faites revenir encore 10 minutes en remuant de temps à autre.

2 Ajoutez le bouillon et l'eau et portez à ébullition à feu vif. Baissez le feu et, sans couvrir, laissez mijoter tranquillement pendant 20 minutes. Ajoutez le brandy, s'il y a lieu, le sel et le poivre, puis relancez l'ébullition à feu vif.

3 Versez la soupe dans quatre bols ou quatre ramequins de 1 tasse allant au four. Déposez-les sur une plaque robuste. Mettez une tranche de baguette grillée dans chaque bol et saupoudrez-la de 1 c. à soupe de fromage.

4 Enfournez et faites gratiner 5 minutes. Donne 4 portions.

**Par portion : Calories 316 ;
Gras total 12 g ; Gras saturé 7 g ;
Protéines 11 g ;
Hydrates de carbone 45 g ; Fibres 3 g ;
Sodium 619 mg ; Cholestérol 39 mg**

---

*Préparation : 20 minutes
Cuisson : 55 minutes*

37

BOUILLON DE POULET

Un bon bouillon de poulet permet de réussir des soupes délicieuses. On vous en propose deux ici, aromatisées au citron; dans l'une, le bouillon reste clair; dans l'autre, il est épaissi à l'œuf.

SAVEUR ET COULEUR

Les os et les restes de poulet font un bouillon agréable, mais l'idéal est d'y consacrer un poulet entier.

Découpez-le et détaillez les grosses pièces en deux ou trois morceaux, avant de les mettre dans le faitout, pour permettre à la moelle des os de livrer sa saveur.

Plutôt qu'un jeune poulet, choisissez une vieille poule dont la saveur est plus corsée.

Pour donner de la couleur et du relief au bouillon, faites rôtir les légumes au four en même temps que le poulet.

BON MARCHÉ

Réservez, dans le congélateur, un grand contenant de plastique bien couvert pour y storer les abats et les restes de poulet à chaque occasion. Enveloppez séparément vos réserves dans des petits sacs. Quand vous en aurez accumulé environ 2 kg (4 lb), vous pourrez en faire un bouillon.

BOUILLON LIMPIDE

Pour assurer la limpidité du bouillon, écumez-le durant les

30 premières minutes de cuisson à l'aide d'une cuiller plate à trous appelée écumoire.

Couvrez partiellement le faitout; assurez-vous que le plat mijote, mais ne bout pas.

Quand le bouillon est à point, passez-le à travers une épaisseur d'étamine de coton préalablement mouillée.

DÉGRAISSAGE

Laissez refroidir le bouillon filtré avant de le mettre au réfrigérateur. Quand le gras aura formé une croûte en surface, retirez-le avec une cuiller ou une spatule.

METTEZ-LE EN CUBES

Plusieurs recettes ne requièrent qu'une petite quantité de bouillon de poulet. Congelez une partie de votre bouillon – ou un reste de bouillon en boîte – dans le bac à glaçons. Réunissez tous ces glaçons

CONSEIL DE CHEF

Judith Bourcier, diététicienne

« Bien que la ration journalière de sodium recommandé par Santé Canada soit de 2 400 mg – un peu plus de 1 cuillerée à thé – la consommation moyenne des Canadiens s'élève à 3 100 mg. Environ un quart du sodium fourni par l'alimentation provient du sel naturellement présent. Le reste est apporté par le sel ajouté et les assaisonnements (au moment de la cuisson, à table et, pour une grande part, dans les produits industriels). On peut prendre l'habitude de cuisiner avec moins de sel et le remplacer par des épices, des fines herbes, de la poudre d'ail ou d'oignon non salée, ou du jus de citron. »

dans un sac de plastique robuste et vous pourrez y piger selon vos besoins.

BOUILLON EN BOÎTE

Donnez la préférence au bouillon hyposodique; il est meilleur non seulement pour la santé mais aussi au goût.

Pour accentuer la saveur du bouillon en boîte, ajoutez-y un cube de bouillon de poulet par litre de liquide.

Vous pouvez dégraisser le bouillon en boîte comme un bouillon frais fait. Réfrigérez-le pendant une heure pour que le gras durcisse.

SOUPE GRECQUE À L'ŒUF ET AU CITRON

Dans une grande casserole, faites revenir 3 à 4 minutes à feu doux **1 oignon jaune** haché fin dans **1 c. à soupe d'huile d'olive**. Ajoutez **4 tasses de bouillon de poulet**, couvrez et laissez mijoter à feu modéré pendant 20 minutes. Laissez tiédir. Dans **2 œufs** bien battus, incorporez au fouet 1 tasse du bouillon tiède, **⅓ tasse de jus de citron frais** et **1½ c. à thé de sel**. Réchauffez sans faire bouillir. Ajoutez **¼ tasse d'aneth ciselé**. Décorez les bols de brins d'aneth ou de tranches de citron. Donne 6 portions.

ŒUFS ET BOUILLON CHAUD

Réchauffez d'abord les œufs avec un peu de bouillon chaud. Si vous les ajoutez trop rapidement à la soupe bouillante, c'est là que les problèmes surgissent : ils vont cuire en grumeaux dans le bouillon sans l'épaissir.

FOND DE POULET

- **2** kg (4 lb) d'ailes, cous et dos de poulet
- **16** tasses d'eau
- **2** oignons en quartiers
- **3** branches de céleri, en tronçons de 5 cm (2 po), avec les feuilles
- **2** carottes moyennes, grattées et découpées en tronçons de 5 cm (2 po)
- **4** gousses d'ail, hachées
- **10** brins de persil
- **4** brins de thym frais ou 1 c. à thé de thym séché
- **2** feuilles de laurier
- **12** grains de poivre noir
- **4** clous de girofle

1 Préchauffez le four à 230 °C (450 °F). Dans une lèchefrite, faites rôtir les morceaux de poulet 40 à 45 minutes en les retournant de temps à autre.

2 Quand ils sont colorés, déposez-les dans un faitout de 8 litres. Ajoutez 14 tasses d'eau et le reste des ingrédients. Avec les 2 tasses d'eau qui restent, grattez le fond de la lèchefrite pour détacher les fragments de viande qui ont attaché et versez-les dans le faitout.

3 Lancez l'ébullition à feu vif ; écumez. Baissez le feu et, sans couvrir, laissez tranquillement mijoter pendant 2 heures. Écumez au besoin.

4 Filtrez le bouillon. Réfrigérez-le une fois tiédi. Ôtez le gras figé en surface. Utilisez le bouillon dans les trois jours qui suivent ou congelez-le : il se garde alors trois mois. Donne 8 tasses.

Soupe de poulet au riz, à la menthe et au citron

- **8** tasses de Fond de poulet (ci-contre) ou de bouillon en boîte
- **1** poitrine de poulet entière
- **1** gros oignon jaune, haché grossièrement
- **4** zestes de citron de 5 x 1 cm (2 x ½ po)
- **3** brins de menthe
- **2** brins de persil
- **1** brin de thym frais ou ¼ c. à thé de thym séché, émietté
- **1** gousse d'ail, hachée
- **4** grains de poivre noir, concassés
- **1** tasse de riz à longs grains cuit
- **1** à 2 c. à thé de jus de citron
- **1** c. à thé de sel
- **¼** tasse de menthe ciselée

Garnitures facultatives :
tranches de citron
brins de menthe

1 Dans une grande casserole, réunissez le bouillon, le poulet, l'oignon, le zeste de citron, la menthe, le persil, le thym, l'ail et le poivre. Lancez l'ébullition à feu vif. Baissez le feu et laissez mijoter tranquillement pendant 30 à 35 minutes.

2 Retirez le poulet avec une cuiller à trous et déposez-le sur une planche. Filtrez le bouillon dans un grand bol. Jetez les résidus.

3 Remettez le bouillon dans le faitout et, sans couvrir, laissez réduire à feu vif pendant 10 minutes.

4 Entre-temps, taillez la chair de poulet en petits dés. Jetez-les dans la soupe avec le riz, le jus de citron, le sel et la menthe ciselée. Réchauffez 2 minutes et servez. Décorez, s'il y a lieu, de tranches de citron et de menthe. Donne 4 portions.

Par portion : Calories 237 ; Gras total 4 g ; Gras saturé 1 g ; Protéines 21 g ; Hydrates de carbone 29 g ; Fibres 1 g ; Sodium 641 mg ; Cholestérol 60 mg

Préparation : 20 minutes
Cuisson : 50 minutes

DUMPLINGS

Les dumplings, qu'on appelle aussi des « grands-pères », ajoutent un élément nutritif aux soupes et aux ragoûts.

MOELLEUX

Pour réussir ces petites boulettes de pâte, suivez attentivement la recette et mesurez avec précision. Un peu trop de farine, un peu trop d'eau et les dumplings seront durs ou lourds.

Mélangez les ingrédients, mais ne manipulez pas la pâte plus qu'il ne faut.

Faites-les pocher dans un bouillon qui frémit. L'ébullition est à proscrire.

Si vous désirez épaissir le fond de cuisson à la dernière minute, retirez les dumplings avant d'ajouter un peu de fécule de maïs ou de farine délayée.

TEST DE CUISSON

Pour mesurer la cuisson des dumplings, il n'y a qu'une seule façon : en ouvrir un. Ils sont à point quand le centre est bien cuit, sans aucune trace pâteuse.

Plus la pâte est épaisse, plus elle est lente à cuire. Par contre, plus le bouillon est chaud, plus la cuisson est rapide.

PLUS DE SAVEUR

Pour relever le goût des dumplings, ajoutez aux ingré-dients secs l'un ou l'autre des

condiments suivants : cibou-lette, persil, sauge, thym, aneth ou romarin, quelques graines de carvi, de l'oignon haché fin, du cheddar ou du parmesan râpé, du bacon émietté, ou une pincée de safran, de cari en poudre, d'assaisonnement au chile ou de cayenne.

RACCOURCI

Servez-vous de pâte à biscuit réfrigérée ; séparez les bis-cuits et déposez-les sur le ragoût fumant. Couvrez et laissez cuire 15 minutes.

POULET POCHÉ

Le poulet poché se faisait autrefois avec une poule trop vieille pour pondre mais encore bonne à manger : sa chair était très goûteuse. La poule à bouillir est rare de nos jours ; à défaut, prenez un chapon de 2 à 2,5 kg (5-6 lb).

CONSEIL DE CHEF

Jean Anderson

« Au chapitre des dumplings, le secret de la réus-site consiste à manipuler prestement la pâte. Plus la main est lourde, plus lourd est le dumpling ! Mesurez la farine avant de la tamiser, puis tamisez-la de nouveau avec la levure chimique et le sel. Employez de la graisse végétale très froide ; après avoir été incorporée dans les ingrédients secs, elle doit rester solide. Ce sont ces fragments de graisse qui donnent aux dumplings leur texture. Finalement, laissez un espace entre eux quand vous les déposez sur le ragoût – au moins 2 cm (1 po). Ils s'étendent en cuisant ; et si la vapeur ne circule pas, ils formeront une masse solide. »

KNÖDELN

Les knödeln (du français « quenelles ») sont l'équivalent germanique des dumplings saxons.

- ⅓ tasse de graisse végétale
- 1⅓ tasse d'eau bouillante
- 1 œuf, légèrement battu
- 1 c. à thé de sel
- 3¼ tasses de farine

1 Dans un grand bol, faites fondre la graisse dans l'eau. Laissez tiédir avant d'incorporer l'œuf et le sel. Tamisez 3 tasses de farine dans ce mélange ; remuez sans insister.

2 Sur une planche fari-née, pétrissez la pâte 1 à 2 minutes. Avec un rouleau fariné, abaissez la pâte à 3 mm (⅛ po). Dé-coupez des carrés de 5 cm (2 po).

3 Déposez délicatement les knödeln dans le bouillon mijotant. Couvrez et laissez cuire 10 minutes.

CHIMIE CULINAIRE

En faisant gonfler la fécule de la farine, la vapeur du bouil-lon donne aux dumplings de la légèreté. Si vous soulevez le couvercle pendant la cuisson, la vapeur s'échappera et les dumplings se dégonfleront. Retenez votre curiosité !

INGÉNIEUX !

L'écumoire

L'écumoire est une cuiller plate en filet métallique ou percée de petits trous. C'est un ustensile qui facilite beaucoup la tâche quand vient le temps d'écumer un bouillon. Mais l'écumoire a d'autres utilités : elle permet entre autres de retirer les dumplings du ragoût sans les abîmer.

DUMPLINGS

- 1½ tasse de farine tamisée
- 3 c. à thé de levure chimique
- ½ c. à thé de sel
- ¼ tasse de graisse végétale
- ½ à ⅔ tasse d'eau glacée

1 Mélangez la farine, la levure chimique et le sel. Introduisez grossièrement la graisse. À la fourchette, mouillez avec juste assez d'eau pour que la pâte soit souple. Ne la manipulez pas plus qu'il ne faut, car elle durcira.

2 Laissez tomber la pâte par cuillerées à soupe combles dans le ragoût qui mijote. Couvrez et laissez cuire 15 minutes sans ouvrir le faitout. Les dumplings sont à point quand ils n'ont plus rien de pâteux à l'intérieur.

Poulet poché garni de dumplings

- 1 poulet de 2,5 kg (5 lb)
- 8 tasses de bouillon de poulet maison ou en boîte
- 3 tasses de céleri haché
- 3 tasses d'oignons jaunes hachés
- 1 tasse de carottes épluchées, tranchées mince
- 1 c. à thé de graines de céleri
- ½ c. à thé de sel

- 1½ c. à thé d'assaisonnement à volaille
- ½ c. à thé de poivre blanc
- ⅛ c. à thé de filaments de safran, écrasés
- 1 tasse de lait entier
- ½ tasse de farine tamisée
- 1 recette de dumplings (ci-contre)
- 2 c. à soupe de persil haché

1 Lavez le poulet, mettez-le avec les abats dans un grand faitout. Ajoutez le bouillon, 2 tasses de céleri et autant d'oignon. Lancez l'ébullition à feu vif. Baissez le feu, couvrez et laissez mijoter tranquillement pendant 45 minutes. Quand le poulet est à point, retirez-le et laissez-le tiédir. Ôtez et jetez la peau ; désossez et détaillez la chair en bouchées.

2 Filtrez le bouillon et dégraissez-le ; jetez les légumes et les abats. Versez 6 tasses de ce bouillon dans le faitout. Ajoutez le reste du céleri et des oignons, les carottes, les graines de céleri, le sel, l'assaisonnement à volaille, le poivre blanc et le safran. Relancez l'ébullition.

3 Couvrez et laissez mijoter 30 minutes à petit feu. Rectifiez l'assaisonnement.

4 Fouettez ensemble le lait et la farine. Incorporez cette pâte au ragoût et faites bouillir 3 à 5 minutes ou jusqu'à épaississement. Ajoutez les morceaux de poulet.

5 Préparez les dumplings et faites-les cuire le temps voulu dans le ragoût qui mijote.

6 Servez dans de grands bols et décorez de persil haché. Donne 6 portions.

Par portion : Calories 672 ; Gras total 25 g ; Gras saturé 7 g ; Protéines 66 g ; Hydrates de carbone 42 g ; Fibres 3 g ; Sodium 1 355 mg ; Cholestérol 170 mg

Préparation : 35 minutes
Cuisson : 1 h 30

GOMBO

Le terme « gombo » vient de l'angolais ngombo et désigne à la fois un légume et le plat dont il est la base.

LE RAGOÛT

Le plat auquel le gombo a donné son nom se présente comme un ragoût, souvent à base de fruits de mer ; c'est une spécialité de la cuisine créole et cajun de la Louisiane.

TEXTURE GÉLATINEUSE

Le plat appelé gombo se distingue par un fond de cuisson dont la texture gélatineuse provient du jus et de la pulpe du gombo – légume caractérisé par ses propriétés mucilagineuses. Il n'est donc pas nécessaire d'ajouter de liant (farine ou fécule) à la sauce. En cuisine créole, on peut utiliser jusqu'à 1 litre (4 tasses) de gombo, tranché ou haché, pour 2 litres (8 tasses) de bouillon.

Voici la méthode traditionnelle pour confectionner la base d'un gombo. On fait d'abord sauter beaucoup d'oignons tranchés dans un faitout. On ajoute ensuite les gombos hachés et on fait cuire 40 à 50 minutes en remuant : le légume se réduit alors à une purée gélatineuse qu'on mélangera au bouillon du gombo.

Cette purée se congèle. Versez-la dans des contenants et mettez-la au congélateur : vous aurez toujours sous la main la base nécessaire à un gombo.

GARE AU FILÉ

Jusqu'à tout récemment, on épaississait aussi le gombo avec une cuillerée ou deux de filé, poudre obtenue par la dessiccation des feuilles du sassafras. On craint aujourd'hui qu'elles ne soient cancérigènes, aussi évite-t-on de les employer.

D'ailleurs, comme le gombo est un épaississant puissant, l'authentique cuisine créole n'admet pas qu'on y adjoigne du filé : c'est l'un ou l'autre.

ACHAT DU LÉGUME

Le gombo était autrefois un légume rare ; maintenant on en trouve dans tous les grands marchés de fruits et de légumes, en hiver comme en été. Il est un bon accompagnement pour le poulet.

Sa saveur l'apparente à l'aubergine et à l'asperge. À l'intérieur se trouve une poche renfermant des graines comestibles et un liquide visqueux et transparent qui sert à épaissir le plat.

N'achetez que des cosses vertes, fermes, dépourvues de taches jaunes et mesurant de 5 à 10 cm (2-4 po) de longueur ; les cosses plus grosses risquent d'être ligneuses et sèches.

Le légume vendu surgelé sert tout aussi bien que le frais à préparer le plat.

GOMBO Z'HERBES

Est-il besoin de préciser que cette appellation créole désigne un gombo aux herbes, c'est-à-dire aux légumes en feuilles. C'est un plat qu'on rencontre peu souvent dans les restaurants, mais chaque famille louisianaise a sa recette.

La version qui en est présentée ici est à base de bœuf et de jambon. La légende veut qu'à l'époque où les gens faisaient carême, on préparait ce gombo avec un assortiment de 13 légumes en feuilles pour évoquer les 13 invités à la Cène, dernier repas du Christ avant la Passion. Au printemps, on en faisait une autre version avec sept légumes verts pour la chance.

Légende ou pas, le gombo z'herbes renferme presque toujours du chou, des épinards et du cresson.

INGÉNIEUX !

La cuiller à goûter

La cuiller à goûter se fait en bois ou en porcelaine et présente un gros cuilleron à un bout et un petit à l'autre, les deux étant reliés par un canal. Pour goûter la soupe, vous prenez un peu de bouillon dans le gros cuilleron et vous le faites glisser dans le petit où il arrive après avoir tiédi en cours de route. On évite de se brûler les lèvres et on n'a pas à rincer la cuiller à chaque utilisation !

Gombo z'herbes

¼	tasse d'huile d'olive
500	g (1 lb) de pointe de poitrine ou haut-de-côte de bœuf, en dés de 1 cm (½ po)
200	g (6 oz) de jambon cuit, en dés de 1 cm (½ po)
1	gros oignon jaune, haché fin
6	oignons verts avec la tige, tranchés mince
1	gros poivron rouge, paré et coupé en dés
3	c. à soupe de farine tout usage
1	tasse de gombos tranchés mince, ou la moitié d'un paquet (300 g/10 oz) de gombos congelés
4	tasses de Fond de poulet (page 39) ou de bouillon en boîte

250	g (8 oz) de chou, paré et tranché mince
4	tasses de feuilles de moutarde, hachées
3	tasses de feuilles de navet, hachées
½	c. à thé de sel
¼	c. à thé de poivre noir
1	feuille de laurier entière
½	c. à thé de thym séché, émietté
½	c. à thé de marjolaine séchée, émiettée
4	piments de la Jamaïque
2	clous de girofle
⅛	c. à thé de cayenne
6	tasses d'épinards parés, lavés et hachés
1	botte de cresson, grosses tiges ôtées et feuilles hachées

1 Dans un grand faitout, réchauffez l'huile 2 minutes à feu modéré. Faites-y revenir le bœuf et le jambon 5 minutes en remuant souvent. Réservez.

2 Ajoutez l'oignon et les oignons verts dans le faitout et faites-les attendrir 5 minutes en remuant souvent. Mettez le poivron rouge et accordez encore 4 minutes de cuisson. Incorporez la farine, ajoutez les gombos et remuez. Versez peu à peu le bouillon sans cesser de remuer.

3 Mettez le chou, les feuilles de moutarde et de navet, le sel, le poivre noir, le laurier, le thym, la marjolaine, les piments de la Jamaïque, les clous de girofle, le cayenne et les viandes réservées. Quand l'ébullition est prise, couvrez et laissez mijoter à petit feu 1 h 30 en remuant de temps à autre. Vérifiez la cuisson des gombos et de la viande.

4 Ajoutez les épinards et le cresson, couvrez et accordez encore 15 minutes de cuisson. Ôtez et jetez le laurier. Donne 4 portions.

Par portion : Calories 627 ; Gras total 42 g ; Gras saturé 13 g ; Protéines 40 g ; Hydrates de carbone 27 g ; Fibres 8 g ; Sodium 1 285 mg ; Cholestérol 114 mg

Préparation : 25 minutes
Cuisson : 2 heures

BOUILLON VÉGÉTARIEN

Les bouillons préparés avec des légumes ne coûtent pratiquement rien, se font dans le temps de le dire et constituent une base très sapide pour les soupes et les ragoûts.

COULEUR ET SAVEUR

Faites rôtir les légumes dans un four chaud avant de les mettre dans le faitout : cela décuple leur couleur et leur saveur.

Si vous n'avez pas le temps de les faire rôtir au four, faites-les sauter sur le feu dans un peu d'huile avant de les mettre à mijoter.

Quand ils sont rôtis à point, dégagez les particules brunies qui adhèrent au récipient et videz tout dans le faitout en même temps que l'eau.

Prenez de l'eau froide ; les légumes laissent échapper leur jus aromatique à mesure qu'ils se réchauffent.

Faites mijoter le bouillon au moins 1 heure pour que les légumes livrent pleinement leur couleur et leur saveur. Ne poussez pas la cuisson davantage ; une trop longue cuisson donne de l'amertume à certains légumes.

Filtrez le bouillon sans attendre. Jetez les légumes qui ont servi à cuisiner le fond ; préparez la soupe de votre choix avec des légumes frais.

Pour corser le bouillon, faites-le réduire à découvert 15 à 20 minutes après l'avoir filtré.

LES BONS LÉGUMES

Oignons, céleri, carottes forment un trio de base dans la préparation de tous les bouillons, végétariens ou non. Le choix des autres légumes vous appartient.

Modifiez la recette des bouillons végétariens en fonction des soupes ou ragoûts que vous voulez cuisiner ; un bouillon léger sied à une soupe estivale, un bouillon corsé à un ragoût.

Choux de Bruxelles et asperges ont des saveurs dominantes qui ne conviennent pas aux bouillons passe-partout. Réservez-les aux crèmes de ces mêmes légumes.

LÉGUMES ET BOUILLONS

Les bouillons végétariens permettent d'utiliser tous les légumes qui n'ont pas servi lors de la préparation des repas. Congelez-les au fur et à mesure que vous en avez. Et n'oubliez pas de tous les laver à l'eau courante avant de les parer.

Ail	Devient merveilleusement tendre. Enrichit le bouillon. Écrasez-le pour qu'il dégage toute sa saveur.
Asperges	À réserver pour les soupes d'asperges.
Betteraves	Les feuilles donnent du corps et du piquant ; réservez les racines pour le bortsch.
Brocoli et chou-fleur	Ne conviennent pas. Ou alors, ajoutez-les en fin de cuisson.
Carottes	Sucrent le bouillon. Employez-les au complet, sans même les éplucher. N'utilisez pas le feuillage.
Céleri et céleri-rave	Donnent du corps et de la saveur. Employez les branches extérieures du céleri et le feuillage.
Champignons	Enrichissent le bouillon, surtout si vous les faites sauter. Utilisez pieds et chapeaux.
Chou	Excellent à condition d'en mettre peu.
Courges d'été	Bonifient le bouillon. Utilisez aussi la peau et la semence.
Courges d'hiver	Adoucissent le bouillon.
Épinards	À ajouter en fin de cuisson.
Haricots verts	Tout à fait recommandés.
Maïs	Donne de la douceur, mais la fécule des grains brouille le bouillon.
Navet	Adoucit le bouillon. Mettez-en peu.
Oignon	Légume aromatique essentiel à tous les bouillons. Ne le ménagez pas.
Panais	En petites quantités, donnent du relief et de la douceur au bouillon.
Poireaux	Nettoyez-les bien. Utilisez le bulbe et les feuilles vertes.
Pois frais	Beaucoup plus goûteux qu'on ne le pense. Préférez les mange-tout.
Pois et haricots secs	À éviter.
Pommes de terre	Donnent de la douceur aux bouillons mais peuvent les brouiller. Grattez-les bien.
Tomates	Acidifient et colorent le bouillon. S'emploient toutes rondes.

Ragoût de champignons à l'orge

- **15** g (½ oz) de cèpes (porcini) séchés
- **1** tasse d'eau bouillante
- **4** c. à thé d'huile d'olive
- **1** gros oignon jaune, haché fin
- **4** gousses d'ail, hachées
- **1** c. à soupe de gingembre haché
- **1** carotte, épluchée, coupée en quatre et tranchée mince
- **1** poivron rouge, paré et haché
- **200** g (6 oz) de champignons shiitake, parés, essuyés et tranchés mince
- **200** g (6 oz) de champignons de couche, parés, essuyés et tranchés mince
- **½** tasse de tomates en boîte, hachées
- **⅓** tasse d'orge perlé moyen
- **1** tasse de Bouillon végétarien (ci-contre) ou de bouillon de légumes en cubes
- **½** c. à thé de sel
- **¼** c. à thé de romarin séché, émietté

1 Déposez les cèpes séchés dans un bol et versez l'eau bouillante par-dessus. Laissez-les s'hydrater environ 40 minutes. Égouttez en réservant le liquide et hachez. Filtrez le liquide.

2 À feu modéré, réchauffez l'huile 1 minute dans une casserole à fond épais. Faites-y revenir l'oignon, l'ail et le gingembre pendant 7 minutes en remuant souvent. Ajoutez la carotte et le poivron et laissez cuire 5 minutes ; remuez souvent.

3 Ajoutez les cèpes réhydratés, 2 c. à soupe de l'eau de trempage, les champignons shiitake et les champignons de couche ; faites-les attendrir environ 5 minutes en remuant souvent. Mettez les tomates et l'orge.

4 Ajoutez le reste de l'eau de trempage, le bouillon, le sel et le romarin. Quand l'ébullition est prise, baissez le feu, couvrez et laissez mijoter tranquillement pendant 45 minutes. Donne 4 portions.

Par portion : Calories 195 ; Gras total 6 g ; Gras saturé 1 g ; Protéines 7 g ; Hydrates de carbone 32 g ; Fibres 6 g ; Sodium 525 mg ; Cholestérol 0 mg

Préparation : 20 minutes • Cuisson : 1 h 20

BOUILLON VÉGÉTARIEN

- **2** c. à soupe d'huile d'olive
- **3** grosses carottes
- **2** panais épluchés
- **2** poireaux moyens, tranchés en deux sur la longueur
- **2** branches de céleri, tranchées en deux, avec leurs feuilles
- **1** gros oignon, pelé et coupé en deux
- **4** gousses d'ail non pelées
- **3** tomates italiennes, coupées en deux
- **6** brins de persil
- **3** tranches de gingembre non pelé d'environ 2 cm (1 po)
- **7** tasses d'eau
- **¾** c. à thé de romarin séché, émietté
- **1** c. à thé de sel

1 Préchauffez le four à 200 °C (400 °F). Versez l'huile d'olive dans une lèchefrite. Mettez-y les carottes, les panais, les poireaux, le céleri, l'oignon et l'ail ; remuez pour les enrober. Enfournez et faites rôtir à découvert 30 minutes.

2 Videz la lèchefrite dans un faitout ; ajoutez les tomates, le persil, le gingembre et l'eau. Lancez l'ébullition à feu vif et ajoutez le romarin et le sel. Baissez le feu, couvrez partiellement et laissez mijoter tranquillement pendant 1 heure.

3 Filtrez le bouillon ; jetez les légumes. Rectifiez l'assaisonnement. Donne 5½ tasses.

SOUPE AUX LÉGUMES

Faites-la cuire la veille : la soupe aux légumes est encore meilleure le lendemain, après une seconde cuisson qui harmonise les saveurs.

LES ÉTAPES

Les soupes aux légumes sont les plus faciles de toutes à faire. Vous pouvez interrompre leur préparation à tout moment et la reprendre quand cela vous convient. Vous pouvez hacher tous les légumes d'avance ou les ajouter au fur et à mesure qu'ils sont prêts.

LA MEILLEURE SAVEUR

C'est avec des légumes très frais que la soupe est à son mieux. Choisissez ceux qui sont de saison. Les tomates en boîte font l'affaire, mais remplacez-les, quand c'est possible, par des tomates mûres, fraîchement cueillies : vous verrez la différence.

DU PIQUANT

Le fromage Parmesan donne du piquant à la soupe aux légumes. Achetez un morceau qui a de la croûte : il se garde frais plus longtemps. Râpez-le directement sur la soupe, dans les bols. Quand il ne reste à peu près plus que la croûte, enveloppez-la et congelez-la. Vous l'ajouterez à votre prochaine soupe, en

même temps que les légumes, et l'ôterez avant de servir.

UN PARFUM ESTIVAL

Faites comme dans le sud de la France. Mettez un petit bouquet de basilic dans chaque assiette de soupe fumante. Pilé au mortier, le basilic devient le pistou de la cuisine provençale.

FINES HERBES

On peut en mettre généreusement quand elles sont fraîches parce qu'elles sont surtout constituées d'eau. Mais si elles sont séchées, réduisez radicalement les quantités car leur saveur se concentre. Basilic, marjolaine, origan, romarin, thym, laurier relèvent avec bonheur la soupe aux légumes, à condition que leur goût ne soit pas dominant.

BOUQUET GARNI

Dans plusieurs recettes apparaît l'expression « bouquet garni ». Il s'agit d'un petit fagot d'aromates dont les tiges sont liées ensemble par de la ficelle de cuisine. L'avantage saute aux yeux : les éléments ne se dispersent pas dans la soupe et ils se retirent facilement.

Le bouquet garni comporte en règle générale deux brins de persil, une feuille de laurier et deux brins de thym.

Si vous utilisez des fines herbes séchées, prenez un carré d'étamine de coton de 7 cm (3 po) de côté et déposez les aromates au centre. Redressez les quatre coins et réunissez-les avec de la ficelle de cuisine.

BOUILLON

On peut préparer la soupe aux légumes avec du bouillon de bœuf, de poulet ou de légumes. Dans le Minestrone à la florentine, remplacez le bacon par 2 c. à soupe d'huile d'olive si vous désirez éliminer le cholestérol.

Dans les minestrones comme celui-ci, qui comportent un peu de chou et beaucoup de légumes variés, on peut très bien utiliser de l'eau comme fond de cuisson plutôt que du bouillon.

PRÉSENTATION

En Toscane, on garnit le minestrone avec du pain grillé. Mais ailleurs en Italie, on préfère le garnir de riz ou de pâtes. Mettez les pâtes 15 minutes avant la fin de la cuisson, mais faites cuire le riz à part dans du bouillon et rajoutez-le dans l'assiette.

SOUPE AUX LÉGUMES-RACINES

Suivez la recette du Minestrone à la florentine, page ci-contre. Supprimez parmi les ingrédients les haricots blancs, le chou, les épinards et le pain et remplacez-les par **2 panais, 2 navets** et **2 betteraves,** pelés et détaillés en dés de 1 cm (½ po). Comme assaisonnement, remplacez la sauge et le thym par **¾ c. à thé de marjolaine séchée,** émiettée, et **½ c. à thé de poivre noir.** Faites mijoter le tout à la fois pendant 40 à 50 minutes. Servez avec du pain italien grillé. Donne 4 portions.

UNE SECONDE FOIS

Si vous voulez raviver des restes de soupe aux légumes, faites comme les Italiens. Préparez du riz en le gardant un peu ferme. Mettez-en ½ tasse dans chaque bol. Arrosez de soupe et attendez que le plat soit à la température ambiante. Garnissez de basilic haché et de parmesan râpé.

CONSERVATION

Si vous ne servez pas la soupe tout de suite, réfrigérez-la quand elle a refroidi : elle se gardera cinq jours. Ou bien congelez-la dans un contenant ou par portions : elle se gardera trois mois.

Minestrone à la florentine

1 c. à soupe d'huile d'olive
125 g (4 oz) de lard, en petits dés
1 gros oignon rouge, en dés
5 gousses d'ail, hachées
2 grosses carottes, divisées en deux et tranchées mince
1 grosse boîte (796 ml/28 oz) de tomates, égouttées et hachées
5 tasses de Bouillon végétarien (page 45)
500 g (1 lb) de pommes de terre nouvelles, épluchées et coupées en dés de 1 cm (½ po)

2½ tasses de haricots blancs secs, cuits et égouttés (page 48), ou de cannellinis en boîte, rincés et égouttés
¾ c. à thé de sel
½ c. à thé de sauge séchée
½ c. à thé de thym séché
4 tasses de chou de Milan râpé
4 tasses d'épinards parés, lavés, hachés et bien tassés
3 tranches de pain italien, grillées et coupées en cubes d'environ 2 cm (1 po)

Le minestrone à la florentine, à gauche, est garni de croûtons grillés. La soupe aux légumes-racines doit sa teinte pourprée aux betteraves et aux carottes.

1 Dans un faitout de 5 litres, réchauffez l'huile 1 minute à feu modéré. Faites-y revenir les lardons 4 à 6 minutes en remuant souvent. Ne conservez que 2 c. à soupe de gras et faites-y sauter l'oignon et l'ail 5 minutes en remuant souvent. Ajoutez les carottes et laissez-les rissoler 5 minutes.

2 Mettez les tomates, le bouillon, les pommes de terre, les haricots, le sel, la sauge et le thym ; lancez l'ébullition à feu vif. Baissez le feu, couvrez et laissez mijoter tranquillement pendant 12 à 15 minutes.

3 Ajoutez le chou, remettez le couvercle et prolongez la cuisson de 12 minutes. Ajoutez les épinards et le pain et attendez 1 minute qu'ils s'attendrissent. La soupe est prête à servir. Donne 6 portions.

Par portion : Calories 386 ; Gras total 11 g ; Gras saturé 4 g ; Protéines 16 g ; Hydrates de carbone 58 g ; Fibres 11 g ; Sodium 824 mg ; Cholestérol 18 mg

Préparation : 35 minutes
Cuisson : 45 minutes

POTAGES AUX HARICOTS

Les légumineuses s'apprêtent de mille et une façons, comme en témoignent ici deux recettes de soupes qui constituent un repas en elles-mêmes.

POTAGE AUX HARICOTS NOIRS

À l'étape 1 de la recette page ci-contre, remplacez les doliques par **500 g (1 lb) de haricots noirs.** Égouttez. Supprimez les étapes 2 et 3. Avec 8 tranches de bacon plutôt que 6, exécutez les étapes 4 et 5. À l'étape 6, faites cuire les haricots 45 minutes plutôt que 30. À l'étape 7, contentez-vous d'ajouter ½ c. à thé de sauce Tabasco à la soupe ; ôtez et jetez le laurier. Poursuivez en réduisant 1 tasse de soupe en purée au mélangeur ou au robot ; remettez cette purée dans le faitout et ajoutez le bacon réservé, **¼ tasse de coriandre hachée** et **2 c. à soupe de jus de citron.** Décorez chaque bol, à votre gré, de crème sure ou de yogourt, d'œuf mimosa ou de coriandre hachée. Donne 8 portions.

À PROPOS DES HARICOTS

Les archéologues nous ont révélé que les haricots étaient déjà cultivés il y a 11 000 ans, soit bien avant les céréales. Peu chers quand ils sont secs, pauvres en sodium et dépourvus de lipides mais riches en fer, en potassium et en phosphore, ils sont une source d'énergie remarquable et fournissent une certaine part de protéines.

LES TRIER

Même traités avec soin, les haricots contiennent presque toujours des petits cailloux et des grains de terre. Pour les en libérer, mettez-les dans une grande passoire fine et lavez-les à l'eau courante. Débarrassez-vous des gravillons et des haricots ridés ou brisés. Les grains de terre se dissoudront dans l'eau.

LES TREMPER

Le trempage ramollit les haricots secs, détruit une partie de leurs éléments flatulents et raccourcit d'une bonne heure le temps de cuisson. Voici trois méthodes de trempage pour 500 g (1 lb) de haricots.

Méthode traditionnelle. Déposez les haricots dans un grand bol, ajoutez 4 tasses d'eau froide et attendez au moins 12 heures. Avantage : il n'y a rien à surveiller. Inconvénient : le procédé est long.

Méthode rapide. Déposez les haricots dans une grande casserole, versez de l'eau pour les recouvrir de 2 cm (1 po) et lancez l'ébullition à feu vif. Laissez bouillir 2 minutes. Retirez la casserole et laissez refroidir. Avantage : le trempage ne dure que 1 h 30. Inconvénient : il faut le surveiller.

Au micro-ondes. Déposez les haricots dans un plat à gratin ; ajoutez 3 tasses d'eau froide, couvrez et laissez 12 minutes à *Maximum* en remuant une fois après 6 minutes. Sans découvrir, faites refroidir 40 minutes en remuant une ou deux fois. Avantage : le trempage prend à peine 1 heure. Inconvénient :

le micro-ondes donne des haricots fermes, ce qui est bon pour les salades, mais mauvais pour les soupes.

L'EAU DE TREMPAGE

L'eau de trempage hérite en partie des sels minéraux et des vitamines solubles que renferment les haricots. Vous les perdez en la jetant.

Cependant, en faisant cuire les haricots dans cette eau, vous augmentez leurs propriétés flatulentes. À vous de choisir !

DES CHIFFRES

Les légumineuses plus tendres et plus farineuses, comme les pois et haricots séchés, gonflent plus que les autres.

Petits. 500 g (1 lb) = 2 tasses, crus = 5½-6 tasses, cuits (doliques à œil noir, petits haricots blancs, haricots rouges)

Gros. 500 g (1 lb) = 2½ tasses, crus = 6-7½ tasses, cuits (pois chiches, haricots Great Northern, haricots de Lima, gros haricots blancs)

2 tasses de haricots séchés cuits et égouttés = 2 tasses de haricots en boîte, rincés et égouttés

INGÉNIEUX !

Pour décorer avec des œufs

Pour produire les œufs mimosa comme en exige le Potage aux haricots noirs, faites passer séparément le blanc et le jaune d'un œuf dur à

travers une petite passoire fine, en appuyant avec le dos d'une cuiller. Pour hacher gros, prenez un coupe-œuf : tranchez l'œuf d'abord dans un sens, puis dans l'autre.

Potage aux doliques à œil noir

500 g (1 lb) de doliques à œil noir, triés et lavés

8 tasses d'eau

1½ c. à thé de sel

6 tranches épaisses de bacon

2 gros oignons jaunes, hachés grossièrement

2 côtes de céleri, hachées grossièrement

2 carottes moyennes, épluchées et hachées

2 gousses d'ail, hachées

2 feuilles de laurier entières

1 c. à thé de thym séché, émietté

5 tasses de Fond de poulet (page 39) ou de bouillon en boîte

2 tasses de feuilles vertes parées et hachées : épinards, feuilles de moutarde ou feuilles de navet

3 c. à soupe de jus de citron

½ c. à thé de sauce Tabasco

1 Déposez les doliques dans un faitout de 5 litres. Couvrez-les d'eau, lancez l'ébullition à feu vif et laissez cuire 2 minutes. Retirez du feu, couvrez et laissez 1 heure en attente.

2 Égouttez, rincez et égouttez de nouveau les doliques. Remettez-les dans le faitout ; ajoutez l'eau et le sel. Lancez l'ébullition à feu vif. Baissez le feu, couvrez et laissez mijoter tranquillement pendant 30 minutes. Égouttez en réservant 1 tasse du fond de cuisson.

3 Défaites en purée 1 tasse de doliques au mélangeur ou au robot ; ajoutez 1 ou 2 c. à soupe de fond de cuisson au besoin.

4 Empilez les tranches de bacon ; détaillez-les sur la longueur en lanières de 1 cm (½ po) avec des ciseaux. (Mettez auparavant le bacon 30 minutes au congélateur : il se coupera mieux.) Faites-le revenir 5 à 8 minutes à feu assez vif dans le faitout en remuant de temps à autre. Épongez-le sur de l'essuie-tout.

5 Dans le gras du bacon, faites revenir à feu modéré pendant 8 à 10 minutes les oignons, le céleri, les carottes, l'ail, le laurier et le thym. Remuez de temps à autre.

6 Ajoutez le fond de cuisson réservé, le bouillon, les doliques et la purée de doliques ; lancez l'ébullition. Baissez le feu, couvrez et laissez mijoter 30 minutes tranquillement.

7 Ajoutez les feuilles vertes hachées, couvrez et prolongez la cuisson de 15 minutes. Incorporez le jus de citron, la sauce Tabasco et le bacon ; réchauffez.

8 Retirez le laurier avant de servir. Donne 8 portions.

Par portion :
Calories 189 ;
Gras total 8 g ;
Gras saturé 3 g ;
Protéines 10 g ;
Hydrates de carbone 21 g ;
Fibres 5 g ; Sodium 702 mg ;
Cholestérol 18 mg

Préparation : 1 heure
Trempage : 1 heure
Cuisson : 1 h 45

POTAGES FROIDS

Fins et onctueux, les deux potages présentés ici renferment très peu de lipides. Utilisez la même technique avec n'importe quel légume de votre choix.

CRÉMEUX MAIS SANS CRÈME

Une fois réduits en purée, les légumes épaississent les soupes froides et les rendent onctueuses. Aucun besoin de les rendre plus riches en leur ajoutant de la crème ou même du lait.

OBJECTIF SANS GRAS

Déjà pauvre en matières grasses, notre purée de

courge peut l'être davantage encore. Utilisez seulement la moitié de l'huile d'olive pour faire sauter l'oignon. Dégraissez le bouillon de poulet. Plutôt que de faire rôtir les croûtons dans le beurre et l'huile d'olive, vaporisez-les d'un enduit végétal anti-adhésif à goût d'huile ou de beurre, mettez-les sur une

plaque et faites-les rôtir 10 à 12 minutes dans un four préchauffé à 180 °C (350 °F). Ou remplacez les croûtons par du yogourt léger.

PLUS DE SAVEUR

Le froid réduit la sensibilité du palais; il faut donc assaisonner davantage les soupes froides. On y met généralement deux fois plus de fines herbes fraîches et une fois et demie plus d'herbes séchées. On peut aussi faire cuire les légumes non pas dans l'eau, mais dans un bouillon de poulet et de légumes très corsé.

LA BONNE TEXTURE

Si la soupe est trop épaisse, relâchez-la avec un peu de bouillon de poulet avant de la réfrigérer. Si elle est trop claire, faites-la réduire à feu modéré : plus grande sera la casserole, plus vite cela sera fait.

LES PÉPINS

Quand la courge est grosse, la semence risque d'être amère : mieux vaut l'enlever. Coupez la courge en deux sur la longueur et retirez les graines avec une cuiller tire-boule.

PURÉE DE COURGE JAUNE PARFUMÉE AU ROMARIN ET GARNIE DE MOUSSE DE PERSIL

Suivez la recette page ci-contre, en remplaçant les courgettes par **8 courges jaunes** et l'aneth par **¼ tasse de romarin frais** (ou 1 c. à thé de romarin séché). Supprimez les croûtons. Pendant que la purée refroidit, préparez la mousse de persil. Au mélangeur ou au robot, hachez finement **1 tasse de feuilles de persil, 1 oignon vert, haché, 1 c. à soupe de romarin frais, 2 c. à thé de jus de citron** et **⅛ c. à thé de sel**. Le moteur toujours en marche, ajoutez **2 c. à soupe de beurre** en pommade et **2 c. à soupe d'huile d'olive**. Décorez les bols de soupe d'une petite boule de mousse de persil. Donne 6 portions.

LES MERVEILLES DU JARDIN

Nous parlons ici de courge jaune et de courgettes, mais bien d'autres légumes donnent de savoureuses purées. Voici quelques bonnes idées pour associer un légume de base à des éléments complémentaires et à des aromates.

Légumes	Compléments	Aromates
Asperges	Poireau, échalotes ou oignons verts revenus dans du beurre	Aneth ou cerfeuil frais ; muscade fraîchement râpée
Betteraves	Pommes, carottes et oignons cuits ; vin rouge ou jus d'orange	Aneth ou persil frais ; piment de la Jamaïque, cannelle
Brocoli, chou-fleur	Poireau, oignons verts, échalotes ou ail, revenus dans du beurre	Aneth ou romarin frais ; muscade fraîchement râpée
Carottes	Pommes et oignons revenus dans du beurre ; poivrons rouges ou jaunes, rôtis	Cerfeuil, aneth, romarin, estragon ou thym frais ; zeste d'orange râpé
Petits pois	Poireau, échalotes ou oignons verts sautés ; oseille ou laitue, étuvées	Menthe ou romarin frais ; zeste d'orange râpé
Poivrons rouges	Oignons et ail, rôtis ; jus d'orange ou de citron (ou les deux)	Basilic, marjolaine, romarin, sauge ou thym frais ; piment rouge fort
Tomates	Oignons, poireau ou ail, sautés ; poivron rouge, sauté ; jus d'orange	Basilic, marjolaine, origan, romarin ou thym frais

CROÛTONS

1 Coupez des tranches de pain de 1 cm (½ po) ; écroûtez-les et détaillez-les en dés de 1 cm (½ po).

2 Faites fondre le beurre à feu modéré. Ajoutez l'huile d'olive. Quand le mélange mousse, déposez les dés de pain côte à côte.

3 Faites-les rôtir de tous les côtés. Quand ils sont à point, épongez-les sur de l'essuie-tout. Employez-les chauds ou tièdes.

Potage froid aux courgettes

3 c. à soupe d'huile d'olive
1 gros oignon jaune, haché
8 courgettes moyennes, hachées
¼ tasse d'aneth ciselé ou 1 c. à thé d'aneth séché
3 tasses de Fond de poulet (page 39) ou de bouillon en boîte

¼ c. à thé de sel
⅛ à ¼ c. à thé de poivre noir
Croûtons :
2 c. à soupe de beurre ou de margarine
2 c. à thé d'huile d'olive
2 tranches de pain à mie serrée

1 Dans une grande casserole, réchauffez l'huile 1 minute à feu modéré. Faites-y attendrir l'oignon pendant 5 minutes en remuant de temps à autre.

2 Ajoutez les courgettes, l'aneth et le bouillon. Quand l'ébullition est prise, baissez le feu, couvrez et laissez mijoter tranquillement pendant 8 à 10 minutes ; retirez du feu et laissez tiédir.

3 Portion par portion, réduisez les courgettes en purée au mélangeur ou au robot. Salez et poivrez.

4 Versez dans un grand bol, couvrez et réfrigérez de 2 à 3 heures. Entre-temps, préparez les croûtons (à gauche).

5 Dressez la purée bien froide dans six assiettes à soupe et décorez de croûtons. Donne 6 portions.

Par portion : Calories 188 ; Gras total 14 g ; Gras saturé 4 g ; Protéines 6 g ; Hydrates de carbone 13 g ; Fibres 3 g ; Sodium 232 mg ; Cholestérol 11 mg

Préparation : 30 minutes
Cuisson : 20 minutes
Réfrigération : 2 à 3 heures

NOUVELLE VICHYSSOISE

La véritable vichyssoise fut créée il y aura bientôt un siècle par le chef Louis Diat au Ritz Carlton de New York. La variante ici se présente avec des patates douces et du babeurre : sa teneur en gras est considérablement réduite.

PATATES DOUCES

La patate douce est une plante vivace originaire de l'Inde. Son tubercule, ovale ou allongé, à bouts aplatis, ressemble à celui de la pomme de terre, mais sa chair, blanche ou jaune, est sucrée.

Les meilleurs sujets ont la peau légèrement rugueuse et sont dépourvus de meurtrissures et de taches. Les patates douces non lavées se gardent plus longtemps. Conservez-les à l'air libre, dans un endroit frais, sec et obscur.

VALEUR NUTRITIVE

Tout comme la carotte, la patate douce est riche en bêta-carotène, élément que notre organisme transforme en vitamine A. Plus sa chair est orangée, plus elle en renferme.

LE BABEURRE

C'était autrefois un sous-produit du barattage du beurre ; aujourd'hui, on le fabrique pour lui-même. Le babeurre moderne est demeuré pauvre en lipides et d'un goût légère-

ment acide. Dans notre vichyssoise, son piquant équilibre la douceur de la patate et de la carotte.

À défaut de babeurre, utilisez du lait entier, de la crème légère ou du lait évaporé, entier ou écrémé, quantité pour quantité. Notez cependant que ces substitutions augmentent la teneur de la recette en lipides, en calories et en cholestérol.

GARE AU CAILLÉ

Sous l'action de la chaleur, toutes les préparations de légumes à base de lait, et surtout de babeurre, risquent de cailler. Attendez donc, pour l'ajouter, que la soupe soit réduite en purée.

POTAGE D'HIVER

Pour varier, remplacez les deux patates douces de la recette par un paquet (300 g/ 10 oz) de courge d'hiver surgelée.

CHAUD OU FROID ?

Nos potages en purée sont aussi bons chauds que froids. Mais ne les faites jamais bouillir, ni même mijoter, après avoir ajouté le lait.

MÉLANGEUR OU ROBOT ?

Pour réduire les légumes en purée, la méthode importe peu, quoique le mélangeur se révèle plus pratique. Travaillez par petites portions à la fois : le résultat sera meilleur.

À L'AIDE

Si le potage tourne malgré toute votre prudence, essayez de le remettre au mélangeur ou au robot. Ou bien filtrez-le à travers plusieurs épaisseurs d'étamine de coton humide : une méthode fastidieuse mais garantie.

LA TOUCHE DE MAÎTRE

Décorez le potage avec de la crème épaisse ou 2 c. à soupe de yogourt additionné de 2 c. à soupe de lait allégé.

Fleur. Étalez un filet de crème en spirale. Avec la pointe d'un couteau, faites d'abord cinq encoches vers l'intérieur, puis cinq vers l'extérieur.

Étoile. Laissez tomber une goutte de crème au centre ; étirez cinq branches avec la pointe du couteau. Entourez de cœurs comme ci-dessous.

Cœurs. Laissez tomber de petites gouttes de crème en cercles concentriques ; étirez-les avec la pointe du couteau.

Comète. Laissez tomber une grosse goutte de crème au centre. Incurvez-la en cinq points.

BISQUE FROIDE AUX CAROTTES

Suivez la recette à droite, mais remplacez le poireau par **½ tasse d'échalotes** et la muscade par **1 c. à thé de gingembre moulu** ; 2 à 3 minutes de cuisson suffiront à l'étape 1. Supprimez les patates douces, mais utilisez **500 g (1 lb) de carottes.** Au besoin, relâchez la bisque avec du babeurre. Décorez avec un peu de gingembre confit haché fin. Donne 6 portions.

Vichyssoise aux patates douces

3   **c. à soupe de beurre ou de margarine**

2   **petits poireaux, coupés en deux sur la longueur, puis lavés et tranchés**

½   **c. à thé de muscade**

2   **patates douces moyennes, épluchées et coupées en morceaux de 5 cm (2 po)**

2   **carottes moyennes, épluchées et coupées en tronçons de 5 cm (2 po)**

4   **tasses (environ) de Fond de poulet (page 39) ou de bouillon en boîte**

1½   **tasse (environ) de babeurre sel et poivre noir au goût**

1   **tasse de crème épaisse**

2   **c. à soupe de ciboulette ciselée**

1 Dans une casserole moyenne, mettez le beurre à fondre à feu modéré. Faites-y attendrir les poireaux 5 minutes avec la muscade ; remuez de temps à autre.

2 Ajoutez les patates douces, les carottes et le bouillon ; lancez l'ébullition à feu vif. Baissez la chaleur, couvrez et laissez mijoter tranquillement pendant 15 à 20 minutes. Retirez et laissez tiédir 10 minutes.

3 Portion par portion, défaites le potage en purée au mélangeur ou au robot. Incorporez le babeurre ainsi que le sel et le poivre, s'il y a lieu. Si la soupe est épaisse, relâchez-la avec du bouillon ou du babeurre.

4 Versez le potage dans un grand bol, couvrez et réfrigérez pendant 2 à 3 heures. Au moment de servir, dressez-le dans des bols et décorez avec l'un des motifs illustrés sur la page ci-contre. Saupoudrez de ciboulette. Donne 6 portions.

Par portion : Calories 197 ; Gras total 8 g ; Gras saturé 4 g ; Protéines 7 g ; Hydrates de carbone 26 g ; Fibres 4 g ; Sodium 194 mg ; Cholestérol 18 mg

Préparation : 30 minutes
Cuisson : 28 minutes
Refroidissement : 2 à 3 heures

SOUPE DE POISSON

Un bon bouillon de poisson fait toute la différence entre une soupe ordinaire et notre Cataplana de palourdes de l'Algarve, une spécialité portugaise. Et ce n'est pas compliqué du tout à préparer.

UN NOM ENCHANTEUR

L'Algarve est une province du sud du Portugal et la cataplana, le nom de la soupière dans laquelle on fait traditionnellement la soupe de palourdes dans cette région. La cataplana a la forme d'une palourde géante en cuivre, articulée à l'arrière. On met la soupe dedans, on fixe le couvercle et on la pose sur un feu vif. À défaut de cataplana, un simple faitout fera l'affaire.

LES BONS POISSONS

Il faut choisir les variétés qui conviennent. Les poissons gras – saumon, espadon, truite, maquereau – ont des saveurs trop appuyées.

La plie, la morue, le flétan, l'aiglefin et le bar commun sont appropriés. Servez-vous des reliefs comme la tête, les arêtes ou les parures ; ne sacrifiez pas un poisson entier.

CONSEIL DE CHEF

Jeanne Voltz

« On me demande souvent quel vin utiliser dans un bouillon de poisson. Eh bien, écartez d'emblée le chardonnay, trop cher et dont l'arrière-goût aigrelet aura tendance à dominer. Optez plutôt pour un sauvignon blanc, un pinot blanc ou une bouteille modeste tout simplement étiquetée 'vin de table'. »

UN BOUILLON CLAIR

Lavez les morceaux de poisson avant de les mettre dans le faitout. Éliminez les ouïes.

Couvrez d'eau froide ; réchauffez très lentement, sans atteindre le point d'ébullition, en écumant la surface.

Laissez mijoter doucement : la grande ébullition aurait pour effet de brouiller le bouillon.

Filtrez le bouillon dans un grand bol, à travers une passoire fine doublée de plusieurs épaisseurs d'étamine de coton humide. N'appuyez pas sur la passoire pour en extraire plus de bouillon : jetez l'étamine avec ce qu'elle contient.

COUVREZ À DEMI

Dans plusieurs recettes, on demande de ne pas couvrir complètement le récipient pour éviter que la vapeur, en se condensant dans le couvercle, retombe dans la marmite.

CONGÉLATION

Une fois ces opérations terminées, laissez refroidir le bouillon avant de le verser dans des contenants individuels pour la congélation. Laissez un petit espace dans le haut pour l'expansion. Fermez, étiquetez, datez et rangez les plats dans le congélateur où ils se garderont six mois à –17 °C (0 °F).

EN UN CLIN D'ŒIL

Vous pouvez acheter du bouillon de poisson en petits contenants dans des épiceries spécialisées ou des poissonneries et les garder six mois au congélateur.

Les cubes de bouillon de poisson donnent un fond acceptable ; ils se gardent environ un an.

Autre solution rapide : mélangez en volumes égaux du jus de palourde en bouteille et de l'eau froide.

BOUILLON DE POISSON

- 2 c. à soupe d'huile d'olive
- 1 oignon jaune moyen, coupé en deux et tranché mince
- 1 poireau moyen, coupé en deux et tranché mince
- 1 gousse d'ail, écrasée
- 1 côte de céleri, tranchée mince
- 2 carottes moyennes, tranchées mince

- 1 kg (2½ lb) de têtes et d'arêtes de plie, lavées et concassées, ouïes enlevées
- ½ tasse de vin blanc sec
- 6 tasses d'eau froide
- 6 brins de persil plat
- ½ c. à thé de thym séché, émietté
- ½ c. à thé de sel

1 Dans un faitout de 5 litres, réchauffez l'huile à feu modéré. Faites-y attendrir l'oignon, le poireau et l'ail 7 minutes en remuant. Ajoutez le céleri et les carottes et prolongez la cuisson de 6 minutes. Remuez fréquemment.

2 Ajoutez les morceaux de poisson et enrobez-les d'huile. Mouillez avec le vin et, après 2 minutes, ajoutez l'eau. Lancez l'ébullition à feu vif ; écumez la surface. Ajoutez le persil, le thym et le sel, puis couvrez et laissez mijoter à feu assez doux pendant 40 minutes.

3 Filtrez le bouillon et dégraissez-le. Jetez tous les éléments solides. Donne 6 tasses.

Cataplana de palourdes de l'Algarve

- 2 c. à soupe d'huile d'olive
- 1 gros oignon, haché fin
- 4 gousses d'ail, hachées
- 2 gros poivrons verts, parés, épépinés et coupés en dés
- 125 g (4 oz) de saucisse (linguiça ou chorizo), coupée en minces demi-lunes
- 100 g (3 oz) de prosciutto, haché
- 1 grosse boîte (796 ml/28 oz) de tomates, égouttées et concassées
- 1 tasse de Bouillon de poisson (page ci-contre) ou ½ tasse de jus de palourde dilué dans la même quantité d'eau
- 1 tasse de persil plat haché
- ½ c. à thé de sauce Tabasco
- 2 douzaines de palourdes en coquilles, bien grattées

1 Dans un faitout de 5 litres muni d'un bon couvercle, réchauffez l'huile 1 minute à feu modéré. Faites-y attendrir l'oignon et l'ail 6 minutes en remuant souvent.

2 Ajoutez les poivrons et prolongez la cuisson de 5 minutes ; remuez souvent. Ajoutez la saucisse et le prosciutto ; faites cuire environ 4 minutes de plus pour en dégager le gras.

3 Incorporez les tomates, le bouillon, le persil et la sauce Tabasco ; lancez l'ébullition à feu vif. Ajoutez les palourdes, et baissez le feu d'un cran. Couvrez et laissez mijoter pendant 10 minutes environ, le temps que les coquilles s'ouvrent. Jetez les palourdes qui ne se seront pas ouvertes. Donne 4 portions.

Par portion : Calories 362 ; Gras total 23 g ; Gras saturé 6 g ; Protéines 22 g ; Hydrates de carbone 19 g ; Fibres 4 g ; Sodium 1 012 mg ; Cholestérol 57 mg

Préparation : 20 minutes
Cuisson : 26 minutes

BISQUES

*L*a bisque est un potage crémeux fait à partir d'un coulis de crustacés auquel on substitue parfois une purée de légumes. Notre Bisque de crabe au poivron rouge a tous les attributs requis.

DU MOELLEUX

On donne du moelleux à la bisque en faisant lentement suer les légumes à la chaleur. En exsudant une partie de l'eau de végétation, leur saveur se concentre. Cela se fait souvent dans un récipient clos ; notre méthode, à découvert, est beaucoup plus rapide.

MOINS DE GRAS

C'est la crème qui donne son velouté à la bisque. On avait coutume d'utiliser de la crème à 35 p. 100 dont une cuillerée à soupe contient à elle seule 6 g de matière grasse, l'équivalent de ½ c. à soupe de beurre.

Pour alléger notre bisque, nous utilisons en partie de la crème à 10 p. 100. En partie seulement, car plus la crème est légère, moins elle est stable et plus la bisque risque de tourner à la cuisson.

CRÈME DOUBLE

Il se vend, dans les épiceries fines, une crème double en conserve, importée de France, et une autre, en bocal de verre, qui vient du Devon-

shire, en Angleterre. Épaisses et surettes, ces crèmes donnent à la bisque un petit relief fort agréable.

LE CRABE

Le meilleur est le crabe bleu qui est pêché sur les côtes de l'Atlantique et vendu en morceaux ou en pépites. Sa chair, exquise mais chère, se vend en boîtes de conserve de 120 g (4 oz) ou en paquets surgelés de 500 g (1 lb).

Bien qu'elle soit décortiquée et parée, il faut l'examiner avec soin avant de l'utiliser pour enlever les fragments de cartilage et de carapace impropres à la consommation et désagréables sous la dent.

On trouve sur le marché de la goberge à saveur de crabe qui ne remplace pas vraiment le

crabe en fait de texture et de saveur, mais peut rendre service en cas d'urgence.

LA FARINE

Elle a une double fonction : elle épaissit la bisque, mais surtout elle stabilise la préparation et l'empêche de tourner. Le poivron a la mauvaise réputation de faire cailler la crème légère ; en le poudrant de farine quand il est cuit, on aide la bisque à demeurer onctueuse.

À PETIT FEU

Il faut faire cuire la bisque à petit feu pour plusieurs raisons. La cuisson lente permet aux saveurs de se marier, mais aussi de s'intensifier puisque la bisque réduit légèrement. Enfin, si elle se mettait à bouillir, il y a fort à parier qu'elle tournerait.

UNE PURÉE ONCTUEUSE

Pour donner plus de velouté à la bisque, vous pouvez homogénéiser le fond de cuisson à la fin de l'étape 3. Laissez tiédir 10 minutes, puis passez-le au mélangeur, à grande vitesse, ou au robot. Procédez par petites portions : remplissez le gobelet du mélangeur à moitié, le bol du robot au tiers.

BISQUE DE CREVETTES

Suivez la recette page ci-contre, mais à l'étape 4, remplacez le crabe par **250 g (8 oz) de crevettes moyennes, crues** et parées. Laissez mijoter 5 minutes. Donne 4 portions.

DES VARIANTES

Nous vous proposons une variante savoureuse, la bisque aux crevettes. Inventez-en d'autres. Remplacez les crevettes par du homard, du saumon, de la plie, de l'aiglefin ou de la merluche, cuits, parés et effeuillés.

BISQUE FROIDE

La bisque se sert fort bien froide. Voici comment la refroidir rapidement. Versez-la dans un grand bol peu profond, déposez ce bol dans un autre bol rempli de glace et remuez souvent. Elle sera prête en une vingtaine de minutes.

Si vous n'êtes pas pressé, faites tiédir la bisque 15 minutes, couvrez-la et réfrigérez-la pendant plusieurs heures.

INGÉNIEUX !

Le diffuseur de chaleur

Si la table de cuisson est encore trop chaude au réglage le plus bas, achetez un diffuseur de chaleur. Il s'agit d'une pièce de métal à double paroi, vide au centre, qui répartit uniformément la chaleur et empêche les liquides de bouillir. On en trouve un peu partout.

Bisque de crabe au poivron rouge

1	c. à soupe de beurre ou de margarine	¼	tasse de xérès sec	
2	côtes de céleri, hachées fin	1	tasse de crème à 35 p. 100	
1	gros poivron rouge, paré, épépiné et haché fin	1	tasse de crème à 10 p. 100	
2	c. à soupe de piment doux rôti, haché	¼	c. à thé de sel	
1½	c. à soupe de farine	¼	c. à thé de poivre noir	
1	tasse de jus de palourde	200	g (6 oz) de chair de crabe, débarrassée des fragments de cartilage, ou de goberge à saveur de crabe	

1 Réchauffez le beurre à feu modéré dans une casserole moyenne. Faites-y revenir le céleri 5 minutes. Ajoutez le poivron et le piment rôti et prolongez la cuisson d'environ 10 minutes pour que les légumes soient tendres.

2 Poudrez avec la farine. Incorporez peu à peu le jus de palourde au fouet. Quand la préparation est onctueuse, ajoutez-y le xérès et laissez cuire 2 à 3 minutes en remuant.

3 Incorporez les deux crèmes, le sel et le poivre noir. À petit feu, laissez cuire 30 minutes sans couvrir. Attention : si la bisque bout, elle peut cailler.

4 Ajoutez le crabe et réchauffez 2 minutes. Donne 4 portions.

**Par portion : Calories 411 ;
Gras total 33 g ;
Gras saturé 20 g ;
Protéines 13 g ;
Hydrates de carbone 16 g ;
Fibres 1 g ;
Sodium 619 mg ;
Cholestérol 142 mg**

*Préparation : 10 minutes
Cuisson : 50 minutes*

Chaudrées

Les chaudrées, potages à base de lait, de poisson et de légumes, nous sont venues de France sous l'Ancien Régime. Elles tirent leur nom du terme chaudron, récipient en métal à anse mobile qu'on suspendait autrefois dans l'âtre.

LES POISSONS

Au XVIe et au XVIIe siècle, les pêcheurs français traversaient l'Atlantique pour venir capturer la morue sur les bancs de Terre-Neuve. Leur principal ustensile de cuisine était le chaudron. C'est dans ce récipient qu'ils préparaient un ragoût de morue et de biscuits de mer, la chaudrée.

L'aiglefin est un ingrédient de choix dans les chaudrées. Blanc et bien goûteux, il ne devient pas farineux à la cuisson. On peut le remplacer par de la morue et même par de la morue salée, à condition de la faire dessaler auparavant par de nombreux trempages.

Flétan, rascasse, saumon, thon, espadon et requin font de délicieuses chaudrées. La chaudrée aux palourdes est célèbre, mais d'autres fruits de mer – crevettes, huîtres, moules, crabe, homard – méritent un essai.

GARE AU MÉROU

Comme d'autres poissons qui se nourrissent sur les bancs de coraux, il est souvent contaminé par une toxine ciguatérique responsable de malaises graves: gastroentérite, urticaire et désordres du système nerveux, incluant des sensations inversées de chaud et de froid. Les symptômes apparaissent en moins de 12 heures et peuvent persister pendant des mois. Santé Canada recommande de surveiller vos sources d'approvisionnement.

LA POMME DE TERRE

Choisissez une variété ferme et farineuse, capable d'épaissir le potage. Les pommes de terre nouvelles ont trop de gluten, celles à cuire au four ne sont pas assez fermes.

OBJECTIF SANS GRAS

Contrairement aux bisques, qui sont à base de crème, les chaudrées sont faites avec du lait. Mais on peut encore réduire leur teneur en lipides. Échangez le lard salé pour du bacon maigre et faites-le revenir dans une sauteuse antiadhésive, vaporisée d'enduit antiadhésif végétal. Et remplacez la moitié du lait par du lait écrémé évaporé.

UNE CHAUDRÉE QUI NE TOURNE PAS

Le lait partiellement écrémé tourne facilement à la cuisson. Voici comment éviter ce danger.

Au lieu d'incorporer la farine aux oignons sautés (étape 2 de la Chaudrée à l'aiglefin, page ci-contre), délayez-la en pâte dans le lait.

Incorporez très lentement cette pâte dans les ingrédients chauds en utilisant un fouet et continuez à fouetter jusqu'à ce que la chaudrée commence à épaissir. Menez la cuisson à petit feu et ne laissez pas la chaudrée bouillir dès lors que vous avez ajouté le lait. Enfin, servez-la dès qu'elle est terminée, sans la faire attendre.

ACCOMPAGNEMENTS

Le velouté d'une chaudrée appelle un élément croustillant. Les craquelins classiques, comme les biscuits soda ou les biscuits à l'eau, conviennent bien: on les émiette dans le potage.

La baguette et le pain italien sont aussi d'excellents accompagnements. Tranchez-les mince, faites-les griller pour qu'ils soient croustillants et servez-les comme des craquelins ou bien émiettez-les dans le potage. Si vous trouvez du pain portugais de campagne appelé *pão*, achetez-en. Servi tel quel ou grillé, il convient parfaitement.

La croûte de chapelure beurrée est une bonne alternative. Nos recettes de chaudrée, page 60, se présentent ainsi.

(suite à la page 60)

LES BASES DE LA CHAUDRÉE

Toutes les bonnes chaudrées – aux palourdes, au poisson ou au maïs – comportent du lard salé ou du bacon, de l'oignon, du lait et des pommes de terre. À partir des éléments ci-dessous, créez vos propres chaudrées en suivant les étapes décrites à droite. Vous aurez 4 portions.

Lard salé ou bacon hachés :	¼ tasse
Oignons hachés :	1 tasse
Lait (lait/bouillon de poisson ou lait/jus de palourde) :	2½ tasses en tout
Pomme de terre hachée :	1 grosse
Fruits de mer, poisson, maïs :	250-375 g (8-12 oz)

Laissez courir votre imagination. Associez poissons et légumes. Inventez des assaisonnements. Mettez du persil. Ajoutez des carottes en dés à la chaudrée de poisson, du poivron rouge ou vert en petits dés à la chaudrée de maïs. Ou donnez-lui un accent mexicain: relevez-la de coriandre fraîche, hachée fin, et d'un peu de piment jalapeño.

Chaudrée à l'aiglefin

- **30 g (1 oz)** de lard salé maigre, haché (¼ tasse)
- **1** gros oignon jaune, haché
- **1½** c. à soupe de farine
- **1** tasse de jus de palourde
- **1½** tasse de lait
- **½** c. à thé de poivre noir
- **¼** c. à thé de sel
- **1** grosse pomme de terre, épluchée et détaillée en petits dés
- **375 g (12 oz)** d'aiglefin sans peau ni arêtes, coupé en morceaux de 4 cm (1½ po)

1 Dans une grande casserole, faites revenir le lard salé 2 minutes à feu vif, en remuant de temps à autre. Ajoutez l'oignon et faites attendrir 2 minutes.

2 Poudrez de farine et incorporez graduellement au fouet le jus de palourde. Ajoutez le lait, le poivre, le sel et les dés de pomme de terre et laissez cuire jusqu'au moment où le potage mijote doucement. Réduisez la chaleur et laissez cuire 15 à 20 minutes, sans couvrir. La pomme de terre sera tendre et la chaudrée aura épaissi.

3 Ajoutez l'aiglefin et prolongez la cuisson de 5 minutes environ : le poisson doit s'effeuiller facilement à la fourchette. Donne 4 portions.

Par portion : Calories 246 ; Gras total 5 g ; Gras saturé 2 g ; Protéines 23 g ; Hydrates de carbone 26 g ; Fibres 2 g ; Sodium 503 mg ; Cholestérol 68 mg

Préparation : 15 minutes
Cuisson : 30 minutes

(suite de la page 58)

VARIANTE AU SAUMON

Suivez la recette ci-contre, mais remplacez le thon par **1 boîte (213 g/7½ oz) de saumon,** paré. Supprimez le poivron rouge, les tomates et le thym ; faites sauter le piment rôti avec le poivron vert. Donne 4 portions.

... AUX PÉTONCLES

Dans la recette ci-contre, remplacez l'aiglefin par **250 g (8 oz) de gros pétoncles,** tranchés en deux. Donne 4 portions.

FAITES VOTRE CHAPELURE

La chapelure beurrée qui recouvre certaines chaudrées sera bien meilleure si vous la faites vous-même. Au robot, réduisez le pain en miettes et assaisonnez-le de beurre, d'ail et de persil en une seule et même opération.

La même technique utilisée avec un mélangeur donne des résultats presque aussi satisfaisants. Mais vous pouvez aussi vous passer de ces deux appareils. Faites fondre le beurre ; hachez l'ail menu et mettez-le dedans. Hachez le persil. Émiettez le pain en frottant le morceau sur une râpe moyenne. Quand vous en aurez obtenu 2 tasses, jetez-les dans le beurre à l'ail avec le persil et mélangez.

Chaudrée de thon garnie de chapelure dorée

- **2** c. à soupe de beurre ou de margarine
- **2** oignons jaunes moyens, hachés fin
- **1** gros poivron rouge, paré, épépiné et haché fin
- **1** gros poivron vert, paré, épépiné et haché fin
- **1** tasse de tomates en boîte, concassées
- **2** tasses de jus de palourde
- **¼** tasse de piment rouge rôti, haché
- **1** grosse pomme de terre, épluchée et détaillée en dés
- **½** c. à thé de sel
- **¼** c. à thé de poivre noir
- **½** c. à thé de thym séché, émietté
- **1** boîte (184 g/6½ oz) de thon pâle dans l'eau, égoutté et effeuillé
- **1** recette de Chapelure dorée (à droite)

1 Dans une casserole moyenne, mettez le beurre à fondre à feu modéré. Faites-y sauter les oignons 2 minutes. Mettez les poivrons et faites-les revenir 2 minutes. Ajoutez les tomates, le jus de palourde, le piment rôti, les dés de pomme de terre, le sel, le poivre noir et le thym.

2 Portez à ébullition, réduisez la chaleur et laissez mijoter tranquillement pendant 30 minutes, sans couvrir.

3 Quand les pommes de terre sont devenues tendres, ajoutez le thon et réchauffez-le 1 minute. Dressez la chaudrée dans quatre bols et couvrez-la de chapelure dorée. Donne 4 portions.

Par portion : Calories 349 ; Gras total 10 g ; Gras saturé 6 g ; Protéines 18 g ; Hydrates de carbone 48 g ; Fibres 4 g ; Sodium 1 212 mg ; Cholestérol 38 mg

Préparation : 20 minutes • Cuisson : 37 minutes

FINIES LES LARMES

Voici quelques conseils contre le larmoiement causé par l'huile volatile âcre que dégagent les oignons pendant que vous les hachez pour la chaudrée. Vous en trouverez d'autres à la page 36.

Versez du vinaigre blanc sur la planche avant de découper l'oignon : il absorbe l'huile. Faites brûler une bougie près de vous : la flamme neutralise les vapeurs irritantes. Ou encore, essayez un remède de grand-mère : mordez dans une tranche de pain.

CHAPELURE DORÉE

- **1** grosse gousse d'ail
- **4** tranches de pain blanc, déchiquetées
- **1** c. à soupe de beurre mou, ou de margarine, en petits morceaux
- **1** c. à soupe de persil haché

1 Préchauffez le four à 180 °C (350 °F). Écrasez l'ail au mélangeur ou au robot ; ajoutez le pain, le beurre et le persil et travaillez le tout pour obtenir une poudre fine.

2 Déposez la chapelure sur une plaque, enfournez et laissez rôtir à découvert en remuant toutes les 5 minutes. Au bout de 15 à 20 minutes, la chapelure sera d'un beau doré. Retirez-la et mettez-la en réserve.

DES CHIFFRES

1 tranche de pain de mie blanc =
½ tasse de chapelure fraîche

1 tranche de pain blanc rassis =
⅓ tasse de chapelure sèche

Gardez ce qui vous reste de chapelure dans un bocal qui ferme bien et congelez-le. Prélevez-en par la suite selon vos besoins. La chapelure surgelée se décongèle très rapidement.

PAINS
ET BRIOCHES

BISCUITS AU BABEURRE

Ces sortes de scones qu'affectionnent les Américains peuvent remplacer le pain à table. Faciles à faire, leur perfection réside dans la manipulation de la pâte.

PÂTE COUCHÉE

La pâte de ces biscuits est trop molle pour être abaissée et taillée à l'emporte-pièce. Aussi la couche-t-on à la cuiller sur la plaque. Les biscuits restent informes, mais au sortir du four, ils sont tendres et savoureux.

CHIMIE CULINAIRE

Le bicarbonate de soude reçoit du babeurre l'acide dont il a besoin pour dégager du gaz carbonique, élément qui fait lever la pâte. La levure chimique est différente. Elle renferme déjà une substance acide qui réagit au contact de l'eau ; la fermentation commence à se produire sitôt que les ingrédients liquides sont liés aux ingrédients secs. Voilà pourquoi il faut faire cuire ces biscuits aussitôt que la pâte est mélangée.

PÉRISSABLES

Levure chimique et bicarbonate de soude sont périssables. Remplacez la première tous les ans ; le second tous les deux ans ou plus tôt s'il devient gris ou grumeleux.

Pour vérifier leur fraîcheur, délayez la levure chimique

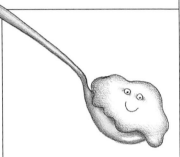

dans de l'eau chaude, le bicarbonate de soude dans du vinaigre. Cela doit produire beaucoup de bulles.

POUR REMPLACER LE BABEURRE

Voici une recette de babeurre maison, vite réalisée et fort acceptable. Ajoutez 1 c. à soupe de vinaigre blanc ou de jus de citron frais pressé à 1 tasse de lait entier. Laissez épaissir 10 minutes.

BISCUITS TENDRES

Préchauffez le four pendant au moins 15 minutes.

Mesurez les éléments avec soin. Mélangez les ingrédients secs au fouet ou avec les doigts sans les tamiser.

Introduisez le gras avec un mélangeur à pâte ou deux couteaux de façon à obtenir une chapelure grossière.

À la fourchette, délayez les ingrédients liquides dans la pâte pour la lier, sans plus. Pétrissez-la rapidement et en douceur : autrement, les biscuits seront durs.

Sortez-les du four dès qu'ils sont dorés : ils auront doublé en hauteur. Servez-les tout de suite. Mais laissez-les tiédir sur une grille si vous voulez les congeler.

CONGÉLATION

Déposez les biscuits tièdes sur une plaque, couvrez-les de pellicule plastique et mettez-les au congélateur. Une fois les biscuits fermes, réunissez-les dans un sac autoscellant, chassez l'air et étiquetez-les. Ils se gardent trois mois.

Retirez du sac le nombre de biscuits voulus. Enveloppez-les dans du papier d'aluminium et enfournez-les 15 minutes à 180 °C (350 °F).

PLUS DE SAVEUR

Pour varier la saveur des biscuits au babeurre, ajoutez l'un ou l'autre des aromates suivants aux ingrédients secs : 1 à 2 c. à soupe de ciboulette ciselée ou de persil haché, 1½ c. à thé d'aneth, de sauge, de romarin ou de thym (1½ c. à soupe s'ils sont frais), ou 3 c. à soupe de jambon ou de bacon hachés fin.

INGÉNIEUX !

Le mélangeur à pâte

Le mélangeur à pâte n'a pas son pareil pour introduire efficacement les corps gras dans les ingrédients secs. L'appareil doit être robuste et bien tenir en main ; ses fils métalliques repliés en fer à cheval auront une arête légèrement coupante.

Biscuits couchés au babeurre

- **2** **tasses de farine non tamisée**
- **3** **c. à thé de levure chimique**
- **1** **c. à thé de sucre**
- **½** **c. à thé de bicarbonate de soude**
- **½** **c. à thé de sel**
- **¼** **tasse (½ bâtonnet) de beurre, en petits morceaux**
- **2** **c. à soupe de graisse végétale**
- **1** **tasse de babeurre**

1 Préchauffez le four à 230 °C (450 °F). Dans un grand bol, mélangez la farine, la levure chimique, le sucre, le bicarbonate de soude et le sel. Incorporez le beurre et la graisse avec un mélangeur à pâte. La pâte ressemble à de la chapelure grossière.

2 Ajoutez le babeurre ; mélangez à la fourchette sans insister. La pâte restera molle.

3 Déposez la pâte sur une planche farinée ; pétrissez-la doucement six à huit fois.

4 Couchez la pâte par grosses cuillerées à soupe sur des plaques en laissant un espace de 2,5 cm (1 po) entre les biscuits. Enfournez et faites cuire de 12 à 15 minutes. Servez tout de suite. Donne 16 biscuits.

Par biscuit :
Calories 104 ; Gras total 5 g ; Gras saturé 2 g ; Protéines 2 g ; Hydrates de carbone 13 g ; Fibres 1 g ; Sodium 214 mg ; Cholestérol 8 mg

Préparation : 10 minutes
Cuisson : 12 à 15 minutes

Les biscuits nature sont excellents. Pour varier, ajoutez-leur les aromates énumérés page ci-contre. Ci-dessus, biscuits couchés au babeurre nature, au fromage, au bacon et à la ciboulette.

VARIANTE AU PARMESAN

Suivez la recette ci-contre, mais ajoutez **½ à ⅔ tasse de parmesan râpé** aux ingrédients secs, à l'étape 1. Donne 16 biscuits.

SCONES

Les scones sont les cousins écossais des biscuits au babeurre. En Écosse, on les sert à l'heure du thé. Chez nous, on pousse la gourmandise jusqu'à les manger au petit déjeuner.

PRINCIPE

Comme celle des biscuits au babeurre, la pâte des scones est fermentée, mais à la levure chimique. Un peu plus sucrée, elle renferme souvent des œufs et de la crème. Les scones sont un peu plus gros.

D'après le même principe, on peut aussi confectionner des biscuits au lait avec les ingrédients suivants : 2 tasses de farine, 1 c. à soupe de levure chimique, ½ c. à thé de sel, ¼ tasse de graisse végétale froide et ¾ tasse de lait pour 18 biscuits.

ABAISSER ET COUPER

Pour mélanger et pétrir la pâte, reportez-vous aux explications données à la page 62.

Abaissez la pâte avec un rouleau ou tapotez-la uniformément avec les mains. Prenez une règle pour que l'abaisse ait partout la même épaisseur. Autrement, les scones seront de guingois.

Découpez les formes avec un emporte-pièce de 7 cm (3 po). Une boîte de thon vide peut très bien faire l'affaire.

Réunissez les chutes et abaissez-les à nouveau sans les pétrir : un second pétrissage ferait durcir la pâte.

Cueillez les scones avec une spatule large et déposez-les sur une plaque. Ils auront des bords tendres si vous les mettez les uns contre les autres et croustillants si vous les espacez.

DE LA FANTAISIE

Les raisins de Corinthe sont une tradition dans les scones. Aux ingrédients secs, ajoutez-en ⅓ tasse pour 2 tasses de farine au moment où vous incorporez les œufs.

SCONE EN GALETTE

Autre méthode classique : on prépare un seul grand scone qu'on découpe en pointes au moment du service.

Après avoir préparé la pâte, divisez-la en deux. Pétrissez un premier pâton sur une planche farinée. Abaissez-le en forme de cercle sur 6 mm à 1 cm (¼-½ po) d'épaisseur.

Découpez le cercle en six pointes que vous déposerez sur une plaque à crêpes non graissée. Faites-les dorer à chaleur moyenne (si la chaleur est trop intense, les scones brûleront avant de cuire) environ 5 minutes de chaque côté.

Procédez de la même manière avec le deuxième pâton.

Les scones sont servis avec du beurre et de la confiture. Pour les réchauffer, fendez-les en deux et faites-les griller au four grille-pain ou au gril.

SHORTCAKE

Les scones remplacent bien la génoise. Préparez-les comme ci-dessus. Fendez-les en deux pendant qu'ils sont encore chauds et garnissez-les de fruits – fraises, bleuets ou pêches – rehaussés de crème fouettée et sucrée.

ACCOMPAGNEMENTS DES SCONES

À l'heure du thé, aussi bien en Écosse qu'en Angleterre, il est d'usage depuis des temps immémoriaux de servir les scones avec des confitures et de la crème fouettée nature ou du fromage à la crème, fouetté. On les tartine au fur et à mesure qu'on les déguste.

TARTINADES

Les beurres de miel aux fruits font un autre accompagnement exquis. Fouettez ⅓ tasse de miel ou de confi-

PRÉPARATION

1 Au rouleau ou avec le plat de la main, abaissez la pâte à 1 cm (½ po). Farinez un emporte-pièce de 7 cm (3 po).

2 Enfoncez l'emporte-pièce dans la pâte et soulevez-le à la verticale sans le tordre : le scone serait inégal. Laissez le moins d'espace possible entre les coupes pour réduire les chutes.

ture et ½ tasse (1 bâtonnet) de beurre mou ou de margarine. Mettez ce beurre dans un petit bol et raffermissez-le au froid avant de servir.

UNE TOUCHE DE MIEL

Le miel qu'on introduit dans les scones au miel et dans d'autres recettes semblables peut leur ajouter un élément gustatif intéressant, parfois même exotique. Les miels jaunes, ceux de trèfle, de pomme ou de fleur d'oranger, sont plus doux que les miels bruns, comme ceux de sarrasin ou de fleurs sauvages.

SCONES AU CHEDDAR

Suivez la recette ci-contre ; ajoutez **½ tasse de cheddar râpé** après avoir introduit le beurre. Donne 8 scones.

SCONES AU MIEL

Suivez la recette ci-contre, mais n'employez que 1½ tasse de farine en y ajoutant **½ tasse de farine d'avoine ;** supprimez le sucre. À l'étape 2, ne mettez que 1 œuf mais ajoutez **2 c. à soupe de miel** au mélange. Abaissez la pâte à 2 cm (³⁄₄ po) d'épaisseur. Le temps de cuisson reste le même. Donne 5 scones.

Deux variations sur un même thème : scone au cheddar cuit au four et pointe de scone en galette cuite sur une plaque à crêpes.

Scones à la crème

- **2 tasses de farine non tamisée**
- **1 c. à soupe de sucre**
- **3 c. à thé de levure chimique**
- **½ c. à thé de sel**
- **¼ tasse (½ bâtonnet) de beurre, coupé en petits morceaux**
- **2 œufs**
- **⅓ tasse (environ) de crème épaisse**

1 Préchauffez le four à 220 °C (425 °F). Dans un grand bol, mélangez la farine, le sucre, la levure chimique et le sel. Avec un mélangeur à pâte, incorporez le beurre pour obtenir un mélange grumeleux.

2 Dans un bol moyen, fouettez les œufs et la crème à la fourchette. Incorporez-les aux ingrédients secs. Au besoin, ajoutez 1 ou 2 c. à soupe de crème pour que la pâte se laisse manipuler facilement.

3 Déposez la pâte sur une planche légèrement farinée et pétrissez-la doucement cinq ou six fois.

4 Abaissez la pâte à 1 cm (½ po) d'épaisseur. Avec un emporte-pièce fariné de 7 cm (3 po), découpez des cercles. Réunissez et abaissez les chutes (sans les pétrir), si nécessaire.

5 Espacez les scones de 5 cm (2 po) sur une plaque non graissée, enfournez-les et faites-les cuire 10 à 15 minutes. Servez-les chauds. Donne 8 scones.

Par scone : Calories 224 ; Gras total 11 g ; Gras saturé 6 g ; Protéines 5 g ; Hydrates de carbone 26 g ; Fibres 1 g ; Sodium 337 mg ; Cholestérol 82 mg

Préparation : 20 minutes
Cuisson : 10 à 15 minutes

GALETTES ET GAUFRES

Les pâtes à galettes et à gaufres faites à la maison sont tellement meilleures que c'est dommage de recourir à un mélange quand on peut faire autrement.

PÂTE À GALETTES

Les bonnes galettes doivent être légères. Mélangez rapidement la pâte, sans chercher à la rendre lisse. Pour obtenir les meilleurs résultats, couvrez le bol, mettez-le au réfrigérateur et laissez reposer la pâte 30 minutes ou même davantage avant cuisson.

Les galettes seront encore plus légères si vous battez les blancs d'œufs en neige : vous ajouterez les jaunes aux ingrédients secs en même temps que le lait et vous incorporerez les blancs à la fin. Dans ce cas, ne mettez pas la pâte au réfrigérateur ; faites cuire les galettes tout de suite après l'addition des blancs d'œufs.

La pâte doit être assez ferme pour que les galettes gardent leur forme sur la plaque. Une pâte claire épaissira après un repos de 20 minutes. Une pâte épaisse s'éclaircit avec de l'eau ou du lait que vous ajoutez peu à peu au fouet.

USTENSILES

Pour la cuisson, utilisez une plaque ou une sauteuse lourde. Dans un récipient antiadhésif, les galettes ne

collent pas. Autrement, mettez très peu d'huile et essuyez l'excédent avec de l'essuie-tout ou employez un anti-adhésif en vaporisateur.

La cuisson doit être menée à feu plutôt vif. Réchauffez l'ustensile de façon que la pâte commence à cuire aussitôt que vous la versez. Mais attention : s'il est trop chaud, les galettes rôtiront avant de cuire à l'intérieur. Laissez-y tomber une goutte d'eau : si elle se met à danser, la température est bonne.

DE PETITES BULLES

À mesure que la galette cuit, il se forme de petites bulles à la surface. Quand elles commencent à éclater, soit après 1 à 2 minutes de cuisson selon l'épaisseur de la pâte, soulevez la galette avec une

spatule large. Si elle est dorée, tournez-la. La cuisson est deux fois plus rapide de l'autre côté.

Servez les galettes tout de suite. Ne les couvrez pas, ne les gardez pas au four : elles deviendraient pâteuses.

GAUFRES

Transformez la pâte à galettes en pâte à gaufres en y mettant plus de gras (2 c. à soupe de plus pour 2 tasses de farine), de façon qu'elle ne colle pas au gaufrier. Elle doit aussi être plus claire pour bien s'étendre. Combien faut-il ajouter de liquide ? L'expérience vous le dira. Mais, chose certaine, mieux vaut une pâte un peu trop épaisse qu'un peu trop claire.

Congelez les gaufres qui restent. Vous les réchaufferez 1 minute au four grille-pain à 180 °C (350 °F) ou dans un grille-pain ordinaire.

ACCOMPAGNEMENTS

Le sirop d'érable est le complément classique. Il est plus fluide chaud que froid. Chauffez-le : il s'étendra mieux et il vous en faudra moins.

Vous utiliserez aussi moins de beurre si vous le mélangez au sirop chaud. Prévoyez environ 2 c. à thé de beurre pour 1 tasse de sirop.

Pour varier, essayez les suggestions suivantes : des baies ou des fruits écrasés dans leur jus, de la confiture allongée de jus de fruits et réchauffée, de la compote de pommes saupoudrée de cannelle, de la crème sure additionnée de cassonade et de gingembre confit haché.

Au dîner, garnissez les galettes de poulet ou de crevettes à la crème ou au cari, de homard à la Newburg ou de bœuf Stroganov.

OBJECTIF SANS GRAS

Pour réduire la teneur en lipides et en cholestérol des galettes et des crêpes, remplacez 2 œufs par 1 œuf entier et 2 blancs.

GAGNEZ DU TEMPS

Mélangez d'avance les ingrédients secs et gardez-les au réfrigérateur dans un contenant bien fermé. Portez-les à la température ambiante avant de leur ajouter les corps gras et les liquides.

La pâte des galettes et celle des gaufres se conserve au réfrigérateur jusqu'au lendemain dans un plat couvert. Galettes et gaufres seront moins légères, cependant, parce que la levure chimique aura perdu une partie de ses vertus durant la nuit.

UN ATOUT

Le fouet métallique

Un fouet métallique muni d'un manche solide est l'instrument idéal pour préparer les pâtes à galettes ou à gaufres. Il mélange les ingrédients secs et liquides plus rapidement qu'une cuiller et réduit ainsi la durée de la manipulation.

Galettes rustiques

- **2 tasses de farine non tamisée**
- **2 c. à soupe de sucre**
- **4 c. à thé de levure chimique**
- **1 c. à thé de sel**
- **2 œufs**
- **1½ tasse de lait**
- **¼ tasse d'huile végétale, de beurre fondu ou de margarine fondue**

1 Dans un grand bol, mélangez au fouet la farine, le sucre, la levure chimique et le sel. Réservez.

2 Dans un bol moyen, battez les œufs légèrement. Incorporez ensuite le lait et l'huile au fouet.

3 Tout en fouettant, versez peu à peu ce mélange dans les ingrédients secs, le temps de les humecter ; il ne doit rester que quelques grumeaux dans la pâte.

4 Huilez légèrement une plaque ou une sauteuse et réchauffez-la à feu assez vif 1 à 2 minutes ou jusqu'à ce qu'une goutte d'eau versée dans l'ustensile se mette à danser.

5 Pour chaque galette, laissez tomber 1 c. à soupe rase de pâte sur la plaque chaude. Si vous voulez obtenir des galettes plus grandes, prévoyez ¼ tasse de pâte.

6 Laissez cuire jusqu'à ce qu'il se forme des bulles à la surface, soit 2 à 3 minutes. Vérifiez le dessous de la galette en la soulevant avec une spatule large. Si elle est dorée, tournez-la et laissez-la dorer de l'autre côté. Donne 36 galettes de 7 cm (3 po) ou 12 galettes de 10 cm (4 po).

Pour 3 galettes de 7 cm (3 po) :
Calories 156 ; Gras total 7 g ;
Gras saturé 2 g ; Protéines 4 g ;
Hydrates de carbone 20 g ; Fibres 1 g ;
Sodium 355 mg ; Cholestérol 40 mg

Préparation : 30 minutes
Cuisson : 20 minutes

GALETTES AU RIZ

Suivez la recette ci-contre, mais ajoutez **½ tasse de riz cuit,** blanc, brun ou sauvage, aux ingrédients secs. Donne 36 galettes de 7 cm (3 po) ou 12 galettes de 10 cm (4 po).

GAUFRES

Suivez la recette ci-contre, mais ajoutez 2 c. à soupe d'huile, de beurre fondu ou de margarine fondue, ce qui fera 6 c. à soupe en tout. Versez la pâte dans le gaufrier préchauffé et faites cuire environ 4 minutes ou selon les directives du fabricant. Donne 4 gaufres de 20 cm (8 po).

MUFFINS

D'aucuns prétendent que les muffins sont difficiles à réussir. Il n'en est rien. Si vous suivez nos conseils, le succès est garanti à tout coup.

TECHNIQUE

La pâte des muffins se prépare rapidement. Si vous avez des enfants, ils s'amuseront à vous donner un coup de main.

C'est la façon de mélanger les ingrédients qui rend les muffins tendres ou durs et qui leur donne une texture fine ou grossière. Ne tamisez pas les ingrédients secs, mais mélangez-les au fouet : cela y introduit de l'air et vous obtenez des muffins beaucoup plus légers.

Les ingrédients liquides doivent être liés aux ingrédients secs – pas davantage. Une manipulation excessive durcit les muffins. Quand vous mélangez la pâte longtemps ou énergiquement, le gluten de la farine (une protéine) se développe et c'est lui qui rend la pâte dure, tout en favorisant la multiplication des trous dans la mie.

FARINER LES FRUITS

Pour aider les petits fruits et les noix à bien se disperser dans la mie des muffins, farinez-les discrètement et ajoutez-les quand la pâte est à peu près terminée.

Les fruits juteux, comme les bleuets, ont tôt fait de détremper la farine. Pour parer à cet inconvénient, ajoutez-les à la pâte au moment où vous introduisez les blancs d'œufs légèrement battus.

QUELQUES CONSEILS

Lavez et équeutez les petits fruits au préalable. Épongez-les avec soin sur de l'essuie-tout. Autrement, ils laisseront des traces pâteuses dans les muffins.

À défaut de bleuets frais, prenez des bleuets surgelés, mais ne les décongelez pas : ils vont s'aplatir et marbrer la pâte de bleu.

CUITS À POINT ?

Piquez un cure-dent au centre du muffin qui se trouve au milieu du moule. S'il ressort propre, la cuisson est à point. Autre méthode : exercez une légère pression au centre du muffin. S'il rebondit sans garder l'empreinte du doigt, c'est qu'il est cuit.

Attendez quelques minutes avant de renverser le moule et de démouler les muffins.

FAITES-EN DU PAIN

Versez la pâte à muffins dans un moule à pain bien graissé, enfournez à 180 °C (350 °F) et prévoyez 40 à 45 minutes de cuisson : faites le test du cure-dent. Laissez le moule tiédir 10 minutes sur une grille ; démoulez le pain, remettez-le à l'endroit sur la grille et laissez-le refroidir.

Pour faire soit un pain, soit des muffins, avec la même recette, respectez la température du four : 200 °C (400 °F) pour les muffins, 180 °C (350 °F) pour les pains.

CHIMIE CULINAIRE

La cassonade donne un goût agréable aux muffins. En outre, tout comme le miel et la mélasse, c'est un élément acide qui s'ajoute à l'acidité du babeurre. Ensemble, ils réagissent aux éléments alcalins – la levure chimique et le bicarbonate de soude – pour rendre les muffins encore plus légers.

VARIANTES

Remplacez les bleuets par des raisins secs, des dattes, des pacanes ou des noix hachées. Ou ajoutez ½ tasse de bacon croustillant émietté et remplacez 2 c. à soupe d'huile par 2 c. à soupe de gras de bacon.

GAGNEZ DU TEMPS

Fouettez ensemble 8½ tasses de farine tout usage, ½ tasse de sucre, ¼ tasse de levure chimique et 4 c. à thé de sel. Gardez ce mélange jusqu'à trois semaines au réfrigérateur dans un bocal étanche.

Pour avoir 15 muffins, utilisez 2⅓ tasses de cette préparation (à température de la pièce) ; ajoutez 1 tasse de lait, ¼ tasse d'huile et 1 œuf. Mélangez et faites cuire.

DES CHIFFRES

1 casseau de bleuets à l'épicerie =

2 tasses ; 1¼ à 1⅞ tasse, équeutés, lavés et triés

1 casseau de bleuets bien rempli par vous-même =

2½ tasses ; 2¼ à 2⅓ tasses, équeutés, lavés et triés

INGÉNIEUX !

Cuiller à crème glacée

Pour que vos muffins aient tous la même taille, mesurez la pâte avec une cuiller à crème glacée munie d'un ressort. Graissez ou doublez de godets en papier les alvéoles du moule. Ne les remplissez qu'aux trois quarts.

Muffins aux bleuets

MUFFINS AUX CANNEBERGES

Prenez la recette ci-contre, mais remplacez les bleuets par **1 tasse de canneberges** fraîches ou surgelées (et non décongelées). Utilisez ²/₃ tasse de cassonade ; remplacez le zeste de citron par du **zeste d'orange** et supprimez le poivre noir. Donne 12 muffins.

MUFFINS AUX CANNEBERGES ET AU CHEDDAR

Faites comme ci-dessus, mais supprimez le zeste d'orange ; ajoutez **½ tasse de cheddar râpé** et **⅛ c. à thé de cayenne** aux ingrédients secs. Donne 12 muffins.

2	**tasses de farine non tamisée**
½	**tasse de cassonade blonde bien tassée**
2½	**c. à thé de levure chimique**
½	**c. à thé de bicarbonate de soude**
½	**c. à thé de sel**
¼	**c. à thé de piment de la Jamaïque**
⅛	**c. à thé de poivre noir**

1¼	**tasse de babeurre**
¼	**tasse (½ bâtonnet) de beurre fondu**
1	**œuf, séparé**
1	**c. à thé de zeste de citron râpé**
1	**tasse de bleuets frais, lavés et équeutés, ou de bleuets surgelés, non décongelés**

1 Préchauffez le four à 200 °C (400 °F). Graissez ou doublez de godets en papier 12 alvéoles à muffins de 6 cm (2½ po).

2 Dans un grand bol, mélangez la farine, la cassonade, la levure chimique, le bicarbonate de soude, le sel, le piment de la Jamaïque et le poivre.

3 Dans un petit bol, fouettez le babeurre avec le beurre fondu, le jaune d'œuf et le zeste de citron. Dans un autre bol, fouettez le blanc d'œuf jusqu'à formation de pics souples.

4 Mélangez les liquides aux ingrédients secs sans insister. Incorporez le blanc d'œuf monté en neige ainsi que les bleuets.

5 Remplissez aux trois quarts les alvéoles. Enfournez et faites cuire 20 minutes ou vérifiez la cuisson avec un cure-dent. Laissez les muffins refroidir 10 minutes sur une grille dans leur moule, dégagez-les et démoulez-les sur la grille. Donne 12 muffins.

Par muffin : Calories 156 ; Gras total 5 g ; Gras saturé 3 g ; Protéines 4 g ; Hydrates de carbone 25 g ; Fibres 1 g ; Sodium 279 mg ; Cholestérol 29 mg

Préparation : 17 minutes • Cuisson : 20 minutes

Muffins aux bleuets, muffins aux canneberges et muffins aux canneberges et au cheddar.

PAIN-GÂTEAU

Une pâte éclair à base de levure chimique, légèrement sucrée, additionnée de fruits, de carottes ou de courgettes, parfois aussi de noix: voilà ce que l'on appelle le pain-gâteau.

TECHNIQUE

La pâte qui lève sous l'action de la levure chimique (poudre à pâte) se réalise en un tournemain. Il suffit de défaire le beurre en crème avec du sucre et, après avoir ajouté des œufs, de battre le mélange pour lui donner de la légèreté. À cette étape, trop battre vaut mieux que pas assez: la pâte doit être lisse. Le contraire se produit au moment d'incorporer les ingrédients secs. Dès qu'ils sont liés à la pâte, ne la manipulez pas une seconde de plus.

Sitôt que la préparation est homogène, versez-la dans le moule et enfournez-la dans un four préchauffé. Si vous la laissez attendre, le gaz carbonique dégagé par la levure chimique et le bicarbonate de soude se dissipera avant d'avoir fait lever la pâte.

Placez la grille du four de façon que le pain soit au milieu et que la chaleur puisse circuler librement tout autour. Le pain-gâteau est à point lorsque sa croûte est dorée et qu'un cure-dent inséré au centre de la pâte en ressort propre.

CROÛTE FISSURÉE

La surface de tous les pains à la levure chimique et au bicarbonate de soude a tendance à se fissurer, surtout s'il y a des noix et des fruits dans la pâte. Ne vous en inquiétez pas: c'est normal.

CROÛTE CROQUANTE

Pour donner un peu de croquant au pain, saupoudrez-le, avant la cuisson, de graines de sésame, de germe de blé, de graines de pavot ou de noix hachées très fin.

CHOIX DU MOULE

Le métal et le verre à feu ont des indices de conduction différents. Si vous prenez un moule en verre à feu alors que la recette spécifie du métal, diminuez la température du four de 10 °C (25 °F). Dans le cas contraire, augmentez-la de 10 °C (25 °F).

La croûte est plus dorée dans un moule en métal foncé. Si les pains-gâteaux ont tendance à brunir trop vite dans votre four, utilisez un moule luisant et enfournez-le sur une plaque.

PRÉPAREZ LE MOULE

Le pain-gâteau se démoule sans problème après la cuisson si vous avez bien préparé le moule. Graissez-le légèrement, sans oublier les coins. Après l'avoir fariné, tournez-le à l'envers et donnez un petit coup sec pour faire tomber l'excédent de farine.

Laissez le moule refroidir 10 minutes avant de démouler le pain sur une grille. La vapeur qu'il dégage en refroidissant contribue à le dégager.

PRÉSENTATION

Les tranches devraient être minces – pas plus de 6 mm (¼ po) – et régulières. Le meilleur moyen d'y arriver est de réfrigérer le pain-gâteau pendant 24 heures, après l'avoir laissé refroidir complètement et bien enveloppé.

Employez un couteau long et bien affûté, avec un mouvement de va-et-vient qui n'écrase pas le pain; essuyez la lame après chaque tranche.

Pour trancher un pain-gâteau chargé de noix, utilisez de la soie dentaire bien tendue.

CONSERVATION

Parce qu'il est humide, le pain-gâteau se conserve bien. Mieux encore, le temps affine sa saveur et sa texture. Dès qu'il a refroidi, enveloppez-le dans de la pellicule plastique ou du papier d'aluminium. Il se gardera plusieurs jours au réfrigérateur et un mois au congélateur. Au moment de le servir, déballez-le et laissez-le attendre 1 h 30 à la température de la pièce.

Pour le réchauffer ou le revivifier, enroulez-le dans une serviette humide et mettez-le 10 minutes dans une étuveuse au-dessus de l'eau bouillante.

LA COURGETTE

À cause de son goût subtil, la courgette peut entrer dans des pains tant sucrés que salés. Elle s'associe avec bonheur au maïs auquel elle donne un peu d'humidité.

Râpez-la à la main sur une râpe moyenne. Introduisez-la dans la pâte avec un mouvement enveloppant pour ne pas la meurtrir car elle risquerait de détremper la pâte.

DES CHIFFRES

Il vaut mieux utiliser le moule de la taille recommandée. Pour que le pain ait une forme régulière, ne le remplissez pas plus qu'aux trois quarts. Il existe deux moules à pain rectangulaires; l'un est à peine plus petit que l'autre, mais leur volume est très différent.

22 x 12 x 7 cm (9 x 5 x 3 po) = 8 tasses
20 x 11 x 6 cm (8½ x 4½ x 2¾ po) = 6 tasses

En haut, à gauche, pain aux carottes ; à droite, aux abricots et aux bananes ; au premier plan, aux courgettes.

1 Préchauffez le four à 180 °C (350 °F). Graissez un moule à pain de 22 x 12 x 7 cm (9 x 5 x 3 po) et farinez-le.

2 Mettez les amandes dans un moule à tarte et faites-les griller légèrement 7 minutes dans le four. Quand elles auront refroidi, hachez-les grossièrement. Réservez.

3 Mélangez la farine, la levure chimique, le bicarbonate de soude et le sel. Réservez.

4 Au batteur électrique, défaites le beurre en crème à vitesse moyenne. Ajoutez peu à peu la cassonade et le sucre et battez bien après chaque addition. Incorporez les œufs un à un. Ajoutez les ingrédients secs graduellement et mélangez brièvement après chaque addition. La pâte ne doit pas être homogène.

5 Mélangez à part les bananes écrasées, le babeurre et l'essence d'amande. Incorporez-les à la pâte ; ajoutez ensuite les abricots, le gingembre et les amandes.

6 Dressez la pâte dans le moule, enfournez sur une grille placée au milieu du four et faites cuire pendant 50 à 55 minutes, ou jusqu'à ce qu'un cure-dent piqué au centre du pain en ressorte propre.

7 Attendez 10 minutes avant de dégager le pain et de le démouler. Laissez-le refroidir complètement sur une grille avant de le couper. Donne 1 pain de 12 tranches.

Par tranche : Calories 331 ; Gras total 15 g ; Gras saturé 7 g ; Protéines 6 g ; Hydrates de carbone 47 g ; Fibres 3 g ; Sodium 171 mg ; Cholestérol 68 mg

Préparation : 22 minutes
Cuisson : 1 heure

Pain aux abricots et aux bananes

- ½ **tasse d'amandes entières non blanchies**
- 1¾ **tasse de farine non tamisée**
- 1½ **c. à thé de levure chimique**
- ½ **c. à thé de bicarbonate de soude**
- ½ **c. à thé de sel**
- ½ **tasse (1 bâtonnet) de beurre mou**
- ⅓ **tasse de cassonade blonde bien tassée**
- ½ **tasse de sucre**
- 2 **œufs**
- 1 **tasse de bananes écrasées**
- ⅓ **tasse de babeurre**
- ¼ **c. à thé d'essence d'amande**
- 1 **tasse d'abricots séchés, hachés**
- 2 **c. à soupe de gingembre confit, haché fin**

COURGETTES

Dans la recette ci-contre, remplacez les amandes par **1 tasse de pacanes hachées,** les bananes par **1½ tasse de courgettes râpées.** Ajoutez **1 c. à thé de cannelle** à l'étape 3. Supprimez la cassonade et utilisez ¾ tasse de sucre. À l'étape 5, éliminez les abricots et le gingembre. Laissez cuire 1 heure. Donne 1 pain.

CAROTTES

Dans la recette ci-contre, supprimez les amandes et le bicarbonate de soude ; utilisez 2½ c. à thé de levure chimique. À l'étape 3, ajoutez ¼ **c. à thé chacun de cardamome, de gingembre et de piment de la Jamaïque.** Éliminez la cassonade et utilisez ⅔ tasse de sucre ; remplacez les bananes par **1½ tasse de carottes râpées,** le babeurre par ½ **tasse de jus d'orange.** Supprimez l'essence d'amande, les abricots et le gingembre confit. Laissez cuire 1 heure. Donne 1 pain.

BANANES ET NOIX

Dans la recette ci-contre, ajoutez ½ **c. à thé de cannelle** et ¼ **c. à thé de piment de la Jamaïque** à l'étape 3. Remplacez les amandes et les abricots par des **noix hachées** et des **raisins secs** ; éliminez le gingembre. Donne 1 pain.

Pain de maïs

Pour réussir le pain de maïs à l'ancienne, il vous faut une sauteuse qui va au four. Manipulez très peu la pâte et mesurez bien la farine de maïs (meulée sur pierre) ainsi que la farine de blé.

UN CADEAU DES AMÉRINDIENS

Les Amérindiens des trois Amériques nous ont donné non seulement le maïs, mais aussi la farine de maïs qui entre dans un grand nombre de recettes savoureuses comme les johnnycakes, les hush puppies, les muffins au maïs et la polenta italienne.

Le pain au maïs est doux, sucré ou aigre selon les régions. La farine elle-même peut être blanche, dorée ou bleue. Elles ont toutes les trois à peu près la même saveur, mais la farine bleue, plus friable, est aussi plus difficile à travailler. Et selon la recette dans laquelle on l'emploie, elle peut donner à un plat une couleur assez peu appétissante.

PRÉPARATION

La préparation des pains de maïs ressemble à celle des muffins au maïs. On mélange les ingrédients secs, puis les ingrédients liquides, et on associe les deux pour les lier, sans plus. Une manipulation excessive fait durcir la pâte.

UN PAIN BIEN CROÛTÉ

Pour que la croûte soit croustillante, déposez le corps gras dans la sauteuse (les puristes exigent que ce soit du gras de bacon) et glissez la sauteuse dans le four pendant que vous le préchauffez. La pâte doit grésiller quand vous la versez dans la sauteuse, souvenir du temps où le pain cuisait sur un feu de bois. Ne sautez pas cette étape cruciale.

Le pain est à point quand sa croûte est croustillante et qu'un cure-dent inséré au centre en ressort propre.

UN PEU DE PIQUANT

Notre Pain de maïs de Santa Fe doit son feu au piment jalapeño mariné qui entre dans sa composition. Si vous préférez que le pain soit moins épicé, employez du jalapeño frais. Mais si vous l'aimez plus épicé encore, prenez un chili très fort. Et n'oubliez pas que son feu s'atténue à la cuisson.

GARE AU PIMENT !

C'est dans les graines et les membranes que se trouve le feu du piment fort ; voilà pourquoi on recommande en général de l'épépiner. Enfilez des gants de caoutchouc pour le parer et le hacher et lavez-vous soigneusement les mains après. Les huiles volatiles des piments forts peuvent vous brûler cruellement les yeux. Si cela vous arrive, baignez-vous les yeux plusieurs fois à l'eau froide.

ACHAT DE LA FARINE DE MAÏS

À la farine de maïs moulue industriellement entre des rouleaux d'acier, préférez la farine moulue à l'ancienne sur une meule de pierre.

Ainsi préparée, elle conserve une partie de l'enveloppe et du germe du grain. Plus nourrissante et assurément plus goûteuse que la farine pulvérisée, elle garde cette texture un peu râpeuse qui plaît tant aux initiés.

Comme l'huile de maïs contenue dans le germe est périssable, on recommande de réfrigérer la farine moulue à l'ancienne ou de l'utiliser avant un mois si elle est gardée dans l'armoire. La farine commerciale peut rester trois mois sur les rayons.

LA CORIANDRE

La popularité de la coriandre fraîche est à la hausse. Membre de la famille de la carotte, avec des feuilles semblables à celles du persil plat italien, elle se retrouve dans les cuisines du Mexique, du Portugal et du Moyen-Orient. Il faut s'habituer à sa saveur anisée, mais ceux qu'elle a séduits ne s'en lassent plus.

Au printemps, faites pousser de la coriandre dans un pot, sortez-la au jardin durant l'été : vous la rentrerez et vous en parfumerez vos plats durant toute la morte saison.

Tout comme le persil, la coriandre se garde dans un sac de plastique placé au réfrigérateur dans le bac à légumes. Ou immergez-la dans l'eau, comme un bouquet, et couvrez le dessus avec un sac de plastique.

DES AROMATES

Le pain de maïs nature a besoin d'aromates. Ajoutez à la pâte $\frac{1}{2}$ tasse de l'un des éléments suivants : miettes de bacon croustillant, miettes de jambon, carotte ou courgette cuites, saucisson haché, cheddar, gruyère ou monterey jack râpés, maïs en crème.

INGÉNIEUX !

Le moule en épis de maïs

Rompez avec l'ordinaire. Faites cuire le pain dans un moule en forme d'épis de maïs, en fonte noire comme la sauteuse de la recette. Il faut le graisser et le réchauffer avant de verser la pâte avec une cuiller dans chacun des épis. Ne les remplissez qu'aux trois quarts. Faites cuire 20 minutes à 200 °C (400 °F). Une fois démoulés, les pains ressemblent à des épis de maïs.

Pain de maïs de Santa Fe

- **5 c. à soupe d'huile d'olive ou de gras de bacon**
- **2 oignons verts, tranchés mince**
- **2 gousses d'ail, hachées**
- **1 petit poivron rouge, paré, épépiné et haché**
- **½ tasse de coriandre fraîche, ciselée**
- **1 piment jalapeño mariné, en boîte, paré, épépiné et haché**
- **1⅓ tasse de farine de maïs dorée moulue à l'ancienne**
- **¾ tasse de farine tout usage non tamisée**
- **2 c. à soupe de sucre**
- **3 c. à thé de levure chimique**
- **1 c. à thé de sel**
- **½ c. à thé de bicarbonate de soude**
- **1¼ tasse de babeurre**
- **2 œufs**

1 Chauffez le four à 230 °C (450 °F). Badigeonnez d'huile une sauteuse de 22 cm (9 po) en fonte noire ou une sauteuse antiadhésive allant au four.

2 Dans une petite sauteuse, réchauffez 1 c. à soupe d'huile 1 minute à feu modéré et faites-y revenir les oignons verts et l'ail 2 minutes en remuant souvent. Ajoutez le poivron rouge et faites-le attendrir 4 minutes. Ajoutez la coriandre, le piment jalapeño et le reste de l'huile. Réservez.

3 Réchauffez au four la sauteuse de fonte. Entre-temps, mélangez dans un grand bol la farine de maïs, la farine tout usage, le sucre, la levure chimique, le sel et le bicarbonate de soude. Dans un petit bol, fouettez le babeurre et les œufs et incorporez à ce mélange les légumes sautés à l'huile.

4 Pratiquez une fontaine au centre des ingrédients secs, versez-y les ingrédients liquides et mélangez juste ce qu'il faut pour lier la pâte.

5 Versez la pâte dans la sauteuse chaude ; lissez la surface. Enfournez et laissez cuire 20 minutes ou jusqu'à ce qu'un cure-dent introduit au centre du pain en ressorte propre. Découpez en pointes ; servez chaud. Donne 8 portions.

Par portion : Calories 242 ; Gras total 11 g ; Gras saturé 2 g ; Protéines 6 g ; Hydrates de carbone 31 g ; Fibres 2 g ; Sodium 593 mg ; Cholestérol 55 mg

Préparation : 30 minutes
Cuisson : 23 minutes

VARIANTES

Pain de maïs au poivre noir. Dans la recette ci-contre, supprimez les oignons verts, l'ail et le piment jalapeño. Ajoutez **½ c. à thé de grains de poivre noir,** concassés ou écrasés, et **½ c. à thé de sauge** ou de thym séché. Donne 8 portions.

Muffins au maïs. Suivez la recette ci-contre, mais préchauffez le four à 200 °C (400 °F) seulement et n'employez que 4 c. à soupe d'huile d'olive ou de gras de bacon. Supprimez les oignons verts, l'ail, le poivron rouge, la coriandre et le piment jalapeño et ne mettez que ¾ c. à thé de sel. Déposez ¼ tasse de pâte dans 12 alvéoles de 6 cm (2½ po) à muffins, doublés de godets en papier ou bien graissés. Enfournez et faites cuire 17 à 20 minutes, jusqu'à ce qu'ils soient légèrement fermes au toucher. Laissez refroidir les muffins 10 minutes avant de les démouler. Donne 12 muffins.

PETITS PAINS

Quand vous aurez maîtrisé la technique des petits pains au lait, vous pourrez créer toutes sortes de variantes.

LEVURE ACTIVE

À première vue, elle paraît sèche. En réalité, c'est une plante monocellulaire ; avec de l'humidité, des aliments, de l'oxygène et de la chaleur, elle croît et émet du gaz carbonique qui fait lever le pain.

La levure se nourrit de fécule qu'elle trouve dans la farine. Dans nos Petits pains au lait, on lui fournit aussi du sucre et de la pomme de terre. Cela donne une mie tendre, légère, un peu sucrée.

Il y a deux sortes de levures. L'une, fraîche, est comprimée en blocs. L'autre, sèche et en granules, se vend en sachets ou en boîtes métalliques.

La plupart des recettes demandent de la levure sèche active parce qu'elle est plus courante et se conserve plus longtemps ; mais toutes deux font l'affaire. Vérifiez toujours la date de péremption inscrite sur l'emballage.

Avant de mélanger la levure aux autres ingrédients, il faut la dissoudre dans de l'eau à 40-46 °C (105-115 °F) si elle est sèche, à 35 °C (95 °F), pas plus, si elle est fraîche. L'eau n'active pas la levure si elle est trop froide ; elle la fait mourir si elle est trop chaude. Vérifiez sa température avec un thermomètre.

LE PÉTRISSAGE

Les pains et les petits pains à la levure ne lèveront pas à moins que le gluten de la farine ne soit activé. C'est à quoi sert le pétrissage. Il crée un réseau de cellules qui emprisonnent les bulles de gaz carbonique dégagées par la levure. Le pétrissage est terminé quand la pâte est spongieuse, lisse et tiède.

Si votre batteur électrique est muni d'un crochet spécial, il fera le pétrissage pour vous, mais ce n'est pas aussi bénéfique – ni aussi amusant – que de pétrir à la main.

UNE COUPE NETTE

Quand on vous dit de diviser la pâte en deux après l'avoir pétrie, faites une coupe nette avec un bon couteau. En étirant la pâte, vous détruiriez le réseau de gluten que vous venez de créer.

PÉTRISSAGE ET FERMENTATION

1 Après avoir mélangé les ingrédients, façonnez la pâte en boule sur une surface farinée : elle sera grumeleuse. Poudrez-la d'un peu de farine. Aplatissez-la légèrement et repliez-la vers vous.

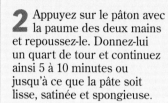

2 Appuyez sur le pâton avec la paume des deux mains et repoussez-le. Donnez-lui un quart de tour et continuez ainsi 5 à 10 minutes ou jusqu'à ce que la pâte soit lisse, satinée et spongieuse.

3 La pâte étant pétrie, façonnez-la en boule, mettez-la dans un bol bien beurré et roulez-la dedans pour bien l'enduire de beurre. Couvrez-la et laissez-la lever.

4 La pâte doit doubler de volume. Le temps requis pour cette étape varie, mais vous pouvez prévoir 50 à 60 minutes pour un pâton de farine blanche dans une pièce modérément chaude.

5 Quand le pâton a doublé de volume, dégonflez-le avec le poing. Déposez-le sur une surface légèrement farinée et pétrissez-le de nouveau. Vous pouvez maintenant le façonner en pains ou en petits pains et laisser de nouveau la pâte lever.

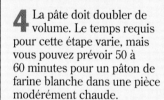

FERMENTATION

Dès que vous avez fini de pétrir la pâte, il faut la mettre à l'écart et la laisser lever. Beurrez le pâton en le faisant tourner dans un grand bol bien enduit de beurre. Cela empêche la pâte de sécher, mais aussi de coller au bol pendant qu'elle fermente.

La plupart du temps, la pâte doit lever d'abord dans le bol et de nouveau après sa mise en forme. C'est ainsi que le réseau de gluten s'étend et

(suite à la page 76)

Petits pains au lait

- 2 c. à soupe de sucre
- ½ tasse d'eau tiède
  (40-46 °C/105-115 °F)
- 2 sachets (1 c. à soupe chacun) de levure sèche active
- 1 tasse de lait
- 1 tasse d'eau
- 2 c. à thé de sel

- ½ tasse (1 bâtonnet) et 3 c. à soupe de beurre, fondu
- 1 grosse pomme de terre, épluchée, bouillie et passée dans un moulin à légumes
- 6½ à 7 tasses de farine non tamisée
- 1 œuf, légèrement battu

1 Dans un petit bol, mélangez le sucre, l'eau tiède et la levure. Remuez et attendez 10 minutes que le mélange bouillonne.

2 À feu assez vif, amenez le lait et l'eau au point d'ébullition. Versez-les dans un grand bol. Avec une cuiller en bois ou au batteur électrique muni d'une feuille, incorporez le sel et 3 c. à soupe de beurre; laissez tiédir 10 minutes. À vitesse modérée, incorporez la pomme de terre, 2 tasses de farine et l'œuf; battez 1 minute après chaque addition.

3 Incorporez la levure et battez encore 1 minute. Si vous utilisez le batteur électrique, remplacez la feuille par le crochet à pâte. Ajoutez 4½ tasses de farine et battez 3 à 5 minutes; au besoin, rajoutez ¼ à ½ tasse de farine pour que la pâte se manipule bien.

4 Façonnez la pâte en boule, déposez-la dans un grand bol bien beurré et roulez-la dans tous les sens pour bien l'enrober de beurre. Couvrez le bol avec une serviette et laissez la pâte doubler de volume dans un endroit chaud, loin des courants d'air, environ 50 minutes.

5 Dégonflez le pâton, déposez-le sur un plan de travail fariné et divisez-le en quatre. Prenez une

Avec la même recette de pâte, vous pouvez faire des petits pains au lait, des accordéons ou des trèfles.

portion et abaissez-la en un rectangle de 20 x 25 cm (8 x 10 po) et de 6 mm (¼ po) d'épaisseur. Découpez 12 cercles avec un emporte-pièce fariné de 6 cm (2½ po); abaissez les chutes et découpez quatre cercles de plus.

6 Badigeonnez ces cercles de beurre fondu. Avec une règle ou le dos d'un couteau, faites des marques en travers des cercles et pliez-les en deux, en étirant la moitié du dessus pour qu'elle couvre celle du dessous. Pincez les bords pour les souder. Répétez l'opération pour les trois autres pâtons.

7 Disposez les cercles sur des plaques peu graissées; badigeonnez-les de beurre fondu. Couvrez avec une serviette et laissez lever 30 minutes. Chauffez le four à 180 °C (350 °F).

8 Enfournez et faites cuire pendant 30 minutes. Servez les petits pains chauds ou laissez-les refroidir sur une grille. Donne 64 petits pains.

**Par petit pain : Calories 136 ;
Gras total 5 g ; Gras saturé 3 g ;
Protéines 3 g ;
Hydrates de carbone 20 g ; Fibres 1 g ;
Sodium 140 mg ; Cholestérol 18 mg**

*Préparation : 30 minutes
Fermentation : 1 h 20 • Cuisson : 30 minutes*

(suite de la page 74)

s'amenuise pour donner au pain une texture de plus en plus fine.

La pâte lève idéalement à 26-29 °C (80-85 °F), bien à l'écart des courants d'air ; couvrez-la d'une serviette ou d'une pellicule plastique vaporisée d'un enduit végétal.

S'il fait froid dans la pièce, déposez le bol contenant la pâte sur une grille au-dessus d'un plat d'eau bouillante que vous pouvez même placer dans le four éteint. Mettez-la dans un endroit plus frais si elle lève trop vite.

Au besoin, interrompez l'opération en mettant la pâte au réfrigérateur. Elle continuera à lever, mais très doucement, jusqu'à ce que vous la rameniez à la chaleur.

Laissez la pâte doubler de volume ; le temps requis par cette opération dépend de la recette et de la température de la pièce. La seconde fermentation se fait deux fois plus vite que la première.

Un conseil : pour savoir si elle a doublé de volume, enfoncez rapidement deux doigts dans 1 cm (½ po) de pâte. Si elle en garde l'empreinte, c'est qu'elle a assez levé.

Avec le poing, dégonflez le pâton en plein centre. Par ce geste, vous libérez le gaz carbonique en excès et vous distribuez mieux celui qui reste. Repliez les bords de la boule vers le centre et mettez-la à l'envers. La pâte peut maintenant être façonnée.

ÉCHECS ET CAUSES

Si vous oubliez de saler la pâte, elle lève d'abord rapidement, puis s'arrête avant

---

VARIANTES DES PETITS PAINS AU LAIT

(Voir la recette de base page 75)

Accordéons. Suivez la recette, mais à l'étape 5, découpez 25 cercles avec un emporte-pièce de 5 cm (2 po) ; badigeonnez les surfaces de beurre. Empilez cinq cercles, posez la pile sur le côté dans des alvéoles à muffins graissées. Répétez avec les trois autres pâtons. Reprenez la recette principale à l'étape 7. Donne 20 accordéons.

Trèfles. Suivez la recette jusqu'à l'étape 5. Dégonflez la pâte, mettez-la sur une surface farinée. Divisez-la en 72 petits pâtons et roulez-les en boules de 2 cm (1 po) de diamètre. Déposez-les trois par trois dans des alvéoles à muffins graissées et reprenez la recette principale à l'étape 7. Donne 24 trèfles.

Danoises. Suivez la recette jusqu'à l'étape 5. Dégonflez la pâte et divisez-la en deux sur une surface farinée. Abaissez les pâtons en rectangles de 38 x 30 cm (15 x 12 po), à 6 mm (¼ po) d'épaisseur. Mélangez **½ tasse de cassonade blonde, ½ tasse de sirop de maïs, 2 c. à thé de cannelle** et **1 tasse de beurre mou** (2 bâtonnets). Garnissez les abaisses jusqu'à 1 cm (½ po) des bords et saupoudrez avec **1 tasse de pacanes hachées.** Enroulez la pâte sur le grand côté ; mettez le pli en dessous. Découpez chaque rouleau en 15 tranches de 2 cm (1 po) d'épaisseur. Déposez-les sans qu'elles se touchent dans un moule à gâteau roulé de 38 x 25 cm (15 x 10 po). Couvrez et laissez lever 20 minutes. Enfournez et faites cuire 40 minutes. Badigeonnez les danoises de beurre fondu et prolongez la cuisson de 5 minutes. Donne 30 brioches.

---

d'avoir doublé de volume. Le sel régularise la fermentation.

Attention à la farine que vous ajoutez durant le pétrissage. Plus vous en mettez et plus le pain risque d'être sec.

Le pain n'est ni léger ni bien levé ? Vous avez peut-être utilisé de l'eau trop chaude pour dissoudre la levure. Ou bien vous n'avez pas suffisamment pétri la pâte.

Quand la mie du pain est parsemée de gros trous, c'est souvent parce que vous avez trop pétri la pâte, chose rare quand on pétrit à la main, mais fréquente au batteur

électrique. Ou bien la pâte, en levant soit trop longtemps, soit trop vite, a pu retenir trop de gaz carbonique.

Mais si la mie du pain est très dense, c'est probablement parce que vous n'avez pas laissé la pâte lever au double de son volume.

Quand le pain mis à cuire sur une plaque s'étend avec excès, la pâte était trop claire.

Par contre s'il est mou et se tasse sous le couteau, vous l'avez laissé trop longtemps dans le moule. Dans certains cas, il faut le démouler au sortir du four. Suivez la recette.

TRÈFLES

1 Mettez la pâte fermentée sur une surface farinée, divisez-la en 72 pièces et façonnez-les en boules de 2 cm (1 po).

2 Déposez trois boules dans chaque alvéole à muffins graissée. Couvrez et laissez lever.

ACCORDÉONS

1 Découpez des cercles de 5 cm (2 po) dans la pâte. Beurrez-les et empilez-les cinq par cinq.

2 Posez la pile sur le côté dans les alvéoles à muffins. Couvrez et laissez lever.

FAÇONNAGE DES DANOISES

1 Abaissez les deux moitiés de la pâte ; recouvrez de caramel et de pacanes. Enroulez les abaisses à partir du grand côté. Scellez bien.

2 Découpez des tranches de 2 cm (1 po). Disposez celles-ci sur des plaques. Couvrez avec un linge et laissez lever les danoises.

Les danoises, à droite, se font avec la pâte des Petits pains au lait, mais au sortir du four, elles sont tout imprégnées de sirop au beurre et à la cannelle et garnies de pacanes croquantes.

PAIN RUSTIQUE AU LEVAIN

Les pains et petits pains au levain se caractérisent par un goût aigrelet. Ils sont faits avec un levain maison que vous préparez vous-même.

PÂTE RUSTIQUE AU BLÉ ENTIER

Suivez la recette page ci-contre, mais remplacez 2 tasses de farine à pain par **2 tasses de farine complète.** Donne 2 pains d'environ 10 tranches chacun.

PAIN RUSTIQUE À L'OIGNON

Préparez la pâte du pain au levain ou du pain de blé entier. Pendant la première fermentation, faites sauter à feu doux **3 oignons moyens** (500 g/1 lb), tranchés mince, dans **1 c. à soupe de beurre** pendant 8 à 10 minutes. Quand ils sont tièdes, garnissez-en les pains avant la dernière fermentation (étape 5). Donne 2 pains de 10 tranches chacun.

LEVAIN NATUREL

Le levain est un mélange de farine, d'eau et de sucre mis à fermenter à la chaleur, au contact des levures présentes dans l'air. C'est le levain historique, en usage depuis des millénaires.

En boulangerie traditionnelle, on laisse reposer le levain jusqu'à ce qu'il mousse : c'est signe qu'il a fermenté. Cette fermentation se fait lentement ; selon la température, l'humidité et la quantité de levures dans l'air, le processus peut prendre jusqu'à deux semaines. Quand le levain est prêt, il a acquis une saveur acide qu'il communique à la pâte. Voilà pourquoi on dit parfois que le pain est aigre.

Une partie de ce levain sert à fabriquer une fournée de pains ; le reste est nourri de farine, d'eau et de sucre et mis de côté jusqu'à la fournée suivante. La préparation du levain demande du temps, c'est vrai. Mais l'opération ne se fait qu'une fois.

LEVAIN SIMPLIFIÉ

La fabrication du pain à levain est la même chez tous les boulangers qui adoptent la méthode traditionnelle. D'autres simplifient le procédé pour le rendre plus fiable et plus rapide. Nous adoptons ici un levain à base de levure commerciale, qui se développe en une journée environ.

Lorsque le levain a été introduit dans la pâte, la manipulation devient identique à celle des pains à la levure.

LA CROÛTE

Pour que la croûte du pain au levain soit bien croustillante, elle a besoin d'un peu de vapeur. Avec un atomiseur,

COMMENT STRIER LE PAIN

Après la dernière fermentation, entaillez le dessus des miches à 6 mm (½ po) de profondeur, en diagonale ou en croix, avec un couteau d'office. Ces entailles décorent les pains et leur donnent du croustillant.

vaporisez un peu d'eau sur les miches juste avant de les enfourner. Vaporisez ensuite le four chaud trois fois au cours des 10 premières minutes de la cuisson.

La croûte sera tendre si vous enfournez le pain dans un four un peu moins chaud que ne l'indique la recette ; elle sera mince et croquante si le four est un peu plus chaud.

L'air doit circuler librement autour du pain dans le four pour qu'il croûte bien. N'en cuisez pas plus de deux à la fois dans un four normal. Faites-les passer de gauche à droite et tournez-les bout pour bout à mi-cuisson.

LES FARINES

Les meuniers parlent de farine de blé tendre et de farine de blé dur selon le type de blé dont elles proviennent. Plus la farine contient du blé dur, plus elle est riche en gluten et plus le pain est tendre. Les farines de blé et de seigle sont les seules à renfermer du gluten.

Les farines principalement utilisées en boulangerie sont la farine à pain, la farine tout usage et la farine de blé entier. La farine à pain est faite à partir du blé dur ; elle demande beaucoup de pétrissage. C'est le meilleur choix pour de nombreux pains. La farine tout usage provient d'un mélange de blé dur et de blé tendre ; elle sert à tout, mais aussi à faire du pain. Enfin la farine de blé entier est celle qui renferme le moins de gluten.

La variante à l'oignon de notre Pain rustique au levain est garnie d'oignons sautés.

2 Pâte. Déposez le levain dans un grand bol. Avec une cuiller en bois ou un batteur électrique muni d'une feuille, incorporez l'eau, le sucre, le sel et 2½ tasses de farine. À vitesse moyenne, battez la pâte 15 secondes : elle doit être lisse.

3 Si vous utilisez un batteur électrique, remplacez la feuille par le crochet. Ajoutez 3 c. à soupe de beurre fondu et 2½ tasses de farine, ½ tasse à la fois. Continuez à battre 10 minutes en ajoutant ½ à 1 tasse de farine, au besoin, pour obtenir une pâte souple et spongieuse. (Si vous utilisez une cuiller en bois, vous devrez faire entrer le reste de la farine au moment du pétrissage.)

4 Formez la pâte en boule, déposez-la dans un bol bien beurré et faites-la rouler pour l'enduire de beurre. Couvrez-la d'une serviette et laissez-la doubler de volume, dans un endroit chaud, à l'abri des courants d'air. Prévoyez 1 heure à 1 h 30. Dégonflez la pâte, couvrez-la et laissez-la lever 1 h 30 de plus.

5 Dégonflez la pâte et pétrissez-la 2 à 3 minutes sur un plan de travail fariné. Divisez-la en deux pâtons et façonnez-les en boules. Déposez-les dans des moules ronds bien graissés, couvrez-les d'une serviette et laissez-les doubler de volume ; prévoyez de 45 minutes à 1 heure. Préchauffez le four à 180 °C (350 °F).

6 Badigeonnez les miches avec le reste du beurre fondu ; entaillez-les en diagonale sur le dessus avec un couteau coupant.

7 Enfournez et laissez cuire 45 à 50 minutes. Tapotez le dessous des pains ; ils doivent rendre un son creux. Renversez-les tout de suite sur des grilles. Donne 2 pains d'environ 10 tranches chacun.

Par tranche : Calories 94 ; Gras total 7 g ; Gras saturé 4 g ; Protéines 1 g ; Hydrates de carbone 7 g ; Fibres 0 g ; Sodium 321 mg ; Cholestérol 19 mg

Levain : 12 heures • Préparation : 45 minutes
Fermentation : 3 h 15 à 4 heures • Cuisson : 45 à 50 minutes

Pain rustique au levain

Levain :
- **2 tasses d'eau tiède à 40-46 °C (105-115 °F)**
- **1 sachet de levure active**
- **1½ tasse de farine à pain**

Pâte :
- **1½ tasse de levain**

- **1 tasse d'eau**
- **2 c. à soupe de sucre**
- **1 c. à soupe de sel**
- **5 à 6 tasses de farine à pain non tamisée**
- **4 c. à soupe (½ bâtonnet) de beurre, fondu**

1 Levain. Dans un bol en verre ou en céramique, fouettez l'eau, la levure et la farine à pain. Couvrez de papier ciré et laissez fermenter 12 heures ou jusqu'au lendemain dans un endroit chaud, à l'abri des courants d'air.

PAINS BRIOCHÉS

Additionnées de fruits séchés ou de noix, fourrées de beurre à la cannelle, les pâtes à la levure donnent des pains et petits pains exquis.

ON APPREND EN PRATIQUANT

Quand vous aurez maîtrisé les pâtes à la levure, vous aurez le goût d'aborder les pains et petits pains briochés, si bons à déguster au petit déjeuner ou l'après-midi, avec un thé fumant ou un bon café.

COMMENT FORMER LE PAIN

Pains cuits dans des moules à pain : aplatissez ou abaissez la pâte en un rectangle de 22 x 38 cm (9 x 15 po). À partir du petit côté, enroulez la pâte sur elle-même en serrant et en appuyant à chaque tour pour chasser l'air et la souder.

L'enroulement terminé, pressez les extrémités avec le côté de vos mains et repliez-les sous le rouleau en vérifiant qu'il n'excède pas la longueur du moule. Déposez le rouleau, soudure dessous, dans un moule à pain graissé.

Le moule doit toucher au rouleau des quatre côtés pour supporter le pain durant la fermentation et la cuisson.

Dans le cas des pains fourrés, comme notre Pain à la cannelle et aux raisins secs, vérifiez l'état de la soudure après l'introduction de la garniture, avant la deuxième fermentation. Au besoin, refaites la soudure avant la cuisson.

CHOIX DU MOULE

On estime que les moules en aluminium non étamé donnent les plus beaux pains, uniformément dorés. Les moules en métal foncé ou en verre à feu absorbent plus la chaleur et produisent des croûtes très foncées.

CHOIX DES RAISINS ET PRÉPARATION

Muscat, Malaga, Sultana et Thompson Seedless sont les raisins déshydratés les plus courants. Le raisin de Corinthe et le Zante sont des raisins miniatures noirs et très sucrés ; celui de Smyrne est doré, tendre et très doux.

CONSEIL DE CHEF

Nick Malgieri

« Avant d'étendre la garniture dans un pain et de l'enrouler comme vous le feriez pour un gâteau roulé, assurez-vous que la pâte est partout de la même épaisseur. Si l'abaisse a des points faibles, la garniture risque de sortir durant la cuisson. Ne l'enroulez pas trop serré.

« Une spatule et une pelle à crêpe vous aideront à dégager la pâte si elle adhère au plan de travail. »

Selon les procédés de dessiccation et de traitement utilisés, leur couleur peut s'écarter de celle qu'ils avaient à l'origine. Les raisins foncés sont séchés au soleil ; les raisins dorés sont desséchés mécaniquement et traités au bioxyde de soufre pour sauvegarder la couleur.

Un séjour de 15 à 30 minutes dans de l'eau chaude avant la cuisson conserve leur moelleux aux raisins secs (et aux autres fruits secs) durant la cuisson et les empêche de tomber au fond du moule. Mais il faut bien les éponger.

LES NOIX

Amandes, pacanes, noisettes, arachides, pistaches, pignons, noix de macadamia et noix proprement dites constituent les meilleurs choix pour les pains aux noix.

PAIN AUX RAISINS ET AUX NOISETTES

Suivez la recette page ci-contre. À l'étape 4, au lieu des raisins secs, déposez sur la pâte **1 tasse de raisins de Corinthe,** trempés et égouttés, et **½ tasse de noisettes.** Dans la garniture (étape 5), remplacez la cannelle par **1 c. à thé de graines de coriandre moulues** et **1 c. à thé de gingembre moulu.** Supprimez le glaçage à l'étape 7 et contentez-vous de saupoudrer le pain avec **¼ tasse de sucre glace.** Donne 2 pains.

BRIOCHES DU VENDREDI-SAINT

Employez les ingrédients de la recette page ci-contre et suivez les étapes 1 à 3. À l'étape 4, dégonflez la pâte et pétrissez-la 2 minutes sur un plan de travail fariné. Divisez-la en 12 ou 24 morceaux. Formez des boules, déposez-les sur des plaques graissées et incisez un X sur le dessus. Faites cuire 12 à 15 minutes à 190 °C (375 °F). Préparez le glaçage comme à l'étape 7, enfermez-le dans un sac de plastique et faites un trou dans un coin ; tracez une croix sur chaque brioche. Donne 12 grosses ou 24 petites brioches.

Pain à la cannelle et aux raisins secs

- 6 c. à thé de sucre
- 2 sachets (2 c. à soupe) de levure sèche active
- 1 tasse de lait entier ou écrémé à 2 p. 100, tiède (40-46 °C/105-115 °F)
- 1¼ tasse d'eau tiède (40-46 °C/105-115 °F)
- 5 c. à soupe de beurre ou de margarine fondus
- 2 c. à thé de sel
- 6 à 6½ tasses de farine tout usage non tamisée
- 1 tasse de raisins secs noirs, trempés

Garniture à la cannelle :

- 3 c. à soupe de beurre ou de margarine fondus
- ½ tasse de sucre
- 1 c. à soupe de cannelle moulue

Glaçage :

- 2 tasses de sucre glace tamisé
- 2 c. à soupe d'eau

1 Dans un grand bol, faites dissoudre 1 c. à thé de sucre et la levure dans le lait. Laissez fermenter 5 à 10 minutes. Entre-temps, mélangez l'eau tiède, 4 c. à soupe de beurre, le sel et le reste du sucre. Incorporez à la levure.

2 Avec une cuiller en bois ou le batteur électrique muni d'un crochet à pâte, incorporez la farine, 1 tasse à la fois, jusqu'à obtention d'une pâte lisse. Continuez de battre à vitesse moyenne 7 à 8 minutes, ou jusqu'à ce que la pâte soit spongieuse (ou pétrissez-la 8 à 10 minutes sur un plan de travail fariné).

3 Versez le reste du beurre dans un grand bol. Façonnez la pâte en boule et roulez-la dans le bol pour la graisser. Couvrez avec une serviette et laissez doubler de volume dans un endroit chaud, à l'abri des courants d'air, environ 1 heure.

4 Beurrez deux moules à pain de 22 x 12 x 7 cm (9 x 5 x 3 po). Dégonflez la pâte et pétrissez-la délicatement pendant 2 minutes sur un plan de travail fariné. Divisez-la en deux et laissez-la reposer 5 à 10 minutes après l'avoir couverte. Prenez un pâton et abaissez-le pour former un rectangle de 22 x 38 cm (9 x 15 po). Déposez la moitié des raisins secs pardessus et pétrissez doucement pour bien les répartir dans la pâte. Couvrez et laissez reposer 10 minutes. Faites de même avec l'autre pâton.

5 **Garniture.** Dans un petit bol, mélangez 2 c. à soupe de beurre, le sucre et la cannelle. Abaissez de nouveau deux rectangles de 22 x 38 cm (9 x 15 po). Tartinez-les de garniture à la cannelle. À partir du côté étroit, enroulez l'abaisse sur elle-même comme un gâteau roulé. Déposez les pains, soudure en dessous, dans les moules préparés, couvrez-les et laissez-les lever pendant 1 heure. Préchauffez le four à 200 °C (400 °F).

6 Badigeonnez les pains avec le reste du beurre fondu, enfournez et laissez cuire 35 à 40 minutes ou jusqu'à ce qu'ils rendent un son creux quand vous tapotez le dessous. Posez les moules sur une grille et laissez-les refroidir 10 minutes. Dégagez les pains et démoulez-les.

7 **Glaçage.** Faites une pâte avec le sucre glace et l'eau. Badigeonnez-en les pains refroidis. Donne 2 pains de 16 tranches chacun.

**Par tranche : Calories 180 ;
Gras total 4 g ;
Gras saturé 3 g ; Protéines 3 g ;
Hydrates de carbone 32 g ; Fibres 1 g ;
Sodium 179 mg ; Cholestérol 12 mg**

*Préparation : 30 à 35 minutes
Fermentation : 2 heures en tout
Cuisson : 35 à 40 minutes*

Pain d'avoine

Grillé ou en sandwich, le pain fait avec de la farine (ou des flocons) d'avoine prend un goût de noisette exquis.

FARINE D'AVOINE

Comme elle ne contient pas de gluten, il faut l'associer à la farine de blé, mais elles forment ensemble un duo merveilleux. Elle peut remplacer le tiers de la quantité totale de farine de blé dans les pains, les muffins et les biscuits auxquels elle ajoute des fibres, de la texture et du goût.

QUELLE MOUTURE D'AVOINE CHOISIR ?

Quand l'enveloppe, qui n'est pas comestible, est enlevée, il reste le grain, ou gruau.

À l'ancienne. Le grain est grillé, étuvé et laminé en flocons.

Gruau rapide. Pour accélérer la cuisson, les grains ont été coupés en deux ou trois morceaux avant d'être étuvés et laminés en flocons.

Gruau minute. Les grains sont coupés en tout petits morceaux, étuvés deux fois et réduits en fines lamelles ; ils n'ont pas besoin de cuisson.

Les flocons d'avoine à l'ancienne et à cuisson rapide sont interchangeables. Mais le gruau minute ne convient pas dans les recettes de pain.

Gruau écossais. Grossièrement laminé sur rouleaux d'acier, il exige une cuisson prolongée. Aussi ne faut-il pas le substituer aux flocons d'avoine, mais le réserver aux recettes qui le spécifient.

Si vous faites cuire les flocons d'avoine avant de les ajouter à la pâte, le pain sera encore meilleur. Cette cuisson leur aura permis d'absorber des liquides et le pain aura une texture légère et fine.

CONSEIL DE CHEF

Nick Malgieri

« On dit souvent de travailler la pâte "jusqu'à ce qu'elle soit facile à manipuler". Comment reconnaître ce stade ? Avec le temps, vous le sentirez d'instinct. En attendant, si vous vous êtes servi d'un batteur électrique, mettez le pâton pétri sur un plan de travail légèrement fariné et farinez-vous les mains. Repliez la pâte sur elle-même plusieurs fois. Elle doit conserver sa forme, sans plus. Elle sera un peu spongieuse et paraîtra légère par rapport à son volume. »

LES DORURES

Une dorure appliquée avant la cuisson du pain peut modifier la texture, l'éclat et la couleur de la croûte.

Battez un œuf entier ou un jaune d'œuf et ajoutez, si vous voulez, 1 c. à soupe d'eau : cette dorure donne une croûte sombre et luisante. Un blanc d'œuf la rend moins colorée mais plus luisante.

Badigeonnez la pâte d'eau et la croûte sera craquante. Badigeonnez-la de beurre fondu : la croûte sera brune mais tendre. Elle sera tendre mais moins brune si vous badigeonnez le pain de beurre fondu au sortir du four.

GAGNEZ DU TEMPS

Faites une double recette de pâte à pain et congelez-en la moitié.

Après avoir pétri la pâte, faites-en une galette et mettez-la au congélateur dans un sac de plastique ; elle s'y gardera un mois.

PAIN D'AVOINE À LA MÉLASSE

Dans la recette page ci-contre, remplacez 4 c. à thé de cassonade (la cinquième est destinée à la levure) par ¼ tasse de **mélasse.** Au besoin, utilisez ¼ tasse de farine de plus. Donne 1 pain.

PAIN MULTI-GRAINS

Suivez la recette page ci-contre, mais ajoutez à la farine complète ¼ **tasse de son de blé** (ou de son de riz) et ¼ **tasse de germe de blé grillé.** N'employez dans ce cas que 2 à 2½ tasses de farine tout usage. Donne 1 pain.

Prévoyez 8 à 16 heures de décongélation au réfrigérateur, mais seulement 4 à 9 heures si vous la laissez décongeler sur le comptoir.

UN ATOUT
Le couteau à pain

Si vous avez décidé d'y mettre le temps voulu et de maîtriser les techniques de la boulangerie, vous voudrez acheter un bon couteau à pain pour ne pas gâcher le fruit de vos efforts. Il doit être en acier de qualité et pourvu d'une longue lame-scie à bout carré. Cette lame vous permet de trancher sans les déchiqueter aussi bien les croûtes épaisses et craquantes que les mies tendres. Affûtez-la en la glissant à plat sur le fusil. Laissez le pain refroidir complètement avant de le couper. Et, pour faire des tranches égales, couchez-le sur le côté.

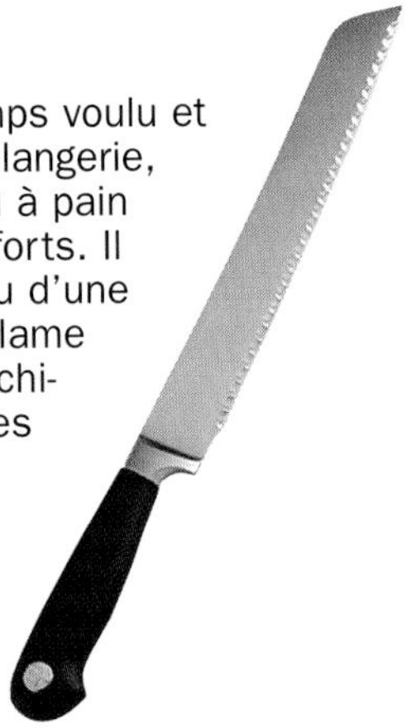

Pain d'avoine

1¼ tasse de lait

¼ tasse (½ bâtonnet) plus 1 c. à soupe de beurre ou de margarine fondus

1 tasse plus 2 c. à soupe de flocons d'avoine à cuisson rapide

5 c. à thé de cassonade blonde

2 sachets (2 c. à soupe) de levure sèche active

¼ tasse d'eau tiède à 40-46 °C (105-115 °F)

1 œuf, battu

2 c. à thé de sel

1 tasse de farine complète non tamisée

2½ à 3 tasses de farine tout usage non tamisée

Glacis :

1 œuf battu dans 1 c. à soupe d'eau

1 Dans une petite casserole, réchauffez le lait et ¼ tasse de beurre à feu modéré. Ajoutez 1 tasse de flocons d'avoine et remuez 1 minute pour les mouiller uniformément. Retirez du feu et laissez refroidir 25 à 30 minutes.

2 Dans un grand bol, faites dissoudre 1 c. à thé de cassonade ainsi que la levure dans l'eau tiède. Attendez 10 minutes que la levure mousse. Avec une cuiller en bois ou le batteur électrique muni du crochet à pâte, incorporez à la levure la bouillie d'avoine refroidie, le reste de la cassonade, l'œuf, le sel, la farine complète et 2½ tasses de farine tout usage. En continuant de battre à vitesse moyenne pendant 7 à 8 minutes, ajoutez au besoin ¼ à ½ tasse de farine de façon à avoir une pâte souple, mais facile à manipuler. (Ou pétrissez-la 8 à 10 minutes sur un plan de travail légèrement fariné.)

3 Façonnez la pâte en boule ; déposez-la dans un grand bol bien beurré et roulez-la dans tous les sens. Couvrez avec une serviette et laissez-la doubler de volume dans un endroit chaud, à l'abri des courants d'air. Prévoyez environ 1 heure.

4 Graissez modérément un moule à pain de 22 x 12 x 7 cm (9 x 5 x 3 po). Chemisez le fond et les côtés avec 1 c. à soupe de la farine d'avoine qui reste. Dégonflez la pâte et pétrissez-la délicatement 2 minutes sur un plan de travail légèrement fariné (la pâte sera souple). Façonnez-la en miche, déposez-la dans le moule, couvrez et laissez-la doubler de volume : prévoyez entre 1 heure et 1 h 30. Préchauffez le four à 190 °C (375 °F).

5 Badigeonnez le dessus de la miche avec la dorure et saupoudrez le reste de la farine d'avoine. Enfournez et faites cuire 40 à 45 minutes ou jusqu'à ce que le pain rende un son creux quand vous tapotez le dessous. Posez le moule sur une grille et laissez tiédir 10 minutes. Dégagez et démoulez le pain sur la grille. Laissez-le refroidir complètement avant de le trancher. Donne 1 pain de 16 tranches.

Par tranche : Calories 177 ; Gras total 6 g ; Gras saturé 3 g ; Protéines 6 g ; Hydrates de carbone 26 g ; Fibres 2 g ; Sodium 322 mg ; Cholestérol 39 mg

Préparation : 20 à 35 minutes • Fermentation : 2 à 2 h 30
Cuisson : 40 à 45 minutes

PAINS MULTI-GRAINS

*A*vec du blé entier, du seigle ou du maïs moulu à l'ancienne, le pain blanc classique s'enrichit de fibres en même temps qu'il acquiert une saveur accentuée et une texture plus agréable.

LES GRAINS ENTIERS

Vous trouverez les farines de grains entiers dans des boutiques d'aliments naturels. Adoptez un magasin bien fréquenté : le renouvellement du stock est plus sûr.

À moins de faire du pain très souvent, achetez les farines de grains entiers en petites quantités. Elles se conservent moins bien que les farines blanchies dont le germe a été enlevé justement pour faciliter leur conservation. Or, ce germe renferme une huile riche en vitamines qui, malheureusement, rancit vite. Sentez la farine, vous saurez si elle est encore fraîche.

Conservées à la température ambiante, les farines complètes doivent être utilisées dans les deux semaines suivant l'achat. De préférence, mettez-les au réfrigérateur dans un contenant bien fermé ; elles s'y garderont plusieurs mois.

Toutefois, ramenez-les à la température de la pièce avant de les incorporer à la pâte. Autrement, elles pourraient inhiber complètement ou partiellement l'action de la levure : le pain fermentera mal.

PÉTRISSAGE DES PÂTES LOURDES

Attendez-vous à déployer la force de vos bras quand viendra le temps de pétrir des pâtes où il entre de la farine à grains entiers.

Au début de l'opération, brisez de temps à autre le

(suite à la page 86)

Blé éclaté. On l'appelle aussi boulgour. Ce sont des grains de blé non traités et grossièrement coupés. Ils sont nourrissants et ajoutent du croquant.

Farine complète. Elle provient du grain de blé entier et possède plus de saveur, de fibres et de texture que la farine blanche. Par contre, l'une et l'autre ont la même teneur en fer, en niacine et en vitamine B parce que la farine blanche est enrichie.

Farine de gluten. C'est la farine de blé sans amidon. Sa teneur élevée en gluten donne du corps au pain multi-grains fabriqué avec des farines sans gluten.

Farine Graham. Autre nom de la farine complète.

Flocons de blé. Il s'agit du grain de blé débarrassé du son. Les flocons de blé donnent du croquant au pain, mais il faut les attendrir longtemps à l'eau chaude avant de les mettre dans la pâte.

Germe de blé. C'est l'embryon du grain de blé. Il est riche en vitamines, en fer, en phosphore et en potassium. On l'ajoute à la pâte pour sa valeur nutritive.

Grains de blé. Ils comprennent le son, l'amande et le germe. On les emploie dans les pains multi-grains parce que leur gluten donne du corps à la pâte. Son et germe ont été enlevés de la farine blanche.

Maïs. C'est le grain le plus gros. Dans le pain multi-grains, il faut en mettre modérément parce qu'il ramollit le gluten. Préférez la farine grossièrement moulue ; son goût tranche plus sur celui des autres grains.

Sarrasin. Cette plante herbacée est classée parmi les céréales. Le gruau ajoute un goût de noix et du croquant aux plats. Moulu en farine grossière, il entre dans la confection de pains et de galettes.

Seigle. C'est la seule céréale autre que le blé qui renferme du gluten. Mais il en contient si peu qu'il faut absolument lui ajouter de la farine de blé, comme dans le pain de seigle ou le pumpernickel.

Son. C'est l'enveloppe du grain. Il est présent dans le blé entier, le maïs moulu sur pierre, l'avoine laminée à l'acier et dans toutes les céréales peu traitées. À l'épicerie, on trouve du son d'avoine et du son de blé. Ils ont une saveur de noisette et sont riches en fibres.

Pain multi-grains

- **2 c. à thé de sucre**
- **2 sachets (ou 2 c. à soupe) de levure sèche active**
- **½ tasse d'eau tiède (40-46 °C/105-115 °F)**
- **1¼ à 1½ tasse de farine tout usage non tamisée**
- **1 tasse de farine de blé entier non tamisée**
- **1 tasse de farine de seigle non tamisée**
- **⅓ tasse de farine de maïs moulue sur pierre, tamisée**
- **¼ tasse de son de blé**
- **¼ tasse de germe de blé, grillé**
- **1 tasse de babeurre**
- **3 c. à soupe de beurre fondu**
- **1½ c. à thé de sel**

1 Dans un grand bol, faites fondre le sucre et la levure dans l'eau et laissez fermenter 10 minutes.

2 Dans un autre bol, mélangez 1¼ tasse de farine tout usage, la farine complète, la farine de seigle et celle de maïs, le son et le germe de blé.

3 Dans une petite casserole, faites tiédir à feu doux le babeurre, le beurre et le sel.

4 Versez le babeurre dans la levure. Avec une cuiller en bois ou le batteur électrique muni du crochet à pâte, incorporez les ingrédients secs, 1 tasse à la fois, à ce mélange. Continuez de battre à vitesse moyenne en ajoutant au besoin le reste de la farine tout usage afin que la pâte soit facile à manipuler. Travaillez-la ainsi 7 à 8 minutes pour qu'elle soit lisse et spongieuse (ou pétrissez-la 8 à 10 minutes sur un plan de travail fariné).

5 Façonnez la pâte en boule, mettez-la dans un bol généreusement beurré et faites-la rouler pour bien l'enduire de beurre. Couvrez le bol d'une serviette et laissez la pâte doubler de volume dans un endroit chaud, à l'abri des courants d'air : prévoyez 1 h 30 à 2 heures.

6 Graissez un moule à pain de 22 x 12 x 7 cm (9 x 5 x 3 po). Dégonflez la pâte et pétrissez-la 2 minutes sur le plan de travail légèrement fariné. Façonnez-la en miche, mettez-la dans le moule, couvrez et laissez doubler de volume, environ 1 heure. Préchauffez le four à 190 °C (375 °F).

7 Enfournez et faites cuire 40 à 45 minutes. Tapotez le dessous du pain : s'il est cuit, il rend un son sourd. Déposez le moule sur une grille et laissez-le tiédir 10 minutes avant de démouler le pain sur la grille. Tranchez-le seulement quand il est bien refroidi. Donne 1 pain de 16 tranches.

**Par tranche : Calories 139 ;
Gras total 4 g ;
Gras saturé 2 g ; Protéines 4 g ;
Hydrates de carbone 23 g ; Fibres 3 g ;
Sodium 314 mg ; Cholestérol 8 mg**

*Préparation : 15 minutes
Fermentation : 2 h 30 à 3 heures
Cuisson : 40 à 45 minutes*

Pain multi-grains tartiné de moutarde et de mayonnaise et fourré de jambon, d'oignon, de fromage, de laitue et de tomate.

(suite de la page 84)
rythme et la régularité du mouvement ; soulevez la pâte bien au-dessus du plan de travail et laissez-la retomber lourdement dessus. Dans certains cas, il faudra peut-être pétrir la pâte pendant 20 bonnes minutes.

La lourdeur de la farine peut aussi ralentir la fermentation ; certaines farines complètes mettent jusqu'à deux fois plus de temps à lever que les farines blanchies. Pour que le pain soit léger, il faut parfois compter trois fermentations successives : deux avant le façonnage, une après.

ÉQUIPEMENT NÉCESSAIRE

Les pâtes multi-grains exigent un équipement robuste. Préparez la pâte avec une cuiller solide. Si elle est en bois, gardez-la à l'écart des cuillers en bois dont vous vous servez dans vos autres opérations culinaires, faute de quoi elle risque de transmettre à la pâte des saveurs insolites.

Préparez la pâte dans un bol arrondi et bien ouvert qui ne risque pas de glisser sur le comptoir. Pour le stabiliser davantage, posez-le sur une serviette ou un linge à vaisselle humide.

PARFUMS D'HIER

La mélasse, cet ingrédient du passé, donne une saveur particulière à la pâte et contribue à la sucrer.

On obtient la mélasse en faisant bouillir les jus de la canne à sucre. La première évaporation donne une mélasse blonde. La deuxième produit une mélasse brune, plus goûteuse que la précédente. La troisième donne une mélasse noire, épaisse et amère, peu usitée en cuisine.

GRAINES AROMATIQUES

Elles sont souvent employées pour parfumer le pain. Quand elles sont grillées, leurs huiles naturelles ressortent et leur arôme s'en trouve décuplé. À feu moyen dans une sauteuse, faites revenir à sec les graines de cumin, de coriandre, de moutarde, de sésame ou de pavot en remuant constamment. Retirez-les dès que leur parfum commence à embaumer.

FLOCONS DE BLÉ

L'eau froide ne suffit pas à attendrir les flocons de blé ou grains de blé entiers débarrassés de l'enveloppe. Environ 8 heures avant de vous en servir, versez 1½ tasse d'eau bouillante sur ½ tasse de flocons et laissez tremper au frais. Égouttez et épongez sur de l'essuie-tout.

CONGÉLATION

Enveloppez et congelez le pain si vous devez le garder au-delà d'une journée. Il se conservera ainsi un mois.

GARE AUX BIBITTES !

Il arrive que de minuscules parasites s'installent dans les céréales et dans la farine. Plus celle-ci est grossière, plus elle leur plaît. Pour éviter cet inconvénient, gardez la farine et les céréales en tout temps au réfrigérateur ou au congélateur, ou enfermez-les dans de grands bocaux avec des couvercles bien vissés.

PAIN AUX FLOCONS DE BLÉ

Suivez la recette de la page 85, mais à l'étape 2, remplacez le son et le germe de blé par **½ tasse de flocons de blé,** trempés et égouttés. Donne 1 pain de 16 tranches.

PAIN DE SEIGLE

Dans la recette de la page 85, changez les proportions de farine : ½ tasse de farine complète et 1½ tasse de farine de seigle. À l'étape 2, ajoutez **2 c. à soupe de graines de carvi grillées.** Donne 1 pain de 16 tranches.

FAÇONNAGE DES PAINS

Pains allongés. Avec les mains, façonnez un cylindre un peu plus petit que le moule (ci-dessus, à baguette) ou que la plaque que vous utilisez. Couvrez avec une serviette et laissez lever.

Petits pains. Avec une recette pour un pain, vous pouvez obtenir deux fournées de 9 petits pains dans un moule rond ou carré. Faites cuire 20 à 30 minutes seulement.

Pains ovales. Formez d'abord une boule et donnez-lui une forme ovale en la comprimant des deux côtés avec les doigts : vous l'allongez du même coup. Lissez la surface, faites des incisions, couvrez et laissez lever sur la plaque graissée.

Pains nattés. Divisez la pâte en trois pâtons. Formez-les en cylindre, comme ci-dessus. Mettez-les sur une plaque. Pincez-les dans le haut et nattez. Pincez-les dans le bas et tournez les bouts à l'envers. Couvrez et laissez lever sur la plaque.

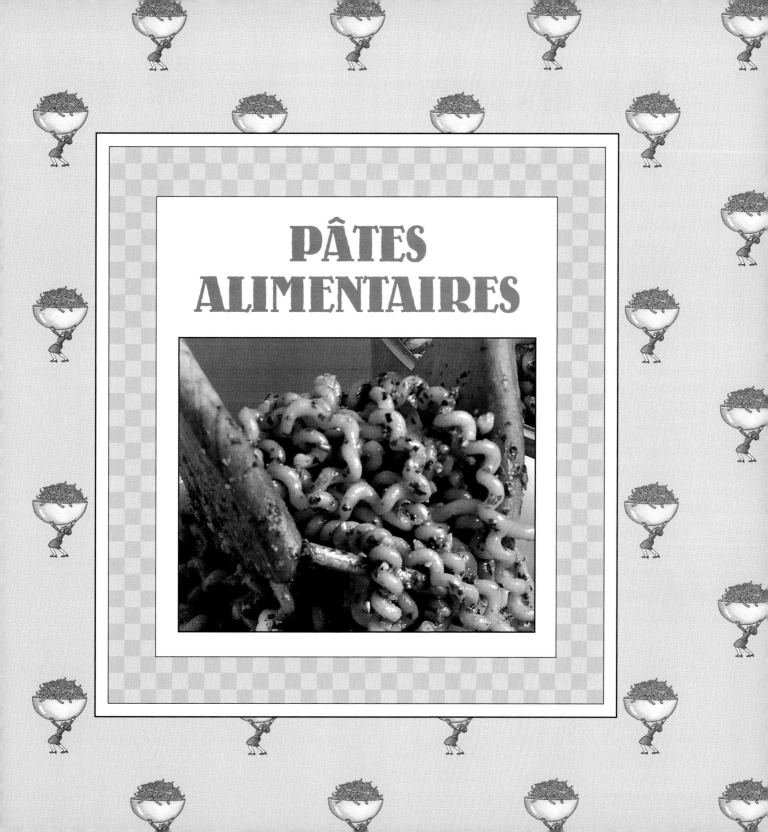

PÂTES
ALIMENTAIRES

L'abc des pâtes

Les pâtes figurent très souvent au menu car on peut les servir froides ou chaudes et les accompagner d'une sauce simple ou bien très raffinée.

DES PÂTES PARFAITES

La cuisson des pâtes est si simple – pourquoi ne pas les réussir à la perfection? Voici quelques conseils pour y arriver à tous coups.

Prenez une grande marmite et mettez 4 litres (16 tasses) d'eau pour 500 g (1 lb) de pâtes (calculez 125 g/4 oz par personne). Quand l'eau bout à gros bouillons, jetez-y les

pâtes. Remuez et faites reprendre l'ébullition. La cuisson des pâtes dans beaucoup d'eau bouillante est plus uniforme et cela les empêche de coller les unes aux autres.

Un peu de sel dans l'eau de cuisson fait ressortir le goût des pâtes. Ajoutez-le au premier bouillon. Parfois, on conseille de mettre de l'huile pour empêcher les pâtes de s'agglutiner. Les vrais amateurs froncent les sourcils devant cette pratique; selon eux, les pâtes s'enrobent d'huile et ne peuvent plus absorber la sauce.

Les pâtes sont à point quand elles sont encore légèrement fermes, c'est-à-dire *al dente*, comme disent les Italiens. Les temps de cuisson suggérés sur les emballages varient beaucoup. La première fois, respectez-le. Mais vers la fin de la cuisson, faites des tests de minute en minute. Quand vous aurez déterminé le temps de cuisson idéal pour chaque type de pâte, notez-le.

Égouttez les pâtes quand elles sont presque à point: la chaleur qu'elles ont accumulée mènera la cuisson au degré de perfection désiré.

Posez une passoire sur le bol dans lequel vous voulez mélanger les pâtes et la sauce. Versez les pâtes dedans. Soulevez la passoire, videz le bol et mettez-y les pâtes: ainsi réchauffé, il les gardera chaudes.

Si vous préparez un plat de pâtes chaudes, ne les rincez pas après les avoir égouttées:

ASSORTIR SAUCES ET PÂTES

Il n'y a pas de règle absolue qui régisse l'harmonie des sauces et des pâtes. Pourtant, certains mariages sont mieux réussis que d'autres.

Pâtes fines. Exemple: **capellinis** (cheveux d'ange) et **spaghettinis**. On les associe de préférence aux sauces à base de bouillon, aux sauces à l'ail et à l'huile ou aux coulis de tomates; elles sont trop fragiles pour les sauces à la crème et les hachis.

Pâtes plates. Exemple: **linguines**. On les sert avec des sauces blanches aux palourdes ou autres fruits de mer conjuguant court-bouillon et ingrédients hachés. Assez minces pour absorber les liquides, elles ont aussi assez de corps pour supporter les hachis fins.

Pâtes rubanées. Exemple: **fettucines**. Demi-larges et plates, elles prennent bien les sauces au fromage ou à la crème. Les pâtes plus larges, comme les **pappardelles,** sont souvent servies avec des sauces-ragoûts renfermant de bons morceaux de viande.

Pâtes vrillées. Exemple: **fusillis**. Elles se marient bien aux petits hachis de viande et de légumes et aux sauces à la crème ou aux tomates qu'elles accrochent et retiennent dans leurs vrilles.

Petites pâtes. Exemple: **papillons, coquillettes, orecchettis** (petites oreilles) et **fusillis** courts. Les sauces au court-bouillon chargées de légumes en morceaux leur vont bien.

Pâtes tubulaires. Exemple: **zitis** et **rigatonis**. On les associe à des plats gratinés parce qu'elles se chargent de sauce aussi bien à l'intérieur qu'à l'extérieur.

Les grands favoris. Parmi ceux-ci se classent les **pennes** et les **spaghettis** que l'on sert aussi bien avec des sauces à la viande qu'avec des sauces en purée. Les **bucatinis**, robustes et tubulaires, peuvent remplacer les spaghettis dans les sauces épaisses où abondent la viande et les légumes hachés.

la fécule qui les enrobe fera adhérer la sauce. Mais si vous comptez les servir froides sans les apprêter tout de suite, rincez-les: autrement, la même fécule les fera coller.

Ajoutez la sauce aux pâtes sitôt qu'elles sont égouttées: elles absorbent mieux les saveurs quand elles sont chaudes. Ajoutez également le fromage ou les sauces contenant du fromage, comme le pesto, qui se distribuent mieux quand les pâtes sont fumantes. Les pâtes chaudes exigent moins de sauce.

Un dernier mot: la sauce relève les pâtes et non pas le contraire!

FAITES VOS PÂTES

Vous avez deux bonnes raisons de faire vos pâtes : leur saveur et leur texture sont incomparables.

Il y a deux recettes de base. L'une, que vous retrouvez à la page 91, associe farine, sel, œufs, huile et eau. L'autre se fait seulement avec des œufs et de la farine : 2 gros œufs pour environ 1½ tasse de farine. Les manipulations sont les mêmes ; le choix est une simple affaire de préférence personnelle.

LA BONNE FARINE

Beaucoup de pâtes faites industriellement sont à base de semoule de blé dur. Cela donne une pâte qu'on peut trouver difficile à préparer à la maison.

À notre avis, les meilleures farines à utiliser pour les pâtes qu'on fait soi-même sont la farine à pain et la farine tout usage non blanchie afin que la pâte, bien que ferme, reste manipulable. La farine blanchie donne une pâte trop molle.

AU ROBOT

La pâte dont on a besoin se prépare aussi avec un robot muni d'une feuille en plastique ou d'une lame en métal. Pour confectionner 500 g (1 lb) de pâtes, travaillez 20 à 30 secondes au robot 2¼ tasses de farine tout usage non tamisée, 2 œufs, ¼ tasse d'eau, 1 c. à soupe d'huile d'olive et 1 c. à thé de sel.

Pétrissez la pâte en boule sur un plan de travail légèrement fariné. Couvrez-la d'un bol ou d'une pellicule plastique et laissez-la reposer 30 minutes.

CONSEIL DE CHEF

Mary Ann Esposito

« Certains préfèrent des pâtes fraîches plus robustes. La farine de blé dur qu'emploient les professionnels se vend dans les épiceries spécialisées sous le nom de *semolina*. On peut la substituer en partie à la farine tout usage, les proportions étant alors de ¼ tasse de *semolina* pour 2 tasses de farine blanche. »

PÂTES COLORÉES

Aux épinards. Préparez la pâte au robot, comme on vient de le dire, en ajoutant un paquet (300 g/10 oz) d'épinards surgelés, décongelés, essorés et réduits en purée. Ne mettez que 1 c. à soupe d'eau ; ajoutez-en une autre seulement si c'est nécessaire pour que la pâte soit souple.

Aux tomates. Préparez la pâte au robot (ci-contre), mais ajoutez ⅓ tasse de tomates séchées conservées dans l'huile, après les avoir épongées et réduites en purée. Ne mettez que 1 c. à soupe d'eau ; ajoutez-en une autre seulement si c'est nécessaire pour que la pâte soit souple.

UTILISATION DE LA MACHINE À PÂTES

Couper les pâtes à la machine est une opération très simple. La plus courante est à manivelle : elle pétrit, puis elle

PRÉPARATION ET PÉTRISSAGE DES PÂTES À LA MAIN

1 Dressez la farine en monticule sur un grand plan de travail. Ménagez une fontaine au centre ; versez-y lentement les ingrédients liquides bien mélangés. Saupoudrez de sel.

2 Amenez délicatement la farine de la périphérie vers la fontaine, au centre, et mélangez-la en pâte avec les doigts. Continuez de la sorte jusqu'à ce que vous ayez obtenu un pâton souple.

3 Pétrissez le pâton au moins 5 minutes avec les paumes : la pâte deviendra lisse et spongieuse.

4 Couvrez-la d'un bol ou de pellicule plastique et laissez-la reposer 1 heure avant de l'abaisser.

coupe. Vous faites passer la pâte plusieurs fois entre ses rouleaux. À chaque fois, elle devient plus mince. À la fin,

elle est prête à être coupée par la machine selon vos désirs. Vous obtenez tous les types de pâtes, depuis les fettucines jusqu'aux raviolis.

ABAISSER ET DÉCOUPER À LA MAIN

Abaissez et découpez des fettucines avec un rouleau à pâte long et fin (2 à 4 cm/1 à 1½ po de diamètre) sur une grande surface farinée. Abaissez la pâte aussi mince que possible : 1,5 mm (¹⁄₁₆ po). Avec 500 g (1 lb) de pâte, vous obtenez un rectangle de 50 x 35 cm (20 x 14 po). Rectifiez les bords avec une règle. Poudrez le dessus de farine pour que la pâte ne colle pas une fois pliée.

Pliez l'abaisse en deux sur la longueur, puis de nouveau en deux : vous aurez un rectangle de 12 x 35 cm (5 x 14 po). Découpez-le transversalement en lanières de 6 mm (¹⁄₄ po) ; dépliez-les sur une serviette et laissez sécher 1 à 2 heures.

SÉCHAGE DES PÂTES

Les pâtes fraîches doivent sécher à l'air avant la cuisson. Sinon, l'eau bouillante les rendra gluantes et leur cuisson, trop rapide, ne sera pas uniforme.

CUISSON DES PÂTES FRAÎCHES

Faites cuire les pâtes à découvert dans une grande marmite d'eau bouillante un peu salée. Surveillez-les : elles cuisent très vite. Les pâtes minces sont à point dès qu'elles flottent, d'autres mettent 1 ou 2 minutes ; les raviolis sont prêts en 6 minutes.

CONSERVATION DES PÂTES FRAÎCHES

On peut réfrigérer ou congeler les pâtes fraîches si on les fait sécher au préalable pour les empêcher de coller.

Étalez les petites pâtes côte à côte sans les couvrir et laissez-les ainsi plusieurs heures. Elles doivent paraître sèches au toucher, mais pas au point d'être friables.

Pour les fettucines ou autres pâtes du même genre, procédez comme suit. Quand elles ont séché, mais sont encore souples, enroulez-en plusieurs ensemble autour de votre main et faites-les glisser : vous aurez des nids. Faites autant de nids que nécessaire et laissez-les sécher à l'air. Mettez-les dans des sacs ou des contenants à congélation. Elles se gardent une semaine au réfrigérateur et un mois au congélateur. Décongelez-les dans l'emballage.

COQUILLAGES AUX ÉPINARDS

Préparez la farce décrite à l'étape 2 de la recette à droite en ajoutant à l'ail et au bacon **1 paquet (300 g/10 oz) d'épinards**, décongelés et essorés. Avec un sac à pâtisserie sans douille, garnissez **24 gros coquillages** déjà cuits. Mettez-les dans un moule rectangulaire graissé, nappez de sauce, couvrez et faites cuire à 180 °C (350 °F) pendant 25 minutes. Donne 6 portions. N.B. : cette garniture convient aussi bien aux raviolis.

COQUILLAGES FARCIS DE DINDE

Préparez la garniture comme ci-dessus, mais avec 4 gousses d'ail, et mettez **250 g (8 oz) de dinde hachée** dans la sauteuse en même temps que les épinards. Couvrez et faites cuire pendant 5 à 8 minutes. Ajoutez ¼ tasse de raisins de Corinthe et garnissez **32 gros coquillages** déjà cuits. Nappez de sauce et faites cuire au four. Donne 8 portions.

LES RAVIOLIS
Divisez la pâte en deux. Préparez un pâton à la fois ; couvrez l'autre avec une serviette ou de la pellicule plastique. Sur un plan fariné, abaissez la pâte en un rectangle de 22 x 30 cm (9 x 12 po) sur 1,5 mm (¹⁄₁₆ po) d'épaisseur.

1 Avec un couteau ou une roulette, coupez la pâte transversalement en quatre lanières de 7 x 22 cm (3 x 9 po).

2 Sur deux lanières, déposez trois boules de garniture espacées de 2 cm (1 po). Laissez une marge de 1 cm (½ po).

3 Badigeonnez la pâte d'eau entre les monticules et tout autour. Couvrez avec les deux autres lanières de pâte.

4 Appuyez fermement sur les deux épaisseurs de pâte superposées afin de bien enfermer la garniture.

5 Découpez chaque lanière transversalement en trois raviolis. Répétez avec l'autre pâton. Donne 12 raviolis.

Raviolis au fromage

Pâte :

- 2 tasses de farine tout usage non tamisée
- ½ c. à thé de sel
- 2 gros œufs
- 2 c. à thé d'huile d'olive
- 2 c. à soupe d'eau

Garniture :

- 2 c. à thé d'huile d'olive
- 30 g (1 oz) de bacon de dos ou de prosciutto, haché
- 3 gousses d'ail, hachées
- 1 tasse de ricotta partiellement écrémée
- ½ tasse de parmesan râpé
- 1 jaune d'œuf
- ½ tasse de basilic frais, haché
- ½ c. à thé de sel
- ¼ c. à thé de poivre noir

Sauce :

- 2 c. à thé d'huile d'olive
- 1 petit oignon, haché
- 2 gousses d'ail, hachées
- 1 boîte (796 ml/28 oz) de tomates italiennes, concassées dans leur jus
- ½ c. à thé de sel

1 Pâte. Préparez la pâte en suivant les étapes illustrées à la page 89. Couvrez-la et laissez-la reposer 1 heure.

2 Garniture. Par ailleurs, réchauffez l'huile 1 minute à feu modéré dans une grande sauteuse antiadhésive. Faites-y sauter le bacon et l'ail 2 minutes. Transférez dans un bol et laissez tiédir. Incorporez la ricotta, le parmesan, le jaune d'œuf, le basilic, le sel et le poivre. Réservez.

3 Divisez la pâte en deux. Travaillez un pâton à la fois ; couvrez l'autre. Abaissez la pâte ; garnissez les raviolis en suivant les étapes illustrées au bas de la page ci-contre.

4 Sauce. Dans une grande sauteuse antiadhésive, réchauffez l'huile 1 minute à feu modéré. Faites-y sauter l'oignon pendant 5 minutes pour l'attendrir. Ajoutez l'ail et faites sauter 2 minutes de plus. Ajoutez les tomates et leur jus ainsi que le sel. Lancez l'ébullition à feu assez vif, puis laissez mijoter doucement 10 minutes à découvert en remuant de temps à autre pour que la sauce épaississe.

5 Entre-temps, faites cuire les raviolis 6 minutes dans une grande marmite d'eau bouillante ; gardez-les *al dente*, c'est-à-dire un peu fermes. Égouttez-les, dressez-les dans quatre assiettes chaudes et nappez de sauce. Offrez en même temps du parmesan frais râpé. Donne 4 portions.

**Par portion : Calories 546 ;
Gras total 21 g ;
Gras saturé 8 g ; Protéines 26 g ;
Hydrates de carbone 63 g ; Fibres 4 g ;
Sodium 1 568 mg ; Cholestérol 192 mg**

*Préparation : 1 heure
Cuisson : 22 minutes*

Sauces à la viande

De toutes les sauces qu'on sert avec les pâtes, celles qui contiennent de la viande continuent toujours d'être les plus populaires.

QUELQUES CONSEILS

La sauce à la viande sert de garniture au spaghetti à la bolognaise et à plusieurs plats gratinés dont la lasagne.

Elle est préparée ici avec du bœuf haché et de la saucisse italienne, mais il en existe bien des variantes. Par exemple, on peut y mettre un mélange de veau, de porc et de bœuf hachés. Ce dernier ingrédient est parfois remplacé par du bœuf détaillé en petits dés ou même par de l'agneau en petits dés.

Au lieu de faire revenir le bœuf avec de l'oignon et de l'ail seulement, employez le trio classique : oignon, carotte et céleri hachés fin. La sauce bolognaise, ou *ragù alla bolognese,* est la plus populaire des sauces à la viande. Elle acquiert un relief remarquable si les viandes rissolées sont mises à mijoter dans du lait et assaisonnées de muscade au moment d'ajouter les tomates.

Donnez du piquant à une sauce à la viande en faisant sauter des tranches minces de poivron rouge ou vert après avoir fait rissoler la viande. Ou bien ajoutez, 30 minutes avant la fin de la cuisson, des cham-

pignons frais ou réhydratés, que vous aurez fait sauter.

OBJECTIF SANS GRAS

Pour diminuer la teneur en lipides de la sauce, remplacez la saucisse de porc par de la saucisse de poulet ou de dinde : vous supprimez ainsi 63 calories et 7 g de gras dans chaque portion.

Ne faites pas sauter les boulettes de viande dans l'huile ; faites-les cuire 12 minutes au four à 160 °C (325 °F) en les tournant de temps à autre.

CONCENTRÉ DE TOMATE

Le goût du concentré de tomate est puissant : il faut en mettre peu. Quoi faire avec ce qui reste ? Achetez du concentré en tube ; vous prenez ce qu'il vous faut et le reste se garde intact au réfrigérateur.

HACHER DU BASILIC

Empilez cinq ou six feuilles de même taille. Enroulez-les sur la longueur et tranchez-les transversalement en fine chiffonnade.

Si le concentré est en boîte, congelez ce qui reste. Déposez des cuillerées à soupe rases de concentré sur du papier ciré ou d'aluminium et congelez. Ensuite, retirez le papier et rassemblez les petites portions dans un contenant à congélation. Elles se garderont jusqu'à six mois.

FAITES-VOUS DES RÉSERVES

Préparez d'avance les boulettes et la sauce et congelez-les séparément. La veille du jour où vous les servirez, mettez-les au réfrigérateur ; réchauffez ensuite les boulettes dans la sauce.

SPAGHETTI AUX BOULETTES DE VIANDE

Préparez la sauce selon la recette page ci-contre, mais supprimez le bœuf haché et les saucisses. Mélangez plutôt **750 g (1½ lb) de bœuf maigre haché, 1 tasse de mie de pain émiettée, 1 oignon moyen,** haché fin, **⅓ tasse de persil,** haché fin, **¼ tasse d'eau froide, 2 gousses d'ail,** hachées, **1 œuf,** légèrement battu, **1 c. à soupe de sauce Worcestershire, 1 c. à thé de sel** et **¼ c. à thé de poivre noir.** Façonnez cet appareil en 32 boulettes de 4 cm (1½ po). Séparez-les en deux ou trois portions et faites-les revenir environ 10 minutes à feu assez vif dans un peu d'huile ; ajoutez de l'huile au besoin. Mettez les boulettes dans la sauce et laissez mijoter 10 minutes en remuant de temps à autre. Dressez cet apprêt sur les pâtes chaudes et servez. Donne 6 portions.

UN ATOUT
La griffe à pâtes

Vous pouvez servir les pâtes avec deux grandes fourchettes, une pince ou une griffe à pâtes. Cette dernière ressemble à une cuiller de grande taille dont le bord du cuilleron est hérissé de griffes. Les pâtes s'accrochent à ces griffes, mais elles se dégagent facilement quand vous servez.

1 Dans une grande sauteuse antiadhésive, réchauffez l'huile 1 minute à feu modéré. Ajoutez les oignons et faites-les sauter 5 minutes en remuant de temps à autre. Ajoutez l'ail et faites-le revenir 2 à 3 minutes, en continuant de remuer à l'occasion.

2 Ajoutez le bœuf haché et les saucisses; faites-les revenir 8 à 10 minutes en brisant les petites masses de viande agglutinées.

3 Incorporez les tomates, le vin, l'eau, le concentré de tomate, le basilic, l'origan, le thym, la feuille de laurier, le sel, le sucre et le poivre. Lancez l'ébullition à feu vif. Baissez le feu et laissez épaissir la sauce, sans couvrir, en remuant de temps à autre : prévoyez 1 heure de cuisson.

4 Dressez la sauce sur les spaghettis chauds et servez. Accompagnez de parmesan frais râpé. Donne 6 portions.

Par portion : Calories 701 ;
Gras total 17 g ;
Gras saturé 5 g ;
Protéines 29 g ;
Hydrates de carbone 105 g ;
Fibres 7 g ;
Sodium 1 095 mg ;
Cholestérol 40 mg

Préparation : 20 minutes
Cuisson : 1 h 20

Spaghetti à la bolognaise

- **2 c. à soupe d'huile d'olive**
- **2 gros oignons, hachés**
- **2 gousses d'ail, hachées fin**
- **250 g (½ lb) de bœuf haché maigre**
- **250 g (½ lb) de saucisse italienne douce ou forte, débarrassée de l'enveloppe**
- **1 grosse boîte (796 ml/28 oz) de tomates italiennes, concassées dans leur jus**
- **½ tasse de vin rouge**
- **½ tasse d'eau**
- **¼ tasse de concentré de tomate**

- **2 c. à soupe de basilic frais, haché, ou 2 c. à thé de basilic séché**
- **1 c. à soupe d'origan frais, haché, ou 1 c. à thé d'origan séché**
- **1 c. à soupe de thym frais, haché, ou 1 c. à thé de thym séché**
- **1 feuille de laurier entière**
- **1½ c. à thé de sel**
- **1 c. à thé de sucre**
- **¼ c. à thé de poivre noir**
- **750 g (1½ lb) de spaghettis, cuits et égouttés**

SAUCES TOMATE

La tomate sert de base à une vaste gamme de sauces vite faites et peu chères. Nous en proposons trois bien diversifiées : épicée, rustique et crémeuse.

DE LA FRAÎCHEUR

On prétendait autrefois qu'il fallait faire mijoter la sauce tomate toute la journée pour qu'elle soit bonne. Aujourd'hui, c'est le contraire qui vaut : plus la sauce est fraîche, meilleure elle est.

À la plupart des sauces tomate, il faut 45 minutes de cuisson pour que les saveurs se mélangent et que les textures soient à point.

On protège le frais parfum des tomates en les faisant cuire à découvert. Dans une casserole fermée, la sauce prend un goût de réchauffé et ne peut pas épaissir.

Employez des fines herbes fraîches. N'oubliez pas cependant qu'une cuisson prolongée prive le persil et le basilic de leur arôme. Ajoutez-les à la dernière minute.

CHOIX DES TOMATES

Les tomates italiennes sont les meilleures pour la sauce. Elles renferment moins de graines et moins d'eau ; en conséquence, à poids égal, leur chair est plus dense que celle des autres tomates. Les tomates en boîte sont de qualité très variable. Les puristes

estiment que seules les tomates San Marzano ont une saveur vraiment italienne. En règle générale, cette précision est donnée sur l'étiquette.

TOMATES NATURE OU EN CONSERVE

Les bonnes tomates en conserve donnent toute satisfaction à longueur d'année. Néanmoins, en été, quand les tomates sont de saison, il faut leur donner la préférence.

Rien ne se compare vraiment aux sauces faites avec des tomates mûries à point au jardin, relevées de basilic frais cueilli. Faites-en plusieurs recettes et congelez-les : vous en aurez durant toute l'année.

Dans votre jardin, essayez de mettre en terre des plants de San Marzano ; à défaut, plantez une autre variété de

tomates italiennes. Mais quelle que soit sa variété, toute tomate fraîche est bonne en sauce. Si elle est très juteuse, la sauce mettra simplement plus de temps pour épaissir à la cuisson.

LE SERVICE

Toutes les sauces tomate ont le même point de départ : des tomates pelées et épépinées. À partir de là, de multiples variations sont possibles.

Sauces rustiques. On les prépare avec des tomates fraîches, concassées et mises à cuire avec de l'ail et des fines herbes. On les sert avec les spaghettis ou des pâtes massives comme les pennes. Elles constituent également un fond de cuisson délicieux pour les crevettes et les poissons préparés au four.

Purées. Ce sont des sauces onctueuses et épaisses dans lesquelles le goût de la tomate se fond avec celui des oignons et autres ingrédients. On les fait d'abord cuire ensemble 20 minutes. Après les avoir réduits en purée, on les remet sur le feu pour réchauffer et épaissir la sauce.

Les purées se servent avec toutes les pâtes et avec les pains de viande.

Sauce tomate en crème. Il s'agit en réalité d'une purée rehaussée de crème. Ajoutez simplement un peu de crème épaisse à la purée 1 minute avant la fin de la cuisson. La sauce tomate crémeuse accompagne avec bonheur les pâtes farcies, comme les tortellinis ou les raviolis.

Sauces tomate et légumes. Elles sont plus épaisses et plus sombres que les autres. Hachez des oignons, des

TOMATES PELÉES ET ÉPÉPINÉES

1 Faites un X sur le dessous de la tomate. Mettez-la 30 secondes dans l'eau bouillante. Cueillez-la avec une écumoire.

2 Plongez-la rapidement dans l'eau glacée et retirez-la : la peau s'enlève facilement.

3 Coupez-la en deux sur la largeur. Comprimez chaque moitié pour expulser les graines.

carottes, du céleri et de l'ail et faites sauter. Ajoutez ensuite les tomates et les herbes fines. Servez en sauce rustique ou en purée.

SPAGHETTI ALL'AMATRICIANA

À feu doux et dans une grande casserole, faites revenir **350 g (¾ lb) de bacon de dos,** ou de prosciutto, et **3 oignons moyens,** hachés, dans **1 c. à soupe d'huile** pendant 15 minutes, en remuant de temps à autre. Enchaînez avec l'étape 1 de la recette ci-contre, mais n'utilisez que ½ c. à thé de sel et ajoutez tout de suite les flocons de piment rouge. Sautez l'étape 2. Donne 6 portions.

SPAGHETTI ALLA PUTTANESCA

À feu assez vif et dans une grande casserole, faites revenir **2 gousses d'ail,** hachées, dans **2 c. à soupe d'huile d'olive** pendant 2 minutes. Enchaînez avec l'étape 1 de la recette ci-contre, en ajoutant **1 tasse d'olives noires** grecques, dénoyautées et coupées en deux, **¼ tasse de câpres,** égouttées, **8 filets d'anchois,** hachés, et les flocons de piment rouge. Sautez l'étape 2. Donne 6 portions.

Spaghetti arrabiata

1,5	**kg (3 lb) de tomates pelées ou de tomates italiennes en boîte, égouttées et concassées**
¼	**tasse d'huile d'olive**
1	**c. à thé de sel**
¼	**à ½ c. à thé de poivre noir**
⅛	**à ½ c. à thé de flocons de piment rouge**
750	**g (1½ lb) de spaghettis, cuits et égouttés**
⅔	**tasse de basilic frais ou de persil plat, haché**

1 Dans une grande casserole, réunissez les tomates, l'huile, le sel et le poivre. Menez à ébullition à feu modéré. Laissez ensuite mijoter à petit feu pendant 25 minutes, sans couvrir.

2 Divisez cet appareil en deux ou trois portions. Au mélangeur à grande vitesse ou au robot, défaites chaque portion en purée ; raclez le gobelet ou le bol de temps à autre. Remettez la purée dans la casserole, ajoutez le piment rouge et laissez mijoter 15 minutes à feu assez vif, sans couvrir. Remuez souvent.

3 Versez la sauce sur les spaghettis bien chauds, saupoudrez de basilic haché et servez. Donne 6 portions.

Par portion : Calories 421 ; Gras total 11 g ; Gras saturé 2 g ; Protéines 12 g ; Hydrates de carbone 170 g ; Fibres 5 g ; Sodium 377 mg ; Cholestérol 0 mg

Préparation : 30 minutes
Cuisson : 45 minutes

SAUCES À LA CRÈME

Quand vous avez une fringale de pâtes, rien ne satisfait mieux que des fettucines enrobées d'une sauce crémeuse et relevées de fromage goûteux.

UN PLAT CLASSIQUE

Les *fettuccine Alfredo* connaissent, de ce côté de l'Atlantique, une grande popularité. Il y eut bien un chef Alfredo, du restaurant du même nom, à Rome, qui rendit célèbre cette sauce qu'il venait préparer lui-même à la table du client. Mais c'était un plat régional déjà bien connu sous le nom de *fettuccine alla panna*, ou fettucines à la crème.

NOUILLES PARFAITES

Larges et rubanées, les fettucines (et leurs cousines, les tagliatelles, un peu plus étroites) captent bien les sauces crémeuses, quelles qu'elles soient. Elles s'accommodent aussi d'une sauce primavera sans crème, mais pleine de bons légumes du printemps, comme son nom le veut. Les fettucines sont en effet assez robustes pour supporter une garniture de légumes en bouchées.

LA CRÈME

Au temps heureux où personne ne songeait au cholestérol, la sauce Alfredo était faite uniquement avec de la crème épaisse. Ici, nous la coupons de crème légère. Quant à notre sauce Alfredo santé, bien que riche au goût, elle ne renferme pas du tout de crème. Nous la préparons au lait entier et au lait évaporé et nous l'épaississons avec un peu de fécule de maïs.

COMBINAISONS GAGNANTES

Pour diminuer la teneur d'un plat en calories, en gras et en cholestérol, servez une sauce Alfredo santé. Utilisez-la, par exemple, dans les *tagliatelle paglia e fieno* (paille et foin), ravissant mélange de pâtes ordinaires et de pâtes vertes relevées de champignons, de petits pois et de prosciutto.

Les garnitures qui associent épinards et champignons ou jambon et asperges appellent une sauce à la crème, tout comme les crevettes, les pétoncles et le saumon. Par contre, le parmesan est trop puissant pour les poissons et les fruits de mer ; l'ail, la tomate, l'aneth ciselé ou une pointe de safran leur suffit.

LE BON FROMAGE

Les *fettuccine Alfredo* doivent en grande partie leur relief et leur piquant à la qualité du parmesan qui entre dans la sauce. Ne prenez pas le premier venu ; cherchez le meilleur. Ce choix est encore plus important dans les recettes santé où le fromage sert aussi à relever la sauce.

FROMAGES À RÂPER

Les amateurs de pâtes savent que le choix du fromage en fonction des pâtes est tout aussi important que le choix de la sauce. Voici ceux qu'ils préfèrent :

Asiago vieilli : Fromage au lait de vache à pâte granuleuse salée, jaune paille ; saveur douce à piquante.

Parmesan : Fromage au lait de vache à pâte dure de couleur jaune d'or. Tous les parmesans ne sont pas de la même qualité ; les connaisseurs estiment que le parmesan Reggiano est le meilleur de tous. Son nom est imprimé sur la croûte.

Pecorino romano : Fromage au lait de vache, de chèvre ou de brebis, aussi appelé romano, dont la pâte ressemble à celle du parmesan, bien qu'elle soit plus piquante et plus acide. On l'associe parfois au parmesan pour donner à celui-ci plus de relief.

Ricotta salata : Fromage fait de lait de brebis vieilli, friable et très piquant.

Sapsago : Fromage en grains fait de lait écrémé aigre, aromatisé et coloré au mélilot bleu.

UN ATOUT

La râpe ou la moulinette à muscade

Le parfum de la muscade en poudre ne se comparera jamais à celui de la muscade en noix fraîchement râpée. Plutôt que d'utiliser la plus petite grille d'une râpe à quatre pans, achetez une râpe à muscade (en bas) ; elle est petite et coûte trois fois rien. Mais si vous raffolez de muscade, prenez la moulinette (en haut). Comme un moulin à poivre auquel elle s'apparente, elle vous permet de poudrer de muscade une sauce, un ragoût ou un flan. La noix de muscade garde indéfiniment son arôme ; la poudre de muscade s'affadit vite.

ALFREDO SANTÉ

À l'étape 1 de la recette ci-contre, faites revenir les échalotes dans 2 c. à soupe de beurre au lieu de 3. Remplacez les deux crèmes par **1 tasse de lait** et **1 tasse de lait évaporé écrémé,** auxquelles vous ajouterez **1 c. à soupe de fécule.** Ajoutez ¼ c. à thé de **poivre noir** en même temps que le parmesan. Donne 4 portions.

FETTUCCINE AL GORGONZOLA

Dans la recette ci-contre, ne mettez que ⅓ tasse de parmesan, mais ajoutez ¾ **tasse de gorgonzola** émietté. Donne 4 portions.

SAUCE PRIMAVERA

Suivez la recette ci-contre, mais remplacez les échalotes par **2 grosses gousses d'ail,** émincées, et faites-les sauter 2 à 3 minutes. Supprimez la crème, le sel, la muscade et le parmesan, mais ajoutez **6 tasses de légumes en julienne** (poivrons rouges ou jaunes, courgettes, courge jaune, oignon rouge, pois mange-tout, carottes) et faites-les sauter 6 à 7 minutes. Saupoudrez de ¼ **tasse de basilic frais,** ciselé, et ¼ **c. à thé de poivre noir.** Donne 4 portions.

Fettuccine Alfredo

3	**c. à soupe de beurre ou de margarine**
⅓	**tasse d'échalotes hachées**
1¼	**tasse de crème à 35 p. 100**
1	**tasse de crème à 15 p. 100**
½	**c. à thé de sel**
1	**pincée de muscade**
¾	**tasse de parmesan râpé**
500	**g (1 lb) de fettucines, cuites et égouttées**

1 Dans une casserole moyenne, faites fondre le beurre à feu modéré. Ajoutez les échalotes et faites-les sauter 3 à 4 minutes. Incorporez les deux crèmes, le sel et la muscade. Portez à ébullition à feu vif en remuant constamment. Sans couvrir, laissez la sauce mijoter 4 à 5 minutes à petit feu pour qu'elle épaississe. Incorporez le parmesan.

2 Dressez les fettucines dans un bol chaud, versez la sauce par-dessus et remuez. Donne 4 portions.

Par portion : Calories 868 ; Gras total 60 g ; Gras saturé 34 g ; Protéines 22 g ; Hydrates de carbone 61 g ; Fibres 2 g ; Sodium 1 236 mg ; Cholestérol 286 mg

Préparation : 15 à 20 minutes
Cuisson : 12 à 15 minutes

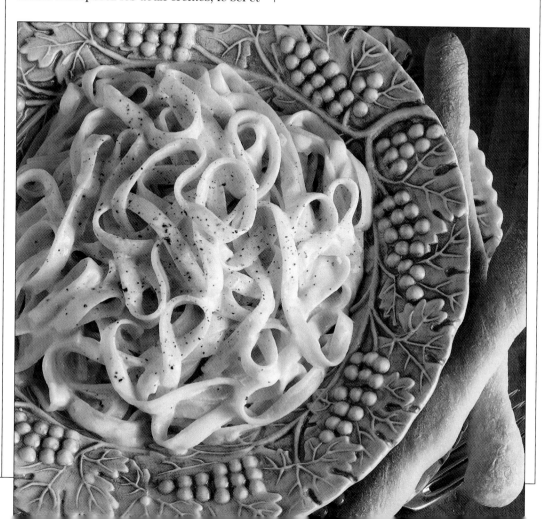

SAUCES AU FROMAGE

Quatre grands fromages entrent dans la composition de nos deux recettes, dont l'une est italienne et l'autre une improvisation sur un thème familier.

SAUCES AU FROMAGE

La recette de pennes aux quatre fromages est une addition relativement récente à la cuisine italienne. Addition bienvenue, car l'Italie offre tant de bons fromages qu'il serait dommage de ne pas en profiter. Selon les amateurs, il faut associer des pâtes fermes, demi-fermes et molles.

Le fromage fond et s'incorpore plus vite à la sauce si vous l'avez tout d'abord râpé avec une grosse râpe, haché au couteau ou émietté à la main. Effectuez ces opérations au moment où vous le sortez du réfrigérateur. Mais ce n'est pas à ce moment-là qu'il révèle toute sa saveur. Aussi, laissez-le prendre la température de la pièce avant de l'incorporer à la sauce.

ACHAT DU FROMAGE

La saveur du plat dépend dans une grande mesure de la qualité du fromage. Vous verrez la différence si, par exemple, vous avez choisi le meilleur parmesan. Mais n'achetez que ce qu'il vous faut car il est cher. Néan-

moins, le prix n'est pas le seul garant de sa qualité. Son origine, son âge, sa conservation entrent aussi en ligne de compte.

Dans la plupart des comptoirs de fromages, on acceptera de vous faire goûter. Fiez-vous à votre nez et à votre palais : ils ne vous tromperont pas.

DES FROMAGES QUI FONDENT BIEN

Fontina : C'est un fromage au lait de vache, à pâte souple parsemée de petits trous. La fontina italienne (recherchez celle qui a une croûte brun pâle) a une saveur douce de noisette que l'âge accentue sans la rendre piquante. Grossièrement râpée, elle fond bien et se retrouve dans beaucoup de sauces au fromage.

Mozzarella : C'est le fromage qui couronne la pizza. On l'utilise surtout dans les plats

où il doit fondre. Sa saveur est douce et sa texture, un peu spongieuse. Préférez la mozzarella fraîche car certaines variétés commerciales filent en fondant. Comme il s'agit d'un fromage mou, il est plus facile de le couper au couteau que de le râper.

Parmesan et romano : Ce sont des fromages à pâte dure qui se râpent bien sur un plat et fondent superbement. Dans notre recette, il faut les râper à la dernière minute, à la main ou au robot. Ne leur substituez jamais des fromages râpés vendus en sachets.

Provolone : C'est un fromage au lait de vache, à pâte demi-ferme de couleur jaune pâle. Son goût, peu marqué, est légèrement fumé. Il durcit avec l'âge et sa saveur devient piquante, mais à 2 ou 3 mois – c'est à ce moment-là qu'il est vendu – il fond très bien.

Autres fromages : Une autre combinaison agréable se fait avec 125 g (4 oz) chacun de fontina hachée, de mascarpone (fromage blanc très crémeux), qu'on détaille en petites bouchées, et de parmesan râpé auxquels on associe 60 g (2 oz) de gorgonzola (fromage bleu italien).

À défaut de provolone ou de fontina, vous obtiendrez d'excellents résultats en leur

substituant du gruyère et du gouda. Le goût du plat sera néanmoins différent.

CONSERVATION

En règle générale, mieux vaut acheter le fromage en petite quantité et le consommer sans tarder.

Enveloppez de pellicule plastique et réfrigérez les fromages demi-fermes, qui se garderont ainsi deux ou trois semaines, tandis que les fromages durs, comme le parmesan et le romano, peuvent se conserver plusieurs mois.

SE CONGÈLENT-ILS ?

Les fromages durs, comme le parmesan et le provolone âgé, se gardent jusqu'à six mois au congélateur ; enveloppez-les de pellicule plastique, puis de papier d'aluminium. Par contre, la congélation rend caoutchouteux et aqueux les fromages à pâte demi-ferme, comme la fontina et la mozzarella.

OBJECTIF SANS GRAS

Utilisez une casserole anti-adhésive et n'employez que 2 c. à soupe de beurre. Remplacez la crème légère par 1 tasse de lait entier ou de lait évaporé écrémé et prenez de la mozzarella allégée.

CHIMIE CULINAIRE

La sauce au fromage aura une texture lisse et crémeuse si vous la faites cuire à feu doux, en remuant constamment pendant que le fromage fond. Une chaleur trop vive durcit les protéines du fromage, qui s'agglutine en grumeaux. Le fromage qui a vieilli naturellement fond mieux qu'un fromage jeune parce que ses protéines se sont attendries avec le temps. Le fromage traité s'incorpore mieux, lui aussi, qu'un fromage jeune parce qu'il renferme des émulsifiants.

Macaroni gratiné aux quatre fromages

Exécutez la sauce ci-contre, en doublant les proportions de crème et de lait et en ajoutant **¼ c. à thé de moutarde sèche.** Remplacez les pennes par des macaronis en coudes. Mettez-les avec la sauce dans un grand plat à four beurré. Pour le gratin, mélangez **½ tasse de parmesan râpé, ¼ tasse de mie de pain émiettée** et **¼ tasse de persil plat, ciselé.** Étalez sur la surface. Faites cuire 20 à 25 minutes à découvert à 180 °C (350 °F). Laissez gratiner 30 secondes sous le gril. Donne 6 portions.

Pennes aux quatre fromages

3	**c. à soupe de beurre ou de margarine**
2	**gousses d'ail, hachées**
2	**c. à soupe de farine**
1	**tasse de crème à 15 p. 100**
1	**tasse de lait**
1	**tasse de fontina râpée**
1	**tasse de provolone râpé**
½	**tasse de mozzarella râpée**
½	**tasse de parmesan râpé**
½	**c. à thé de sel**
¼	**c. à thé de poivre noir**
500	**g (1 lb) de pennes, cuites et égouttées**
¼	**tasse de persil plat, ciselé**

1 Dans une grande casserole antiadhésive, faites fondre le beurre à feu modéré. Ajoutez l'ail et faites-le cuire 2 minutes. Incorporez la farine et ajoutez 1 minute de cuisson. Hors du feu, incorporez peu à peu la crème et le lait au fouet. Laissez épaissir la sauce pendant 3 à 5 minutes à feu modéré en remuant souvent.

2 Ajoutez les fromages, le sel et le poivre et, en remuant constamment, laissez cuire 1 à 2 minutes, jusqu'à ce que les fromages aient fondu et que la sauce soit lisse.

3 Dressez les pennes dans un bol chaud, versez la sauce au fromage par-dessus et remuez. Saupoudrez de persil et servez. Donne 4 portions.

Par portion : Calories 956 ; Gras total 48 g ; Gras saturé 29 g ; Protéines 42 g ; Hydrates de carbone 89 g ; Fibres 4 g ; Sodium 1 226 mg ; Cholestérol 143 mg

*Préparation : 30 minutes
Cuisson : 10 minutes*

Sauces à l'huile et à l'ail

Ail et huile constituent la base de plusieurs sauces que vous préparerez pendant que cuisent les pâtes.

SIMPLE ET SUBLIME

Pour les amateurs de pâtes, il n'y a rien de comparable à l'huile d'olive relevée d'un peu d'ail sauté et de persil pour mettre les pâtes en valeur. Il est vrai que l'huile d'olive a un parfum à nul autre pareil, mais elle a en outre la vertu d'absorber tous les arômes et de les répandre partout dans le plat.

L'huile et l'ail invitent ensuite à une foule de savoureuses alliances : tomates et basilic ; légumes sautés et flocons de piment rouge ; brocoli cuit agrémenté de tomates et d'olives noires tranchées ; thon et tomates ; pétoncles et piment rouge haché ; crevettes et ciboulette.

Ajoutez au besoin du bouillon, du vin ou de l'eau ayant servi à la cuisson des pâtes pour allonger la sauce.

L'HUILE D'OLIVE

Quand l'huile est l'élément de base, elle doit être de qualité.

La meilleure est l'huile vierge extra qui provient de la première pression à froid des olives. Sa saveur est légèrement fruitée et elle est verdâtre. Mais elle est chère. Aussi faut-il l'utiliser là où on en perçoit le goût : dans les salades et les sauces.

L'huile vierge vient d'une seconde pression des olives. Plus acide que la précédente, elle sert dans toutes les opérations culinaires.

Enfin, celles qui sont étiquetées huile d'olive pure ou simplement huile d'olive ont été abondamment traitées. Elles ont peu de goût.

PARLONS D'AIL

Il faut faire sauter l'ail avec prudence. Sur un feu trop vif, il ne tarde pas à brûler et prend alors un goût âcre.

COMMENT PELER UNE GOUSSE D'AIL

Déposez la gousse sur le plan de travail. Couvrez-la avec le plat d'un grand couteau de chef et donnez un bref coup de poing sur la lame. La chair jaillit de la pelure.

Si vous aimez la saveur de l'ail mais non son piquant, faites-le rôtir. Dégagez les gousses ; enfournez-les sans les peler dans un four préchauffé à 180 °C (350 °F) et faites-les rôtir 20 à 30 minutes. L'ail rôti est si doux qu'il faut souvent doubler et tripler les quantités spécifiées dans la recette.

LES PALOURDES

La sauce blanche aux palourdes est facile à faire et se transforme en sauce rouge

LINGUINES EN SAUCE ROUGE AUX PALOURDES

À l'étape 1 de la recette page ci-contre, supprimez le vermouth mais ajoutez **1 boîte (796 ml/28 oz) de tomates,** égouttées et concassées, **1 c. à thé de basilic séché, ¼ c. à thé de thym séché et ½ c. à thé de sucre ;** ne mettez que ¼ c. à thé de sel. Laissez mijoter cette sauce à petit feu pendant 15 à 20 minutes, sans couvrir et en remuant de temps à autre. Poursuivez les étapes 2 et 3. Donne 4 portions.

par l'addition d'un peu de tomate en boîte. Mais contrairement à la plupart des sauces pour les pâtes, celle-ci ne peut pas attendre : les palourdes deviendraient coriaces. Préparez-la pendant la cuisson des pâtes de sorte qu'après les avoir égouttées, vous pourrez tout de suite les intégrer à la sauce.

INGÉNIEUX !
Le minirobot

Les amateurs de pâtes ont intérêt à posséder un minirobot. Cet électroménager est idéal pour hacher de petites quantités de persil, d'ail, bref tous les ingrédients qui entrent habituellement dans la composition des sauces ou servent à garnir les pâtes. Le bol a une contenance d'une tasse. L'appareil se démonte et se lave plus facilement que son grand frère.

PRÉPARATION DES PALOURDES

Pour nettoyer les palourdes, grattez-les sous le robinet d'eau froide. Mettez-les ensuite dans un grand bol, couvrez-les d'eau froide et salée et saupoudrez-les de farine de maïs. En absorbant la farine, les palourdes expulsent le sable et la terre qu'elles renferment. Jetez celles qui ne s'ouvrent pas quand vous les tapotez.

Pour ouvrir les palourdes à la vapeur, déposez-les dans une grande marmite qui ferme bien. Versez-y 1 tasse d'eau, couvrez et portez à ébullition à feu modéré. Laissez-les étuver 5 à 10 minutes en les surveillant. Retirez-les une à une à mesure qu'elles s'ouvrent. Jetez celles qui ne se seront pas ouvertes. Laissez-les tiédir dans un bol. Réservez le jus ; retirez les mollusques et hachez-les. Filtrez le jus dans un tamis fin. Utilisez la chair et le jus comme le veut la recette.

Linguines aux palourdes

- ¼ **tasse d'huile d'olive**
- 1 **gros oignon, haché**
- 3 **gousses d'ail, hachées**
- ⅓ **tasse de vermouth blanc**
- ½ **c. à thé de sel**
- ⅛ **à ¼ c. à thé de flocons de piment rouge, écrasés**
- 2 **boîtes (142 g/5 oz chacune) de palourdes avec leur jus, ou la chair hachée et le jus de 2 douzaines de palourdes (voir encadré ci-contre)**
- ¼ **tasse de persil plat, ciselé**
- 500 **g (1 lb) de linguines, cuites et égouttées**

1 Dans une grande sauteuse, réchauffez l'huile 1 minute à feu modéré. Ajoutez l'oignon et l'ail et faites-les sauter pendant 5 minutes. Ajoutez le vermouth, le sel et les flocons de piment rouge ; laissez mijoter 3 minutes à découvert.

2 Incorporez les palourdes et leur jus et réchauffez-les 1 minute. Ajoutez le persil ciselé.

3 Dressez les linguines dans un grand bol réchauffé. Nappez-les de sauce, remuez et servez. Donne 4 portions.

Par portion : Calories 596 ; Gras total 16 g ; Gras saturé 2 g ; Protéines 26 g ; Hydrates de carbone 81 g ; Fibres 7 g ; Sodium 460 mg ; Cholestérol 33 mg

Préparation : 25 minutes
Cuisson : 10 minutes

LE PESTO

Le pesto italien n'est pas nécessairement fait avec du basilic et il n'est pas toujours vert. Il s'en fait aussi aux champignons, au persil et à l'oignon.

SPÉCIALITÉ ITALIENNE

En italien, *pestare* veut dire « broyer », terme qui décrit bien le pesto, sorte de purée le plus souvent faite d'ingrédients crus. On trouve encore des amateurs courageux qui utilisent le mortier et le pilon. Mais il est plus fréquent de travailler les ingrédients au mélangeur ou au robot.

UNE SAUCE TOUT USAGE

Le pesto fait des merveilles avec les pâtes chaudes ou froides, mais aussi avec les gnocchis et le riz. Essayez!

Mettez-en une cuillerée dans la soupe aux légumes.

Ajoutez-en aux légumes cuits à la vapeur et aux pommes de terre cuites au four.

Étalez un peu de pesto sur la pizza avant de l'enfourner.

Pensez à un pesto à la menthe pour accompagner l'agneau.

Garnissez des tomates-cerises de pesto au basilic en guise de hors-d'œuvre. De façon générale, le pesto s'associe avec bonheur au fromage, aux crevettes froides, aux olives et autres petites gourmandises.

LE BASILIC

Alors que, chez nous, le basilic à grandes feuilles est plus courant, en Italie on lui préfère, pour le pesto, l'arôme du basilic fin, vert et nain qui vient en touffes compactes. Si vous le pouvez, faites pousser cette variété dans votre jardin.

Au magasin, recherchez du basilic à feuilles bien vertes, sans taches noires. Il ramollit et noircit rapidement si on le met dans un réfrigérateur très froid ou s'il y est déposé alors qu'il est mouillé. Ne lavez le basilic qu'au moment de l'utiliser. Au réfrigérateur, rangez-le dans un sac de plastique ou plongez les tiges dans un verre d'eau et couvrez les feuilles d'un sac.

Avant de travailler le basilic, ôtez les tiges coriaces. Les amateurs vont jusqu'à retirer les nervures centrales qui divisent les feuilles en deux.

AUTRES VERDURES

Pour confectionner le pesto, vous pouvez remplacer le basilic par des épinards frais, de la roquette (arugula) ou du persil, séparément ou en association. Relevez-les d'une cuillerée à thé d'estragon frais ou de sauge fraîche.

Au lieu des pignons, vous pouvez utiliser des noix ou des amandes.

Des échalotes ou le bulbe des oignons verts peuvent se substituer à l'ail ou s'y associer.

Pour réduire le cholestérol, n'employez que de l'huile et pas de beurre.

Mais rien ne remplace l'huile d'olive dans le pesto : aucune autre huile végétale n'égale sa finesse.

DU RELIEF

Pour donner du relief au pesto, râpez du fromage à la main et incorporez-le avec une spatule de caoutchouc. Abstenez-vous-en si vous voulez congeler le pesto. Vous exécuterez cette opération quand il sera décongelé et juste avant de vous en servir.

PESTO AU FROID

Le pesto se garde une semaine au réfrigérateur. Mettez-le dans un petit bocal et versez de l'huile par-dessus. Fermez bien. Si la surface noircit, ce n'est pas grave : il suffit de le mélanger.

Le pesto se garde un mois au congélateur dans un sac de plastique ou dans les alvéoles d'un moule à glaçons enfermé dans du plastique. Vous en décongelez au besoin.

PRÉPARATION

Les ingrédients qui entrent dans le pesto sont assez secs. C'est l'huile qui donne au pesto sa texture riche et moelleuse.

Pour qu'il se distribue bien dans les pâtes, ajoutez le pesto peu à peu alors qu'elles sont bien chaudes. Vous pouvez le diluer avec un peu de leur eau de cuisson pour faciliter le mélange.

PESTO DE CHAMPIGNONS

À feu plutôt vif, faites sauter 2 à 3 minutes **300 g (10 oz) de champignons,** tranchés très minces, et **1 gousse d'ail,** hachée, dans **2 c. à soupe de beurre.** Au mélangeur ou au robot, réduisez cet appareil en purée avec **2 c. à soupe de beurre mou** et autant de **ciboulette ciselée** ou de bulbe d'oignon vert, haché, **½ tasse de parmesan râpé,** **¾ c. à thé de sel** et **¼ c. à thé de poivre noir.** Donne ¾ tasse de purée ou 4 portions.

Pesto à l'ail et à l'oignon rôtis

Dans une lèchefrite, rassemblez **4 oignons moyens,** pelés et coupés en quatre, **12 gousses d'ail,** pelées, **1 c. à soupe d'huile d'olive, ½ c. à thé de thym séché, ¾ c. à thé de sel** et **¼ c. à thé de poivre noir.** Enfournez dans un four préchauffé à 180 °C (350 °F) et faites rôtir 1 heure. Laissez tiédir. Hachez cet appareil et mélangez-le à 500 g (1 lb) de spaghettis cuits, égouttés ; ajoutez **1 tasse de ricotta** et **¼ tasse de parmesan râpé.** Donne 1 tasse, soit une quantité suffisante pour 4 portions.

Pesto au persil et au gorgonzola

Avec six à huit pulsions, au mélangeur ou au robot, hachez **4 tasses de persil plat,** bien tassé, et **1 gousse d'ail,** pelée. L'appareil toujours en marche, incorporez **¼ tasse d'huile d'olive** en filet. Ajoutez **125 g (4 oz) de gorgonzola,** le **zeste râpé de 1 citron, 1 c. à thé de sel** et **½ c. à thé de poivre noir ;** réduisez-les 2 minutes en purée en raclant au besoin la paroi du récipient. Donne 1 tasse de pesto, soit une quantité suffisante pour 4 portions.

Pesto classique

6½	**tasses (environ 2 bottes) de basilic frais, bien tassé**
2	**gousses d'ail, pelées**
¼	**tasse d'huile d'olive vierge extra**
2	**c. à soupe de beurre ramolli, ou de margarine**
½	**tasse de parmesan râpé**
¾	**tasse de pignons**
½	**c. à thé de zeste de citron râpé**
1	**c. à thé de sel**
¼	**c. à thé de poivre noir**

1 Mettez le basilic et l'ail dans le bol du mélangeur ou le gobelet du robot, et actionnez à grande vitesse. Au bout de 2 minutes, incorporez l'huile en filet.

2 Ajoutez le beurre, le parmesan, les pignons, le zeste de citron, le sel et le poivre. Travaillez-les 3 minutes pour transformer tous les ingrédients en pâte ; raclez la paroi du bol ou du gobelet au besoin. Ajoutez 1 à 2 c. à soupe d'eau si le pesto est très épais. Donne 1½ tasse de pesto, soit une quantité généreuse pour 4 portions.

Par cuillerée à soupe : Calories 47 ;
Gras total 5 g ; Gras saturé 1 g ;
Protéines 2 g ;
Hydrates de carbone 1 g ; Fibres 0 g ;
Sodium 83 mg ; Cholestérol 3 mg

Préparation : 23 minutes

CRÊPES ROULÉES

En Italie, on utilise parfois les crêpes, roulées et masquées d'une garniture, comme s'il s'agissait de cannellonis. L'avantage, c'est qu'elles peuvent être préparées des jours à l'avance.

CANNELLONIS FINS

Dans plusieurs régions d'Italie, on sert sous le nom de cannellonis non pas de grosses pâtes tubulaires, mais bien des carrés de pâte garnis, nappés de sauce blanche ou de sauce tomate à la viande. Les crêpes sont une heureuse alternative.

PARLONS CRÊPES

Lorsque la pâte est faite et la poêle réchauffée, les crêpes sont prêtes dans le temps de le dire. Néanmoins, il est essentiel, au préalable, de laisser la pâte reposer de 30 minutes à 2 heures au réfrigérateur. La farine a ainsi le temps d'absorber les liquides et de fermenter : les crêpes sont plus uniformes.

Versez la quantité voulue de pâte dans la crêpière ou dans une poêle et agitez-la pour en garnir également le fond. Une mesure à café vous donne la quantité de pâte idéale pour une poêle de 15 cm (6 po).

Tournez la crêpe avec une petite spatule ou saisissez-la sur le bord avec vos doigts et tournez-la.

Le côté où la crêpe cuit en premier est souvent le plus beau. Laissez-le à l'extérieur quand vous la roulez.

Quand vous avez pris le tour, vous pourrez faire des crêpes farcies aux fruits de mer ou aux légumes que vous napperez de sauce au fromage, d'un cari ou d'un chili.

GAGNEZ DU TEMPS

Les crêpes se gardent bien : vous pouvez donc préparer vos plats partiellement d'avance. Faites-les tiédir et empilez-les en glissant du papier ciré entre elles. Couvrez ensuite de pellicule plastique et réfrigérez un jour ou deux. Ou congelez-les.

CAPONATA

En variante, nous vous proposons les crêpes roulées à la caponata, sorte de ratatouille sicilienne à base d'aubergine, de câpres, de céleri, de sauce tomate, d'oignons et d'olives, relevée d'huile et de vinaigre, qu'on sert en entrée ou comme accompagnement d'un plat de viande. La caponata se vend en petits bocaux à l'épicerie.

CRÊPES ROULÉES À LA CAPONATA

Préparez les crêpes (étapes 1 et 2 de la recette à la page ci-contre). Dans la garniture (étape 3), supprimez la farine, les champignons et le bouillon ; ajoutez au poulet une fois cuit **1¾ tasse de tomates en boîte**, concassées dans leur jus, **1¼ tasse de caponata** et **½ tasse de persil ciselé**. Faites épaissir 5 à 10 minutes de plus, en remuant. Masquez, roulez et disposez les crêpes dans la poêle. Au lieu de sauce au fromage, nappez-les avec **1½ tasse de sauce tomate**. Sans couvrir, enfournez et laissez cuire 20 minutes. Donne 4 portions.

PRÉPARATION DES CRÊPES

1 Huilez une poêle de 15 cm (6 po), réchauffez-la à feu modéré et versez-y 2 c. à soupe de pâte. Agitez la poêle pour étendre la pâte en couche mince dans le fond.

2 Faites blondir la crêpe environ 30 secondes. Retournez-la avec une petite spatule et laissez-la cuire 10 secondes de l'autre côté. Glissez-la sur une assiette. Faites 12 crêpes de cette façon.

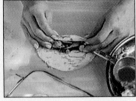

3 Déposez une crêpe sur le plan de travail ; masquez-en la moitié avec ¼ tasse de garniture. Roulez-la. Répétez l'opération avec les autres crêpes. Déposez-les, bord en dessous, dans un plat à four graissé.

Crêpes roulées aux champignons et au poulet

Pâte à crêpes :
- ½ tasse de farine non tamisée
- ¼ c. à thé de sel
- ¾ tasse de lait écrémé à 1 p. 100
- 2 œufs
- 2 c. à soupe et 2 c. à thé d'huile d'olive

Garniture :
- 1 c. à soupe d'huile d'olive
- 1 oignon moyen, haché fin
- 250 g (8 oz) de champignons mélangés (champignons sauvages et champignons de couche), parés et tranchés mince
- 350 g (12 oz) de chair brune de poulet, en bouchées de 1 cm (½ po)
- 2 c. à soupe de farine
- 1 tasse de bouillon de poulet hyposodique en boîte
- ½ c. à thé de sel
- ¼ c. à thé de romarin séché
- ⅛ c. à thé de poivre noir

Sauce au fromage :
- 1⅓ tasse de lait écrémé à 1 p. 100
- 2 c. à soupe de farine
- ¼ c. à thé de sel
- ¼ c. à thé de poivre noir
- ½ tasse de parmesan râpé

1 Pâte à crêpes. Dans un petit bol, mélangez la farine et le sel. Dans une mesure de 2 tasses, rassemblez le lait, les œufs et 2 c. à soupe d'huile. Versez lentement ce mélange dans les ingrédients secs et battez au fouet jusqu'à ce que la pâte soit lisse. Couvrez et laissez reposer au réfrigérateur au moins 30 minutes. Passez la pâte à travers un tamis fin.

Décorez les crêpes aux champignons et au poulet de quelques asperges.

2 Badigeonnez une poêle de 15 cm (6 po) avec un peu de l'huile qui reste. Réchauffez-la à feu modéré. Faites cuire les 12 crêpes en suivant les étapes 1 et 2 illustrées à la page ci-contre.

3 Garniture. Dans une grande sauteuse antiadhésive, réchauffez l'huile 1 minute à feu modéré. Faites-y attendrir l'oignon pendant 3 à 5 minutes. Ajoutez les champignons et prolongez la cuisson de 5 minutes en remuant de temps à autre. Ajoutez le poulet et laissez cuire encore 5 minutes. Incorporez la farine. Mouillez peu à peu avec le bouillon ; ajoutez le sel, le romarin et le poivre et laissez cuire 5 minutes ou jusqu'à ce que le poulet soit à point et que la sauce ait épaissi.

4 Sauce au fromage. Dans une casserole, fouettez ensemble le lait et la farine. Ajoutez le sel et le poivre et faites cuire pendant 4 minutes à feu modéré en fouettant sans arrêt : la sauce doit prendre la consistance de la crème épaisse. Ajoutez ¼ tasse de parmesan.

5 Préchauffez le four à 200 °C (400 °F). Masquez et roulez les crêpes comme illustré à l'étape 3, page ci-contre. Nappez-les de sauce au fromage et saupoudrez de parmesan. Enfournez et laissez cuire à découvert pendant 25 minutes environ, jusqu'à ce que la sauce bouillonne et que la surface soit gratinée. Donne 4 portions.

**Par portion : Calories 478 ;
Gras total 24 g ; Gras saturé 7 g ;
Protéines 34 g ;
Hydrates de carbone 30 g ; Fibres 2 g ;
Sodium 956 mg ; Cholestérol 192 mg**

*Préparation : 33 minutes
Cuisson : 1 heure*

LASAGNE

Pour alléger la lasagne, on remplace volontiers de nos jours le bœuf haché par du poulet et des légumes.

VARIATIONS SUR LE MÊME THÈME

Le grand atout de la lasagne – outre sa saveur délicieuse –, c'est qu'elle permet toutes les variations. Vous pouvez suivre une recette précise ou l'adapter aux ingrédients que vous avez sous la main : quelle bonne façon d'utiliser les restes ! Vous pouvez la servir immédiatement ou la réchauffer le lendemain. Enfin, c'est un plat qui s'emporte bien chez des amis lorsque vous organisez un repas collectif.

PRÉPARATION DE LA LASAGNE

Tous les légumes cuits, seuls ou en macédoine, peuvent servir à préparer une lasagne végétarienne. Vous aurez soin, cependant, de les garder un peu croquants, puisqu'ils recevront une seconde cuisson au four.

Égouttez parfaitement les légumes avant de les introduire entre les pâtes. Un excès de liquide aurait pour effet de détremper la lasagne et de la rendre lourde.

À cet égard, faites surtout attention aux légumes verts cuits à l'eau ou à la vapeur.

Desséchez légèrement les champignons à la cuisson pour qu'ils perdent une bonne partie de leur eau de végétation. Faites griller ou sauter la courge et les courgettes. Réduisez en purée les courges d'hiver et laissez-les s'égoutter dans un tamis.

En règle générale, la lasagne se fait avec de la mozzarella, de la ricotta et du parmesan, nature ou allégés, mais rien ne vous empêche d'innover.

Par exemple, remplacez la mozzarella nature par du monterey jack ou de la mozzarella fumée, le parmesan par du provolone vieilli ou de l'asiago. Remplacez la ricotta par du fromage de chèvre, nature ou aux fines herbes.

Au lieu de bœuf haché, faites l'expérience de l'agneau haché, du porc haché, du poulet ou de la dinde hachés ou tranchés, de la saucisse de porc ou de dinde, ou faites un mélange de deux ou plusieurs viandes.

LASAGNES PARFAITES

Vous vous poserez sans doute des questions : quelles pâtes choisir, combien en mettre, comment les empêcher de se détremper ou de coller les unes aux autres ? Les réponses à ces questions sont un gage de réussite.

PÂTES SÈCHES OU PÂTES FRAÎCHES ?

Les amateurs préfèrent préparer les pâtes eux-mêmes, à la main ou à la machine, parce qu'ils peuvent ainsi les obtenir d'une extrême minceur. Les lasagnes sèches peuvent être plates, cannelées ou ondulées sur les bords. Si la recette ne le précise pas, choisissez-les selon vos préférences, mais prenez toujours les plus minces. Les lasagnes épaisses retiennent l'eau et sont pâteuses.

PÂTES BLANCHES OU COLORÉES ?

La lasagne classique se fait avec des pâtes nature ou vertes. Ces dernières, aux épinards, donnent du goût et de la couleur au plat.

Vous pouvez alterner les pâtes nature et les pâtes aux épinards. Rappelez-vous pourtant que ces dernières cuisent un peu plus vite que les pâtes nature tandis que les pâtes au blé entier, à l'inverse, cuisent un peu plus lentement.

PÂTES SANS CUISSON

Il se vend des lasagnes qui n'ont pas besoin de cuire à l'eau bouillante ; bien des amateurs ne jurent plus que par elles.

(suite à la page 108)

CONFECTION DE LA LASAGNE

1 Versez ½ tasse de sauce tomate dans le plat. Étalez un rang de pâtes en les faisant chevaucher légèrement.

2 Recouvrez-les de ¾ tasse de sauce. Saupoudrez de ¼ tasse de parmesan râpé et répartissez 1 tasse de ricotta émiettée.

3 Disposez des tranches d'aubergine cuite sur le fromage. Refaites toutes ces opérations deux fois en remplaçant l'aubergine par des courgettes au second tour et par des poivrons au troisième.

Lasagne végétarienne

Sauce :

- **2** grosses boîtes (796 ml/ 28 oz chacune) de tomates italiennes
- **1** oignon moyen, haché fin
- **4** gousses d'ail, hachées
- **½** c. à thé de thym séché
- **¼** tasse de basilic frais, ciselé
- **1½** c. à thé de sel
- **½** c. à thé de poivre noir
- **2** c. à soupe de farine délayée dans ¼ tasse d'eau froide

Garniture :

- **1** aubergine moyenne, pelée et coupée sur la longueur en tranches de 1 cm (½ po)
- **2½** c. à soupe d'huile d'olive
- **2** petites courgettes, pelées et coupées sur la longueur en tranches de 1 cm (½ po)
- **2** petits poivrons verts, parés, épépinés et coupés en lanières de 1 cm (½ po)
- **2** petits poivrons rouges, parés, épépinés et coupés en lanières de 1 cm (½ po)
- **1** tasse de parmesan râpé
- **1** tasse de mozzarella râpée
- **500** g (1 lb) de lasagnes, cuites *al dente* et égouttées
- **3** tasses de ricotta allégée

1 Sauce. Dans un grand faitout, mettez les tomates et leur jus, l'oignon, l'ail, le thym, le basilic, le sel et le poivre noir ; lancez l'ébullition à feu assez vif. Baissez le feu et laissez mijoter tranquillement pendant 15 minutes, sans couvrir, en remuant de temps à autre pour défaire les tomates. Incorporez peu à peu au fouet la farine délayée dans l'eau et laissez épaissir environ 2 minutes en remuant constamment. Allumez le gril.

2 Garniture. Avec 1 c. à soupe d'huile, badigeonnez les tranches d'aubergine des deux côtés. Déposez-les côte à côte dans une lèchefrite de 40 x 25 x 2 cm (15 x 10 x 1 po) et glissez-les sous le gril, à 12 ou 15 cm (5-6 po) de l'élément ; laissez-les gratiner 5 minutes de chaque côté. Avec une autre cuillerée à soupe d'huile, badigeonnez les tranches de courgette et faites-les griller 3 minutes de chaque côté. Huilez les poivrons avec le reste de l'huile et faites-les griller 7 minutes ; remuez-les bien et remettez-les encore 7 minutes sous le gril.

3 Réglez le thermostat du four à 180 °C (350 °F). Mélangez le parmesan et la mozzarella ; réservez.

4 Mettez ½ tasse de sauce dans le fond d'un plat à four de 33 x 22 x 5 cm (13 x 9 x 2 po). Disposez sur la sauce quatre lasagnes de manière qu'elles se chevauchent légèrement. Étagez maintenant les ingrédients de la lasagne par couches successives :

¾ tasse de sauce, ½ tasse de fromage réservé, 1 tasse de ricotta, toutes les tranches d'aubergine, ¾ tasse de sauce et quatre lasagnes. Répétez cet étalement deux fois, en remplaçant l'aubergine par la courgette au deuxième tour et par les poivrons au troisième tour. Terminez en disposant successivement une couche de lasagnes, le reste de la sauce et enfin le reste des fromages mélangés.

5 Couvrez de papier d'aluminium, côté brillant en dessous. Disposez le plat sur une plaque, enfournez et faites cuire 45 à 55 minutes. Attendez 10 minutes avant de découper la lasagne. Donne 6 portions.

**Par portion : Calories 750 ;
Gras total 27 g ; Gras saturé 12 g ;
Protéines 40 g ;
Hydrates de carbone 91 g ;
Fibres 10 g ; Sodium 1 703 mg ;
Cholestérol 62 mg**

*Préparation : 1 heure
Cuisson : 1 h 27 à 1 h 37*

(suite de la page 106)

Elles sont un peu plus chères que les pâtes ordinaires, mais elles sont très minces et elles vous évitent le risque de trop les faire cuire au préalable.

Néanmoins, il faut les laisser tremper quelques minutes dans l'eau chaude pour les assouplir. Et durant la cuisson au four, elles doivent être complètement recouvertes de sauce.

GARE AUX LASAGNES DÉTREMPÉES !

La lasagne exige une double cuisson des pâtes. De quoi les priver de caractère. Si vous cuisez des pâtes commerciales, restez tout à côté durant la cuisson. Retirez-les du feu et égouttez-les au moment où elles vous paraissent encore un peu fermes.

GARE AUX LASAGNES COLLANTES !

Les lasagnes risquent plus que les autres pâtes de s'agglutiner parce qu'elles sont longues et larges et qu'elles doivent attendre pendant le montage du plat.

L'usage de mettre un peu d'huile dans l'eau de cuisson est généralement condamné par les puristes. Mais ici, la situation est différente ; un soupçon d'huile les empêchera de coller ensemble.

On peut également n'en faire cuire que quelques-unes à la fois, en les retirant avec une pince ou une écumoire.

Pour les empêcher de coller durant le montage du plat, certains amateurs recommandent de les passer à l'eau froide après les avoir égouttées. Le hic, c'est que cette pratique les imbibe d'eau et les rend très fragiles.

Deuxième inconvénient, l'eau froide enlève l'amidon dont elles sont revêtues ; or, c'est l'amidon qui leur permet d'absorber l'humidité durant la cuisson au four et qui les empêche de coller les unes aux autres. Enfin, si on ne les éponge pas parfaitement après ce rinçage, l'eau qu'elles retiennent s'ajoute aux liquides de la recette et dilue la sauce.

Néanmoins, si vous préférez rincer les pâtes après la cuisson, épongez-les soigneusement dans un linge de coton.

La meilleure des méthodes demeure celle-ci. Après les avoir égouttées, étalez les pâtes sur une serviette de coton qui absorbera l'humidité sans enlever l'amidon. Ensuite, montez le plat rapidement pour ne pas leur laisser l'occasion de coller ensemble.

GAGNEZ DU TEMPS

La lasagne est un plat idéal à servir quand on reçoit puisqu'elle peut se préparer quelques heures d'avance. (Dans ce cas, il faudra la réfrigérer, puis la réchauffer 10 à 15 minutes au four.) Vous pouvez aussi doubler la recette, utiliser un plat tout de suite et congeler le second.

CONGÉLATION

Pour congeler la lasagne après la cuisson, doublez le plat d'une quantité suffisante de papier d'aluminium pour pouvoir, par la suite, recouvrir les côtés et le dessus de la lasagne avec la même feuille. La lasagne étant cuite, laissez-la refroidir complètement avant de l'envelopper et de la congeler. Lorsqu'elle est congelée, retirez-la de son plat et enveloppez-la dans une autre feuille de papier d'aluminium. Elle se gardera trois mois au congélateur.

Au moment de vous en servir, remettez-la, congelée, dans son plat d'origine et prévoyez une journée de décongélation au réfrigérateur. Ôtez l'emballage mais couvrez la lasagne sans serrer et réchauffez-la 30 minutes au four, à 160 °C (325 °F).

TRANCHEZ ET SERVEZ

Coupez la lasagne en carrés avec un couteau à lame lisse ou dentée. Délogez d'abord un carré dans un coin : les autres viendront facilement. La pelle à crêpes vous aidera à servir de belles portions.

Mary Ann Esposito

« Il y a trois choses à surveiller quand on prépare une lasagne. Pour que les pâtes ne soient pas aqueuses, il ne faut pas les cuire trop longtemps ni les rincer.

« Pour que celles du dessus ne se dessèchent pas, il faut les napper complètement de sauce et les couvrir d'un papier d'aluminium durant les 20 premières minutes de cuisson.

« Enfin, pour faciliter le découpage, attendez 20 minutes avant de servir ; la lasagne aura le temps d'absorber les éléments liquides. »

LASAGNE À LA DINDE

Préparez la sauce décrite à l'étape 1, page 107. Faites cuire **8 lasagnes à bord ondulé** selon les directives du paquet et égouttez-les. Dans une grande sauteuse, faites revenir à feu vif **1 tasse d'oignons hachés** et **4 gousses d'ail,** hachées, dans **1 c. à soupe de beurre** pendant 3 minutes. Ajoutez **500 g (1 lb) de dinde hachée** et prolongez la cuisson de 10 minutes. Remuez souvent. Réservez dans un grand bol. Dans la même sauteuse, faites fondre **2 c. à soupe de beurre** à feu vif et faites revenir **300 g (10 oz) de champignons,** hachés, pendant 5 minutes. Ajoutez-les au bol, avec 4 tasses de sauce. Masquez le fond d'un plat de 33 x 22 x 5 cm (13 x 9 x 2 po) avec ½ tasse de la sauce qui reste. Étalez par-dessus quatre lasagnes qui se chevauchent. Ajoutez 3 tasses du mélange à la dinde et ¼ **tasse de parmesan râpé.** Répétez ces couches à partir des lasagnes ; terminez en émiettant **1 tasse de mozzarella râpée.** Faites cuire comme à l'étape 5. Donne 6 portions.

RIZ, CÉRÉALES ET LÉGUMES SECS

LE GRITS

*D*ans le sud des États-Unis, une cuillerée de grits accompagne toujours les œufs au jambon du déjeuner. On peut aussi en servir aux autres repas.

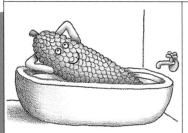

UN PEU D'HISTOIRE

Les premiers colons apprirent des Indiens comment conserver le maïs en le dépouillant du tégument. Ils faisaient sécher les grains ou les mettaient à tremper dans un produit alcalin puissant. On appelait cela du maïs lessivé et, aux États-Unis, du *hominy*. Quand le hominy est moulu en semoule, il prend le nom de *grits*.

LEQUEL CHOISIR ?

Il y a trois sortes de semoule de maïs lessivé ou de grits : ordinaire, rapide, minute ; et les grains peuvent être moulus sur pierre ou industriellement. La mouture ordinaire exige 40 minutes de cuisson. C'est pourquoi la semoule rapide est plus vendue aujourd'hui ; la semoule minute, encore qu'excellente, n'est pas recommandée en cuisine.

COMMENT LE FAIRE CUIRE

Cuite dans de l'eau, du bouillon ou du lait, la semoule de maïs lessivé ou grits donne une bouillie épaisse et lisse si on a la précaution de l'ajouter petit à petit. Si vous utilisez le grits moulu sur pierre, vous constaterez que plus la cuisson est lente, plus la bouillie est crémeuse. Néanmoins, la semoule commerciale est toujours plus onctueuse.

COMMENT LE SERVIR

Le matin, le grits, accompagné de lait et de cassonade, remplace bien le gruau aux flocons d'avoine. Servi chaud, au repas du midi ou du soir (comme dans la recette ci-contre), il fait un bon plat d'accompagnement. On peut aussi lui ajouter des œufs battus et le préparer en soufflé, ou le dresser dans un moule avec du fromage et le faire gratiner au four ou, enfin, le façonner en beignets et le faire cuire en grande friture.

Quand le grits cuit est mis à refroidir dans un moule peu profond, il se découpe en carrés comme la polenta. Faites frire ces carrés dans l'huile ou le beurre et servez-les avec le ragoût à la place des pommes de terre ; ou pour accompagner les œufs et le jambon. Pour obtenir des cercles au lieu des carrés, faites refroidir la bouillie dans un gobelet.

AROMATES

Donnez du relief à une bouillie de maïs lessivé en lui ajoutant un peu de sauce Tabasco, de l'ail revenu dans l'huile, des miettes de bacon, du jambon haché, des oignons hachés poêlés, des poivrons ou du piment.

NETTOYAGE DE LA CASSEROLE

Le mieux est d'utiliser une casserole antiadhésive. À défaut, servez-vous d'une casserole normale, mais laissez-la refroidir sans y mettre d'eau : les résidus en séchant se décolleront des parois.

CONSEIL DE CHEF

Sara Moulton

« J'aime tellement le grits que je le prépare en croûtons pour ma salade César. Voici comment faire. Découpez un pavé de grits ferme en cubes de 1 à 2 cm (½-¾ po) de côté et faites-les dorer dans un mélange moitié beurre, moitié huile. Si vous voulez donner du piquant à votre salade, vous pouvez les saupoudrer de cayenne au dernier moment, juste avant de les incorporer au plat. »

PRÉPARATION DES GRITS AU PIMENT DOUX

1 Quand le pavé de grits est froid et raffermi, découpez-le en 24 carrés de 4 à 5 cm (1½-2 po).

2 Disposez des carrés dans un plat à four graissé et garnissez-les de piment doux haché, de mozzarella et de parmesan.

3 Montez deux autres étages de carrés garnis en les disposant en quinconce. Enfournez et faites cuire 20 minutes pour que les fromages fondent et se gratinent.

GRITS AU PIMENT DOUX

Dans la recette ci-contre, mettez un peu plus de sel à l'étape 1. À l'étape 3, remplacez ½ tasse de cheddar par du **parmesan râpé ;** n'ajoutez pas de beurre, mais faites revenir **7 ou 8 oignons verts,** hachés fin, dans 1 c. à soupe de beurre et incorporez-les au grits. Versez dans un moule de 2 litres, graissé ; laissez refroidir 30 minutes. Égouttez **1 bocal de 225 ml (7 oz) de piment doux rôti ;** hachez-le.

Préchauffez le four à 220 °C (425 °F). Renversez le pavé de grits sur un plan de travail et découpez-le en 24 carrés de 4 à 5 cm (1½-2 po). Disposez huit carrés à 2 cm (1 po) d'intervalle dans un moule carré de 20 x 20 x 5 cm (8 x 8 x 2 po), bien graissé ; étalez par-dessus le tiers du piment doux, **½ tasse de mozzarella râpée** et **2 c. à soupe de parmesan râpé.** Répétez deux fois en plaçant les carrés en quinconce. Enfournez et faites cuire 20 à 25 minutes. Donne 4 portions.

Grits au fromage

- **3 tasses d'eau**
- **1 à 2 gousses d'ail, hachées**
- **1 tasse de grits rapide**
- **½ c. à thé de sel**
- **1¼ tasse de cheddar râpé ou ¾ tasse de chèvre**
- **2 c. à soupe de beurre ou de margarine**
- **¼ à ½ c. à thé de poivre blanc**

1 Dans une grande casserole, amenez l'eau et l'ail à ébullition à feu vif. Incorporez peu à peu le grits et le sel en remuant constamment.

2 Couvrez et laissez mijoter à petit feu 5 à 7 minutes en remuant souvent ; la bouillie doit épaissir.

3 Retirez du feu ; ajoutez le cheddar, le beurre et le poivre en remuant constamment pour que le fromage fonde et que l'appareil soit onctueux. Donne 4 portions.

Par portion : Calories 372 ; Gras total 20 g ; Gras saturé 12 g ; Protéines 14 g ; Hydrates de carbone 34 g ; Fibres 5 g ; Sodium 581 mg ; Cholestérol 59 mg

Préparation : 5 minutes
Cuisson : 10 à 12 minutes

CÉRÉALES CROQUANTES

Le granola maison est une friandise croquante, haute en saveur, qui renferme peu de gras et beaucoup d'éléments santé. Ayez-en toujours sous la main.

PARLONS GRANOLA

D'abord conçu comme une céréale pour le petit déjeuner, le granola est devenu une friandise qu'on mange telle quelle ou façonnée en tablettes. On trouve dans le commerce un excellent granola, mais celui qu'on fait soi-même est moins cher et sa saveur est plus fine.

Utilisez un moule assez grand pour que la couche soit mince : les flocons d'avoine grilleront mieux.

Dans un moule foncé, le granola prend une couleur plus sombre. S'il rôtit trop vite, réglez le thermostat à 140 °C (275 °F) et prolongez la cuisson. Ou tapissez le moule de papier d'aluminium.

Vous pouvez remplacer les raisins secs et les cerises par

toutes sortes de fruits séchés : les bleuets, les raisins de Corinthe et les canneberges sont excellents.

Coupez en petits morceaux les gros fruits séchés – pommes, abricots, dattes, figues, pêches, ananas et pruneaux.

Ajoutez les fruits séchés au mélange lorsque vous le retirez du four ; autrement, ils seront durs et coriaces.

MILLE ET UN APPRÊTS

Superposez des couches de granola et de yogourt glacé dans une flûte à parfait. Couronnez d'une purée de fruits.

Avant la cuisson, garnissez les tartes aux fruits de granola sans fruits.

Écrasé, le granola remplace les biscuits graham émiettés dans le gâteau au fromage ou dans certaines tartes.

Mettez-en ½ tasse dans la pâte à la levure, dans celle des biscuits au babeurre ou dans celle des muffins.

RICHE MAIS NUTRITIF

Préparé avec une abondance de noix et de grains entiers, le granola renferme beaucoup

de matières grasses. Celles-ci sont principalement constituées de gras polyinsaturés et monoinsaturés, ce qu'on appelle le « bon gras », qui n'accroît pas le cholestérol et peut même améliorer le système cardiovasculaire. La noix de coco, riche en gras saturés, fait exception.

DU TIGRE DANS LEUR MOTEUR

Le minuscule germe des grains de blé renferme de fortes quantités des trois vitamines B, mais aussi du fer, du magnésium, du phosphore, du zinc, de la vitamine E et des fibres diététiques.

Le germe de blé grillé, à saveur douce de noisette, se trouve en bocal au rayon des céréales de la plupart des supermarchés, tandis que les magasins d'alimentation naturelle vendent du germe de blé non grillé.

Le germe de blé renferme une huile qui finit par rancir. Conservez-le au réfrigérateur à partir du moment où vous ouvrez le bocal.

UN ATOUT

Les bocaux de rangement

Pour mettre les céréales à grains entiers à l'abri des parasites et de l'humidité, il est préférable de les conserver dans des bocaux qui ferment bien. Il

s'en vend de très jolis qui peuvent servir d'éléments décoratifs dans la cuisine. Choisissez des bocaux en plastique ou en verre munis de bouchons en liège, de couvercles qui vissent ou, mieux encore, de capsules à joint de caoutchouc maintenues par une attache métallique.

Granola maison

GRANOLA À GRAS RÉDUIT

Dans la recette ci-contre, remplacez les amandes par **1 tasse de germe de blé**. Doublez les quantités de jus de pomme concentré et de miel. Supprimez l'eau, le beurre et l'huile. Donne 5 à 6 tasses.

GOÛTER DES SPORTIFS

Mélangez 2 tasses de granola (recette ci-contre) avec 2 tasses de minibretzels, 2 tasses de céréales au maïs, ½ tasse chacun de canneberges séchées, de grains de chocolat allégé, d'arachides rôties sans gras et de graines de citrouille ou de tournesol grillées. Donne 8 tasses.

Granola maison

4	tasses de flocons d'avoine à l'ancienne
1	tasse de céréales naturelles de blé et d'orge
1	tasse d'amandes non blanchies, effilées
½	tasse de cassonade bien tassée
1	c. à thé de sel
1	c. à thé de cannelle
¼	tasse de jus de pomme concentré, décongelé
¼	tasse d'eau
2	c. à soupe de beurre fondu
2	c. à soupe d'huile
2	c. à soupe de miel
1	c. à thé de vanille zeste râpé de 1 orange
1	tasse de cerises séchées dénoyautées
1	tasse de raisins secs blonds

1 Préchauffez le four à 150 °C (300 °F). Vaporisez un moule à gâteau roulé d'enduit végétal et réservez-le.

2 Dans un grand bol, réunissez les flocons d'avoine, les céréales de blé et d'orge, les amandes, la cassonade, le sel et la cannelle. Réservez.

3 Dans un petit bol, fouettez ensemble le jus de pomme concentré, l'eau, le beurre, l'huile, le miel, la vanille et le zeste d'orange. Versez sur les ingrédients secs et mélangez bien. Étalez cet apprêt uniformément dans le moule.

4 Enfournez et faites cuire 1 heure en remuant toutes les 15 minutes : le granola doit être croquant et doré.

5 Laissez refroidir le moule sur une grille pendant 1 heure environ. Lorsque le granola est froid, ajoutez les cerises séchées et les raisins secs. Conservez-le dans un bocal fermé hermétiquement. Donne 7 tasses.

Par tasse : Calories 595 ; Gras total 18 g ; Gras saturé 4 g ; Protéines 14 g ; Hydrates de carbone 110 g ; Fibres 10 g ; Sodium 460 mg ; Cholestérol 9 mg

Préparation : 20 minutes • Cuisson : 1 heure

Un bol de chili

Le chili est un plat qui remonte aux années 1800. À cette époque, il n'y entrait ni haricots ni tomates. On voit à quel point il a évolué depuis ce temps.

TOUJOURS PARFAIT

Chaque *aficionado* de chili clame que sa recette est la seule authentique. À dire vrai, il n'en existe aucune qui ait été fixée par la tradition ou par l'usage. Le chili parfait est celui qui vous plaît.

Le chili peut être doux ou féroce selon la quantité de piments chilis ou d'assaisonnement au chile que vous y mettez. Nous vous proposons le Chili dynamite, épicé, et le Chili incendiaire, très piquant.

Bien que le chili classique soit à base de viande hachée et de piments chilis, le chili sans viande – beaucoup plus léger – gagne en popularité. Nous vous proposons deux recettes : un Chili ranchero, sans haricots, et un Chili végétarien.

QUELQUES CONSEILS

On peut choisir à peu près n'importe quelle sorte de haricots. Ici, nous prenons des haricots rouges, mais les roses, les pintos ou les noirs font très bien l'affaire. Pour accélérer la préparation, utilisez des haricots en boîte.

Le chili est meilleur s'il est préparé la veille du jour où vous le servez : certains préfèrent même le laisser mûrir trois ou quatre jours. Faites-le refroidir au moins 30 minutes dans son plat de cuisson ; si vous avez la place, réfrigérez-le dans son plat. Au moment voulu, réchauffez-le en remuant de temps à autre.

UN CHILI PERSONNALISÉ

Si vous aimez un chili plus piquant, ajoutez du cayenne et quelques graines de cumin écrasées.

Pour enrichir le chili en boîte, ajoutez ¼ tasse de bière par boîte et laissez mijoter pour que l'alcool s'évapore.

Pour l'allonger, dressez-le sur du riz ou ajoutez des haricots rouges en boîte, rincés, ou des haricots maison congelés.

CHILI RANCHERO

Dans la recette principale (page ci-contre), remplacez le bœuf haché par **1,5 kg (3 lb) de cubes de bœuf** et faites-les dorer dans 3 c. à soupe d'huile. Retirez et épongez. Dans le gras du faitout, faites sauter les oignons et l'ail, mais supprimez poivrons verts, tomates, bière, jalapeño, concentré de tomate et haricots rouges. Remettez le bœuf dans le faitout, ajoutez-y les aromates, avec seulement ½ c. à thé de sel, plus ½ c. à thé de sauce Tabasco et 5½ tasses de bouillon de bœuf. Laissez mijoter à découvert de 1 heure à 1 h 30 pour attendrir la viande et épaissir la sauce. Donne 4 à 6 portions.

CONSEIL DE CHEF

Merle Ellis

« Les anciens avaient coutume de dire que pour réussir le meilleur chili, il faut prendre la chair d'un taureau à longues cornes, âgé et bien maigre. Difficile à trouver de nos jours ! Cela dit, le simple bœuf haché donne un excellent chili. Mais moi, je préfère le jarret de bœuf en petits dés. La chair du jarret est savoureuse, mais elle est coriace ; aussi faut-il la faire mijoter davantage – au minimum une heure de plus – que le bœuf haché. »

LE MONDE MERVEILLEUX DES CHILIS

En plus d'être de formidables aromates, les chilis sont bons pour votre santé. La capsaïcine, le principal élément chimique à déterminer la force des piments, est un anticoagulant, efficace contre les malaises cardiaques ou cardiovasculaires. Les piments renferment aussi des bioflavonoïdes, pigments végétaux pouvant prévenir le cancer. Voici quelques chilis.

1. Anaheim. Très courant. Piment rouge ou vert en gousses de 15 à 18 cm (6-7 po). Doux ou moins doux.

2. Ancho séché. Chili poblano rouge, à peau ridée, de 7 à 10 cm (3-4 po). De doux à assez fort.

3. Jalapeño. Piment le plus souvent vert, parfois rouge, en gousses de 5 cm (2 po). Vendu frais ou en boîte. Assez fort.

4. Poblano. Chili ancho vert, semblable à un poivron vert pour la taille. Doux.

5. Serrano. Rouge ou vert foncé ; 2 à 5 cm (1-2 po). Très piquant.

CHILI INCENDIAIRE

Suivez la recette ci-contre, mais en utilisant 6 à 7 c. à soupe d'assaisonnement au chile et 2 c. à soupe de piment jalapeño haché. Si ce n'est pas assez féroce, rajoutez du poivre noir, du cayenne, des flocons de piment rouge écrasé ou de la sauce Tabasco. Donne 8 portions.

CHILI VÉGÉTARIEN

Suivez la recette ci-contre. Utilisez un très grand faitout et supprimez le bœuf. Remplacez 1 c. à soupe d'huile végétale par de l'**huile d'olive** et un des poivrons verts par **1 poivron rouge**. À la fin de l'étape 2, ajoutez **2 petites carottes**, épluchées et en dés. Couvrez et laissez cuire 2 minutes. À l'étape 3, doublez la quantité de tomates et de concentré de tomate ; remplacez la bière par **1¾ tasse de bouillon de bœuf** et ajoutez **1 paquet (300 g/10 oz) de haricots de Lima surgelés**, décongelés. Couvrez à demi et laissez mijoter 10 à 15 minutes. Incorporez **1 paquet (350 g/ 12 oz) de maïs en grains surgelé**, décongelé, et **1 boîte (540 ml/19 oz) de haricots noirs**, rincés et égouttés. Laissez mijoter 10 minutes à découvert. Donne 8 portions.

Chili dynamite

- **2** c. à soupe d'huile végétale
- **1** kg (2 lb) de bœuf haché maigre, haut de côtes ou ronde
- **2** gros oignons, hachés
- **2** gros poivrons verts, parés, épépinés et hachés
- **3** gousses d'ail, hachées
- **1** boîte (796 ml/28 oz) de tomates italiennes, concassées dans leur jus
- **1** petite canette de bière
- **1** piment jalapeño moyen, paré, épépiné et haché fin
- **1** c. à soupe de concentré de tomate
- **4** à 5 c. à soupe d'assaisonnement au chile
- **1** c. à soupe de poudre de cumin
- **1½** c. à thé de sel
- **1** c. à thé d'origan séché ou 1 c. à soupe d'origan frais, haché
- **1** c. à thé de coriandre moulue
- **2** tasses de haricots rouges en boîte, cuits, rincés et égouttés

1 Dans un grand faitout et à feu assez vif, réchauffez l'huile 1 minute. Ajoutez le bœuf et faites-le revenir 5 à 7 minutes, en brisant les grumeaux de chair avec une cuiller de bois. Ne conservez dans le faitout que 1 c. à soupe de gras ; jetez le reste.

2 Baissez le feu. Ajoutez les oignons, les poivrons verts et l'ail. Faites cuire environ 8 minutes, ou jusqu'à ce que les légumes soient tendres, en remuant de temps à autre.

3 Ajoutez les tomates, la bière, le piment jalapeño, le concentré de tomate, l'as-saisonnement au chile, le cumin, le sel, l'origan et la coriandre. Lancez l'ébullition à feu vif. Baissez le feu et laissez mijoter tranquillement, sans couvrir, pendant 25 minutes. Remuez de temps à autre. Si le chili devient trop épais, relâchez-le avec un peu d'eau.

4 Ajoutez les haricots rouges et prolongez la cuisson de 5 minutes. Donne 8 portions.

Par portion : Calories 348 ; Gras total 15 g ; Gras saturé 6 g ; Protéines 28 g ; Hydrates de carbone 24 g ; Fibres 7 g ; Sodium 710 mg ; Cholestérol 73 mg

Préparation : 30 minutes
Cuisson : 44 à 46 minutes

HARICOTS AU FOUR

Nos ragoûts à la mode de Boston associent les goûts et les textures de trois sortes de haricots. Bien que classiques, ils ne sont absolument pas sucrés.

AVANT LA CUISSON

Achetez les haricots secs dans un magasin bien achalandé. Ils s'affadissent, se décolorent et sont difficiles à cuire s'ils séjournent trop longtemps sur les rayons.

Achetez-les selon vos besoins. Mettez-les dans un bocal qui ferme hermétiquement. Gardez-les dans une armoire fraîche et sans humidité.

Au moment de les cuisiner, triez-les en enlevant les sujets ridés et les petits cailloux. Lavez-les dans un grand bol plein d'eau froide. Ôtez tout ce qui flotte. Égouttez-les et rincez-les sous le robinet d'eau froide. C'est alors le moment de les faire tremper. Déposez-les dans un grand bol et ajoutez de l'eau froide jusqu'à 5 cm (2 po) au-dessus. (Voir page 48 pour les autres méthodes de trempage.)

Pour savoir s'ils ont suffisamment trempé, coupez-en un en deux et examinez le centre. S'il est plus pâle que l'extérieur, prolongez le trempage.

LA CUISSON

Au début de la cuisson à l'eau bouillante, il se forme de l'écume en surface. Ôtez-la avec une écumoire ou une grande cuiller et jetez-la.

Attendez que les haricots soient tendres, vers la fin de la cuisson, avant d'ajouter les ingrédients acides comme les tomates. Ils empêchent les haricots de s'attendrir et ralentissent la cuisson.

SONT-ILS À POINT ?

Autrefois, pour savoir s'ils étaient à point, on en prélevait une cuillerée et on soufflait dessus. Quand la peau se hérissait, ils étaient prêts. Voici un test plus sûr : goûtez-y. Les haricots à point sont tendres et n'ont pas de goût de fécule. S'ils doivent recevoir une seconde cuisson, interrompez la première 20 à 30 minutes plus tôt.

GAGNEZ DU TEMPS

Lorsque vous jugez qu'ils sont bien cuits, laissez-les refroidir dans le fond de cuisson avant de les égoutter. Vous pouvez congeler le liquide : il constituera une base excellente pour vos minestrones ou vos potages aux haricots.

Les haricots et leur fond de cuisson se gardent plusieurs jours au réfrigérateur dans un contenant bien fermé.

LE CASSOULET

Le cassoulet est la version française du ragoût aux haricots secs. C'est un plat complet en soit, puisqu'il est garni de plusieurs viandes aussi bien que de haricots. C'est un plat tout indiqué pour les soirées d'hiver.

Le cassoulet classique est une longue entreprise. Les viandes sont ajoutées les unes après les autres et leur temps de cuisson est respecté, avec une pause entre les étapes. Dans notre recette, le poulet marine une nuit entière, mais les autres ingrédients sont réunis et cuits en quelques heures seulement.

CONSEIL DE CHEF

Jean Anderson

« Quand vous voulez que les haricots restent entiers – pour un cassoulet ou pour une salade par exemple –, sautez l'étape du trempage. Mettez-les à cuire à l'eau froide et portez-les très doucement à ébullition. Laissez-les mijoter, toujours aussi doucement, jusqu'à ce qu'ils soient tout juste tendres. Cuits ainsi, ils garderont leur forme. »

UN ATOUT
L'autocuiseur

Il ne faut pas plus de 25 à 35 minutes pour faire cuire les haricots dans un autocuiseur. Assurez-vous que l'écume ne bouche pas le régulateur de pression ou la soupape. Suivez les instructions du fabricant à la lettre.

CUISSON DES LÉGUMES SECS

Le temps de cuisson varie selon le type de haricot sec. Les indications qui suivent valent pour des légumes trempés.

adzukis 30 à 45 minutes	**great northern** 1 heure	**limas** (gros) 1 heure à 1 h 30 (petits) 1 heure
cocos 1 heure à 1 h 30	**haricots blancs, pintos, pois** 1 h 30 à 2 heures	
doliques à œil noir 30 minutes à 1 heure	**haricots noirs** 1 h 30	**mungos** 45 minutes à 1 heure
gourganes 1 à 2 heures	**haricots de soja** 3 à 4 heures	**pois chiches** 1 heure à 1 h 30

Les haricots cuits se mangent chauds ou froids. Bien couverts, ils se gardent quatre ou cinq jours au réfrigérateur.

CASSOULET VITE FAIT

Suivez la recette ci-contre, mais faites tremper, à l'étape 1, 2½ tasses d'un seul type de haricot sec – petits haricots blancs ou haricots de Lima. En même temps, faites mariner **4 cuisses de poulet,** sans la peau, dans **1 c. à soupe d'huile d'olive, 1 gousse d'ail,** écrasée, et ½ **c. à thé de thym séché.**

À l'étape 2, le lende-main, faites dorer le poulet avec le bacon et **250 g (8 oz) de kiel-basa.** À l'étape 3, faites revenir, avec l'oignon et l'ail, **1 tasse de carot-tes,** coupées en dés ; ajoutez les viandes en même temps que les autres ingrédients. Exé-cutez l'étape 4. À l'éta-pe 5, avant d'étaler la chapelure assaisonnée, incorporez **2 grosses tomates,** pelées, épé-pinées et détaillées en dés. Donne 6 portions.

Gratin de haricots secs variés

1	**tasse de petits haricots blancs ou de pois verts secs, triés et lavés**
1	**tasse de petits haricots de Lima secs, triés et lavés**
½	**tasse de haricots rouges ou pintos secs, triés et lavés**
6	**tranches de bacon, découpées sur la largeur en lanières de 1 cm (½ po)**
1	**gros oignon, haché grossièrement**
3	**gousses d'ail, hachées**
2	**c. à soupe de cassonade brune ou de sirop d'érable**
1	**c. à thé de moutarde sèche**

1	**feuille de laurier entière**
½	**c. à thé de thym séché**
½	**c. à thé de marjolaine séchée**
1	**c. à thé de sel**
¼	**c. à thé de poivre noir**

Gratin :

2	**tasses de mie de pain fraîche, déchiquetée**
¼	**tasse de persil haché**
¼	**tasse de beurre ou de margarine fondus**
1	**gousse d'ail, hachée**

1 Faites tremper tous les légumes secs pendant la nuit dans 6 tasses d'eau. Égouttez-les. Réservez l'eau de trempage. Rallongez-la d'eau pour en avoir 6 tasses.

2 Préchauffez le four à 180 °C (350 °F). Dans un grand faitout, faites cuire le bacon à feu modéré 5 minutes. Quand il est croustillant, épongez-le sur de l'essuie-tout.

3 Dans le gras du faitout, faites revenir l'oignon et l'ail à feu modéré 5 min-utes environ. Ajoutez les haricots, le bacon, la cassonade, la moutarde, le laurier, le thym, la marjolaine, le sel, le poivre et le liquide de trempage.

4 Couvrez, enfournez et laissez cuire pendant 3 h 30 à 4 heures ; remuez trois ou quatre fois durant la cuisson. Ajoutez de l'eau bouillante si le liquide ne recouvre plus les haricots. À la fin de la cuisson, éliminez la feuille de laurier.

5 **Gratin.** Dans un bol moyen, mélangez parfaitement la mie de pain fraîche, le persil, le beurre fondu et l'ail. Étalez cet apprêt sur le ragoût de haricots. Remettez le plat au four à découvert et laissez-le gratiner pendant 30 minutes environ. Donne 6 portions.

Par portion : Calories 533 ; Gras total 19 g ; Gras saturé 9 g ; Protéines 26 g ; Hydrates de carbone 17 g ; Fibres 18 g ; Sodium 825 mg ; Cholestérol 38 mg

Préparation : 25 minutes plus le trempage
Cuisson : 4 heures à 4 h 30

RIZ ET HARICOTS

Le riz peut être cuit à la vapeur, au four classique ou au micro-ondes. Associé aux haricots, comme il est proposé ici, il fournit des protéines complètes.

UN PLAT COMPLET

Pendant des millénaires, une bonne part de la population du globe s'est nourrie principalement de riz. Associé à des haricots, il a donné à la cuisine paysanne d'excellents plats. C'est le cas des haricots rouges au riz, une spécialité louisianaise. Il était d'usage de préparer ce plat le lundi pour profiter de l'os de jambon du repas dominical.

PAS DE RINÇAGE

La plupart du temps, le riz est recouvert d'un enduit riche en vitamines et en sels minéraux, destiné à remplacer ce que le prétraitement du grain lui a enlevé. Le rincer vous ferait perdre ces éléments nutritifs.

CUISSON À L'EAU BOUILLANTE

Suivez les instructions qui se trouvent sur l'emballage ou adoptez la méthode suivante, très simple. Réunissez dans une grande casserole le riz, l'eau ou le bouillon, 1 c. à thé de sel (facultatif) et 1 c. à soupe de beurre ou de margarine (facultatif). Portez à ébullition en remuant une ou deux fois.

Réglez la chaleur pour que le liquide mijote doucement et couvrez bien la casserole. Ne remuez pas le riz en cours de cuisson : cela le ferait coller.

Respectez le temps de cuisson donné sur l'emballage ou dans le tableau ci-dessous. Quand le riz est prêt, remuez-le à la fourchette : cela fait sortir la vapeur et empêche les grains de coller les uns aux autres.

La quantité de liquide et la durée de la cuisson déterminent la fermeté du riz. Pour avoir un riz tendre, mettez plus de liquide et allongez le temps de cuisson. Faites le contraire si vous l'aimez ferme.

CUISSON AU MICRO-ONDES

Pour 3 tasses de riz cuit, mélangez 1 tasse de riz cru et 2 tasses de liquide chaud (2¼ tasses pour le riz brun) dans un récipient de 2,5 litres. Couvrez et mettez à *Maximum* 4 à 6 minutes ou jusqu'à formation de bulles en périphérie.

Remuez, couvrez et réenfournez à *Medium,* 8 minutes pour le riz à longs grains, 10 pour le riz étuvé et 28 à 30 pour le riz brun. Laissez reposer 5 minutes, sans découvrir. Remuez à la fourchette et servez.

RIZ ET HARICOTS NOIRS À L'ANTILLAISE

Dans la recette de la page ci-contre, remplacez les haricots rouges par des **haricots noirs.** À l'étape 2, faites revenir, en même temps que les légumes, **1 gros poivron rouge,** paré, épépiné et haché. Laissez mijoter 2 heures à 2 h 30. À l'étape 3, ne faites pas cuire ces haricots au four, mais ajoutez-y, avec le vinaigre et le sel, **½ tasse de persil haché** (ou ¼ tasse de coriandre hachée) et **1 c. à thé de zeste d'orange râpé fin.** Au lieu d'incorporer les haricots au riz, déposez-les sur 3 tasses de riz cuit et servez immédiatement, avec de la crème sure, si désiré. Donne 6 portions.

CHILI AU RIZ ET AUX HARICOTS PINTOS

Suivez la recette de la page ci-contre, mais remplacez les haricots rouges par des **haricots pintos.** Supprimez le chorizo et employez 500 g (1 lb) de jambon fumé (ou d'épaule de porc cuite et hachée). En même temps que les haricots, le jambon et les assaisonnements, ajoutez **2 boîtes de chilis verts doux,** égouttés et hachés, et **1 jalapeño,** paré, épépiné et haché fin. Faites cuire le temps indiqué. À l'étape 3, incorporez le vinaigre et le sel, mais pas le riz. Dressez plutôt les haricots sur 3 tasses de riz cuit et servez immédiatement. Donne 6 à 8 portions.

CUISSON AU FOUR

Faites bouillir le liquide et mélangez les ingrédients dans un plat à four. Couvrez, enfournez à 180 °C (350 °F) et faites cuire le riz blanc 25 à 30 minutes, le riz étuvé 30 à 40 minutes et le riz brun 1 heure.

ÉCHECS ET CAUSES

Riz trop ferme. La cuisson a été trop brève ou vous n'avez pas utilisé assez de liquide. Ou bien la casserole était trop grande et elle a favorisé l'évaporation. Ou encore, la casserole était mal fermée et elle a laissé échapper de la vapeur.

Riz trop tendre. La cuisson a été trop longue ou vous avez utilisé trop de liquide.

Riz trop gluant. Le riz a été remué durant la cuisson ou vous avez attendu trop longtemps avant de le servir.

CUISSON À LA VAPEUR (3 TASSES DE RIZ CUIT)

1 tasse (cru)	Liquide froid	Cuisson (minutes)
Longs grains	1¾ à 2 tasses	15 à 20
Grains moyens ou courts	1½ à 1¾ tasse	15 à 20
Riz étuvé	2 à 2½ tasses	20 à 25
Longs grains bruns	2¼ à 2½ tasses	45 à 50

Ragoût de haricots rouges et de riz

- **2** **tasses de haricots rouges secs, triés et lavés**
- **1** **c. à soupe d'huile**
- **250** **g (8 oz) de chorizo, tranché, ou de saucisse italienne forte, débarrassée de l'enveloppe et émiettée**
- **1** **gros oignon, haché**
- **1** **gros poivron vert, paré, épépiné et haché**
- **½** **tasse de céleri haché**
- **2** **gousses d'ail, hachées**
- **250** **g (8 oz) de jambon fumé, haché**
- **4** **tasses de Bouillon de bœuf maison (page 32) ou d'eau**
- **2** **feuilles de laurier entières**
- **½** **c. à thé de thym séché**
- **½** **c. à thé de marjolaine séchée**
- **⅛** **à ¼ c. à thé de cayenne**
- **2** **tasses de riz à longs grains, cuit**
- **1** **c. à soupe de vinaigre de vin rouge**
- **½** **c. à thé de sel ou au goût**

1 Faites tremper les haricots pendant la nuit dans un bol couvert. Égouttez-les. Si vous les faites cuire dans l'eau, et non dans du bouillon, gardez le liquide de trempage et allongez-le avec de l'eau froide pour en avoir 4 tasses en tout. Réservez.

2 Dans un grand faitout, réchauffez l'huile 1 minute à feu modéré et faites-y sauter le chorizo environ 5 minutes. Quand il est doré, épongez-le sur de l'essuie-tout. Ne gardez que 2 c. à soupe de gras dans le faitout. Ajoutez l'oignon, le poivron vert, le céleri et l'ail, et faites-les rissoler 5 minutes. Ajoutez les haricots réservés, le jambon, le bouillon, le laurier, le thym, la marjolaine et le cayenne, et lancez l'ébullition à feu vif. Couvrez et laissez mijoter à petit feu pendant 1 h 30. Quand les haricots sont à point, retirez le laurier. Préchauffez le four à 180 °C (350 °F).

3 Égouttez les haricots en réservant 1 tasse du fond de cuisson et mettez-les avec ce liquide dans un plat à gratin de 3 litres légèrement graissé. Incorporez le chorizo, le riz et le vinaigre ; salez à volonté et couvrez.

4 Enfournez et réchauffez le plat environ 40 minutes. Servez avec de la sauce Tabasco. Donne 6 portions.

Par portion : Calories 558 ; Gras total 19 g ; Gras saturé 6 g ; Protéines 32 g ; Hydrates de carbone 67 g ; Fibres 8 g ; Sodium 1 044 mg ; Cholestérol 54 mg

Préparation : 25 minutes plus le trempage
Cuisson : 2 h 30

SALADE DE LENTILLES

Tous les légumes secs – pois, haricots, lentilles et pois chiches – sont aussi bons tièdes en salade que chauds en potage et en ragoût.

BIEN RELEVÉS

Pois et haricots secs bien relevés donnent d'inoubliables salades. Composez-les avec un seul légume sec ou plusieurs et ajoutez du riz, du couscous, du sarrasin ou des petites pâtes pour leur donner saveur, texture et couleur.

Enrobez-les de vinaigrette pendant qu'ils sont chauds : c'est là qu'ils absorbent le mieux les saveurs. Remuez-les délicatement pour ne pas les écraser.

Les lentilles sont particulièrement appréciées en salade. Elles cuisent rapidement et leur saveur s'associe bien aux verdures. Relevez-les d'huile et de vinaigre ou de jus de citron frais pressé ; ajoutez des poivrons frais ou rôtis, de l'ail ou de la ciboulette, de la menthe ou de l'aneth frais, des noix ou des raisins sans pépins.

UNE PALETTE DE COULEURS

Il y a plusieurs sortes de lentilles. Leur couleur et leur temps de cuisson varient.

Lentilles blondes. Ce sont les plus courantes. Elles ont plus de goût mais sont plus longues à cuire que les autres. On les recommande en salade à cause de leur bonne tenue à la cuisson.

Lentilles vertes du Puy. Leur fine saveur est délicatement poivrée. Elles cuisent un peu plus vite que les précédentes, mais elles coûtent beaucoup plus cher.

Lentilles roses d'Égypte. Elles sont parfois connues sous le nom de lentilles orange. Ayant été décortiquées au préalable, c'est leur chair colorée que l'on voit. Elles sont couramment utilisées en Indonésie, en Asie, dans le Moyen-Orient et en Afrique. On commence à en trouver assez facilement ici.

PAS DE TREMPAGE

On peut remplacer les lentilles par des pois cassés verts ou jaunes. Aucuns de ceux-ci n'ont besoin de trempage ; il suffit de les laver rapidement à l'eau courante avant de les cuire. Le trempage en ferait une bouillie au cours de la cuisson.

SPÉCIALITÉ GRECQUE

La trempette aux pois cassés jaunes est un hors-d'œuvre parmi les plus appréciés de la Grèce. Faites mijoter les pois avec de l'eau additionnée de jus de citron et d'oignon haché, jusqu'à ce qu'ils soient très tendres et aient absorbé presque toute l'eau. Réduisez-les en purée en laissant quelques grumeaux. Ajoutez de l'oignon rouge haché, de l'ail écrasé, une bonne dose d'huile d'olive, du sel et du poivre.

Couvrez et réfrigérez pendant la nuit pour que les saveurs aient le temps de se mélanger. Servez avec des mouillettes de pain ou des pointes de pita.

ÉPAISSISSANT

Bien cuits et réduits en purée au mélangeur ou au robot, lentilles et pois cassés peuvent servir à épaissir les ragoûts. Pour chaque tasse de lentilles, mettez 2½ tasses d'eau. Couvrez et laissez mijoter pendant 45 minutes à 1 heure. Écrasez-les en purée, en ajoutant un peu d'eau de cuisson si celle-ci vous semble trop épaisse.

LES POIS CHICHES

Dans les recettes, on peut indifféremment utiliser des pois chiches secs ou en conserve.

Lorsqu'ils sont secs, ces gros pois ronds et un peu croquants ont besoin de tremper pendant une nuit et de cuire 1 heure à 1 h 30. En boîte, il n'y a qu'à les rincer et à les égoutter avant de les manger, d'en faire une purée avec un peu d'huile ou de les ajouter à une recette.

VALEUR NUTRITIVE

Une tasse de lentilles cuites à l'eau bouillante renferme à peine 1 g de gras ; on n'y trouve aucun cholestérol, mais elles sont une bonne source de fibres, de fer, de phosphore, de potassium et de protéines. Pois cassés et pois chiches ont un profil nutritionnel semblable.

SALADE DE POIS CHICHES

Dans la recette page ci-contre, remplacez les lentilles par **2 tasses de pois chiches,** cuits. Utilisez la moitié du piment doux et la moitié de l'ail, mais doublez la quantité de céleri et de jus de citron. Donne 4 portions.

TEMPS DE CUISSON

Lentilles

Roses :
10 à 15 minutes

Vertes (du Puy) :
15 à 20 minutes

Jaunes :
20 à 30 minutes

En purée :
40 à 45 minutes

Pois cassés jaunes ou verts secs

En salade :
10 à 15 minutes

En plat principal :
30 à 40 minutes

En purée :
45 minutes à 1 heure

Pois chiches secs

1 heure à 1 h 30 (plus une nuit de trempage)

Salade de lentilles tiède au piment doux rôti

- **3** tasses d'eau
- **1** tasse de lentilles blondes
- **1** c. à thé de sel
- **¼** tasse de persil haché
- **½** tasse de piment doux rôti, rincé, égoutté et haché en petits dés
- **1** côte moyenne de céleri, hachée en petits dés
- **½** tasse d'oignon rouge, haché en petits dés
- **1** tasse de tomates, pelées et épépinées, en dés
- **2** gousses d'ail, hachées
- **2** c. à soupe de jus de citron
- **2** c. à soupe d'huile d'olive
- **¼** c. à thé de poivre noir

1 Dans une grande casserole, réunissez l'eau, les lentilles et ½ c. à thé de sel. Lancez l'ébullition à feu vif. Couvrez et laissez mijoter à feu assez doux pendant 20 à 30 minutes ou jusqu'à ce que les lentilles soient cuites mais encore fermes.

2 Dans un grand saladier, mélangez les autres ingrédients, sans oublier la ½ c. à thé de sel qui reste.

3 Égouttez les lentilles et mettez-les dans le saladier. Remuez et servez la salade pendant qu'elle est tiède. Donne 4 portions.

Par portion : Calories 250 ; Gras total 8 g ;
Gras saturé 1 g ; Protéines 15 g ;
Hydrates de carbone 34 g ; Fibres 8 g ;
Sodium 253 mg ; Cholestérol 0 mg

Préparation : 45 minutes
Cuisson : 30 à 35 minutes

CARI PARFUMÉ

Pour réduire la teneur en gras, essayez un cari de dinde au riz sauvage, parfumé comme il se doit de fines herbes et d'épices aux saveurs exotiques.

UNE FÊTE

Le cari est un mot à connotation exotique et à sens ambigu puisqu'il désigne à la fois un ensemble d'épices vendues sous ce nom et le plat dont il constitue l'assaisonnement essentiel. Économiques et nourrissants, les caris s'adaptent à vos goûts, mais aussi aux ingrédients que vous avez sous la main. Légumes, viandes, volailles, poissons : le choix vous appartient.

FACILE À FAIRE

Dans la plupart des recettes de cari, les épices constituent la plus grande partie des ingrédients. Pour simplifier les choses, utilisez de la poudre de cari, qui renferme à elle seule plusieurs de ces épices.

La poudre de cari ne s'utilise pas uniquement dans un cari. Saupoudrez-en les haricots ou

le riz ; frottez-en le gigot d'agneau. Mettez-en dans les légumes, les œufs, les mayonnaises et les soupes en crème, chaudes ou froides.

QU'EST-CE QUE LE CARI ?

En Inde, un cari est un plat aromatisé avec un mélange complexe d'épices. Ce mélange est rarement composé d'avance ; il s'adapte au plat auquel on le destine. Il peut être doux – à base de cannelle, de cardamome et d'éléments aromatiques – ou très puissant et relevé de piments aux saveurs féroces.

Le cari est un plat à sauce courte. On le mouille avec le jus naturel des viandes et des légumes qui le composent, auquel on ajoute souvent, en fin de cuisson, du bouillon, du yogourt ou du lait de noix de coco, ingrédient que vous pouvez acheter en conserve. Mais attention : assurez-vous qu'il n'est pas sucré !

Les ingrédients qui composent le cari sont coupés en bouchées avant d'être cuits. Il suffit de peu de viande, de poulet ou de fruits de mer pour obtenir un plat substantiel, car il s'y rajoute des légumes.

LE RIZ QUI CONVIENT

Le cari se présente traditionnellement sur du riz basmati à longs grains, que caractérise un arôme très particulier. Contrairement aux autres riz, celui-ci devrait être lavé. Cette opération lui enlève une partie de son amidon ; de la sorte, les grains restent séparés et ne collent pas durant la cuisson.

Pour varier, faites l'essai du riz sauvage : ce riz, qui n'en est pas vraiment un, vient d'une plante lacustre qui pousse à l'état sauvage au Canada.

La purée de lentilles roses ou jaunes est un accompagnement classique du cari – et on dénombre en Inde quelque 60 variétés de lentilles. Vous pouvez également mélanger des lentilles et du riz.

POULET BIRYANI

Dans la recette de la page ci-contre, remplacez les blancs de dinde par des blancs de **poulet** et le riz sauvage par du **riz basmati,** cuit selon les directives de l'emballage. Donne 4 portions.

LA TOUCHE ULTIME

Les caris sont souvent accompagnés de condiments qu'on présente aux convives dans de petits bols : oignons verts tranchés, arachides hachées, gingembre confit haché, chutney à la mangue, noix de coco râpée, raisins secs, jaunes d'œufs mimosa, ou concombre haché dans du yogourt.

LES CONDIMENTS DU CARI

Des douzaines d'éléments aromatiques entrent dans les caris. En voici quelques-uns. Leur choix dépend de la composition du plat et des préférences des invités.

1. Graines de cumin **2.** Curcuma **3.** Macis **4.** Poivre noir
5. Graines de fenouil **6.** Piment rouge **7.** Coriandre **8.** Cannelle
9. Muscade **10.** Clou de girofle **11.** Tamarin **12.** Cardamome

Cari de dinde aux légumes et au riz sauvage

750 g (1½ lb) de blancs de dinde désossés, sans la peau	**1¾** tasse de Fond de poulet (page 39) ou de bouillon de poulet en boîte
¼ tasse de farine	**4** carottes moyennes, épluchées et coupées en rondelles de 1 cm (½ po) d'épaisseur
1½ c. à thé de sel	
¼ c. à thé de poivre noir	
3 c. à soupe d'huile	**2** tasses de bouquetons de chou-fleur (la moitié d'un chou-fleur moyen)
1 gros oignon jaune, haché	
2 gousses d'ail, hachées	**1¾** tasse d'eau
2 petites côtes de céleri, hachées	**1¼** tasse de riz sauvage
1 c. à soupe de poudre de cari	

1 Détaillez la dinde en bouchées de 2 cm (1 po). Mélangez la farine, ½ c. à thé de sel et le poivre dans un sac. Ajoutez la dinde par portions et secouez le sac pour la fariner.

2 Dans une grande sauteuse munie d'un couvercle, réchauffez l'huile 1 minute à feu assez vif. Faites dorer la dinde en deux portions : comptez 5 minutes par portion. Épongez-la sur de l'essuie-tout.

3 Dans l'huile de la sauteuse, faites revenir l'oignon, l'ail et le céleri pendant 5 minutes.

4 Ajoutez la poudre de cari, le fond de poulet, les carottes, le chou-fleur et la dinde. Couvrez et laissez mijoter à petit feu jusqu'à ce que le chou-fleur soit à point. Prévoyez de 10 à 15 minutes. Note : le plat sera plus savoureux si vous le réfrigérez jusqu'au lendemain. Une heure avant de servir, réchauffez-le à feu doux pendant 10 minutes environ.

5 Amenez l'eau à ébullition à feu vif dans une casserole moyenne. Ajoutez le reste du sel et le riz. Couvrez et laissez mijoter à feu doux jusqu'à ce que le riz soit à point, soit environ 45 minutes.

6 Dressez le riz dans un grand bol réchauffé et dressez le cari par-dessus. Donne 4 portions.

**Par portion : Calories 601 ;
Gras total 13 g ; Gras saturé 2 g ;
Protéines 57 g ;
Hydrates de carbone 67 g ; Fibres 8 g ;
Sodium 976 mg ; Cholestérol 128 mg**

*Préparation : 30 minutes
Cuisson : 30 minutes (cari)
45 minutes (riz)*

SÉDUISANTE KACHA

La kacha est un gruau de sarrasin, plein de saveur et facile à préparer, qui accompagne délicieusement la viande, la volaille et le gibier.

REGARD NEUF SUR UN PLAT ANCIEN

En Europe de l'Est, la kacha est aussi populaire que la pomme de terre ici. Elle s'est introduite dans nos habitudes alimentaires lorsque la santé par l'alimentation est devenue un sujet à la mode.

C'est un gruau de sarrasin dont les grains ont été décortiqués, grossièrement moulus et parfois torréfiés ; pauvre en calories, elle est riche en protéines et en vitamines B.

Le sarrasin n'est pas une céréale. C'est le fruit d'une plante apparentée à la rhubarbe, qui pousse en Asie, en Europe de l'Est et dans certaines régions du Canada et des États-Unis.

La kacha se vend en textures grossière, moyenne et fine dans les supermarchés, les épiceries fines ou les boutiques d'aliments naturels.

TEXTURE ET SAVEUR

Le gruau de sarrasin naturel est doux ; le gruau de sarrasin torréfié a un goût appuyé qui rappelle celui du pain très grillé et qui s'atténue avec la cuisson. La kacha cuite a la consistance du riz.

Comme le riz, la kacha accepte volontiers l'addition de petits agréments croquants ou tendres, comme des tomates sèches hachées, des raisins secs et des noix.

CUISSON

Dans une casserole de 2 litres, amenez à ébullition 2 tasses d'eau et 1 c. à thé de sel (facultatif). Incorporez la kacha, couvrez et laissez mijoter 12 minutes ou jusqu'à ce que la plus grande partie de l'eau ait été absorbée et qu'il se forme des trous en surface. Retirez du feu et laissez reposer 7 minutes : la kacha absorbera le reste de l'eau. Détachez les grains à la fourchette. Donne 3¼ à 3½ tasses.

UTILISATION

Mettez-en dans les farces à volaille, les rouleaux de chou ou les poivrons ; dans les pâtés de viande, les croquettes et les hambourgeois (1 partie de kacha pour 4 de bœuf).

Saupoudrez-en les verdures ; ajoutez-en au riz ou aux lentilles en salade. Mettez-en dans les plats sautés et les pâtes alimentaires. Servez-vous-en pour épaissir les soupes et les ragoûts. Substituez-le au riz dans les pilafs.

UN TRAITEMENT À L'ŒUF

Avant de mettre de la kacha dans un plat, mélangez-la à de l'œuf battu et faites-la griller dans une sauteuse. L'œuf enrobe les grains de sarrasin qui restent autonomes dans la sauteuse et dans le plat. C'est la technique que nous mettons en pratique dans notre recette de la page ci-contre.

RÉFRIGÉRATION

La kacha se garde très bien au réfrigérateur. Pour la réchauffer, ajoutez-lui 1 c. à soupe d'eau par tasse de kacha cuite. Mettez-la dans une casserole à feu très doux ou réchauffez-la à couvert au micro-ondes.

DE BONS AROMATES

La kacha est généralement associée à des ingrédients qui complémentent sa saveur.

Les arômes délicats seront perdus dans la kacha. Choisissez plutôt des herbes et des épices puissantes, comme le romarin, la sauge, le thym, le gingembre, le piment de la Jamaïque et la muscade.

TOMATES SÉCHÉES

Comme tous les fruits séchés, les tomates séchées prennent de la texture, ainsi qu'un arôme et un mordant qui complètent bien plusieurs plats. Ayez-en toujours sous la main ; gardez-les dans l'armoire.

Il fut un temps où les tomates étaient vraiment desséchées au soleil ; elles conservaient alors leur fine saveur. Aujourd'hui, on les dessèche artificiellement et on les vend en sac de cellophane ou en bocal, marinées dans l'huile et les fines herbes.

Les premières peuvent être utilisées telles quelles si elles sont encore tendres. Dans le cas contraire, il faut les réhydrater à l'eau bouillante pendant quelques minutes.

Rincez avant de les utiliser, ou épongez sur une feuille d'essuie-tout, les tomates séchées qui marinent dans l'huile.

KACHA AUX TOMATES SÉCHÉES

Dans la recette de la page ci-contre, ajoutez, à l'étape 3, ⅓ tasse de **tomates séchées** (mais non gardées dans l'huile), blanchies à l'eau bouillante 4 minutes, égouttées, épongées et hachées. Au lieu du romarin, ajoutez ½ **tasse de basilic frais,** ciselé, avec les pacanes.

KACHA AUX NOIX ET AUX RAISINS

Dans la recette de la page ci-contre, remplacez les pacanes par ¼ **tasse de pignons ;** ajoutez en même temps ⅓ **tasse de raisins secs dorés.**

Kacha traitée à l'œuf

Battez un gros œuf et incorporez-le à la kacha. Versez dans une sauteuse chaude légèrement huilée et faites cuire à feu modéré jusqu'à ce que la kacha soit dorée. Remuez.

Kacha piquée de pacanes

- **1** c. à soupe d'huile d'olive
- **2** gros oignons jaunes, détaillés en petits dés
- **3** gousses d'ail, hachées fin
- **½** c. à thé de sucre
- **1** tasse de kacha de texture moyenne ou grossière
- **1** gros œuf, légèrement battu
- **2** tasses de Fond de poulet (page 39) bouillant, ou de bouillon de poulet en boîte, bouillant
- **½** c. à thé de romarin séché, émietté
- **½** c. à thé de sel
- **¼** c. à thé de poivre noir
- **⅓** tasse de pacanes concassées

1 Dans une grande sauteuse, réchauffez l'huile 1 minute à feu modéré. Ajoutez les oignons et l'ail, saupoudrez-les de sucre et faites-les dorer en remuant souvent. Prévoyez environ 10 minutes.

2 Dans un bol, mélangez la kacha et l'œuf de façon à bien enrober les grains. Mettez la kacha dans la sauteuse et grillez-la légèrement 3 minutes en remuant constamment. Les grains doivent être bien séparés.

3 Ajoutez le fond de poulet, le romarin, le sel et le poivre. Lancez l'ébullition à feu vif. Couvrez et laissez mijoter à petit feu pendant 8 minutes ou jusqu'à ce que le gruau ait absorbé le bouillon. Incorporez les pacanes et servez. Donne 4 portions.

Par portion : Calories 298 ; Gras total 12 g ; Gras saturé 2 g ; Protéines 14 g ; Hydrates de carbone 59 g ; Fibres 5 g ; Sodium 334 mg ; Cholestérol 58 mg

Préparation : 15 minutes
Cuisson : 28 minutes

125

DU COUSCOUS À TOUTES LES SAUCES

Le couscous ressemble en ceci aux pâtes alimentaires : il se met à toutes les sauces. C'est l'un des plats-repas les plus faciles à apprêter.

UN PLAT NATIONAL

Le couscous est un ingrédient de base en Afrique du Nord. Au Maroc, il accompagne des ragoûts hauts en couleur et en saveur, les tagines. Apprivoisez-le : il fera des merveilles pour vous.

PÂTES MINIATURES

Comme certaines pâtes alimentaires, le couscous est fait avec de la semoule de blé. Il en existe plusieurs variétés dans le commerce. Mais dans bien des foyers d'Afrique du Nord, il est encore préparé à l'ancienne. On détrempe la farine avec de l'eau salée, on pousse la pâte à travers un tamis et on dessèche les petits grains au soleil.

GAGNEZ DU TEMPS

Le temps qu'il faut consacrer à la préparation du plat dépend du couscous que vous utilisez. Notre recette se fait avec du couscous rapide, prêt en quelques minutes et sans couscoussier. Le couscous ordinaire demande 1 heure de cuisson.

Si vous choisissez d'employer un couscous ordinaire, il vous faut une étuveuse spéciale, le couscoussier décrit dans l'encadré. À défaut, installez une passoire doublée d'étamine de coton sur une marmite profonde et mettez de l'étamine humide tout autour pour que la vapeur ne fuie pas.

DU COUSCOUS AUX TROIS REPAS

Le plat dénommé couscous n'épuise pas les ressources du couscous, qui peut se servir matin, midi et soir.

Le matin, en guise de céréale chaude, accompagnez-le de cassonade et de lait chaud. Vous pouvez aussi lui ajouter des fruits secs et des noix.

Toutes les sauces (surtout à la tomate et à la viande) qui conviennent aux pâtes alimentaires vont avec le couscous, à condition d'en mettre peu.

Couronnez le couscous de légumes sautés, détaillés en bouchées. Déposez le poisson étuvé ou cuit au four en jardinière sur un lit de couscous. Avec le poulet rôti ou la dinde, servez du couscous relevé de noix et de fruits secs hachés et humecté de bouillon ou de jus de pomme.

LE COUSCOUS EN SALADE

Dressez des lanières de légumes rôtis sur le couscous, que vous aspergez de vinaigre balsamique, ou de jus de citron, et d'un peu d'huile d'olive.

Mélangez le couscous avec des légumes crus hachés fin, des tomates fraîches détaillées en dés quand elles sont de saison, des haricots, des pois chiches ou des haricots noirs rincés et égouttés. Complétez le plat avec votre vinaigrette préférée et mélangez bien.

Préparez une salade dans le style du Moyen-Orient ou de la Grèce en associant le couscous, des cœurs d'artichauts, des olives noires dénoyautées, des tomates hachées, des concombres et de l'oignon. Arrosez d'huile d'olive vierge extra mélangée à du jus de citron. Parsemez de feta émiettée et de persil haché.

AU DESSERT

Incorporez au couscous des fruits frais ou séchés, hachés fin, ou des fruits en boîte bien égouttés. Ou encore servez-le chaud ou tiède, accompagné de yogourt glacé à la vanille ou au citron.

LA HARISSA

La harissa sert de condiment pour le couscous. C'est une purée très épicée, faite avec des piments, du poivre de Cayenne, de l'ail et de la coriandre, pilés avec de l'huile, du carvi et des feuilles de menthe ou de verveine séchées. Vous l'achetez en tube et délayez la quantité voulue dans un peu de bouillon.

UN ATOUT

Le couscoussier

Si vous voulez préparer du couscous selon les règles de l'art, vous devrez le faire cuire 1 heure dans un couscoussier. C'est une étuveuse en deux parties. Dans le fond, vous mettez l'eau, le bouillon ou le ragoût. Dans la partie du haut, qui est trouée, vous mettez le couscous. Les petits grains de semoule s'attendrissent à la vapeur et se chargent des saveurs qu'elle transporte. Le couscoussier est un ustensile qui coûte assez cher. Mais vous n'en avez pas besoin si vous utilisez du couscous à cuisson rapide.

Couscous à la marocaine au poulet et aux abricots

- **2** gousses d'ail, pelées et blanchies 3 minutes
- **1** tasse de piment doux rôti en conserve, rincé et égoutté
- **1** c. à soupe de concentré de tomate sans addition de sel
- **¼** c. à thé de sauce Tabasco ou de harissa
- **2** c. à soupe d'huile d'olive
- **1** petit poulet à griller (1,5 kg/3 lb), sans la peau, détaillé en portions
- **1** gros oignon, en morceaux de 2 cm (1 po)
- **1½** c. à thé de paprika doux
- **1¼** c. à thé de gingembre moulu
- **1** c. à thé de graines de coriandre moulue

- **¾** c. à thé de sel
- **½** c. à thé de poivre noir
- **2** grosses carottes, épluchées, divisées en deux sur la longueur et coupées en tronçons de 5 cm (2 po)
- **2½** tasses de Fond de poulet (page 39)
- **1** petite courgette, divisée en deux sur la longueur et coupée en tronçons de 5 cm (2 po)
- **1** petite courge jaune, divisée en deux sur la longueur et coupée en tronçons de 5 cm (2 po)
- **½** tasse d'abricots séchés, coupés en quatre
- **1** tasse de couscous à cuisson rapide
- **½** tasse de coriandre fraîche, ciselée

1 Au mélangeur à grande vitesse ou au robot, réduisez en purée l'ail, le piment doux, le concentré de tomate et la sauce Tabasco. Réservez cette sauce.

2 Dans une grande sauteuse ou dans un faitout, réchauffez l'huile 1 minute à feu assez vif. Faites-y sauter le poulet, par portions, 3 minutes de chaque côté. Réservez. Ajoutez l'oignon et faites-le dorer et attendrir environ 5 minutes à feu modéré.

3 Incorporez le paprika, les poudres de gingembre et de coriandre, le sel et le poivre noir. Ajoutez les carottes et remuez-les pour qu'elles s'enrobent d'épices. Mouillez avec le fond de poulet et lancez l'ébullition à feu vif. Ajoutez le poulet, couvrez et laissez mijoter 15 minutes à feu assez doux.

4 Ajoutez la courgette, la courge et les abricots. Couvrez et prolongez la cuisson de 10 minutes environ.

5 Quand le poulet et les légumes sont à point, ajoutez le couscous et la coriandre fraîche, et poursuivez la cuisson pendant 2 minutes. Retirez du feu et laissez reposer 5 minutes environ, sans découvrir le plat, pour que la semoule s'attendrisse. Dressez le couscous dans un plat bien chaud et offrez à côté la sauce réservée. Donne 4 portions.

Par portion :
Calories 615 ;
Gras total 13 g ;
Gras saturé 3 g ;
Protéines 62 g ;
Hydrates de carbone 61 g ;
Fibres 8 g ;
Sodium 1 078 mg ;
Cholestérol 147 mg

Préparation :
30 minutes
Cuisson :
40 minutes

PILAFS VARIÉS

Le terme pilaf désigne un mode de préparation du riz, qu'on fait revenir dans du gras et cuire dans un court-bouillon, avec une garniture de légumes, de viande ou de poisson.

PENSEZ-Y

Le mot pilaf est associé au riz blanc. Mais pourquoi cette restriction ? On peut préparer d'excellents pilafs avec du riz brun, du boulgour (grains de blé rôtis et éclatés), de l'orge et du riz sauvage. Les céréales y prennent beaucoup plus de caractère que si elles étaient simplement cuites à l'eau, et la préparation demande à peine quelques minutes de plus.

SIMPLE OU RAFFINÉ

Comme le couscous ou le cari, le pilaf est ce qu'on veut qu'il soit. À vous de choisir le mouillement, la céréale et les assaisonnements.

Le mouillement peut être de l'eau ou du bouillon de poulet, de bœuf ou de légumes. Du jus de tomate, du jus d'orange ou du vin peuvent en constituer le tiers ou le quart.

Servez le pilaf avec divers éléments cuits : viande, poulet, crevettes, moules et palourdes, ou avec des légumes étuvés ou rôtis. Tomates et poivrons épépinés et hachés sont des agréments classiques, tout comme les pignons, les pistaches et les pacanes.

Complétez le pilaf, en fin de cuisson, avec des bouchées de fromage demi-ferme, comme la feta ou la fontina. Parmesan ou romano râpés peuvent être intégrés au plat ou simplement saupoudrés au moment du service.

CUISSON

Une sauteuse profonde ou une casserole, l'une et l'autre lourdes et fermées par un bon couvercle, font l'affaire. Dans un ustensile léger ou mal fermé, le liquide s'évapore avant que la céréale ait eu le temps de l'absorber.

CHOIX DE L'HUILE

Les huiles à salade, comme l'huile d'olive vierge, conviennent à ce plat parce qu'elles peuvent atteindre des températures élevées sans fumer. Rejetez les huiles aromatiques, celles de sésame, de noisettes et de noix.

Le beurre est à éviter. Si vous aimez sa saveur, prenez du beurre non salé et veillez à ce qu'il ne brûle pas ou mélangez beurre non salé et huile, moitié, moitié. Ou faites d'abord clarifier le beurre.

LES DEUX ÉTAPES DE BASE

Pour préparer un pilaf typique, vous avez besoin de 1 tasse de riz blanc à longs grains, 1 c. à soupe d'huile d'olive et 2 tasses de bouillon ou d'eau.

Dans une casserole moyenne, réchauffez l'huile à feu assez vif. Quand elle est très chaude, versez-y le riz et faites-le revenir jusqu'à ce qu'il soit translucide et ait absorbé l'huile. Prévoyez 5 minutes. (Cette étape indispensable enrichit la céréale et empêche les grains de coller par la suite.)

Ajoutez le bouillon et lancez l'ébullition à feu vif. Ne remuez qu'une fois. Couvrez bien la casserole et laissez mijoter à petit feu pendant 15 à 20 minutes (ou un peu plus longtemps au four à 160 °C/325 °F), pour que le riz absorbe tout le bouillon. Donne 3 tasses de riz, soit 4 à 6 portions.

CLARIFICATION DU BEURRE

C'est la caséine du beurre qui le fait brunir et brûler. Pour l'enlever, faites fondre le beurre à feu très doux ; retirez-le du feu et laissez-le reposer. Au fond de la casserole apparaît un dépôt blanchâtre, la caséine, tandis que le beurre est clair comme de l'huile. Versez-le doucement à travers une passoire doublée d'étamine humide et réfrigérez-le dans un bocal bien fermé.

TEMPS DE CUISSON ET RENDEMENTS

Boulgour. Pour 1 tasse, cru, mettez 2 tasses de liquide. Cuisson : 40 minutes. Donne 3 tasses, cuit.

Kacha. Pour 1 tasse, cru, mettez 2 tasses de liquide. Cuisson : 30 à 35 minutes. Donne 4 tasses, cuit.

Riz brun à longs grains. Pour 1 tasse, cru, mettez 3 tasses de liquide. Cuisson : 50 à 55 minutes. Donne 3 tasses, cuit.

Riz blanc à longs grains. Pour 1 tasse, cru, comptez 2 tasses de liquide. Cuisson : 20 à 25 minutes. Donne 3 tasses, cuit.

Orge perlé. Pour 1 tasse, cru, mettez 3 tasses de liquide. Cuisson : 35 à 40 minutes. Donne 2½ tasses, cuit.

Riz sauvage. Pour 1 tasse, cru, mettez 3 tasses de liquide. Cuisson : 35 à 45 minutes. Donne 4 tasses, cuit.

Pilaf aux trois poivrons

- **3** c. à soupe de beurre ou de margarine
- **1** petit oignon, haché fin
- **2** gousses d'ail, hachées
- **1** gros poivron rouge, paré, épépiné et détaillé en dés
- **1** gros poivron vert, paré, épépiné et détaillé en dés
- **1** poivron jaune, paré, épépiné et détaillé en dés
- **1** tasse de riz à longs grains
- **2½** tasses de Fond de poulet (page 39) ou de bouillon de poulet en boîte
- **½** c. à thé de sel
- **¾** c. à thé de romarin séché
- **¼** c. à thé de poivre noir

1 Préchauffez le four à 180 °C (350 °F). Dans une cocotte de 5 litres, faites fondre 1 c. à soupe de beurre à feu modéré. Ajoutez l'oignon et l'ail et faites-les sauter 5 minutes environ en remuant souvent. Ajoutez les poivrons rouge, vert et jaune et laissez cuire 7 minutes en remuant souvent.

2 Ajoutez 1 c. à soupe du beurre qui reste et faites-le fondre à feu modéré. Ajoutez le riz et laissez-le cuire 3 minutes en remuant souvent. Incorporez le fond de poulet, le sel, le romarin et le poivre noir et portez à ébullition.

3 Couvrez, enfournez et prévoyez 20 minutes de cuisson : le riz doit avoir absorbé le bouillon et être tendre. Découvrez et incorporez le reste du beurre (1 c. à soupe). Donne 4 portions.

Par portion : Calories 236 ; Gras total 3 g ; Gras saturé 2 g ; Protéines 5 g ; Hydrates de carbone 46 g ; Fibres 3 g ; Sodium 324 mg ; Cholestérol 14 mg

Préparation : 15 minutes • Cuisson : 39 minutes

PILAF DE RIZ BRUN

Dans la recette ci-contre, remplacez le riz à longs grains par du **riz brun.** Employez 3 tasses de fond de poulet et prévoyez 40 minutes de cuisson. Donne 4 portions.

RISOTTO CRÉMEUX

Un risotto parfait ne manque jamais de faire fureur. Servez-le seul ou pour accompagner une viande.

PARLONS DU RISOTTO

Avec chaque bouchée d'un risotto réussi, on a l'impression d'absorber une tonne de calories. Et pourtant il n'en est rien ! C'est l'amidon du riz qui le rend si rassasiant.

Le risotto est une spécialité du nord de l'Italie où le riz l'emporte sur les pâtes alimentaires. Il peut être simplement fait avec du riz, du bouillon, du beurre et du parmesan. Mais il peut aussi s'agrémenter de légumes, de fruits de mer, de viandes fumées, de volaille et de fromages variés.

Le risotto est en grande demande dans les restaurants, peut-être parce qu'on doute de ne pouvoir réussir à la maison un plat aussi raffiné. Et pourtant, le succès est à la portée de tout le monde. Il suffit de prendre de bons ingrédients, de les mélanger avec soin et d'effectuer la cuisson selon les règles.

PIANO, PIANO !

Dans un risotto parfait, les grains sont séparés les uns des autres et pourtant réunis dans une liaison crémeuse. C'est ce qui fait la qualité de ce plat.

Voici les étapes et les détails qui permettent de le réussir à

la perfection. Amenez le bouillon à ébullition ; réduisez le feu pour qu'il mijote. En même temps, réchauffez le beurre ou l'huile dans une autre casserole. Ajoutez un petit hachis d'oignons si vous le désirez et laissez-le s'attendrir. Mettez le riz et remuez pour que tous les grains soient bien enrobés. C'est cette opération qui les empêche de coller durant la cuisson.

Versez dans le riz ½ tasse du bouillon qui mijote, en remuant avec une cuiller de bois. Laissez le riz l'absorber. Continuez ainsi ½ tasse à la fois, en ajoutant le bouillon dès que le riz a bu celui que vous venez d'y verser. Remuez sans arrêt. Quand le riz est presque à point, ajoutez un peu de parmesan frais râpé et un peu de crème si vous le désirez.

Le riz doit être ferme – quoique non dur ; il doit être crémeux, mais sans résidu liquide. Pour préparer un risotto selon cette méthode, prévoyez 25 à 30 minutes ; un peu plus si vous lui ajoutez une garniture.

LE RIZ QU'IL FAUT

Le meilleur riz à utiliser dans ce plat est le riz italien arborio. Ses petits grains ronds et dodus ont une grande capacité d'absorption et une excellente tenue. Le riz à longs grains ne résisterait pas à une telle manipulation. Le riz arborio est plus riche en amidon que les autres riz. C'est cet amidon qui se dégage en cours de cuisson et donne au plat sa texture crémeuse.

Jusqu'à tout récemment, le riz arborio était importé d'Italie. Aujourd'hui, il s'en produit en Amérique du Nord et cela a contribué à le rendre beaucoup plus abordable.

QUELQUES CONSEILS

Il n'y a pas de risotto parfait sans ingrédients parfaits. Prenez un excellent bouillon et du parmesan de qualité. Celui-ci étant un fromage salé, goûtez au risotto avant d'ajouter du sel.

Ne lavez pas le riz avant la cuisson : vous enlèveriez une partie de l'amidon qui donne sa texture au plat.

Ajoutez oignons et fines herbes avec réserve ; ne tuez pas la fine saveur du risotto.

Incorporez ½ tasse de bouillon à la fois. Le riz ne doit pas tremper ni bouillir.

Exécutez la cuisson à feu modéré. Si la température est

(suite à la page 132)

1 Faites fondre le beurre à feu doux. Ajoutez le riz et remuez pour enrober chaque grain.

2 Remuez le riz avec une cuiller de bois. Ajoutez ½ tasse de bouillon fumant à la fois. Attendez que le riz l'ait absorbé avant d'en ajouter d'autre. Remuez sans arrêt.

3 Le risotto est à point quand il est crémeux et que ses grains sont tendres, gorgés de bouillon et bien séparés les uns des autres. Incorporez le parmesan râpé et servez aussitôt.

Risotto aux asperges et au fromage

3 c. à soupe de beurre ou de margarine	½ c. à thé de marjolaine séchée
2 échalotes, hachées fin, ou 1 petit oignon	3¼ tasse de Fond de poulet (page 39) ou de bouillon de poulet en boîte
1¼ tasse de riz arborio ou autre riz à grains courts	1 pincée de filaments de safran, écrasés
⅔ tasse de vin blanc sec	½ tasse de parmesan râpé
350 g (12 oz) d'asperges, parées, pelées et coupées en tronçons de 2 cm (1 po)	½ c. à thé de poivre noir

1 Dans une casserole moyenne, faites fondre 1 c. à soupe de beurre à feu doux. Ajoutez les échalotes et faites-les sauter jusqu'à ce qu'elles soient tendres; remuez souvent et prévoyez 7 minutes environ. Ajoutez le riz et faites-le cuire 1 minute en remuant pour bien beurrer tous les grains. Versez le vin et prolongez la cuisson d'environ 4 minutes pour que l'alcool s'évapore. Remuez sans arrêt.

2 Dans une grande sauteuse, faites fondre 1 c. à soupe du beurre qui reste à feu modéré. Ajoutez les asperges, saupoudrez-les de marjolaine et faites-les cuire 4 minutes en remuant souvent. Quand elles sont encore un peu croquantes, réservez-les.

3 À feu doux, faites mijoter le fond de poulet avec le safran dans une casserole moyenne.

4 Versez ½ tasse de fond de poulet dans le riz et attendez environ 3 minutes qu'il l'ait absorbé presque entièrement; remuez sans arrêt. Ajoutez encore ½ tasse de fond de poulet et procédez de la même manière jusqu'à épuisement du bouillon. Prévoyez 25 à 30 minutes pour que le riz devienne tendre et crémeux.

5 Ajoutez les asperges réservées. Hors du feu, incorporez le parmesan, le poivre et le reste du beurre. Donne 4 portions.

Par portion : Calories 431 ; Gras total 13 g ; Gras saturé 8 g ; Protéines 14 g ; Hydrates de carbone 59 g ; Fibres 2 g ; Sodium 313 mg ; Cholestérol 41 mg

Préparation : 8 minutes
Cuisson : 46 minutes

(suite de la page 130)

élevée, le bouillon s'évapore avant que le riz ait pu l'absorber. Mais si elle est trop basse, le riz se ramollit et les grains perdent leur tenue.

Croquez quelques grains de temps à autre pour voir où en est rendue la cuisson. Soufflez d'abord sur les grains avant d'y goûter : quand il est très chaud, ce riz peut vous brûler la langue.

Servez le risotto aussitôt qu'il est prêt. Pour obtenir les meilleurs résultats, n'en préparez que pour six convives.

LES SOIRS DE FÊTE

Préparez le risotto quand vos invités sont arrivés. Le déroulement des opérations est plus simple quand vous servez le risotto en entrée. Dans un menu italien, on le fait suivre d'un plat de viande ou de poisson agrémenté de légumes ou d'une salade.

Le risotto aux fruits de mer ou aux légumes, accompagné d'une petite salade, constitue un plat-repas complet.

LES DESSERTES

On ne peut pas réchauffer un risotto, mais on peut transformer les restes en ce que les Italiens appellent *risotto al salto* ou risotto sauté. À la température de la pièce, façonnez le riz en croquettes. Mettez celles-ci dans une sauteuse graissée, couvrez et laissez-les dorer d'un côté. Tournez-les, saupoudrez-les de parmesan râpé et cuisez jusqu'à ce que le fromage soit fondu.

CHAMPIGNONS SECS

Le risotto aux champignons est très savoureux. Prenez des

CONSEIL DE CHEF

Mary Ann Esposito

« Pour gagner du temps, commencez la préparation du risotto la veille. Faites absorber au riz les deux tiers du bouillon. Étalez-le ensuite sur une plaque un peu beurrée. Couvrez et réfrigérez. Le lendemain, réchauffez lentement le riz. Réchauffez aussi le bouillon et ajoutez-le petit à petit en attendant toujours que le riz ait absorbé l'addition précédente. Le riz devrait être aussi tendre et crémeux que souhaité. »

champignons séchés : leur arôme boisé convient au riz.

Plusieurs champignons, qu'on aurait du mal à trouver frais, se vendent maintenant séchés. Au premier abord, le petit sachet semble coûter une fortune ; mais quand vous les achetez frais, vous payez l'eau au prix du champignon ! Parmi les champignons séchés, il y a le *boletus* polonais, un champignon très goûteux à tubes et non à lamelles. C'est le choix le plus avantageux.

Vous devez d'abord réhydrater les champignons secs ; faites-les tremper 20 minutes dans l'eau bouillante avant de vous en servir. L'eau se colore et absorbe une partie de la saveur des champignons. Ne la jetez pas. Mettez-la dans le risotto ou congelez-la pour l'utiliser plus tard dans une soupe ou un ragoût.

RISOTTO AUX CHAMPIGNONS SAUVAGES

Faites tremper **15 g (½ oz) de bolets séchés** dans **1 tasse d'eau bouillante** pendant 20 minutes. Retirez-les et rincez-les soigneusement à l'eau courante. Filtrez l'eau de trempage à travers une passoire doublée d'étamine de coton ou d'un filtre à café. Exécutez la recette de la page 131, mais réduisez le fond de poulet à 2¼ tasses et complétez avec l'eau de trempage. Remplacez les asperges par **250 g (8 oz) de champignons frais,** tranchés minces et sautés 7 minutes dans **1 c. à soupe de beurre,** en ajoutant les champignons réhydratés en milieu de cuisson. Terminez la recette en incorporant les champignons quand le riz est à point. Donne 4 portions.

RISOTTO À LA COURGE D'HIVER

Exécutez l'étape 1 de la recette de la page 131. Sautez l'étape 2 et passez directement aux étapes 3 et 4 en incorporant au riz **300 g (10 oz) de purée de courges d'hiver,** cuite, **8 biscuits Amaretti,** émiettés, **½ c. à thé de sel** et **½ c. à thé de sauge séchée** quand vous ajoutez le dernier ¼ tasse de bouillon. Laissez cuire jusqu'à ce que le riz soit crémeux. Hors du feu, ajoutez le parmesan, le poivre et 1 c. à soupe de beurre. Servez. Donne 4 portions.

LE VIN

Il entre souvent du vin dans les recettes de risotto. Si cela vous déplaît, vous pouvez le remplacer par du bouillon. Mais si vous suivez la recette, ajoutez le vin au riz avant le bouillon. L'alcool s'évaporera, ne laissant derrière lui que le véritable arôme du vin.

Aucune règle absolue ne régit le choix du vin pour le risotto, sinon la nature de la garniture. Avec les poissons et les fruits de mer, le vin blanc est préférable ; servez le même vin à table. Avec les viandes, vous avez le choix : blanc ou rouge. Mais le vin rouge colore un peu le riz.

Rebouchez les fonds de bouteille et réfrigérez-les pour les utiliser en cuisine.

TOUCHE EXOTIQUE

Le safran, ou *Crocus sativus*, est une fleur dont les stigmates orangés sont utilisés comme aromates. Originaire d'Orient, le safran a été introduit en Espagne par les Arabes. C'est l'épice la plus chère au monde : il entre environ 500 stigmates dans un gramme de safran. Il en faut heureusement très peu pour parfumer le risotto. Le safran se vend en petite fiole ou en sac de cellophane ; il se garde, bien fermé, dans un endroit obscur et frais et doit être utilisé dans les six mois. Pour en dégager toute la saveur, écrasez les filaments avant de les utiliser.

N'achetez pas de safran en poudre : il s'affadit très vite et se falsifie facilement en cours de production.

LÉGUMES FRAIS

LES LÉGUMES FRAIS

*P*our préserver la qualité des légumes, il n'y a qu'une façon : les faire cuire rapidement. À la vapeur, à l'eau bouillante ou au micro-ondes.

L'ABC DES LÉGUMES

N'attendez pas plus de deux jours pour faire cuire les légumes périssables. Réfrigérez-les, sans les tasser, dans un grand sac de plastique. Pour les légumes feuillus, une ou deux feuilles d'essuie-tout dans le sac absorberont l'humidité et les conserveront plus longtemps. Rangez les pommes de terre, les courges et les oignons dans un endroit frais, sec et obscur.

Cuisson à l'eau bouillante. Pour leur garder leur valeur nutritive, faites cuire les légumes entiers ou en gros morceaux, sans les éplucher, dans très peu d'eau bouillante. Calculez le temps de cuisson à partir du moment où l'eau se remet à bouillir. Égouttez-les quand ils sont à point. Faites disparaître l'excès d'humidité en les secouant sur un feu modéré dans leur casserole.

Cuisson à la vapeur. La méthode est la même pour tous les légumes qui la supportent. Déposez-les dans le panier de l'étuveuse, à 1 cm (½ po) au-dessus de l'eau bouillante. Fermez bien. Ne remplissez pas le panier : la vapeur doit circuler. Attention : quand vous soulevez le couvercle, inclinez-le de façon à vous protéger de la vapeur.

Cuisson au micro-ondes. La cuisson est calculée pour des fours de 700 ou 800 watts. Prenez des légumes de même taille ou coupez-les uniformément. Plus ils sont frais, plus vite ils cuisent.

Disposez-les en couronne dans des plats ronds, peu profonds, ne les empilez pas. Dirigez vers la périphérie les parties les plus épaisses. Tournez-les ou remuez-les une ou deux fois durant la cuisson pour qu'elle soit uniforme.

Ne faites pas cuire plus de quatre portions à la fois. En plus grandes quantités, leur temps de cuisson sera le même qu'à l'eau bouillante ou à la vapeur.

Au besoin, mettez sur le plat un couvercle ou de la pellicule plastique en relevant un coin pour laisser passer la vapeur.

Faites toujours cuire les légumes à *Maximum* et laissez-les reposer plusieurs minutes au sortir du four pour que leur cuisson soit complète.

ASPERGES

Par personne : 6 à 10 pointes. Cassez les bouts durs en arquant la tige. Pelez les grosses asperges : cela évite d'avoir des pointes trop cuites qui se défont.

Bouillies. Étalez-les à plat, toutes dans le même sens, dans une grande sauteuse munie d'un couvercle. Couvrez-les d'eau bouillante salée et laissez-les cuire 4 à 5 minutes.

Vapeur. Prévoyez 5 à 7 minutes pour les têtes, 8 à 10 minutes pour les tiges.

Micro-ondes. Disposez 12 à 14 asperges en rayon sur une assiette ; couvrez. Cuisson : 5 à 7 minutes. Repos : 3 minutes.

Assaisonnements : muscade, beurre noisette, vinaigrette, parmesan râpé, hollandaise ou jus de citron. Ce dernier doit être ajouté à la dernière minute ; autrement, les asperges virent au vert olive.

BETTERAVES

Par personne : 2 ou 3 betteraves, petites ou moyennes. Laissez 2 cm (1 po) de tige et ne touchez pas à la racine.

Nettoyez-les un peu, mais ne les pelez pas. Une fois cuites, vous n'aurez qu'à couper la tige et à retirer la pelure en la faisant glisser avec les doigts.

Bouillies. Selon la taille et l'âge des betteraves, cuisez-les de 40 à 60 minutes, couvertes, dans de l'eau bouillante salée.

Vapeur. Non recommandé.

Micro-ondes. Mettez 6 betteraves de 5 cm (2 po) dans 6 mm (¼ po) d'eau et couvrez. Cuisson : 16 à 20 minutes. Repos : 3 minutes.

Assaisonnements : aneth, carvi, canneberges, gingembre, raifort, citron, vinaigre, vin rouge, crème sure ou yogourt.

BROCOLI

Par personne : 125 à 200 g (4-6 oz). Gardez 5 cm (2 po) des tiges ou ne prenez que les bouquetons.

Bouilli. Non recommandé.

Vapeur. Tiges : 13 à 18 minutes ; bouquetons : 8 à 10.

Micro-ondes. Disposez 500 g (1 lb) de bouquetons en rayon dans ¼ tasse d'eau et couvrez. Cuisson : 8 à 10 minutes. Repos : 2 minutes.

Assaisonnements : ail, origan, marjolaine, chapelure poêlée, parmesan râpé, hollandaise ou vinaigrette.

(suite à la page 136)

UN ATOUT

Le panier à étuver

Le panier à étuver pliant, aussi appelé marguerite, s'ouvre à la grandeur de la casserole. Il est pratique et peu cher. Il en existe une version plastique pour le micro-ondes. Si vous utilisez beaucoup ce mode de cuisson, pensez à acheter une étuveuse électrique avec minuterie intégrée.

PELER ET RÂPER LES BETTERAVES

À l'achat de betteraves fraîches, raccourcissez les feuilles le plus vite possible : elles privent les racines d'humidité. Mais gardez 2 cm (1 po) de tige et ne coupez pas les racines. Grattez-les sans les éplucher ni les couper pour leur conserver leur couleur et leurs vitamines.

Quand elles sont cuites, ôtez la peau des betteraves à l'eau courante froide pour ne pas vous tacher les mains.

Pour exécuter la recette de betteraves râpées, ci-contre, laissez tiédir les betteraves quand elles sont cuites et râpez-les avec une râpe moyenne en faisant attention de ne pas vous râper les doigts du même coup.

Betteraves râpées au chou rouge et aux canneberges

2 c. à soupe d'huile d'olive
1½ tasse de chou rouge râpé
1½ tasse de betteraves cuites, épluchées et râpées
⅓ tasse de compote de canneberges entières, fraîche ou en boîte
1 c. à soupe de vinaigre balsamique
1 c. à thé de sel
¼ c. à thé de poivre noir
⅛ c. à thé de piment de la Jamaïque
⅛ c. à thé de clou de girofle

1 Dans une sauteuse moyenne ou un faitout, réchauffez l'huile 1 minute à feu modéré. Faites-y sauter le chou 5 minutes en remuant de temps à autre.

2 Ajoutez les betteraves, les canneberges, le vinaigre, le sel, le poivre, le piment de la Jamaïque et le clou. Couvrez et laissez cuire 10 minutes. Donne 4 portions.

Par portion : Calories 129 ; Gras total 7 g ; Gras saturé 1 g ; Protéines 1 g ; Hydrates de carbone 17 g ; Fibres 2 g ; Sodium 785 mg ; Cholestérol 0 mg

Préparation : 20 minutes
Cuisson : 16 minutes

(suite de la page 134)

CAROTTES ET PANAIS

Par personne : 1 ou 2 sujets. Tranchez la tige et la racine.

Bouillis. À couvert dans de l'eau bouillante salée. Légume entier : 15 à 20 minutes. En fines rondelles ou en julienne : 5 à 10 minutes.

Vapeur. 25 à 35 minutes.

Micro-ondes. Dans un plat de 2 litres, mettez 500 g (1 lb) de carottes ou de panais en tronçons de 5 cm (2 po) avec 3 c. à soupe d'eau et couvrez. Cuisson : 8 à 10 minutes (carottes) ; 7 à 9 minutes (panais). Repos : 3 minutes.

Assaisonnements : aneth, cerfeuil, gingembre frais, citron, orange, menthe, muscade, persil, estragon.

CHOU

Par personne : 125 g (4 oz). Choisissez un chou lourd et

compact. Jetez les premières feuilles et le trognon. Coupez-le en quatre ou en huit pour ensuite, si vous le voulez, le trancher ou le râper.

Bouilli. Non recommandé.

Vapeur. En quartiers : 15 à 18 minutes ; en morceaux, 12 à 15 ; en tranches, 8 à 10.

Micro-ondes. Dans un plat de 3 litres, disposez une couche de fines pointes de chou qui se chevauchent. Ajoutez

¼ tasse d'eau et couvrez. Cuisson : 10 à 12 minutes. Repos : 3 minutes. Pour 6 tasses de chou tranché ou râpé : 7 à 10 minutes. Repos : 3 minutes.

Assaisonnements : marrons, carvi, aneth, vinaigre, chapelure poêlée dans du beurre. Chou rouge : jus ou compote de canneberges, vin rouge, vinaigre de vin rouge. Chou vert : sauce blanche ou au fromage, moutarde, cari.

CHOU-FLEUR

Un chou-fleur moyen de 1 kg (2 lb) sert 4 à 6 personnes. Ôtez les feuilles, égalisez la base. Gardez le chou-fleur entier ou divisez-le en bouquetons avec 2 cm (1 po) de tige.

Bouilli. Chou-fleur entier : 15 à 20 minutes, à couvert, dans 5 à 7 cm (2-3 po) d'eau bouillante salée, avec 3 ou 4 tranches de citron pour le garder blanc. Bouquetons : mode de cuisson à éviter.

Vapeur. Entier : 25 à 30 minutes ; en bouquetons : 10 à 12.

Micro-ondes. Chou-fleur entier : retirez le trognon. Mettez-le dans un plat couvert de 2 litres avec 2 c. à soupe d'eau. Cuisson : 12 à 15 minutes. Repos : 3 minutes. Bouquetons : mettez-en 4 tasses dans un plat couvert avec ¼ tasse d'eau. Cuisson : 8 à 10 minutes. Repos : 3 minutes.

Assaisonnements : beurre noisette, cari, chapelure poêlée, parmesan râpé, sauce moutarde ou sauce au fromage.

CHOUX DE BRUXELLES

Par personne : 100 à 125 g (3-4 oz). Ôtez les feuilles jaunies, égalisez la base et incisez-y un X.

Bouillis. 10 à 15 minutes, couverts, dans de l'eau bouillante salée.

Vapeur. 15 à 20 minutes.

Micro-ondes. Mettez 500 g (1 lb) de petits choux côte à côte dans un plat de 1,5 litre avec 3 c. à soupe d'eau et couvrez. Cuisson : 6 à 8 minutes. Repos : 3 minutes.

Assaisonnements : marrons, aneth, moutarde, sauce blanche ou au fromage, chapelure poêlée dans du beurre, parmesan râpé.

COURGES D'ÉTÉ

Par personne : 1 petite courge. Nettoyez, mais ne pelez pas, les courges jaunes, courgettes et pâtissons. Détaillez ces derniers en bouchées, les courges et courgettes en rondelles de 2 à 5 cm (1-2 po). Les toutes petites courgettes se cuisent entières.

Bouillies. Non recommandé.

Vapeur. 10 à 15 minutes.

Micro-ondes. Mettez 4 tasses de tranches minces ou de bouchées et 2 c. à soupe d'eau dans un plat de 2 litres. Couvrez. Cuisson : 6 à 8 minutes. Repos : 2 minutes.

Assaisonnements : basilic, ciboulette, aneth, ail, origan, estragon, thym, parmesan râpé, crème, chapelure poêlée dans du beurre.

HARICOTS DE LIMA

Par personne : 250 g (½ lb). Écossez juste avant la cuisson.

Bouillis. 10 à 15 minutes, à couvert, dans de l'eau bouillante salée.

Vapeur. 15 à 25 minutes.

Micro-ondes. Mettez 2 tasses de haricots écossés et ½ tasse d'eau dans un plat de 2 litres

COMMENT ÉGRENER UN ÉPI DE MAÏS

Tenez l'épi debout sur le plan de travail. Passez un couteau le long de l'épi et dégagez plusieurs rangs de grains de maïs à la fois.

et couvrez. Cuisson : 10 à 15 minutes. Repos : 3 minutes.

Assaisonnements : gras de bacon, crème sure, muscade, persil, thym, sauce blanche ou au fromage, arachides grillées.

HARICOTS VERTS OU JAUNES

Par personne : 125 g (¼ lb). Coupez les bouts. Laissez les haricots entiers ou détaillez-les en tronçons, droits ou en

(suite à la page 138)

MAÏS FRAIS EN CRÈME

Quand le maïs est en pleine saison, profitez-en pour l'apprêter en crème.

1 Comptez un épi par portion. Égrenez les épis (voir page ci-contre). Mettez les grains dans le robot muni d'une lame d'acier. Donnez 5 ou 6 impulsions : le maïs sera déjà presque en crème.

2 À feu modéré, faites-le cuire dans un peu de beurre jusqu'à ce qu'il soit très tendre et ait perdu le goût du maïs cru. Salez et poivrez. Ajoutez un peu de crème fraîche 1 ou 2 minutes avant la fin de la cuisson pour le rendre plus crémeux.

SUCCOTASH AUX HARICOTS VERTS

Dans la recette ci-contre, remplacez 2 tasses de haricots de Lima par **2 tasses de haricots verts** et la ciboulette par **2 c. à soupe de thym frais**, haché (ou ½ c. à thé de thym séché). Donne 4 portions.

Succotash

- **2** tasses de haricots de Lima, frais écossés ou surgelés
- **2** tasses de grains de maïs, frais égrenés ou surgelés
- **1** tasse de crème à 10 p. 100
- **2** c. à soupe de beurre, de margarine, d'huile d'olive ou de gras de bacon
- **¾** c. à thé de sel
- **3** c. à soupe de ciboulette fraîche, ciselée, ou 2 c. à thé de ciboulette liophylisée
- **¼** c. à thé de poivre noir

1 Dans une grande casserole, amenez à ébullition à feu vif les haricots de Lima, le maïs, la crème, le beurre et le sel.

2 Couvrez et laissez mijoter à feu modéré pendant 10 à 12 minutes. Retirez du feu. Assaisonnez de ciboulette et de poivre. Donne 4 portions.

Par portion : Calories 302 ; Gras total 14 g ; Gras saturé 8 g ; Protéines 10 g ; Hydrates de carbone 38 g ; Fibres 0 g ; Sodium 642 mg ; Cholestérol 38 mg

Préparation : 30 minutes
Cuisson : 10 à 12 minutes

(suite de la page 136)

biseau. Ou tranchez-les sur la longueur, comme illustré dans l'encadré ci-contre.

Bouillis. Cuisez 5 à 10 minutes, selon la coupe, couverts, dans l'eau bouillante salée.

Vapeur. Coupés : 10 à 15 minutes ; entiers : 15 à 20 minutes.

Micro-ondes. Mettez 500 g (1 lb) de haricots et ½ tasse d'eau dans un plat de 2 litres et couvrez. Cuisson : 10 à 15 minutes. Repos : 3 minutes.

Assaisonnements : aneth, cerfeuil, ail, estragon, parmesan, vinaigrette ou hollandaise.

LÉGUMES FEUILLUS

Par personne : 250 g (½ lb) d'épinards, de chou vert, de chou frisé, ou de fanes de betteraves, de moutarde ou de navets. Ôtez tiges et feuilles flétries. Lavez plusieurs fois ; égouttez bien.

Bouillis. Non recommandé.

Vapeur. Utilisez une grande casserole ; l'étuveuse est inutile. Épinards et feuilles tendres : 3 à 5 minutes, sans autre eau que celle qui adhère aux feuilles. Fanes de navet ou de moutarde : 10 à 15 minutes ; chou vert et chou frisé : 15 à 20 minutes, avec 1 à 2 tasses d'eau. Au besoin, ajoutez de l'eau en cours de cuisson.

Micro-ondes. Non recommandé : il faudrait un plat trop grand pour le micro-ondes.

Assaisonnements : gras de bacon, beurre noisette, huile et vinaigre ou jus de citron, ail, oignon, muscade, romarin.

MAÏS EN ÉPI

Par personne : 1 ou 2 épis. Épluchez le maïs juste avant de le faire bouillir.

Bouilli. Dans une casserole couverte, 6 à 9 minutes dans l'eau bouillante, sans sel.

Vapeur. Non recommandé.

Micro-ondes. À même le fond du four, disposez 4 épis non épluchés, tête-bêche, à intervalles réguliers. Cuisson : 6 à 8 minutes. Repos : 3 minutes.

Assaisonnements : beurre fondu, jus de lime et flocons de piment rouge écrasés, coriandre fraîche, romarin.

NAVET

Par personne : 1 navet moyen ou 2 petits ; ou ½ tasse de navet détaillé en dés de 1 cm (½ po). Supprimez la tige et la racine. Grattez les petits navets, mais ne les épluchez pas ; laissez-les entiers.

Bouilli. Pour le navet entier : 20 à 30 minutes, couvert, dans de l'eau bouillante salée.

Vapeur. Pour le navet en dés : 10 à 12 minutes.

Micro-ondes. Dans un plat de 1,5 litre, mettez 3½ tasses de dés de navet et ¼ tasse d'eau et couvrez. Cuisson : 7 à 9 minutes. Repos : 3 minutes.

Assaisonnements : macis, muscade, zeste d'orange, thym, yogourt, sauce blanche ou sauce au fromage.

PETITS OIGNONS

Par personne : 3 à 5 oignons.

Bouillis. 10 à 15 minutes dans beaucoup d'eau bouillante salée. Ne les pelez qu'après.

Vapeur. Non recommandé.

Micro-ondes. Pelez 500 g (1 lb) d'oignons. Mettez-les dans un plat de 1,5 litre avec 2 c. à soupe de bouillon, d'eau ou de vin et couvrez. Cuisson : 7 à 10 minutes. Repos : 3 minutes.

Assaisonnements : macis, marjolaine, muscade, romarin, sauge, estragon, thym, crème, sauce blanche ou au fromage.

PETITS POIS

Par personne : 250 g (½ lb). Écossez juste avant la cuisson.

Bouillis. Dans 2 à 5 cm (1-2 po) d'eau bouillante, sans sel, 3 à 4 minutes (petits), 5 à 8 minutes (gros).

Vapeur. 9 à 12 minutes.

Micro-ondes. Mettez 2½ tasses de pois écossés et 2 c. à soupe d'eau dans un plat de 1,5 litre et couvrez. Cuisson : 5 à 7 minutes. Repos : aucun.

Assaisonnements : cerfeuil, menthe, zeste d'orange, romarin, estragon, échalotes, sauce blanche.

POIS MANGE-TOUT

Par personne : 125 g (4 oz). Les pois mange-tout se mangent avec la cosse, d'où leur nom. Lavez-les. Tirez le fil qui se trouve à l'intersection des deux parties de la cosse.

Bouillis. 1 à 3 minutes, couverts, dans de l'eau bouillante sans sel. Plongez-les dans l'eau glacée pour fixer la couleur et les garder croquants. Égouttez-les, puis réchauffez-les dans du beurre.

Vapeur. 5 à 7 minutes.

Micro-ondes. Mettez-en 500 g (1 lb) dans un plat, sans eau. Couvrez. Cuisson : 4 à 5 minutes. Repos : 2 minutes.

Assaisonnements : gingembre, menthe, zeste d'orange, échalotes, huile de sésame, crème, sauce soja ou tériyaki.

POMMES DE TERRE

Par personne : 1 pomme de terre tout usage moyenne

HARICOTS ÉMINCÉS

Alignez-en plusieurs côte à côte et donnez-leur la même longueur. Coupez-les ensuite sur la longueur en tranches de 3 mm (⅛ po).

PETITS POIS ORANGE-MENTHE

Dans la recette de la page ci-contre, supprimez les oignons et remplacez le romarin par **2 c. à soupe de menthe fraîche,** ou 1 c. à thé de menthe séchée, et ajoutez **2 c. à thé de zeste d'orange râpé.** Donne 4 portions.

(blanche ou rouge) ou 2 ou 3 pommes de terre nouvelles. Grattez-les ; ne les épluchez pas et ne les coupez pas en morceaux, mais percez-les avec une fourchette pour les empêcher d'éclater. Retirez les yeux et les taches vertes.

Bouillies. 20 à 30 minutes, couvertes, dans de l'eau bouillante salée.

Vapeur. Méthode non recommandée.

Micro-ondes. Méthode non recommandée.

PELER LES PETITS OIGNONS

Pour les peler facilement, blanchissez-les avec la peau 1 à 2 minutes à l'eau bouillante. Plongez-les aussitôt dans l'eau froide pour les tiédir et pelez-les.

ÉCOSSER LES POIS

Comprimez les gousses pour qu'elles s'ouvrent. Dégagez les pois avec le pouce.

Petits pois aux petits oignons

1	tasse d'eau
1½	tasse de petits oignons pelés
1	c. à thé de sel
2	tasses de petits pois frais ou surgelés
2	c. à soupe de beurre ou de margarine
1	c. à soupe de romarin frais, haché, ou ½ c. à thé de romarin séché
¼	c. à thé de poivre noir

1 Dans une grande casserole, amenez l'eau à ébullition à feu vif. Ajoutez les petits oignons et le sel et faites reprendre l'ébullition. Couvrez et laissez mijoter à feu modéré pendant 8 minutes.

2 Ajoutez les petits pois, couvrez et accordez 7 à 9 minutes de cuisson quand l'ébullition a repris.

3 Dans une petite casserole, faites fondre le beurre à feu doux. Ajoutez le romarin et laissez-le se réchauffer 2 à 3 minutes.

4 Égouttez les petits pois et les petits oignons, ajoutez le beurre au romarin et le poivre. Mélangez délicatement. Donne 4 portions.

Par portion : Calories 116 ; Gras total 6 g ; Gras saturé 4 g ; Protéines 4 g ; Hydrates de carbone 12 g ; Fibres 4 g ; Sodium 265 mg ; Cholestérol 16 mg

Préparation : 20 minutes
Cuisson : 20 minutes

Légumes glacés

Donnez aux légumes un attrait nouveau. Décuplez leur saveur et leur couleur en les enduisant d'une réduction de leur eau de cuisson additionnée de beurre. Il ne faut que quelques minutes pour obtenir ce bel apprêt.

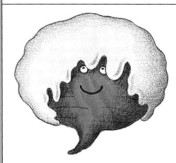

LES GLACES

Ce sont des fonds de cuisson amenés par réduction à une consistance sirupeuse. Elles enrobent bien les tubercules, les légumes-racines et certains membres de la famille des choux ; les légumes tendres n'y résisteraient pas.

Gardez les légumes un peu fermes. Quand la réduction a acquis la consistance d'un sirop, roulez-les dedans pour bien les enduire. Ils seront brillants comme des bijoux.

FORMULE PARFAITE

Les glaces les plus réussies ont une saveur aigre-douce. Pour la part aigre, vous pouvez utiliser les jus d'agrumes, surtout ceux des oranges et des citrons, mais aussi le cidre, le jus de canneberge, les vinaigres aromatisés, les vins et les alcools.

Sucre caramélisé, cassonade, sucre d'érable, miel, sirop de maïs, mélasse, gelées ou confitures donneront la note douce.

La compote de canneberges fait triple emploi : elle est sucrée et aigre en même temps et colore les légumes en rose.

LES BONS MARIAGES

Les légumes doux, comme les carottes et les betteraves, exigent une glace acidulée. Les légumes neutres, comme les pommes de terre, ont besoin d'une glace goûteuse ; par contre, ceux qui ont beaucoup de goût, comme le chou, demandent une glace subtile. Les glaces au gingembre font merveille avec les panais qui pourtant sont hauts en saveur.

ÉCLAT INSTANTANÉ

Pour glacer les betteraves, les carottes, les panais et les courges d'hiver (potiron ou citrouille) en deux temps, trois mouvements, ajoutez-leur quelques cuillerées à soupe de confiture ou de gelée de fruit

et un peu de beurre et remuez avec délicatesse. Ça brille !

DES AROMATES

Une cuillerée à thé d'aneth, de marjolaine ou de thym frais ciselés (ou une pincée s'ils sont séchés) donne du relief aux glaces. Passez-les avant d'ajouter les légumes pour qu'elles soient cristallines.

Une cuillerée à soupe de vin, de vermouth ou de fine liqueur relève la glace. Faites bouillir pour que l'alcool s'évapore.

OBJECTIF SANS GRAS

Le beurre rend la glace riche et soyeuse. Mais si vous avez l'œil sur le gras, les calories et le cholestérol, supprimez-le ou mettez-en la moitié seulement.

OIGNONS GLACÉS AU THYM

Suivez la recette des oignons glacés, page ci-contre, mais remplacez l'eau par du **vermouth blanc sec,** ou du cognac, et ajoutez **1 c. à soupe de thym frais,** haché, ou de romarin. Donne 4 portions.

CAROTTES GLACÉES

Faites cuire à l'eau bouillante **500 g (1 lb)** de **grosses carottes,** coupées en gros tronçons. Pour la glace, mettez dans une sauteuse **3 c. à soupe de marmelade au gingembre,** ou à la lime, **3 c. à soupe de beurre, 3 c. à soupe de jus de citron, ½ c. à thé de sel** et **¼ c. à thé de poivre.** Réchauffez 1 à 2 minutes pour faire fondre la marmelade. Tournez les carottes dans ce sirop pour les enrober. Note : la même recette convient au panais. Donne 4 portions.

GLACES DE VIANDE

Autres glaces, celles-ci très hautes en saveur : les bouillons de bœuf, de poulet ou de veau réduits à l'état de sirop.

Vous pouvez ajouter au bouillon du madère, du porto ou du xérès et un bouquet garni, ou simplement quelques brins de persil, de romarin ou de thym. Pour terminer, liez tous ces arômes avec une ou deux cuillerées à soupe de beurre.

Oignons glacés

- **4**   **tasses d'eau**
- **750** **g (1½ lb) de petits oignons blancs avec la peau**
- **3**   **c. à soupe de beurre ou de margarine**
- **¼**   **tasse de cassonade blonde, bien tassée**
- **2**   **c. à soupe d'eau**
- **½**   **c. à thé de sel**
- **¼**   **c. à thé de poivre noir**

1 Dans un faitout de 2 litres, amenez les 4 tasses d'eau à ébullition à feu modéré. Ajoutez les oignons et laissez-les cuire 9 à 10 minutes : ils seront un peu fermes. Égouttez-les et jetez-les dans l'eau froide. Tranchez la base et faites glisser les peaux.

2 Dans une grande sauteuse, réchauffez le beurre, la cassonade, l'eau, le sel et le poivre à feu modéré pendant 3 ou 4 minutes en remuant, jusqu'à ce que la consistance soit sirupeuse. Ajoutez les oignons et comptez 4 à 5 minutes pour les glacer. Donne 4 portions.

Par portion : Calories 175 ; Gras total 9 g ; Gras saturé 5 g ; Protéines 2 g ; Hydrates de carbone 24 g ; Fibres 3 g ; Sodium 363 mg ; Cholestérol 23 mg

Préparation : 20 minutes
Cuisson : 20 minutes

Betteraves glacées

- **18** **petites betteraves d'environ 4 cm (1½ po) de diamètre, avec la racine et 2 cm (1 po) de tige**
- **¾**   **tasse de marmelade d'oranges**
- **2**   **c. à soupe de jus de citron**
- **½**   **c. à thé de zeste d'orange râpé**

1 Couvrez les betteraves d'eau et faites-les cuire pendant 40 à 60 minutes. Laissez-les tiédir et dégagez la peau avec vos doigts (voir l'encadré, page 135).

2 Dans un grand faitout, faites fondre la marmelade, le jus de citron et le zeste d'orange à feu modéré 3 à 4 minutes pour que la préparation soit lisse et sirupeuse.

3 Ajoutez les betteraves et enrobez-les de sauce pendant 5 à 6 minutes pour bien les réchauffer. Donne 4 portions.

Par portion : Calories 219 ; Gras total 0 g ; Gras saturé 0 g ; Protéines 3 g ; Hydrates de carbone 56 g ; Fibres 3 g ; Sodium 154 mg ; Cholestérol 0 mg

Préparation : 10 minutes
Cuisson : 1 heure

LÉGUMES AU FOUR

Pommes de terre, patates douces et courges d'hiver se cuisent bien au four. Les carottes, les betteraves et les asperges aussi, mais on l'oublie souvent !

CUISSON AU FOUR

Les légumes cuits ou rôtis au four acquièrent une telle saveur qu'il suffit d'un peu de beurre fondu, de parmesan râpé ou d'huile d'olive additionnée de jus de citron ou de vinaigre balsamique pour parfaire leur présentation. Aucun autre mode de cuisson ne rivalise avec celui-ci.

LES COURGES

Les plus appréciées sont la courge buttercup, la courge musquée, le courgeron, la courge à cou tors et la courge jaune, à cause de leur chair douce et leur goût de noisette. Coupez-les en deux et déposez les assaisonnements dans la cavité. Les courges d'hiver, dont l'écorce est dure, se vendent souvent en morceaux.

Prévoyez la moitié d'une petite courge par personne ou 200 g (6 oz) de morceaux de grosse courge. Préchauffez le four à 180 °C (350 °F). Badigeonnez de beurre fondu ou d'huile, salez et poivrez.

Disposez les courges dans une lèchefrite non graissée et faites cuire à découvert 30 à 60 minutes. Vérifiez la cuisson à la fourchette.

POMMES DE TERRE PARFAITES

Prenez des pommes de terre rouges, de l'Idaho ou de l'Île-du-Prince-Édouard, riches en amidon et plutôt sèches.

Percez la peau deux ou trois fois avec une fourchette. Cela permet à la vapeur de s'échapper et empêche que le légume n'éclate à la cuisson.

N'huilez pas les pommes de terre et ne les enveloppez pas dans du papier d'aluminium, à moins de vouloir que la peau reste tendre.

Allumez le four 20 minutes d'avance. Les pommes de terre peuvent cuire entre 160 et 220 °C (325 et 425 °F). Plus le four est chaud, plus la peau est croquante et la chair est tendre. Prévoyez alors de 45 minutes à 1 heure pour des pommes de terre moyennes. Utilisez la grille du milieu pour que l'air circule autour.

Vérifiez la cuisson avec une fourchette : elle doit s'enfoncer facilement.

Note : la même méthode vaut pour les patates douces, mais elles cuisent mieux à 180 °C (350 °F).

DOUBLE CUISSON

Pour garnir les pommes de terre au four, coupez-les en deux sur la longueur quand elles sont à point.

Retirez la chair qui se trouve à l'intérieur et relevez-la à votre goût de fromage, de sauce mexicaine, de champignons sautés ou de crème sure. Remettez-la dans les peaux. Saupoudrez de fromage râpé et faites gratiner à 200 °C (400 °F) le temps voulu.

AUTRES LÉGUMES À CUIRE AU FOUR

Pommes de terre et courges n'épuisent pas le registre de la cuisson au four. Essayez les légumes qui suivent.

Asperges. Parez et pelez les asperges, disposez-les dans un plat, aspergez-les de beurre fondu ou d'huile d'olive et agitez le plat pour les graisser complètement. Enfournez à découvert et faites cuire 10 à 12 minutes à 220 °C (425 °F).

Betteraves. Grattez des petites betteraves (ne les épluchez pas) et mettez-les entières dans un plat à four. Agitez-les dans 1 c. à soupe d'huile. Enfournez à découvert et faites cuire 40 minutes à 190 °C (375 °F) en les tournant de temps à autre. Réglez le thermostat à 220 °C (425 °F) et prolongez la cuisson de 15 à 20 minutes, ou jusqu'à ce qu'elles soient bien tendres.

Carottes. Roulez des carottes moyennes entières ou tronçonnées, épluchées ou non, dans 1 c. à soupe d'huile ou de beurre fondu. Prévoyez 30 minutes à découvert à 190 °C (375 °F) – tournez-les de temps à autre – et 20 minutes à 220 °C (425 °F).

Courges d'été (courges jaunes, courgettes, pâtissons). Grattez-les. Coupez les courges et les courgettes en morceaux de 2,5 à 4 cm (1-2 po), les pâtissons en pointes. Faites cuire à découvert pendant 45 minutes à 230 °C (450 °F).

Navets. Épluchez des navets moyens, coupez-les en quartiers et faites-les cuire comme les carottes (ci-dessus).

Oignons. Pelez les petits oignons, tournez-les dans l'huile et enfournez-les à découvert. Prévoyez 30 à 35 minutes à 180 °C (350 °F). Note : pelez et coupez en deux les gros oignons. Mettez-les dans un plat à four, côté coupé dessus. Badigeonnez d'huile et faites cuire 1 heure à 1 h 30 à 180 °C (350 °F).

Panais. Épluchez et détaillez en morceaux des panais moyens et tournez-les dans 1 c. à soupe d'huile ou de beurre fondu. Faites cuire comme les carottes (ci-dessus).

Pommes de terre (rouges ou nouvelles). Grattez – n'épluchez pas – des petites pommes de terre entières ; huilez-les et faites-les cuire à découvert pendant 1 heure à 1 h 30 à 180 °C (350 °F) ; tournez-les de temps à autre. Vous pouvez ajouter des brins de romarin ou de thym et 1 ou 2 gousses d'ail.

MANIPULATION D'UNE COURGE D'HIVER

Coupez une courge d'hiver en deux avec un grand couteau de chef et un maillet en caoutchouc.

1 Cassez la tige. Faites entrer la lame d'un couteau de chef dans une des lignes médianes du légume, sur toute la longueur. Tapez doucement sur la lame, près du manche, avec un maillet de caoutchouc et faites-la entrer dans la chair jusqu'à ce que la courge se fende en deux. Vous pouvez obtenir le même résultat en imprimant au couteau un mouvement de bascule.

2 Enlevez les graines, les filaments et tout ce qui les entoure avec une cuiller. Laissez les petites courges en moitiés ou détaillez-les en quartiers. Ne les pelez pas. Coupez les grosses courges en portions, pelez-les ou non avec un économe ou un couteau à parer. La courge hubbard, vendue en morceaux, se cuit telle quelle, puis on la détaille en portions.

Courgerons au four

- **2** courgerons moyens
- **¼** tasse (½ bâtonnet) de beurre ou de margarine
- **2** c. à soupe de cassonade ou de sirop d'érable

1 Préchauffez le four à 180 °C (350 °F). Coupez les courgerons en deux sur la longueur, enlevez la semence et mettez-les dans un plat à four, côté évidé dessus. Au besoin, enlevez une fine tranche dessous pour les stabiliser.

2 Lorsque les demi-courgerons sont bien stables, même s'ils reposent sur leur côté arrondi, garnissez-les uniformément de beurre et saupoudrez-les de cassonade.

3 Enfournez-les à découvert et faites-les cuire 45 minutes environ. Vérifiez la cuisson en enfonçant une fourchette dans la chair. Donne 4 portions.

Par portion : Calories 196 ; Gras total 12 g ; Gras saturé 7 g ; Protéines 2 g ; Hydrates de carbone 24 g ; Fibres 6 g ; Sodium 125 mg ; Cholestérol 31 mg

Préparation : 15 minutes • Cuisson : 45 minutes

LÉGUMES FARCIS ET GRATINÉS

*G*arnis d'une farce savoureuse et bien composée, les légumes cuits au four se transforment en plat-repas.

LA FORME IDÉALE

Les légumes sphériques sont les plus faciles à farcir. Choisissez des tomates mûres mais fermes, des oignons d'Espagne ou de gros oignons jaunes, sans marque brune au milieu.

PREMIÈRES ÉTAPES

Le blanchiment réduit le temps de cuisson des légumes fermes, comme les poivrons et les oignons. Plongez-les dans une marmite d'eau bouillante et cuisez 5 minutes un poivron évidé, 20 minutes un oignon entier. Farcissez-les ensuite selon la recette.

Pour accélérer la cuisson des légumes farcis, vous pouvez aussi mettre 1 tasse d'eau ou de bouillon dans la lèchefrite. Ce mouillement permet aux légumes de cuire à la vapeur en même temps qu'au four et les empêche de se dessécher. Le procédé est surtout utile si la farce est au riz ou au pain.

BIEN CALÉS

Choisissez une lèchefrite juste assez grande pour recevoir tous les légumes que vous préparez. En s'épaulant les uns les autres, ils ne basculent pas. Vous pouvez aussi nicher les légumes dans les alvéoles graissées d'un moule à muffins. Note : remplissez d'eau les alvéoles vides pour que le moule ne gondole pas.

Ce sont surtout les tomates qui courent le risque de basculer. En Grèce, où les légumes farcis sont courants, on contourne le problème en évidant les tomates par le fond plutôt que par le sommet.

Les poivrons aussi sont souvent instables. Si tel est le cas, évidez-les sur le côté (voir recette de la page ci-contre).

FARCES VARIÉES

Selon la taille des légumes, prévoyez ⅓ à ¾ tasse de farce pour chacun. Si vous utilisez du riz ou une autre céréale, faites-les d'abord cuire aux trois quarts dans du bouillon avec les autres ingrédients. Ne tassez pas la farce dans les légumes ; le riz, par exemple, prendra encore de l'expansion en terminant sa cuisson. Enfournez et faites cuire 35 à 40 minutes à 180 °C (350 °F).

Les farces au riz sont généralement relevées d'un hachis de bœuf ou d'agneau, qui peut être condimenté de persil ou de menthe, de tomate hachée et de jus de tomate, d'oignon haché, de poivron haché, de raisins secs dorés, de cannelle, d'huile d'olive ou de pignons.

COMMENT ÉVIDER UN OIGNON

Ôtez une tranche de 1 cm (½ po) sur l'oignon et faites-le blanchir 20 à 25 minutes. Avec un des accessoires illustrés ci-dessous, évidez-le pour laisser une coquille de 1 cm (½ po) d'épaisseur.

TOMATES FARCIES AUX ÉPINARDS

Évidez **6 tomates moyennes** et laissez-les s'égoutter à l'envers pendant que vous préparez la farce. Dans une grande sauteuse et à feu modéré, faites revenir **1 gros oignon**, haché, dans **1 c. à soupe d'huile d'olive** pendant 3 minutes. Ajoutez **2 gousses d'ail**, hachées, et, au bout de 2 minutes, **2 paquets (300 g/10 oz) d'épinards surgelés**, décongelés, **¼ tasse de parmesan râpé, 2 c. à thé de jus de citron, ¼ c. à thé de muscade, de sel et de poivre** et **4 c. à soupe de crème à 10 p. 100**. Réchauffez jusqu'à ce que le mélange bouillonne. Remplissez les tomates de cette farce. Mélangez **¼ tasse de mie de pain fraîche**, déchiquetée, **2 c. à soupe de parmesan râpé** et **1 c. à soupe de beurre fondu** ; mettez une cuillerée à soupe de ce mélange sur chaque tomate. Enfournez à 180 °C (350 °F) et cuisez comme à l'étape 4 ci-contre. Donne 6 portions.

INGÉNIEUX !

Râpe-beurre, tire-boule, couteau à pamplemousse

Ce sont trois accessoires utiles pour évider les légumes, bien qu'ils aient été conçus tous les trois à une toute autre fin. Si vous n'en avez aucun sous la main, ne vous mettez pas martel en tête : une cuiller fera très bien l'affaire.

Poivrons farcis façon tex-mex

- **4** poivrons moyens verts, rouges ou jaunes
- **4** tranches de bacon maigre, détaillées en julienne sur la largeur
- **1** tasse d'oignons verts, hachés
- **2** tasses de grains de maïs entiers, égouttés
- **¼** tasse de piment doux rôti, haché
- **3** c. à soupe de coriandre fraîche, hachée
- **1** petit piment jalapeño, paré, épépiné et haché
- **1¼** c. à thé d'assaisonnement au chile
- **1¼** c. à thé de cumin moulu
- **½** c. à thé de sel
- **1** tasse (125 g/4 oz) de monterey jack au piment fort, râpé
- **¼** tasse de croustilles de tortilla, pulvérisées

1 Préchauffez le four à 180 °C (350 °F). Découpez une tranche de 1 cm (½ po) sur le côté de chacun des poivrons. Hachez ces tranches et réservez-les. Débarrassez les poivrons de leur semence et de leurs membranes et blanchissez-les 5 minutes dans l'eau bouillante salée. Laissez-les s'égoutter en les posant à l'envers.

2 Dans une sauteuse moyenne et à feu modéré, faites cuire le bacon 3 à 4 minutes. Quand il est croustillant, épongez-le sur de l'essuie-tout. Ne laissez que 2 c. à soupe de gras de bacon dans la sauteuse.

3 Faites sauter pendant 5 minutes dans ce gras le hachis de poivron réservé. Ajoutez les oignons verts et prolongez la cuisson de 3 minutes en remuant de temps à autre. Incorporez le maïs, le piment doux rôti, la coriandre, le jalapeño, l'assaisonnement au chile, le cumin et le sel; laissez cuire 3 minutes en remuant. Hors du feu, ajoutez le bacon et les trois quarts du fromage.

4 Mettez cette farce dans les poivrons. Dressez-les dans un plat à four peu profond et non graissé. Enfournez à découvert et faites cuire 30 minutes pour bien réchauffer la farce.

5 Mélangez les croustilles de tortilla pulvérisées avec le reste du monterey jack et déposez-en une cuillerée à soupe sur chaque poivron farci. Enfournez à découvert et laissez gratiner 5 minutes pour que le fromage fonde. Donne 4 portions.

Par portion : Calories 406 ; Gras total 27 g ; Gras saturé 12 g ; Protéines 17 g ; Hydrates de carbone 29 g ; Fibres 5 g ; Sodium 835 mg ; Cholestérol 49 mg

Préparation : 20 minutes
Cuisson : 55 minutes

LÉGUMES EN PURÉE

Réduire un légume en purée, assaisonner cette purée : voilà deux opérations culinaires très simples et qui donnent des résultats étonnants.

LES ACCESSOIRES

Vous pouvez réduire un légume en purée au presse-purée ou en vous servant du mélangeur ou du robot. Mais c'est le moulin à légumes qui donne la purée la plus fine.

LES BONNES COMBINAISONS

La quantité d'amidon que renferme un légume détermine la consistance de la purée. Carottes, pommes de terre, courges d'hiver, petits pois et haricots secs cuits donnent des purées épaisses, tandis que celles faites avec des haricots verts, du brocoli et des asperges sont claires.

Les premières accompagnent les viandes rôties, la volaille et le poisson et apportent du corps et du goût aux soupes, aux ragoûts et à certains types de sauces.

Les secondes, relevées de beurre, de fines herbes, de jus de fruits ou de vinaigre aromatisé, peuvent tenir lieu de sauce maigre pour arroser la viande, le poisson ou les pâtes.

Ajoutez des épices et des fines herbes aux purées, mais en quantité limitée. Il ne s'agit pas ici de masquer, mais de souligner la saveur naturelle du légume. Une pincée de muscade fait des merveilles.

POMMES DE TERRE

La purée la plus populaire reste celle de pommes de terre. Prenez des idahos, des pommes de terre rouges à chair blanche ou celles de l'Île-du-Prince-Édouard : elles sont farineuses et sèches.

Ne les fouettez jamais au robot : le mouvement ultra-rapide du couteau brise l'amidon et transforme la purée en une espèce de colle peu ragoûtante. Utilisez un batteur électrique ou écrasez-les au pilon selon que vous aimez la purée bien lisse ou un peu grumeleuse.

OBJECTIF SANS GRAS

Pour réduire le gras, remplacez le beurre par du lait, de la crème sure, nature ou allégée, ou du yogourt.

CONSERVATION

Bien couvertes, les purées se gardent quatre jours au réfrigérateur ou un mois au congélateur. Ajoutez un peu de liquide et réchauffez-les à feu doux en remuant constamment ; le bain-marie est idéal.

DES PURÉES PARFAITES

(Pour 2 portions)

Asperges. 2½ tasses d'asperges cuites. À la purée, ajoutez du beurre noisette et une pincée de macis ; salez et poivrez.

Brocoli, chou-fleur. 2 tasses de bouquetons de brocoli ou de chou-fleur cuits. À la purée, ajoutez ½ c. à thé de sel, ¼ c. à thé de marjolaine, sarriette, sauge ou romarin et 1½ c. à soupe de beurre.

Champignons. 750 g (1½ lb) de champignons crus, tranchés mince. Pour les dessécher, faites-les sauter à feu assez vif dans 3 c. à soupe de beurre avec 2 grosses échalotes, hachées. À la purée, ajoutez 2 à 3 c. à soupe de crème épaisse, du sel, du poivre, 1 c. à soupe de persil haché et 1 c. à thé de paprika.

Choux de Bruxelles. 2 tasses de choux cuits. À la purée, ajoutez 1 oignon moyen sauté, 2 c. à soupe de beurre, ½ tasse de yogourt, une pincée de muscade, sel et poivre.

Courge d'hiver. 2½ tasses de courge cuite. À la purée, ajoutez 2 c. à soupe de beurre, 2 c. à thé de cassonade, ½ c. à thé de sel, ¼ c. à thé de gingembre moulu, ainsi qu'un peu de crème ou de jus d'orange très chauds.

Épinards, chou vert, chou frisé, fanes de moutarde. 2½ tasses de légumes, cuits et bien égouttés. À la purée, ajoutez ½ c. à thé de sel, ¼ c. à thé d'origan ou de marjolaine, une pincée de muscade et 2 c. à soupe de beurre.

Haricots de Lima, petits pois. 2 tasses de légumes cuits. À la purée, ajoutez ¼ c. à thé chacun de sel, de thym et de marjolaine ou d'origan, et 2 c. à soupe de beurre.

Haricots verts. 2½ tasses de haricots verts cuits. À la purée, ajoutez 4 bulbes d'oignons verts, hachés, 3 c. à soupe d'aneth frais, ciselé, 1½ c. à soupe de beurre, ¼ tasse de bouillon, 2 c. à soupe de crème épaisse, sel et poivre au goût.

Panais. 2¾ tasses de panais cuit. À la purée, ajoutez ¾ c. à thé de gingembre frais, haché, 2 c. à soupe de crème sure nature ou allégée. Salez et poivrez.

UN ATOUT

Le moulin à légumes

Le robot travaille sans doute plus vite, mais le moulin à légumes, moins cher à l'achat et plus facile à nettoyer, rend d'immenses services : il réduit les pommes de terre en purée, travaille les fruits pour les gelées et les compotes, transforme le riz en élément épaississant pour les sauces ou prépare des aliments en purée pour les bébés.

CAROTTES ET POMMES DE TERRE

Suivez la recette ci-contre, mais employez seulement 3 carottes et ajoutez **1 pomme de terre idaho** (250 g/8 oz), épluchée et tranchée mince. Donne 4 portions.

PURÉE PUR DÉLICE

Suivez la recette ci-contre, mais remplacez les carottes par **1 kg (2 lb) de pommes de terre idaho,** épluchées et coupées en huit. Faites-les cuire 20 à 30 minutes à feu modéré et à couvert dans beaucoup d'eau salée. Égouttez-les en réservant ½ tasse d'eau de cuisson. Écrasez-les au presse-purée en ajoutant le beurre et l'eau réservée ; remplacez le bouillon par **⅓ tasse de lait chaud** ou de crème que vous ajoutez en même temps. Salez et poivrez au goût. Donne 4 portions.

PURÉE DE POMMES DE TERRE À L'AIL

Suivez la recette ci-dessus, mais faites cuire, en même temps que les pommes de terre, **8 gousses d'ail,** pelées et coupées en deux. Écrasez-les avec les pommes de terre. Donne 4 portions.

Purée de carottes à la bavaroise

- **6** **grosses carottes, épluchées et tranchées mince**
- **1** **tasse d'eau**
- **½** **c. à thé de sel**
- **½** **c. à thé de thym séché, écrasé**
- **¼** **c. à thé de poivre noir**
- **1** **tasse de bouillon de bœuf**
- **2** **c. à soupe de beurre ou de margarine**

1 Dans une casserole moyenne et à feu modéré, amenez les carottes à ébullition avec l'eau, le sel, le thym et le poivre. Baissez le feu, couvrez la casserole et laissez mijoter pendant 25 minutes, en remuant de temps à autre. Égouttez les carottes.

2 Entre-temps, faites réduire le bouillon de bœuf dans une casserole à découvert jusqu'à ce qu'il n'en reste que ⅓ tasse ; prévoyez 5 à 6 minutes. Mettez les carottes et le bouillon réduit au robot et travaillez-les 1 minute : la purée doit être lisse. Ajoutez le beurre et donnez quelques impulsions pour le faire fondre et le mélanger à la purée. Donne 4 portions.

Par portion : Calories 109 ; Gras total 6 g ; Gras saturé 4 g ; Protéines 2 g ; Hydrates de carbone 13 g ; Fibres 3 g ; Sodium 540 mg ; Cholestérol 16 mg

Préparation : 10 minutes • Cuisson : 32 minutes

LÉGUMES SAUTÉS À LA CHINOISE

Le secret du succès ? Donner à tous les ingrédients la même forme et la même taille, et les jeter dans le wok ou la sauteuse selon l'ordre indiqué.

UN REPAS MINUTE

Les sautés à la chinoise se font rapidement dans peu d'huile. Les ingrédients, servis sur un lit de riz ou d'une autre céréale, gardent leur fraîcheur.

Cet apprêt culinaire est vite fait parce que tous les éléments sont détaillés en petits morceaux. La cuisson est menée à feu intense et en remuant constamment les ingrédients. Ils doivent tous venir en contact avec la partie la plus chaude de la sauteuse, mais ils n'y restent pas assez longtemps pour attacher ou brûler.

LES ACCESSOIRES

Les sautés à la chinoise n'exigent pas un appareillage bien compliqué. Pour préparer les aliments, vous avez besoin de deux couteaux en bon état et bien coupants : un couteau à parer et un couteau de chef. Pour la cuisson proprement dite, il vous faut des accessoires à long manche pour remuer les ingrédients sur un feu vif. Prenez des spatules larges, capables de tourner beaucoup d'éléments en même temps. Vous en trouverez de spécialisées dans les magasins d'articles chinois ; cela dit, n'importe quelle spatule de bois ou de métal fera l'affaire.

L'important, ici, c'est la matière : le métal et le bois conviennent, mais non le plastique qui fondrait au contact de la sauteuse brûlante.

L'USTENSILE

Une sauteuse antiadhésive lourde de 30 à 35 cm (12-14 po) est idéale pour ce genre de cuisson.

Si vous travaillez sur une cuisinière au gaz, vous pouvez utiliser un wok. Sa forme convient très bien aux mouvements qu'exigent les sautés à la chinoise. Pour obtenir le maximum de chaleur, enlevez le protège-brûleur et remplacez-le par le collier d'acier qui accompagne le wok.

LES INGRÉDIENTS

Les huiles indiquées pour ce mode de cuisson sont celles de maïs, d'arachide ou de canola.

Il n'est question ici que de légumes sautés ; mais rien ne vous empêche d'ajouter de la volaille, de la viande ou des fruits de mer. (Voir le Sauté de poulet à la mandarine, p. 271.)

Qu'ils soient taillés en dés, en tronçons ou en julienne, les légumes doivent avoir les mêmes dimensions. Cette uniformité assure non seulement une cuisson équilibrée, mais aussi une jolie présentation.

Les légumes ne prennent pas tous le même temps à cuire. Pour le Sauté de légumes printaniers (page ci-contre), on a choisi des légumes qui exigent tous le même temps de cuisson.

Mais si vous voulez associer des légumes qui cuisent les uns vite, les autres lentement, ajoutez-les dans l'ordre suivant : en premier, carottes, chou-fleur, oignons, piment et navets ; en deuxième, asperges, brocoli, haricots verts, pois mange-tout, poivrons et courge d'hiver ; en troisième, céleri, champignons, petits pois, oignons verts et courge d'été ; en quatrième, fines herbes.

COUPES COMMODES

Il se vend des légumes déjà coupés. Ils vous épargnent du travail, mais coûtent cher et sont moins nutritifs.

GINGEMBRE

Le gingembre est piquant : on en met très peu. Sectionnez un bout de racine ; ôtez la peau avec un couteau à parer. Tranchez perpendiculairement aux fibres. Hachez les tranches avec un couteau de chef.

ALLUMETTES

1 Pour découper un légume à section arrondie, comme la carotte, en allumettes ou en julienne, coupez des tronçons de 4 à 5 cm (1½-2 po) et détaillez-les à la verticale en tranches de 3 à 6 mm (⅛-¼ po).

2 Empilez-en quelques-unes et coupez-les sur le long en bâtonnets de 3 à 6 mm (⅛-¼ po) d'épaisseur.

MODE DE CUISSON

1 Réchauffez l'huile dans une grande sauteuse. S'il y a lieu, faites cuire l'ail à feu doux dans l'huile et retirez-le avant de poursuivre.

2 À feu vif, l'huile étant très chaude, ajoutez les légumes, en commençant par ceux qui prennent le plus de temps à cuire, comme les poivrons et les oignons.

3 Avec une spatule de bois ou de métal, remuez et tournez les légumes pour les exposer tous à la chaleur. Continuez ainsi jusqu'à ce qu'ils soient à point et bien dorés.

Sauté de légumes printaniers

1 c. à soupe d'huile d'olive	**200** g (6 oz) de pois mange-tout, défilandrés
3 gousses d'ail, hachées fin	**3** oignons verts, coupés en tronçons de 5 cm (2 po)
1 c. à soupe de gingembre frais, haché	**½** c. à thé de marjolaine séchée, ou d'origan
2 gros poivrons rouges, parés, épépinés et découpés en lanières de 7 x 1 cm (3 x ½ po)	**½** c. à thé de sel
350 g (12 oz) d'asperges, parées, pelées et découpées en tronçons de 5 cm (2 po)	**¼** c. à thé de poivre noir

1 Dans une grande sauteuse antiadhésive, réchauffez l'huile 1 minute à feu doux. Ajoutez l'ail et le gingembre et laissez-les cuire 4 minutes en remuant souvent.

2 Ajoutez les poivrons rouges et faites-les cuire à feu vif 2 minutes, en remuant souvent. Ajoutez les asperges, les pois mange-tout, les oignons verts, la marjolaine, le sel et le poivre noir ; laissez cuire 6 minutes environ en remuant souvent. Donne 4 portions.

Par portion : Calories 86 ; Gras total 4 g ; Gras saturé 1 g ; Protéines 4 g ; Hydrates de carbone 12 g ; Fibres 4 g ; Sodium 273 mg ; Cholestérol 0 mg

Préparation : 30 minutes • Cuisson : 13 minutes

LÉGUMES CUITS À GRANDE FRITURE

Quand la friture est réussie, les aliments ne sont pas gras; ils sortent du bain croustillants à l'extérieur, tendres et savoureux à l'intérieur.

CROUSTILLES DE POMMES DE TERRE À L'AIL

Dans une petite casserole, faites fondre **2 c. à soupe de beurre** dans **1 c. à soupe d'huile d'olive** à feu doux. Ajoutez **3 gousses d'ail**, hachées, et laissez-les infuser. Épluchez les **pommes de terre** et tranchez-les en rondelles de 3 mm (⅛ po) d'épaisseur. Jetez-les dans un bain porté à 190 °C (375 °F) et laissez-les frire 3 à 5 minutes. Épongez-les sur de l'essuie-tout. Filtrez le beurre à l'ail; aspergez-en les croustilles. Donne 4 portions.

CROUSTILLES DE PATATES DOUCES

Épluchez et tranchez **500 g (1 lb) de patates douces** à 3 mm (⅛ po) d'épaisseur. Faites-les frire comme ci-dessus. Note : faites les croustilles par temps sec; par temps pluvieux, elles se ramollissent. Donne 4 portions.

L'ABC DE LA FRITURE

On peut faire frire à peu près tous les légumes. L'essentiel, c'est de les couper de façon qu'ils puissent cuire et dorer dans le même laps de temps.

La qualité et la température du bain ainsi que la durée de la friture sont des facteurs incontournables. Il vous faudra donc un thermomètre à friture pour déterminer la température du bain ou une friteuse à contrôle thermostatique intégré.

FRITURES PARFAITES

Si le bain n'est pas assez chaud pour saisir les légumes instantanément, ils absorbent l'huile et deviennent gras. Le bain d'huile doit atteindre 190 °C (375 °F) avant de recevoir les aliments à frire et il doit conserver cette température tout au long de la cuisson.

Pour ne pas refroidir indûment le bain, on ajoute les aliments progressivement. La température de la friture ne doit jamais tomber au-dessous de 182 °C (360 °F) pendant l'addition des aliments. Note : employez une casserole plus profonde que large; il se produit moins de déperdition de chaleur en surface.

Retirez les aliments dès qu'ils sont dorés et croustillants. Un panier à friture muni d'un long manche facilite les manipulations. Autrement, utilisez une écumoire.

TEMPÉRATURE

Quand le bain est trop chaud, les aliments rôtissent avant d'avoir eu le temps de cuire.

Ne laissez pas la température du bain dépasser 198 °C (390 °F). Au-dessus de 200 °C (400 °F), les huiles se mettent à fumer, elles se décomposent et leur saveur se détériore.

ÉPONGER LES FRITURES

Épongez les aliments sur de l'essuie-tout dès que vous les retirez du bain.

Pour ne pas gaspiller l'essuie-tout, disposez une ou deux feuilles sur plusieurs épaisseurs de papier journal et remplacez ces feuilles au besoin.

CHOIX ET ENTRETIEN DU BAIN DE FRITURE

L'huile végétale et la graisse végétale conviennent indifféremment pour la cuisson à grande friture. Le bain peut être utilisé plusieurs fois, mais la température à laquelle il commence à fumer descend à chaque utilisation. Lorsque le bain fume à 198 °C (390 °F), il est temps de le remplacer.

Après chaque utilisation, passez l'huile ou la graisse à travers un tamis ou une passoire tapissée de deux épaisseurs d'étamine de coton. Vous retirez ainsi les petits débris qui ne manqueraient pas de brûler la fois d'après.

POMMES DE TERRE À FRIRE

Prenez des idahos ou des pommes de terre semblables : leur teneur en amidon les empêche d'absorber le gras. La taille idéale est de 10 cm (4 po) de longueur.

PRÉPARATION DES POMMES DE TERRE

Épluchez-les et donnez-leur la forme désirée, bâtonnets ou rondelles, selon que vous faites des frites ou des croustilles. Jetez-les tout de suite dans un bol d'eau glacée. L'eau enlève l'amidon qui les ferait coller durant la friture et les empêche de s'oxyder. Juste avant de les faire frire, retirez-les de l'eau et épongez-les parfaitement, à défaut de quoi, il y aura beaucoup d'éclaboussures.

PÂTE À FRIRE

Les légumes vite cuits, comme les courgettes et les rondelles d'oignons, peuvent être plongés dans de la pâte à frire. Faites blanchir au préalable les légumes plus coriaces, comme les carottes, avant de les enrober de pâte.

Auparavant, vous aurez fariné les légumes pour faire adhérer la pâte. Secouez-les pour que l'excédent de farine tombe, plongez-les dans la pâte, laissez couler l'excédent et jetez-les dans le bain de friture.

1 Coupez des bâtonnets de 1 cm (½ po) pour des frites, de 6 mm (¼ po) pour des allumettes, ou des rondelles pour des croustilles. Plongez-les dans l'eau glacée.

2 Réchauffez l'huile à 190 °C (375 °F) dans une casserole ou une friteuse. Déposez-y une couche de pommes de terre.

3 Quand les frites paraissent croquantes et dorées, retirez-les et épongez-les sur quelques carrés d'essuie-tout posés sur plusieurs épaisseurs de papier journal.

FRITOTS DE COURGETTE

Suivez la recette ci-contre en remplaçant les pommes de terre par **500 g (1 lb) de courgettes,** taillées en julienne de 5 cm x 6 mm x 6 mm (2 x ¼ x ¼ po). Fouettez ensemble **½ tasse de farine** et **½ tasse d'eau,** ou de bière éventée. Farinez la julienne, secouez-la et plongez-la dans la pâte en détachant bien les éléments. Faites frire et épongez comme ci-contre. Ne salez pas ; aspergez de vinaigre balsamique. Note : on prépare de la même façon les rondelles d'oignons. Donne 4 portions.

Pommes de terre allumettes

bain d'huile à friture (environ 8 tasses)

500 g (1 lb) de pommes de terre idahos, épluchées et découpées en bâtonnets de 5 cm x 6 mm x 6 mm (2 x ¼ x ¼ po)

½ c. à thé de sel

1 Versez 7 cm (3 po) d'huile dans une friteuse ou une casserole profonde. Installez un thermomètre à friture et réchauffez l'huile à 190 °C (375 °F). Travaillez par portions. Ajoutez les pommes de terre ; retirez-les quand elles sont dorées (prévoyez 5 minutes). Laissez l'huile remonter à 190 °C (375 °F) avant d'ajouter une autre portion.

2 Avec une cuiller à trous ou une écumoire, retirez les pommes de terre et épongez-les sur de l'essuie-tout. Salez et servez. Donne 4 portions.

Par portion : Calories 130 ; Gras total 6 g ; Gras saturé 1 g ; Protéines 2 g ; Hydrates de carbone 18 g ; Fibres 1 g ; Sodium 271 mg ; Cholestérol 0 mg

Préparation : 8 minutes • Cuisson : 15 minutes

LÉGUMES EN SAUCE GRATINÉS AU FOUR

*L*e gratin est un plat élégant et *vite fait. La plupart des ingrédients qui y entrent sont déjà cuits avant que le plat soit monté.*

IL Y A « GRATIN » ET GRATIN

Le gratin désigne familièrement en France l'élite de la société. Acception savoureuse, il est vrai, mais moins que le vrai gratin, fine couche croustillante recouvrant un plat dont on dit qu'il est... gratiné.

À VOUS LE CHOIX

Il y a toutes sortes de façons de faire gratiner un plat. On peut le couvrir de fromage râpé ou de chapelure parsemée de beurre. On peut plonger les légumes dans une sorte de flan, comme pour notre Gratin de haricots verts, ou dans une sauce blanche bien relevée.

On peut aussi en faire sans sauce, comme le Gratin de champignons. C'est tantôt la sauce, tantôt la garniture de surface qui va former une croûte en gratinant.

PRÉCUISSON

La précuisson des légumes destinés à un gratin accentue et protège leur saveur, leur texture et leur couleur. Enfin, elle permet d'accélérer la dernière cuisson au four.

Le rôtissage préliminaire au gril très chaud de l'aubergine, des poivrons et de la courge d'été a deux fonctions : en éliminant l'excès d'eau de végétation, il rend les légumes plus croustillants et en caramélisant les surfaces, il accentue la saveur des aliments.

DE BONS CANDIDATS

Les méthodes utilisées dans nos recettes – Gratin de champignons et Gratin de haricots verts – s'appliquent à d'autres légumes. Choisissez des légumes fermes qui restent en forme quand ils sont tranchés

mince ou râpés ; rejetez ceux qui perdent beaucoup d'eau à la cuisson. Voici quelques bons candidats : asperges, brocoli, carottes, chou-fleur, céleri, céleri-rave, cœurs d'artichauts, courges d'été, endives, panais, pommes de terre, navets et rutabagas. Les restes de viande, de poisson et de volaille se transforment aisément en plats gratinés.

DE QUOI SE METTRE SOUS LA DENT

Les gratins doivent avoir de la saveur et du craquant. Couronnez-les de chapelure et de beurre ou de noix hachées fin. Parmesan, cheddar et gruyère râpés fondent bien et gratinent mieux encore.

LES CHAMPIGNONS

Les champignons constituent les gratins les plus appréciés. Choisissez des sujets fermes, non gluants, non ridés, sans taches ni meurtrissures.

Ne les nettoyez qu'à la dernière minute. Ils se gardent trois ou quatre jours si un peu de terre colle au pied.

Enveloppez-les, sans serrer, dans de l'essuie-tout et réfrigérez-les dans un grand sac de plastique. Si vous les achetez dans un petit panier, enlevez la pellicule plastique qui les recouvre et remplacez-la par de l'essuie-tout.

La plupart du temps, il suffit de les essuyer avec une feuille d'essuie-tout humide pour qu'ils soient propres. S'il faut les laver, faites-le rapidement à l'eau courante et épongez-les sur de l'essuie-tout. Si vous les laissez tremper, ils perdront toute leur saveur.

QUANTITÉS

La quantité par portion varie selon que vous gardez ou non les pieds. Pour les servir comme légume, comptez 250 à 375 g (½-¾ lb) par personne, pieds inclus, ou 500 g (1 lb), chapeaux seulement. Comme ils renferment 90 p. 100 d'eau, ils peuvent diminuer de 40 p. 100 à la cuisson. On calcule que 500 g (1 lb) de champignons crus, hachés ou tranchés, donnent 5 à 6 tasses de champignons peu tassés.

UN ATOUT
Le tian

N'importe quel plat en verre à feu, en céramique ou en porcelaine peut servir de plat à gratin. Mais la tradition veut qu'on choisisse un récipient de terre cuite appelé *tian,* en usage dans le sud de la France, et qui désigne aussi bien le contenant que le contenu. Il s'agit de pièces ovales ou rondes de différentes contenances. Elles conduisent la chaleur plus lentement que le métal ; ainsi permettent-elles aux saveurs de bien se marier. Le tian peut évidemment servir à d'autres fins qu'aux gratins.

Gratin de champignons

4 **c. à soupe de beurre ou de margarine**

1 **oignon blanc moyen, en dés**

3 **gousses d'ail, hachées**

2 **grosses échalotes, hachées**

500 **g (1 lb) de champignons de couche, parés et tranchés mince**

250 **g (8 oz) de champignons portobello ou autres champignons sauvages frais, parés et tranchés mince**

1 **c. à thé de sel**

¼ **c. à thé de poivre noir**

½ **tasse de chapelure fine**

¼ **tasse de parmesan râpé**

¼ **tasse de persil haché**

1 Préchauffez le four à 200 °C (400 °F). Dans une sauteuse moyenne, faites fondre 1 c. à soupe de beurre à feu doux. Ajoutez l'oignon, 2 c. à thé d'ail haché et les échalotes; faites-les dorer 5 minutes. Retirez-les de la sauteuse et mettez-les dans un petit bol. Réservez.

2 Faites sauter les champignons – en deux portions s'il le faut – dans 2 c. à soupe de beurre pour les faire cuire et permettre à leur jus de s'évaporer: comptez 5 minutes. Salez, poivrez et ajoutez les oignons sautés. Versez cet appareil dans un plat à gratin ovale de 25 cm (10 po), non graissé, ou dans un plat à four rectangulaire de 25 x 15 cm (10 x 6 po).

3 Faites fondre le reste du beurre dans une petite sauteuse; ajoutez la chapelure et le parmesan, ainsi que le reste de l'ail et le persil. Remuez.

4 Égrenez cette garniture à la surface du plat, sur les champignons. Enfournez à découvert et laissez gratiner 30 minutes. Donne 4 portions.

Par portion : Calories 165 ; Gras total 10 g ; Gras saturé 6 g ; Protéines 6 g ; Hydrates de carbone 16 g ; Fibres 2 g ; Sodium 567 mg ; Cholestérol 23 mg

Préparation : 40 minutes • Cuisson : 30 minutes

GRATIN DE HARICOTS VERTS

Suivez la recette ci-contre, mais remplacez les champignons par **500 g (1 lb) de haricots verts,** parés, effilés et blanchis 1 minute à l'eau bouillante salée. Supprimez l'ail, l'oignon et les échalotes. Fouettez **1 tasse de crème épaisse, 1 œuf, ¼ c. à thé de sel et ⅛ c. à thé de poivre.** Versez sur les haricots égouttés. Préparez la garniture comme à l'étape 4, mais remplacez le parmesan par du **gruyère** et supprimez l'ail. Égrenez-la sur les haricots, enfournez à découvert et faites dorer 30 à 40 minutes. Donne 4 portions.

LÉGUMES À LA NORMANDE

L'apprêt dit « à la normande » se compose de légumes escalopés cuits dans une sauce en crème et gratinés sous une croûte de chapelure.

ESCALOPER

Escaloper un ingrédient, c'est le couper en tranches fines. On reconnaît dans ce mot le terme anglais *scalloped,* qui vient du français.

Dans la cuisine américaine, ce terme en est venu à désigner un apprêt dans lequel les légumes, plutôt que d'être simplement mélangés à de la sauce blanche (voir page 364), sont recouverts de chapelure ou de craquelins écrasés, puis gratinés au four : l'équivalent du français « à la normande ».

DE BONS CANDIDATS

Les légumes tout indiqués pour cet apprêt sont ceux qui, après avoir été tranchés, hachés ou râpés, conservent leur forme au four. Tels sont les pommes de terre, le chou, les carottes, les navets, le panais, le chou-fleur, le maïs et les petits oignons entiers.

Les pommes de terre sont populaires. Prenez des variétés à tout usage plutôt que les

variétés farineuses qui se déferont à la cuisson.

Assaisonnez-les avec de l'oignon, des poivrons ou du piment doux rôti, comme dans notre recette, ou étagez-les sur du jambon pour composer un plat-repas.

Agrémenté d'une salade verte et de pain croûté, le maïs à la normande est un plat complet en soi. Mais vous pouvez aussi le servir pour accompagner la dinde rôtie ; c'est un excellent mariage.

POUR ÉVITER LES GRUMEAUX

Pour que le lait ne tourne pas durant la cuisson au four, veillez à ce que la température du four ne dépasse pas 190 à 200 °C (375-400 °F) et ne laissez pas le plat trop longtemps au four. Si vous avez blanchi les pommes de terre au préalable, la cuisson sera de 30 à 35 minutes.

Avant de dresser les pommes de terre dans le plat, épongez-les avec de l'essuie-tout pour ôter tout excès d'humidité. Si vous leur ajoutez un élément acide – oignon, persil ou piment doux rôti –, ne vous contentez pas de les couvrir de lait ou de crème : il faut dans ce cas une sauce épaissie à la farine.

UNE TOUCHE D'AIL

Frottez l'intérieur du plat avec une gousse d'ail coupée en deux et laissez sécher le jus qu'elle rend avant d'enduire le plat de beurre. Vous aurez ainsi une fine saveur aillée.

GAGNEZ DU TEMPS

Les légumes à la normande peuvent être préparés à l'avance et gratinés à la dernière minute. Pour qu'ils ne forment pas de peau, appliquez une pellicule plastique directement sur la sauce. Laissez-les refroidir avant de les réfrigérer.

Prévoyez une demi-heure pour que le plat reprenne la température ambiante. Retirez la pellicule plastique, étalez la garniture à gratiner et enfournez à découvert. Faites cuire selon la recette.

Le maïs à la normande peut être préparé la veille, réfrigéré et réchauffé environ 20 minutes à 180 °C (350 °F). Les pommes de terre et le chou-fleur à la normande se réchauffent moins bien.

CHOU-FLEUR ET OIGNONS À LA NORMANDE

Dans la recette ci-contre, remplacez les pommes de terre par **4½ tasses de bouquetons de chou-fleur,** tranchés (750 g/1½ lb). Blanchissez le chou-fleur en même temps que les oignons à l'étape 2, mais ne mettez que 1 c. à thé de sel. Égouttez. Après avoir confectionné la sauce à l'étape 3, incorporez-y **½ tasse de parmesan râpé.** Supprimez le piment doux à l'étape 4. Donne 4 à 6 portions.

MAÏS À LA NORMANDE

Suivez la recette de la page ci-contre, en sautant l'étape 2. Faites la sauce comme à l'étape 3, en réduisant les quantités : 1½ c. à soupe de beurre et de farine, ½ tasse de crème et de lait et ¾ c. à thé de sel. Ne mettez pas de farine dans la crème. Réchauffez **1 œuf** légèrement battu avec un peu de sauce ; ajoutez-le à la casserole. Incorporez **2 tasses de grains de maïs,** égouttés, **1 tasse de maïs en crème, 1 c. à soupe de moutarde** et **¼ tasse de persil.** Supprimez le piment doux rôti. Dressez le plat, étalez la chapelure et faites cuire. Donne 4 à 6 portions.

Pommes de terre à la normande relevées de piment

1 Préchauffez le four à 200 °C (400 °F). Enrobez légèrement de beurre un plat à four peu profond d'une contenance de 1,5 litre.

2 Dans une grande casserole, amenez à ébullition 2 cm (1 po) d'eau à feu vif. Mettez-y les pommes de terre, les oignons et 2 c. à thé de sel. Quand l'ébullition a repris, couvrez et laissez mijoter 5 minutes à feu modéré. Égouttez et réservez.

3 Dans une casserole moyenne, travaillez 3 c. à soupe de beurre avec la farine ; ajoutez le reste du sel et le poivre. Laissez cuire à feu modéré. Quand le mélange fait des bouillons, ajoutez peu à peu la crème additionnée de farine et le lait. Laissez cuire 5 à 8 minutes en fouettant constamment : la sauce va devenir lisse et épaisse.

4 Étalez le tiers des pommes de terre et des oignons dans le moule préparé ; mettez par-dessus la moitié du piment doux et du persil et le tiers de la sauce. Répétez. Terminez par une couche de pommes de terre, nappée du reste de la sauce.

5 Dans un petit bol, mélangez la chapelure avec le reste du beurre fondu et répartissez cette garniture sur le plat.

6 Enfournez sans couvrir et laissez gratiner 30 à 35 minutes pour que tout soit doré et bien chaud. Donne 6 portions.

**Par portion : Calories 306 ;
Gras total 17 g ; Gras saturé 10 g ;
Protéines 7 g ;
Hydrates de carbone 34 g ; Fibres 3 g ;
Sodium 778 mg ; Cholestérol 48 mg**

*Préparation : 30 minutes
Cuisson : 1 heure environ*

750	**g (1½ lb) de pommes de terre tout usage, épluchées et tranchées mince**
2	**gros oignons, tranchés mince**
2½	**c. à thé de sel**
⅓	**tasse de beurre fondu ou de margarine**
2	**c. à soupe de farine**
¼	**c. à thé de poivre noir**
1	**tasse de crème à 10 p. 100, additionnée de 1 c. à soupe de farine**
1	**tasse de lait**
1	**bocal (125 ml/4 oz) de piments doux rôtis, égouttés, hachés et épongés**
¼	**tasse de persil haché**
½	**tasse de chapelure de pain ou de craquelins**

LÉGUMES EN TOURTE

Les tourtes aux légumes sont idéales à l'heure du lunch ou comme entrées... et elles sont très faciles à préparer.

TARTE ET TOURTE

Les tourtes sont des tartes salées à une seule croûte. Préparées avec des légumes et du fromage, ces belles pâtisseries font grand effet à peu de frais. Et elles sont exquises en tout temps.

Selon la pâte que vous utilisez et la forme que vous lui donnez, la tourte peut ressembler à une quiche sans œuf ou à une pizza aux légumes.

FONDS DE TOURTE

Notre Tourte de tomates à l'oignon (page ci-contre) est faite avec de la pâte brisée ordinaire. Après lui avoir ménagé un temps d'attente, on l'abaisse en cercle et on la garnit de fromage et de légumes. Pour la décorer, vous pouvez canneler ou festonner le pourtour de l'abaisse.

Vous préférez servir un fond de tourte sans beurre ? Préparez de la pâte à pain,

comme pour les pizzas de la page 354.

Et voici une belle croûte pour une tourte festive : la pâte feuilletée. Vous pouvez l'abaisser en un grand rectangle ou en faire un beau cercle, comme ci-contre. Vous trouverez à la page 28 tous les détails sur l'achat et l'utilisation de la pâte surgelée.

GARNITURES

La tourte la mieux connue est la lyonnaise, à base d'oignons. Prenez de la pâte feuilletée ou de la pâte à pain, saupoudrez l'abaisse de parmesan râpé et couvrez-la d'oignons tranchés et sautés, d'anchois et d'olives noires hachées, éléments que vous éparpillez au hasard ou que vous disposez avec art et recherche.

Essayez d'autres combinaisons : parmesan, mozzarella, gruyère ou chèvre blanc à pâte moelleuse ; ail écrasé, basilic haché, bouquetons de brocoli ou pointes d'asperges blanchis, tomates séchées conservées dans l'huile, piment doux rôti et tranches de courgette rôties.

CROÛTE CROQUANTE

Quand la tourte sort du four, la croûte de support doit être

TOURTE DE POIVRON ROUGE AU GORGONZOLA

Dans la recette ci-contre, remplacez le basilic par **2 tasses de roquette**, le parmesan râpé par **100 g (3 oz) de gorgonzola** et les tomates-cerises par **½ tasse de poivron rouge rôti** (voir page 26), tranché mince. Supprimez l'oignon. Donne 6 portions.

COMMENT FAIRE UNE TOURTE

Pour une tourte plate à pâte brisée.

1 Déposez la pâte sur un plan de travail fariné et abaissez-la pour former un cercle de 25 cm (10 po). Mettez l'abaisse sur une plaque. Piquez-la un peu partout jusqu'à 2 cm (1 po) du bord.

2 Mettez l'abaisse et la plaque au congélateur 20 minutes. Retirez-les ; garnissez l'abaisse avec le fromage et les légumes de votre choix. Faites cuire à 260 °C (500 °F) 20 à 25 minutes.

Pour une tourte profilée à pâte feuilletée.

1 Abaissez la pâte à 3 mm (⅛ po). Découpez un cercle de 22 cm (9 po) ; posez-le sur une plaque. Découpez des feuilles et collez-les sur le bord avec 1 jaune d'œuf battu dans 2 c. à soupe d'eau.

2 Mettez de la dorure sur les feuilles. Piquez la pâte et faites cuire 10 minutes à 200 °C (400 °F). Étalez le fromage et les légumes, couvrez le bord de papier d'aluminium et enfournez 10 à 15 minutes.

dorée et bien croustillante. Réchauffez dûment le four – environ 20 minutes – avant d'enfourner la tourte. Déposez-la au centre de la

grille du milieu. Vaporisez légèrement la plaque d'enduit antiadhésif ; cela empêche la tourte d'attacher et facilite la découpage et le service.

Tourte de tomates à l'oignon

Croûte :

- 1 tasse de farine non tamisée
- ⅛ c. à thé de sel
- ½ tasse (1 bâtonnet) de beurre froid, en petits morceaux
- ¼ tasse d'eau glacée

Garniture :

- 1 c. à soupe d'huile d'olive
- 1 petit oignon rouge, en tranches de 6 mm (¼ po)
- 1 tasse de basilic frais, tranché mince
- ½ tasse de parmesan râpé
- ¾ tasse de tomates-cerises jaunes, coupées en deux
- ¾ tasse de tomates-cerises rouges, coupées en deux

1 **Croûte.** Mélangez la farine, le sel et le beurre au robot : la préparation doit ressembler à une chapelure grossière. Ajoutez l'eau peu à peu et travaillez la pâte pour qu'elle tienne ensemble, pas plus. Façonnez-la en boule que vous aplatirez ; enveloppez-la de pellicule plastique et réfrigérez-la 1 heure.

2 Préchauffez le four à 260 °C (500 °F). Retirez la pâte du réfrigérateur et déposez-la sur un plan de travail fariné. Abaissez-la pour former un cercle de 25 cm (10 po). Posez l'abaisse sur une plaque et mettez-la au congélateur 20 minutes pour que la pâte se détende ; elle aura moins tendance à rétrécir à la cuisson.

3 **Garniture.** Aspergez l'abaisse d'huile jusqu'à 1 cm (½ po) du bord. Étalez les tranches d'oignon, le basilic et la moitié du parmesan. Distribuez toutes les tomates-cerises par-dessus et saupoudrez-les avec le reste du parmesan.

4 Enfournez et faites cuire 25 minutes. La tourte doit être dorée, croustillante et très chaude. Donne 6 portions.

Par portion : Calories 220 ; Gras total 13 g ;
Gras saturé 7 g ; Protéines 7 g ;
Hydrates de carbone 20 g ; Fibres 2 g ;
Sodium 284 mg ; Cholestérol 27 mg

Préparation : 20 minutes
Repos : 1 h 20
Cuisson : 30 minutes

À l'arrière-plan, tourte de poivron rouge au gorgonzola avec une pâte feuilletée ; à l'avant, tourte de tomates à l'oignon.

LÉGUMES-REPAS

Les ragoûts de légumes cuits et gratinés au four sont nourrissants, savoureux et faciles à réussir. Ils font partie d'une bonne cuisine estivale.

PLATS AU FOUR

La plupart des légumes peuvent entrer dans des plats mixtes comprenant une sauce épaisse, de la viande, des fines herbes et une garniture de fromage râpé ou de chapelure au beurre, gratinée à la dernière minute. C'est une formule très utile.

On connaît la moussaka. Ce plat grec, habituellement à base d'aubergine, admet toutes les variantes. On peut le préparer avec des courgettes, des concombres, des pommes de terre ou des cœurs d'artichauts, cuits et tranchés. La sauce peut renfermer ou non de la viande. Quant à la garniture, on a le choix entre des œufs battus additionnés de yogourt, du fromage râpé ou de la chapelure au beurre, à la manière d'un gratin. Bref, toutes les alliances sont permises et le choix vous revient.

ACHAT DES AUBERGINES

Pour réaliser les recettes des deux pages qui suivent, nous avons choisi l'aubergine la plus courante et la moins chère, ferme et dodue avec une pelure violet foncé.

Choisissez des sujets qui sont lourds pour leur taille et dont la peau est lisse et luisante, sans marque ni meurtrissure. Dans la plupart des recettes, vous pouvez laisser la peau.

L'aubergine violette pèse entre 500 g et 2 kg (1-5 lb). Préférez les sujets petits ; leur chair est plus douce, leur peau plus tendre et elles ont des graines plus petites et moins âcres. Ne les gardez pas plus de trois ou quatre jours au réfrigérateur.

PRÉPARATION

Les aubergines boivent l'huile comme une éponge. Elles renferment beaucoup d'eau et peuvent être amères.

Les nouvelles variétés sont, sur le plan de l'amertume, bien supérieures aux anciennes. On peut les utiliser telles quelles. Autrement, il est préférable de les faire dégorger de la manière suivante.

Tranchez l'aubergine et salez les tranches des deux côtés. Empilez-les en glissant de l'essuie-tout entre elles. Par-dessus, installez une planche à découper sur laquelle vous mettrez plusieurs boîtes de conserve ou autres objets lourds. Laissez ainsi 30 mi-

QUATRE SORTES D'AUBERGINES

Pauvre en calories et dépourvue de gras, l'aubergine a une saveur douce qui s'associe bien à d'autres ingrédients. Elle pousse un peu partout dans le monde. En voici quatre variétés qu'on trouve assez facilement.

1. Aubergine blanche de la Méditerranée. Sa chair est ferme et sa peau coriace. Il est préférable de la peler avant de l'utiliser en cuisine. **2.** Aubergine japonaise. Elle est longue et effilée. Sa saveur est très fine et même un peu sucrée ; sa peau est tendre. **3.** Aubergine à gros fruits. On la trouve constamment sur les marchés. Piriforme, elle a la peau violette, la chair tendre. Nous l'utilisons dans la moussaka. **4.** Petite aubergine italienne. La variété à peau blanche est rare, celle à peau violette, très répandue et fort appréciée pour les marinades et les plats cuisinés.

nutes. En comprimant la chair, vous la rendez moins poreuse. Épongez à fond après.

Note : le même traitement permet de débarrasser les courgettes d'une partie de leur eau de végétation, et les gros concombres, de leur amertume.

Si vous voulez préparer une ratatouille ou une sauce à spaghetti avec de l'aubergine, détaillez-la en gros morceaux que vous remuerez dans le sel. Puis, disposez-les entre des feuilles d'essuie-tout et mettez

un poids par-dessus. Épongez parfaitement après.

BELLE APPARENCE

Faites cuire l'aubergine dans des ustensiles qui ne sont pas en aluminium. Ce métal a pour effet de décolorer le légume.

RÔTISSAGE

Les tranches d'aubergine peuvent être rôties sous le gril,
(suite à la page 160)

Moussaka

1	grosse boîte (796 ml/ 28 oz) de tomates entières, égouttées et concassées		500	g (1 lb) d'épaule d'agneau, hachée
1	gros oignon, haché		½	c. à thé de cannelle
2	gousses d'ail, hachées		1	grosse aubergine, détaillée en tranches de 1 cm (½ po)
½	c. à thé de thym séché		6	c. à soupe d'huile d'olive
½	c. à thé d'origan séché		2	c. à soupe de beurre doux
1½	c. à thé de sel		2	c. à soupe de farine
½	c. à thé de poivre noir		1	tasse de lait
			1	œuf, légèrement battu

1 Dans une grande casserole, amenez les tomates à ébullition à feu vif avec l'oignon, l'ail, le thym, l'origan, 1 c. à thé de sel et le poivre. Baissez le feu et laissez mijoter tranquillement pendant 20 minutes sans couvrir la casserole et en remuant de temps à autre.

2 Dans une grande sauteuse, faites revenir l'agneau dans son propre gras jusqu'à ce qu'il commence à brunir; prévoyez 20 minutes environ. Mettez la viande dans la sauce aux tomates, ajoutez la cannelle et réservez.

3 Allumez le gril. Huilez généreusement les tranches d'aubergine des deux côtés. Au besoin, travaillez par portions. Disposez des tranches côte à côte sur une plaque et faites-les griller à 10 cm (4 po) de l'élément; comptez 5 minutes de chaque côté. Réservez.

4 Préchauffez le four à 180 °C (350 °F). Disposez une couche d'aubergine dans un plat à four de 20 x 20 x 5 cm (8 x 8 x 2 po), non graissé, et nappez de 1¼ tasse de sauce. Répétez deux fois ces opérations.

5 Dans une casserole moyenne, faites fondre le beurre à feu modéré. Incorporez la farine et le reste du sel. Ajoutez peu à peu le lait en battant au fouet et laissez cuire 3 à 5 minutes en fouettant constamment : la sauce doit épaissir. Incorporez 2 c. à soupe de cette sauce à l'œuf, toujours au fouet. Versez-le dans la casserole et continuez à fouetter.

6 Versez la sauce à l'œuf sur la moussaka, enfournez sans couvrir et laissez gratiner 40 minutes environ. Attendez 10 minutes avant de découper. Donne 4 portions.

Par portion : Calories 619 ; Gras total 43 g ; Gras saturé 11 g ; Protéines 28 g ; Hydrates de carbone 34 g ; Fibres 9 g ; Sodium 941 mg ; Cholestérol 136 mg

Préparation : 45 minutes
Cuisson : 45 minutes

FAIRE DÉGORGER L'AUBERGINE

1 Au moins une demi-heure avant la cuisson, coupez l'aubergine en tranches de 1 cm (½ po). Salez-les de chaque côté.

2 Glissez de l'essuie-tout entre les tranches; mettez et une plaque à biscuits et des assiettes par-dessus.

FAIRE GRILLER L'AUBERGINE

Badigeonnez ou vaporisez les tranches d'huile, mettez-les sur une plaque et faites-les rôtir à 10 cm (4 po) de l'élément, d'un côté puis de l'autre.

(suite de la page 158)

comme dans notre recette, au four ou dans une sauteuse.

Si vous utilisez le four, préchauffez-le à 200 °C (400 °F). Huilez à peine le fond d'un moule à gâteau roulé. Enfournez-le pour réchauffer l'huile. Disposez les tranches côte à côte et faites-les rôtir en les tournant une seule fois.

Vous pouvez aussi vous servir d'une sauteuse. Réchauffez-la pour qu'elle soit brûlante. Vaporisez les tranches d'aubergine d'enduit antiadhésif et faites-les rôtir d'un côté puis de l'autre. Disposez-les ensuite sur une plaque couverte d'essuie-tout et enfournez-les à 120 °C (250 °F) pendant que vous faites rôtir les autres.

BONNES TRANCHES

Relevées d'un peu d'huile ou garnies de parmesan râpé, les tranches d'aubergine rôties se servent en légume d'accompagnement; et elles se glissent dans un sandwich avec de la tomate et de la mozzarella ou dans un hambourgeois.

OBJECTIF SANS GRAS

Dans la moussaka, vous diminuez la teneur du plat en matières grasses si vous remplacez l'agneau par de la dinde, l'huile par un enduit antiadhésif aromatisé à l'huile et le lait entier par du lait allégé. Dans l'aubergine au parmesan, utilisez de la mozzarella allégée.

GAGNEZ DU TEMPS

La moussaka et l'aubergine au parmesan sont des plats qui peuvent être préparés la veille. Couvrez-les et réfrigérez-les. Le lendemain, laissez le plat tiédir 30 minutes avant de l'enfourner. Au besoin, augmentez un peu le temps de cuisson.

ABONDANCE D'AUBERGINES

Si votre jardin vous donne beaucoup d'aubergines, voici des façons de les utiliser. Ajoutez-les en dés à une sauce à spaghetti. Faites-les rôtir au gril, tranchez-les en lanières et joignez-les aux pâtes sous une sauce aux tomates fraîches.

Ou préparez une sauce trempette à l'ail et à l'aubergine. Prenez une aubergine, ôtez une tranche du côté de la tige et coupez-la en deux sur la longueur. Entaillez la chair, salez-la et laissez-la dégorger pendant 30 minutes. Épongez, vaporisez d'huile et faites rôtir 30 minutes à 200 °C (400 °F), chair dessus. Mettez 3 gousses d'ail non pelées à côté et prolongez la cuisson de 15 minutes. Laissez refroidir l'aubergine, retirez la chair, défaites-la en purée avec les

AUBERGINE AU PARMESAN

Préparez la sauce comme à l'étape 1, page 159. Sautez l'étape 2. À l'étape 3, faites griller 2 aubergines, mais avec 2 c. à soupe d'huile d'olive seulement. Baissez le four à 180 °C (350 °F). Mélangez **1 tasse de chapelure, 2 c. à soupe de beurre fondu, ½ tasse de parmesan râpé** et **2 c. à soupe de persil haché**. Versez ¼ tasse de sauce aux tomates dans un plat non graissé. Étalez par-dessus le tiers des aubergines, ½ tasse de chapelure, 1 tasse de sauce et 1 tasse de **mozzarella râpée**. Répétez deux fois. Couvrez de papier d'aluminium, côté brillant dessous, et faites cuire 30 minutes. Attendez 10 minutes avant de servir. Donne 6 portions.

gousses d'ail dégagées de leur peau, 2 c. à soupe de jus de citron, 3 c. à soupe d'huile d'olive, 2 c. à soupe de pâte de sésame (tahini), ¼ tasse de persil haché, un peu de sel et du poivre noir. Couvrez, réfrigérez 1 heure et servez.

CHIMIE CULINAIRE

La quantité de calories que renferme 1 tasse d'aubergine peut grimper de 25 à 700 quand elle est cuite à grande friture. Pourquoi donc? La chair de l'aubergine a de grandes cellules, pleines d'air. La chaleur de la cuisson chasse cet air; l'huile entre pour remplir le vide. Quand l'aubergine refroidit, les cellules se referment, emprisonnant l'huile qui s'y trouve. Il est donc préférable d'éviter ce type de cuisson pour l'aubergine et de la faire griller après l'avoir badigeonnée d'un peu d'huile ou vaporisée d'un enduit végétal.

SALADES ET VINAIGRETTES

SALADE DE FRUITS

Des fruits de première qualité, bien choisis et bien coupés, font le succès de ce dessert, excellent pour la santé et d'une belle venue sur la table.

UN BON CHOIX

Prenez des fruits mûrs à point et de toute première qualité. Ne multipliez pas indûment les variétés : vous risqueriez de masquer la texture et la saveur unique de chacun.

Préparez la salade à la toute dernière minute avant de passer à table. Mais sortez les fruits à l'avance du réfrigérateur et lavez-les brièvement à l'eau froide.

ÉVITER L'OXYDATION

Certains fruits durs, comme les pommes et les poires, s'oxydent dès qu'ils sont pelés si on ne les plonge pas dans un mélange acidulé. Plongez-les dans 4 tasses d'eau additionnées, au choix, de ½ tasse de vin blanc, 3 c. à soupe de jus de citron ou 2 c. à soupe de vinaigre.

Les fruits tendres – abricots, bananes, pêches, nectarines – se décolorent. Tournez-les dans du jus de citron ou de lime légèrement sucré.

MARIAGES HEUREUX

Fromage. Il va sans dire qu'un fromage doux se sert avec des fruits peu goûteux, un fromage très parfumé avec des fruits très aromatiques : camembert et raisins, cheddar et pomme.

Vanille. Quelques gouttes d'essence de vanille soulignent la douceur des fruits : vous mettrez moins de sucre.

Fines herbes. La menthe convient à tous. Mais essayez ces alliances inédites : fraises et basilic ; pêches, abricots et agrumes avec de la coriandre ; agrumes et romarin.

Crème et yogourt. La crème, nature, sure ou fouettée, et le yogourt accompagnent très bien les baies et les drupes.

Alcool. Servez les baies et les agrumes avec quelques gouttes de fine liqueur.

ACCESSOIRES

Pelez et parez les petits fruits avec un petit couteau, épluchez les fruits durs.

DES CHIFFRES

1 citron =
2 à 4 c. à soupe de jus

1 lime = environ
2 c. à soupe de jus

1 orange moyenne =
⅓ à ½ tasse de jus

COMMENT PRÉPARER UN FRUIT TROPICAL

Blanchissez les pêches ou les nectarines quelques secondes dans l'eau bouillante avant de les peler, comme vous le feriez pour les tomates (voir page 94). Voici comment préparer quelques autres fruits.

Carambole. Pelez l'arête des côtes et tranchez le fruit en sens transversal.

Kiwi. Tranchez à un bout ; faites glisser une cuiller pour dégager la chair ; détachez-la avec vos doigts.

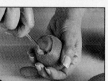

Mangue. Tranchez en deux le long du noyau. Incisez des tranches ou des dés ; détachez-les de la peau.

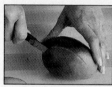

Papaye. Pelez le fruit. Coupez-le en deux sur la longueur. Enlevez la semence. Détaillez les moitiés en tranches ou en dés.

Melon. Découpez-le en quartiers et, avec un couteau d'office, dégagez la chair de l'écorce. Ou découpez des motifs en gardant l'écorce.

Ananas. Avec un couteau très coupant, pelez la peau en décrivant une spirale et en passant sous les yeux. Tranchez ensuite en rondelles ou de haut en bas autour du cœur.

Petits fruits en neige légère

Dans la recette ci-contre, remplacez la crème sure par **⅔ tasse de crème sure allégée**, la crème épaisse par **¼ tasse de yogourt allégé à la vanille** et la liqueur à l'orange par **1 c. à soupe de nectar à l'abricot** et **¼ c. à thé de muscade.**

Fruits tropicaux et crème au sésame

Fouettez **½ tasse de crème sure** et **¼ tasse de jus d'orange** avec **2 c. à soupe de vinaigre de vin blanc, 2 c. à soupe de miel, 5 c. à thé d'huile de sésame, 1 c. à soupe de graines de sésame grillées** et **½ c. à thé de zeste d'orange râpé.** Servez cette crème sur des quartiers de melon brodé ou de melon de miel, combinés à des tranches de kiwi, d'ananas, de mangue ou de papaye. Donne ¾ à 1 tasse de crème ou 4 portions.

Fruits à noyau et vinaigrette épicée

Fouettez **2 c. à soupe d'huile de noix** avec **3 c. à soupe de vinaigre balsamique, 3 c. à soupe de vinaigre de xérès, ½ c. à thé de poivre noir** et **½ c. à thé de sucre.** Servez sur des tranches de nectarines, de pêches et/ou de prunes. Donne ½ tasse de vinaigrette ou 4 portions.

Petits fruits sous la neige

⅔ **tasse de crème sure**
¼ **tasse de crème épaisse**
3 **c. à soupe de sirop d'érable**
1 **c. à soupe de liqueur à l'orange**
2 **c. à thé d'essence de vanille**
1 **tasse de mûres entières**
1 **tasse de bleuets entiers**
1 **tasse de framboises entières**
2 **tasses de fraises, équeutées et tranchées**

1 Dans un petit bol, mélangez la crème sure, la crème épaisse, le sirop d'érable, la liqueur et l'essence de vanille ; couvrez et réfrigérez jusqu'au moment de servir.

2 Juste avant de servir, lavez rapidement les baies (mais non les fraises tranchées) et épongez-les sur de l'essuie-tout.

3 Déposez-les dans un grand saladier ou dans de petits plats individuels, nappez-les de la sauce réfrigérée et servez. Donne 4 portions.

Par portion : Calories 266 ; Gras total 14 g ; Gras saturé 9 g ; Protéines 3 g ; Hydrates de carbone 32 g ; Fibres 5 g ; Sodium 31 mg ; Cholestérol 38 mg

Préparation : 15 à 20 minutes

SALADE EN ASPIC

L'aspic est une vipère; il a donné son nom à un entremets en gelée parce que les moules, à l'origine, étaient en forme de serpent roulé.

L'ASPIC

L'ingrédient de base de l'aspic est la gélatine, protéine animale vendue en poudre. Réchauffée dans un liquide, la gélatine donne un produit visqueux qui prend en gelée au froid. Il faut 1 c. à soupe (un sachet) de gélatine pour 2 tasses de liquide et 1½ tasse de fruits ou de légumes.

MISE EN FORME

Si l'aspic n'est pas bien monté, il peut se séparer au démoulage. Avant d'ajouter une couche, laissez la précédente prendre à demi. La nouvelle couche doit être froide et déjà un peu épaissie pour ne pas faire fondre la précédente.

TOUT VIENT À POINT

Les gélatines exigent trois ou quatre heures de réfrigération. Mettez toutes les chances de votre côté : attendez six à huit heures ou jusqu'au lendemain.

Les gélatines qui prennent lentement au réfrigérateur sont plus robustes que les gelées vite prises. Mais si vous êtes pressé, mettez le bol de gélatine dans un grand bol d'eau glacée et remuez jusqu'à ce que la gelée prenne.

LE MOULE

Vous démoulerez facilement l'aspic si vous avez pris le temps de préparer le moule. Passez-le à l'eau froide ou, mieux encore, enduisez-le d'huile à salade appliquée avec un tampon d'essuie-tout ; vous pouvez aussi mettre une fine couche d'enduit antiadhésif.

FRUITS À PROBLÈMES

Si vous avez déjà éprouvé des difficultés à réussir des aspics aux fruits, il s'y trouvait peut-être de l'ananas, des figues, du kiwi ou de la papaye. Ces fruits renferment en effet une enzyme qui inhibe la protéine de la gélatine. Pour la désactiver, hachez la chair de ces fruits, sauf celle des kiwis, et faites-la bouillir pendant 5 minutes. Ne prenez pas de risques : employez une fois et demie la quantité de gélatine prescrite dans la salade.

DÉMOULAGE D'UN ASPIC

Avant de démouler un aspic salé ou sucré, assurez-vous que la gelée est bien prise.

1 Passez un couteau à l'eau froide et glissez-le le long de la paroi du moule. Mouillez l'assiette de service et le dessus de l'aspic avec vos doigts.

2 Plongez le moule dans l'eau tiède pendant 10 secondes. Agitez-le très doucement. Posez l'assiette sur le moule et tournez le tout à l'envers.

3 Retirez le moule pour dégager l'aspic. Inclinez l'assiette pour placer l'aspic au centre.

ASPIC ÉTAGÉ

Suivez la recette de la page ci-contre jusqu'à l'étape 5, en remplaçant le basilic par ½ **tasse de coriandre ciselée.** Versez la moitié de l'appareil dans un grand bol et laissez-le se raffermir légèrement au réfrigérateur – 45 à 60 minutes. Incorporez-lui ½ **tasse de grains de maïs** et ¼ **tasse de poivron vert haché fin.** Exécutez les étapes 5 à 9. Versez le reste de l'appareil aux tomates dans un autre grand bol et laissez-le se raffermir légèrement au réfrigérateur – 30 à 45 minutes. Incorporez une fois encore ½ **tasse de grains de maïs et ¼ tasse de poivron vert haché fin.** Versez cet appareil sur l'apprêt crémeux, dans le moule à pain, et faites refroidir comme à l'étape 10. Démoulez et servez. Donne 8 portions.

VARIANTES DE L'ASPIC EN RUBAN

Suivez la recette de la page ci-contre pour ces variantes.

Apprêt aux tomates. Remplacez le céleri, la carotte et l'oignon vert par ½ tasse de céleri haché et ½ tasse de poivrons orange et jaune hachés ; ou par ½ tasse d'oignon vert haché, ½ tasse d'avocat en dés et ½ tasse de jicama haché.

Apprêt crémeux. À la fin de l'étape 8, ajoutez l'un ou l'autre des ingrédients suivants : 1 tasse de concombre, pelé, épépiné et haché, ou ¼ tasse d'oignon rouge, haché, ou ¼ tasse d'aneth frais, haché fin.

Aspic en ruban rouge et blanc

Apprêt aux tomates :

- 4½ tasses de jus de tomate ou de jus de légumes ou 3½ tasses de jus et 1 tasse de Bouillon végétarien (page 45)
- 1 côte de céleri, tranchée mince
- 1 carotte, épluchée et tranchée mince
- 1 oignon vert, haché
- ½ tasse de basilic frais, ciselé, ou 3 c. à soupe de basilic séché
- ½ c. à thé de grains de poivre noir
- 2 sachets de gélatine sans saveur
- 2 c. à soupe de vinaigre balsamique
- ½ à ¾ c. à thé de sauce Tabasco

Apprêt crémeux :

- ½ tasse de Bouillon végétarien (page 45)
- 1 sachet de gélatine sans saveur
- ½ tasse de lait
- 2 gousses d'ail, hachées
- 1 paquet (250 g/8 oz) de fromage à la crème ou 1 tasse de crème sure
- ¼ c. à thé de sauce Tabasco

1 **Apprêt aux tomates.** Dans une casserole moyenne et à feu vif, amenez 2¼ tasses de jus de tomate à ébullition avec le céleri, la carotte, l'oignon vert, le basilic et les grains de poivre. Couvrez et laissez mijoter à feu doux pendant 8 à 10 minutes.

2 Dans l'intervalle, versez dans un grand bol les 2¼ tasses de jus de tomate qui restent ; saupoudrez la gélatine en surface et laissez-la gonfler 1 ou 2 minutes.

3 Sur le bol où se trouve la gélatine, posez un tamis tapissé de deux épaisseurs d'étamine de coton. Versez-y le jus réchauffé ; extrayez des légumes aromatiques le plus de liquide possible.

4 Remuez pendant 3 à 5 minutes pour faire fondre la gélatine. Incorporez le vinaigre et la sauce Tabasco.

5 Versez la moitié de cette gelée dans un moule à pain graissé de 22 x 12 x 7 cm (9 x 5 x 3 po), ou dans des moules individuels, et réfrigérez 45 à 60 minutes sans couvrir.

6 **Apprêt crémeux.** Versez le bouillon dans une casserole et saupoudrez la gélatine en surface. Laissez-la gonfler 2 minutes.

7 Ajoutez le lait et l'ail et faites fondre la gélatine à feu doux en remuant sans arrêt. Prévoyez 3 à 5 minutes.

8 Déposez le fromage à la crème et le tabasco dans le gobelet du mélangeur et ajoutez le mélange précédent après l'avoir passé à travers un fin tamis. Travaillez le tout pendant 30 secondes à grande vitesse. Versez l'apprêt dans un bol, couvrez et réfrigérez 20 à 30 minutes en remuant de temps à autre : il doit épaissir un peu.

9 Versez lentement cet apprêt par-dessus l'apprêt aux tomates, dans le moule à pain, et mettez-le à découvert au réfrigérateur pour qu'il épaississe sans prendre complètement. Prévoyez 30 à 40 minutes.

10 Quand cet apprêt est à son tour très épais, mais non ferme, versez dessus le reste de l'apprêt aux tomates et réfrigérez sans couvrir jusqu'à ce que l'aspic au complet soit bien pris. Prévoyez au moins 3 à 4 heures. Démoulez comme dans l'encadré de la page ci-contre. Donne 8 portions.

Par portion : Calories 151 ; Gras total 11 g ; Gras saturé 7 g ; Protéines 6 g ; Hydrates de carbone 9 g ; Fibres 1 g ; Sodium 619 mg ; Cholestérol 33 mg

Préparation : 30 minutes
Cuisson : 15 minutes
Réfrigération : 5 h 30

SALADE VERTE

La qualité d'une salade verte dépend de la fraîcheur des ingrédients et de leur harmonie.

PROPRES, SÈCHES ET CROQUANTES

Il est préférable de laver et d'assécher les laitues juste avant l'usage. Mais si vous préférez les préparer d'avance pour en avoir sous la main au moment où vous en avez besoin, voici quoi faire.

Éliminez les racines et les feuilles altérées. Lavez les feuilles dans un grand bol d'eau froide; soulevez-les à plusieurs reprises pour que les grains de sable se détachent. Mettez-les dans une passoire. Remuez-les et secouez-les de temps à autre jusqu'à ce qu'elles ne dégouttent plus.

Enveloppez-les dans plusieurs épaisseurs d'essuie-tout ou dans un linge à vaisselle en coton. Glissez-les dans un sac de plastique aéré et réfrigérez.

Ne coupez pas, ne déchiquetez pas les feuilles d'avance. Une telle manipulation provoque l'émergence d'une enzyme qui détruit la vitamine C.

SALADE PANACHÉE

On trouve maintenant des laitues dont les coloris vont du vert vif au rouge intense et les textures, du tendre au très croquant. Exercez-vous à marier les textures et les couleurs.

SALADE COMPOSÉE

On peut étoffer une salade verte pour en faire une salade-repas en lui ajoutant des œufs durs et des tranches de viande ou de volaille, du poisson ou des fruits de mer.

Vous voudrez peut-être assaisonner d'avance les viandes et les poissons. Dans ce cas, dressez-les au moment du service sur un lit de verdures panachées.

SALADE CÉSAR

La recette traditionnelle d'une salade César requiert l'addition d'un œuf cru. Aujourd'hui, la publicité entourant de possibles intoxications à la salmonelle a mis le public sur ses gardes, même si les risques sont minimes. Bref, l'œuf cru a perdu de sa popularité.

Dans certains livres, on recommande de le remplacer par un jaune d'œuf dur battu dans l'huile. Ici, nous utilisons plutôt de la mayonnaise commerciale. (Elle renferme des œufs, mais le traitement qu'ils ont subi les rend sûrs.) Les sauces César en flacon ne renferment pas d'œufs crus.

Par ailleurs, on peut remplacer les trois filets d'anchois par 1 c. à thé de pâte d'anchois.

L'ÉVENTAIL DES VERDURES

Tous les légumes feuillus sont bons pour la santé, mais certains sont meilleurs que d'autres. La recherche démontre sans cesse davantage leur importance en alimentation.

Chou vert frisé. Sa feuille très frisée et bien verte a un goût subtil de chou. Membre comme lui de la famille des crucifères, il lutte contre le cancer. Bonne source de vitamine C et de bêta-carotène (voir feuilles de betterave, ci-dessous), il est aussi indiqué dans les cas de maladies cardiaques.

Cresson. Cette petite verdure aux feuilles joliment dessinées et au goût acide et piquant mériterait d'être utilisée plus souvent dans la salade. Comme la roquette (voir ci-dessous), elle fait partie de la famille des crucifères et, à ce titre, combat certaines formes de cancer. C'est aussi une bonne source de vitamine C et de calcium.

Épinards. Il faut les laver avec soin. Les épinards sont une excellente source de bêta-carotène et de vitamine A, mais aussi de folacine (une vitamine B) et de potassium.

Feuilles de betterave. On inclut dans le même groupe les feuilles de navet, de pissenlit et de moutarde. Jeunes et tendres, elles sont excellentes en salade et riches en bêta-carotène (précurseur de la vitamine A) et en vitamine C, éléments qui luttent contre certains cancers. Les feuilles de navet, pour leur part, contiennent aussi du calcium

Persil. On a tort de s'en servir uniquement pour la décoration. C'est une excellente source de vitamine C et de bêta-carotène et son goût piquant relève les salades vertes.

Roquette. On l'appelle aussi arugula, de son nom italien, et sa saveur, un peu piquante, rappelle nettement l'arachide. Il faut la laver avec soin. La roquette renferme plus de vitamine C que les autres laitues et elle offre aussi du calcium. C'est une plante crucifère, comme le chou, et, comme lui, elle contient des éléments anticancérigènes appelés indoles.

UN ATOUT
L'essoreuse à salade

C'est un appareil simple et peu coûteux qui assèche à la perfection les feuilles de salade. Vous les mettez dans le panier perforé et vous lui imprimez un mouvement de rotation à l'aide d'une manivelle ou d'une ficelle. Vous n'avez qu'à rincer l'appareil après usage. Pour obtenir un rendement maximal, ne le surchargez pas.

Salade santé

Suivez la recette ci-contre, mais n'huilez pas le pain ; faites-le griller et frottez-le d'ail. Dans la vinaigrette, remplacez l'huile d'olive par **3 c. à soupe de yogourt nature écrémé** et **1 c. à soupe de crème sure allégée**, et la mayonnaire normale par de la **mayonnaise allégée**. Ne mettez que 1 c. à soupe de jus de citron. Ajoutez **2 oignons verts**, tranchés mince, et **½ c. à thé d'estragon séché**. Donne 4 portions.

Salade tiède d'épinards au sésame

Exécutez l'étape 1 ci-contre. Ensuite, faites cuire 5 minutes à feu doux **100 g (3 oz) de prosciutto** en lanières. Épongez-le sur de l'essuie-tout. Mesurez le gras laissé dans la sauteuse et complétez avec de l'**huile de sésame** pour avoir ¼ tasse de gras. Versez-le dans la sauteuse, ajoutez **5 c. à thé de vinaigre de vin rouge, 2 c. à thé de sucre** et **½ c. à thé de sel**. Réchauffez 2 minutes. Dans un saladier, mélangez **300 g (10 oz) d'épinards**, lavés et déchiquetés, **250 g (8 oz) de champignons**, tranchés mince, les croûtons, le prosciutto et la vinaigrette. Remuez bien. Donne 4 portions.

Nouvelle salade César

- **3** **gousses d'ail, pelées et coupées en deux**
- **4** **tranches de pain baguette de 1 cm (½ po) d'épaisseur**
- **5** **c. à soupe d'huile d'olive**
- **3** **c. à soupe de mayonnaise**
- **3** **c. à soupe de jus de citron**
- **6** **anchois, écrasés, ou 2 c. à thé de pâte d'anchois**
- **¼** **c. à thé de sel**
- **¼** **c. à thé de poivre noir**
- **1** **pomme moyenne de romaine, déchiquetée**
- **¼** **tasse de parmesan râpé**

1 Préchauffez le four à 200 °C (400 °F). Frottez les tranches de pain des deux côtés avec 2 gousses d'ail. Badigeonnez-les avec 2 c. à soupe d'huile et découpez-les en dés. Étalez ces dés dans une lèchefrite non graissée, enfournez et faites rôtir à découvert 10 minutes. Remuez de temps à autre. Retirez-les quand ils sont dorés.

2 Pendant ce temps, frottez un grand saladier rafraîchi avec la dernière gousse d'ail. Ajoutez la mayonnaise, le jus de citron, les anchois, le sel, le poivre et les 3 c. à soupe d'huile qui restent. Fouettez jusqu'à consistance crémeuse. Ajoutez la romaine, le parmesan et les croûtons. Remuez bien. Répartissez la salade entre quatre assiettes refroidies. Donne 4 portions.

Par portion : Calories 356 ; Gras total 29 g ; Gras saturé 5 g ; Protéines 8 g ; Hydrates de carbone 18 g ; Fibres 2 g ; Sodium 586 mg ; Cholestérol 15 mg

Préparation : 15 minutes • Cuisson : 10 minutes

SALADE DE CHOU PIQUANTE

Le chou râpé supporte vaillamment les vinaigrettes chaudes, tièdes ou froides, sans rien perdre de son croquant ni de sa fraîche saveur.

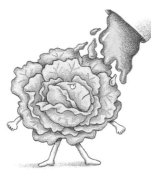

LES CHOUX

Les choux font partie de la grande famille des crucifères, qui inclut des légumes vert foncé, comme le brocoli, blancs, comme le chou-fleur, et des petits sujets, comme les choux de Bruxelles.

VALEUR NUTRITIVE

Le chou est riche en éléments nutritifs. Une tasse de chou vert cuit renferme presque la quantité quotidienne recommandée de vitamine C ; le chou rouge, lui, offre un apport complet. Le chou est aussi riche en fibres. On dit enfin qu'il combat le cancer et aide à revitaliser le système immunitaire.

OBJECTIF SANS GRAS

Le chou en lui-même ne contient pas de cholestérol, mais les sauces qui l'accompagnent sont souvent grasses. Les salades tièdes renferment habituellement du bacon et la graisse de ce bacon. Vous pouvez lui substituer du bacon de dos, moins gras, ou de dinde. Vous pouvez aussi supprimer le bacon et préparer la sauce avec de l'huile végétale.

Remplacez la mayonnaise ordinaire par de la mayonnaise allégée, seule ou mélangée à du yogourt nature et additionnée d'un peu de vinaigre de cidre. Ou confectionnez une sauce au yogourt en mélangeant 1/3 tasse de yogourt nature écrémé avec 2 c. à soupe de persil haché, 2 c. à soupe d'huile d'olive, 1 c. à soupe de moutarde de Dijon et 2 c. à thé de jus de lime.

FRAIS ET CROQUANT

Si vous servez une salade froide, râpez le chou et laissez-le au moins 1 heure dans de

COMMENT RÂPER DES CAROTTES

Utilisez une râpe à gros trous. Tenez la carotte fermement en plaçant vos jointures loin des aspérités de la râpe.

l'eau glacée. Égouttez-le, épongez-le à fond dans un linge à vaisselle et réfrigérez-le jusqu'au service.

CHOIX DU CHOU

Les trois choux les plus courants – le vert, le rouge et le chou de Milan – se préparent en salade. On les trouve à longueur d'année, bien que le chou de Milan puisse être un peu plus rare en hiver.

Prenez des choux compacts et lourds. Prévoyez 150 g (5 oz) par personne ; 500 g (1 lb) donnent 4 tasses de chou râpé.

Le chou se conserve deux semaines dans le bac à légumes. Couvrez-le mais ne l'enfermez pas dans un sac.

LA CHOUCROUTE

Notre recette de salade tiède – une variante de la recette principale – associe chou et choucroute. Cette dernière s'achète en boîte ou en vrac. Goûtez-y : si elle est salée ou acide, faites-la tremper dans de l'eau froide 15 à 30 minutes, puis égouttez-la.

PRÉPARATION DU CHOU

Tranchez le chou avec le côté tranchant de la râpe, ou le couteau-disque moyen (3 mm) du robot. Ou émincez-le comme ceci :

1 Avec un grand couteau de chef, coupez le chou en quatre à travers le trognon. Découpez le trognon et supprimez-le.

2 Côté coupé dessous, détaillez les quartiers transversalement en fines tranches. Elles se sépareront d'elles-mêmes en lanières que vous pourrez hacher plus fin au besoin.

On peut également trouver de la choucroute fraîche, marinée mais non cuite. Égouttez-la et placez-la dans une casserole inoxydable avec de l'eau ou du bouillon de poulet à hauteur. Couvrez et laissez mijoter 30 à 40 minutes ou jusqu'à ce qu'elle soit tendre.

Salade aigre-douce de chou et de carottes

8 tasses de chou râpé (environ 1 petit chou vert)

2 carottes, épluchées et râpées

1 poivron rouge, paré, épépiné et haché fin

⅓ tasse d'huile de maïs

1 oignon rouge moyen, haché fin

2 c. à soupe de cassonade brune

⅓ tasse de vinaigre de cidre

1 c. à soupe de relish sucrée

1 c. à thé de moutarde de Dijon

1 c. à thé de sel

¼ c. à thé de poivre noir

1 Mettez le chou, les carottes et le poivron rouge dans un grand saladier calorifuge.

2 Réchauffez l'huile 1 minute à feu assez vif dans une grande sauteuse.

3 Ajoutez l'oignon et faites-le sauter 2 à 3 minutes. Incorporez le sucre et laissez cuire 2 minutes de plus. Ajoutez le vinaigre, la relish, la moutarde, le sel et le poivre. Mélangez bien.

4 Versez la vinaigrette chaude sur les légumes, dans le saladier, et remuez bien. Servez à la température de la pièce. Donne 8 portions.

Par portion : Calories 208 ; Gras total 17 g ; Gras saturé 6 g ; Protéines 6 g ; Hydrates de carbone 10 g ; Fibres 2 g ; Sodium 573 mg ; Cholestérol 20 mg

Préparation : 45 minutes
Cuisson : 10 minutes

SALADE TIÈDE DE CHOU ET DE CHOUCROUTE

Exécutez l'étape 1 ci-contre, avec **2 tasses de chou vert râpé** et **2 tasses de chou rouge râpé ;** supprimez les carottes et le poivron rouge. Passez à l'étape 4. Dans une grande sauteuse, réchauffez 10 minutes à feu modéré **2 tasses de choucroute, 1 c. à soupe de moutarde de Dijon, 2 tasses de sauce à salade crémeuse, ¼ tasse de sucre, 1 c. à soupe de graines de céleri,** et **¼ c. à thé chacun de sel et de poivre.** Remuez souvent ; ne laissez pas bouillir. Versez sur le chou et remuez. Donne 6 à 8 portions.

SALADE DE POMMES DE TERRE

Pommes de terre ou patates douces dans du vinaigre chaud : voilà qui tranche sur la mayonnaise traditionnelle.

LE BON INGRÉDIENT

Les meilleures pommes de terre pour les salades sont décrites comme cireuses, c'est-à-dire pauvres en amidon et fermes à la cuisson. Comme elles ont de la tenue, elles donnent des salades plus esthétiques. Les pommes de terre rouges et rondes et les pommes de terre nouvelles conviennent parfaitement.

SALADE PARFAITE

Choisissez des pommes de terre de même taille ou détaillez-les en morceaux uniformes qui cuiront dans le même laps de temps.

Si vous préférez couper les pommes de terre avant de les faire cuire, faites des tranches de 6 mm (¼ po) d'épaisseur et jetez-les dans l'eau froide pour éviter l'oxydation. Mais ne les laissez pas séjourner dans l'eau plus de 30 minutes.

Prévoyez 5 minutes de cuisson si les pommes de terre sont déjà coupées. Égouttez-les et laissez-les reposer 3 minutes dans la casserole couverte pour qu'elles s'imbibent de vapeur.

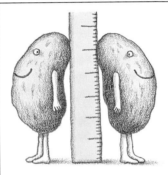

Pour que les pommes de terre restent bien blanches, ne les coupez pas avec un couteau en acier au carbone et ne les faites pas cuire dans la fonte noire ou l'aluminium : des réactions chimiques feraient noircir leur chair.

Pour conserver leur valeur nutritive et les garder fermes, faites-les cuire avec la peau. Pelez-les sitôt qu'elles sont tièdes. Note : gardez la peau des pommes de terre rouges : elle est tellement décorative !

Les pommes de terre chaudes absorbent beaucoup mieux les saveurs et les sauces que les pommes de terre froides. Garnissez-les sans attendre.

Mais si elles ont refroidi, réchauffez-les 4 à 5 minutes au micro-ondes, à *Medium,* avant de les garnir.

Remuez délicatement la salade pour ne pas briser les pommes de terre. Utilisez des couverts de bois ou faites le mélange avec les mains.

LE VINAIGRE

Une salade de pommes de terre enrobée de vinaigrette s'emporte bien en pique-nique parce qu'elle ne renferme ni œufs ni mayonnaise ; le vinaigre agit comme élément de conservation. Néanmoins, comme n'importe quel autre aliment, elle ne doit pas rester plus de deux heures à la température ambiante et le délai est plus court en été.

En pique-nique ou au jardin, servez la salade en petites quantités et conservez le reste dans la glacière.

PATATES DOUCES

Cuisez les patates douces avec un œil sur l'horloge ; trop cuites, elles se défont. Ne les épluchez pas d'avance. Jetez-les dans l'eau bouillante, couvrez et laissez mijoter doucement. Une patate entière cuit en 45 à 50 minutes ; en gros morceaux, prévoyez 30 à 35 minutes. Elles sont à point quand la fourchette pénètre sans résistance.

AUTRES RECETTES SANS MAYONNAISE

Salade de pommes de terre à la française. Pour 1,5 kg (3 lb) de pommes de terre cuites et tranchées, mélangez ¾ tasse d'huile d'olive, ¼ tasse de vinaigre à l'estragon, ½ c. à thé de sel, ½ c. à thé de moutarde préparée, ⅛ c. à thé de poivre noir fraîchement moulu, ¾ c. à thé de thym frais ciselé ou ¼ c. à thé de thym séché.

Mélangez les ingrédients, versez cette vinaigrette dans une casserole et réchauffez-la à feu modéré. Arrosez-en les pommes de terre. Ajoutez des câpres et du persil haché, si vous le désirez.

Salade de pommes de terre grecque. Pour 1,5 kg (3 lb) de pommes de terre cuites et tranchées, mélangez ¾ tasse d'huile d'olive, ⅓ tasse de jus de citron, 1 c. à soupe d'oignon haché et 3 c. à soupe de persil haché. Versez la vinaigrette sur les pommes de terre chaudes et ajoutez 3 œufs durs tranchés, au goût.

CHIMIE CULINAIRE

Pourquoi les pommes de terre nouvelles sont-elles idéales pour la salade ? Comme elles sont plus fermes et qu'elles renferment beaucoup d'eau, elles absorbent moins facilement l'eau de cuisson ou la vinaigrette. En conséquence, elles se détrempent moins dans le saladier.

DES CHIFFRES

Prévoyez 250 g (8 oz) de pommes de terre par portion.

Longues et blanches :
3 à 5 par 500 g (1 lb)

Nouvelles :
6 à 12 par 500 g (1 lb)

Rouges et rondes :
4 à 8 par 500 g (1 lb)

Patates douces :
1 à 4 par 500 g (1 lb)

Salade de pommes de terre chaude

4 tranches de lard maigre, détaillées en lardons	**¼** c. à thé de poivre noir
½ tasse d'oignon haché fin	**1,5** kg (3 lb) de petites pommes de terre rondes à pelure rouge ou blanche, cuites, épluchées et détaillées en tranches de 6 mm (¼ po) d'épaisseur
1 c. à soupe de farine	
½ tasse de Bouillon de bœuf maison (page 32) ou de bouillon en boîte	
½ tasse de vinaigre de cidre	**1** tasse d'oignons verts tranchés
2 c. à soupe de sucre	**¼** tasse de persil haché
1 c. à thé de sel	

1 Dans une sauteuse moyenne, faites dorer les lardons à feu plutôt doux pendant 5 minutes. Épongez-les sur de l'essuie-tout et réservez-les.

2 Jetez les oignons dans le gras de bacon et faites-les revenir 5 minutes. Incorporez la farine. Hors du feu, ajoutez peu à peu le bouillon, le vinaigre, le sucre, le sel et le poivre. Remettez la sauteuse sur le feu et faites prendre l'ébullition en remuant constamment. Laissez cuire 1 minute à feu doux et gardez ensuite la sauce au chaud.

3 Déposez les pommes de terre dans un saladier calorifuge ; ajoutez les oignons verts, le persil, les lardons réservés et enfin la vinaigrette. Remuez et servez. Donne 6 portions.

Par portion : Calories 307 ; Gras total 13 g ; Gras saturé 5 g ; Protéines 12 g ; Hydrates de carbone 37 g ; Fibres 3 g ; Sodium 778 mg ; Cholestérol 24 mg

Préparation : 30 minutes
Cuisson : 15 minutes environ

SALADE DE PATATES DOUCES À LA POMME VERTE

Dans la recette ci-dessus, utilisez des **patates douces,** cuites et détaillées en dés. Supprimez le sucre ; ajoutez **1 pomme granny smith,** parée mais non épluchée, coupée en dés. Donne 6 portions.

RIZ ET PÂTES EN SALADE

Le riz et les pâtes sont délicieux en salade lorsqu'on les associe à des légumes rôtis ou cuits à la vapeur. Et vous pouvez varier les vinaigrettes à l'infini.

RIZ EN SALADE

Le riz qu'on veut servir en salade doit être ferme et léger, jamais collant. Prenez du riz à longs grains. Faites-le cuire dans beaucoup d'eau bouillante salée. Dès qu'il est égoutté, incorporez la vinaigrette ; l'huile aura pour effet de bien séparer les grains.

PÂTES EN SALADE

Les pâtes doivent demeurer assez fermes : *al dente* comme disent les Italiens. Égouttez-les et nappez-les tout de suite de vinaigrette. Si vous devez les laisser refroidir, rincez-les à fond après la cuisson pour éliminer l'amidon qui, autrement, les ferait coller.

Bien que toutes les formes de pâtes se préparent en salade, songez à l'usage que vous en ferez. Les pâtes longues sont parfaites à table, mais les courtes conviennent mieux pour les buffets et les pique-niques, quand les convives doivent poser leur assiette en équilibre sur les genoux.

ASSAISONNEMENTS

Un mets froid doit être plus assaisonné qu'un mets chaud. Ne lésinez donc pas sur le sel, les fines herbes et les épices. Augmentez les quantités de fines herbes fraîches ou séchées du quart ou du tiers si le plat que vous préparez est destiné à être servi froid.

PRÉSENTATION

Les salades composées de petites pâtes ou de riz se présentent bien dans des légumes ou des fruits évidés. Pensez à des papayes, des avocats, des tomates, des poivrons rouges ou jaunes, des courgettes blanchies ou de gros chapeaux de champignons.

CONSEIL DE CHEF

Sara Moulton

« Le riz et les pâtes absorbent mieux les assaisonnements quand ils sont chauds. Dès que vous les avez égouttés, versez-y la vinaigrette et remuez. Ils s'imprégneront de ses saveurs. »

GAGNEZ DU TEMPS

Les salades de pâtes peuvent se préparer la veille : elles sont encore meilleures quand les saveurs ont eu le temps de se mélanger. Couvrez et réfrigérez jusqu'à une heure avant le service.

Par contre, les salades de riz se détrempent si elles sont préparées d'avance. Ajoutez la vinaigrette le jour du service.

Pour prendre de l'avance, faites cuire le riz et réfrigérez-le. Avant de monter la salade, réchauffez-le à couvert au micro-ondes, tasse par tasse. Aspergez-le d'eau et mettez-le 60 à 90 secondes à *Maximum* ; remuez après 40 secondes.

PLAT-REPAS

Essayez l'une ou l'autre des combinaisons suivantes : vous aurez un délicieux plat-repas.

Riz ou pâtes à la niçoise. Garnissez-les de thon, de haricots verts coupés, de tomates hachées, d'olives noires, d'oignon rouge haché, d'huile d'olive et de jus de citron.

Salade de crevettes à la grecque. Garnissez le riz ou les pâtes de crevettes cuites, de feta égrenée, d'aneth ciselé, d'huile d'olive et de jus de citron.

Salade de dinde. Garnissez le riz ou les pâtes de tranches de dinde, de pignons hachés, de raisins secs dorés et de céleri en dés. Mélangez avec une vinaigrette composée de 3 c. à soupe de yogourt nature, 2 c. à soupe de persil, 1 c. à soupe d'huile d'olive, 2 c. à thé de poudre de cari et 1 c. à thé de jus de citron.

Salade de poulet. Garnissez le riz ou les pâtes de blanc de poulet tranché ainsi que de basilic, de tomates et d'ail hachés ; nappez de vinaigrette.

Salade vite faite. Garnissez le riz ou les pâtes de pois chiches, de haricots rouges, de cœurs d'artichauts, de câpres, de piment doux rôti, d'olives et d'oignons verts hachés. Nappez de vinaigrette.

Les vinaigrettes ci-dessous conviennent à ces salades.

VINAIGRETTES

Vinaigrette simple. Mélangez au fouet ¼ tasse d'huile d'olive, 4 c. à thé de vinaigre et ½ c. à thé de sel. Donne ¼ tasse.

À la moutarde. Ajoutez 1 c. à thé de moutarde de Dijon.

Aux fines herbes. Ajoutez 1 c. à soupe d'estragon, de basilic, de ciboulette ou de persil, hachés fin.

À l'ail ou à l'échalote. Ajoutez 1 gousse d'ail, blanchie et hachée, ou 1 c. à soupe d'échalote ou d'oignon vert, hachés.

Fusillis aux poivrons rôtis

250 g (8 oz) de fusillis

1 poivron rouge moyen, rôti et détaillé en lanières de 6 mm (¼ po) de largeur

1 poivron jaune moyen, rôti et détaillé en lanières de 6 mm (¼ po) de largeur

2 c. à soupe d'huile d'olive

2 c. à soupe de vinaigre de vin rouge

½ c. à thé de sel

¼ c. à thé de poivre noir

2 c. à soupe de persil haché

2 c. à soupe de basilic frais, ciselé

2 c. à soupe de câpres, égouttées

2 gousses d'ail, hachées fin

½ tasse d'oignon rouge en dés

1 tasse de tomates pelées, épépinées et hachées

1 Faites cuire les fusillis en suivant les directives sur l'emballage et de manière qu'ils restent un peu fermes. Égouttez-les et dressez-les dans un grand saladier.

2 Ajoutez le reste des ingrédients et remuez bien. Laissez 30 minutes à la température ambiante avant de servir. Donne 4 portions.

Par portion : Calories 308 ; Gras total 9 g ; Gras saturé 1 g ; Protéines 10 g ; Hydrates de carbone 48 g ; Fibres 4 g ; Sodium 278 mg ; Cholestérol 17 mg

Préparation : 50 minutes
Cuisson : 30 minutes

SALADE DE RIZ

Dans la recette ci-contre, remplacez les fusillis par **2 tasses de riz cuit**, le vinaigre par du **jus de citron**, l'oignon par **½ tasse d'oignons verts**, hachés fins, et le basilic par **1 c. à soupe d'estragon frais**, ciselé. Ajoutez ¾ **tasse de carottes cuites**, tranchées mince, et ¾ **tasse de pois mange-tout**, parés, blanchis et coupés en deux. Donne 4 portions.

SALADE EN SANDWICH

Pour qu'elle tienne bien en sandwich, liez la salade avec de la mayonnaise ou une sauce bien crémeuse.

SALADES ONCTUEUSES

La vraie mayonnaise renferme 11 g de gras par cuillerée à soupe. Il en existe des versions allégées, avec 5 g de matières grasses par cuillerée à soupe, ou sans gras du tout. Les saveurs varient d'une marque à l'autre.

Un petit conseil: vous pouvez mélanger des mayonnaises normale et allégée et plaire aux amateurs de mayonnaise tout en réduisant les apports de calories. Vous pouvez aussi relever une mayonnaise allégée avec une généreuse cuillerée de moutarde, de ketchup, de salsa aux tomates, de sauce Worcestershire ou de relish.

Voici quelques salades traditionnelles pour sandwichs:

Salade de jambon. Mélangez ensemble 1 tasse de jambon haché, ¼ tasse de mayonnaise, normale ou allégée, 2 c. à soupe de relish, 2 c. à thé de moutarde et 1 c. à thé de sauce raifort égouttée.

Salade aux œufs. Liez ensemble 4 œufs durs hachés et ¼ tasse d'olives vertes hachées avec ¼ tasse de mayonnaise normale ou allégée.

Salade de poulet ou de dinde. Mélangez ensemble 1 tasse de poulet cuit, haché (ou de dinde), ¼ tasse de mayonnaise normale ou allégée, ¼ tasse de céleri haché et 1 c. à soupe de sauce chili.

SAUCES À SALADE

Les viandes, les poissons et les fruits de mer peuvent être liés avec une autre sauce que la mayonnaise.

Les vinaigrettes nature ou «enrichies» de yogourt font l'affaire, à condition d'en mettre peu pour ne pas mouiller le pain. Essayez le vinaigre de cidre ou le vinaigre balsamique avec le poulet et la dinde, le jus de citron avec le thon, le saumon, les crevettes et le homard.

LE PAIN

Pour que la garniture ne sorte pas du sandwich, prenez du pain de mie ou des petits pains tendres. Pensez aussi à du pain pita qui s'ouvre en aumônière ou à des petits pains à hot-dog fermés sur un côté. Étendez-y une feuille de salade pour absorber l'humidité.

LA SALADE

Pour varier les plaisirs, plusieurs types de salades peuvent remplacer la laitue traditionnelle: endive, romaine, cresson, roquette ou radicchio.

MAYONNAISES CONDIMENTÉES

Ajoutez du caractère à une salade ou à un sandwich en condimentant la mayonnaise avec un élément qui s'harmonise aux ingrédients. Voici quelques suggestions.

Salade de crabe. **Aneth, cayenne, cerfeuil, estragon.**

Salade de homard ou de crevettes. **Cerfeuil, zeste de citron, estragon, safran, thym.**

Salade aux œufs. **Aneth, basilic, ciboulette, estragon, moutarde sèche, paprika, persil, poudre de cari, romarin.**

Salade de poulet ou de dinde. **Aneth, ciboulette, estragon, marjolaine, poudre de cari, sauge, thym.**

Salade de thon. **Aneth, câpres, cayenne, ciboulette, graines de céleri, origan, persil, relish.**

COMMENT HACHER FIN

Dans une salade, certains ingrédients, comme l'oignon et le céleri, doivent être hachés très fin.

1 Coupez l'oignon en deux; mettez une moitié à plat et détaillez de fines tranches sans traverser la queue.

1 Retranchez les feuilles et la racine du céleri et détaillez chaque côte en longs bâtonnets fins.

2 Donnez un quart de tour et tranchez dans l'autre sens: le couteau doit être bien affilé.

2 Donnez un quart de tour aux bâtonnets et coupez-les transversalement en dés aussi fins que vous le voulez.

Petits pains à la salade de homard

<table>
<tr><td>¼</td><td>tasse de céleri haché fin</td></tr>
<tr><td>2</td><td>c. à soupe de jus de citron</td></tr>
<tr><td>¼</td><td>tasse de mayonnaise</td></tr>
<tr><td>¼</td><td>tasse de persil haché fin</td></tr>
<tr><td>1</td><td>pincée de cayenne</td></tr>
<tr><td>¼</td><td>c. à thé de sel</td></tr>
<tr><td>500</td><td>g (1 lb) de homard, cuit et détaillé en dés de 1 cm (½ po) (6 queues ou 4 homards de 600 g/1¼ lb)</td></tr>
<tr><td>4</td><td>c. à thé de beurre doux, ramolli, ou de margarine non salée</td></tr>
<tr><td>4</td><td>petits pains tendres, ouverts en deux et grillés</td></tr>
<tr><td>4</td><td>feuilles de romaine, taillées pour entrer dans les petits pains</td></tr>
</table>

1 Mélangez dans un bol le céleri, le jus de citron, la mayonnaise, le persil, le cayenne et le sel. Ajoutez le homard et remuez.

2 Étalez 1 c. à thé de beurre sur chacun des demi-pains de dessous ; mettez une feuille de romaine, puis le quart de la salade de homard. Couvrez avec l'autre demi-pain. Donne 4 portions.

Par portion : Calories 379 ; Gras total 18 g ; Gras saturé 5 g ; Protéines 28 g ; Hydrates de carbone 26 g ; Fibres 2 g ; Sodium 905 mg ; Cholestérol 100 mg

Préparation : 20 minutes

VARIANTES :

AUX CREVETTES

Remplacez le homard par des **crevettes,** cuites et détaillées en dés, et le persil par **2 c. à soupe d'estragon frais,** haché. Donne 4 portions.

AU CRABE

Remplacez le homard par du **crabe.** Ajoutez **¼ tasse de dés de poivron rouge.** Au lieu des petits pains, du beurre et de la romaine, servez la salade dans des quartiers de **papaye,** pelée et épépinée. Décorez de **persil** haché. Donne 4 portions.

AU THON

Ne mettez que 2 c. à soupe de céleri haché, mais ajoutez 1 c. à soupe de mayonnaise. Remplacez le persil par **1 c. à soupe d'aneth frais,** ciselé ; ajoutez **3 c. à soupe d'oignon rouge,** haché, **3 c. à soupe de cornichons,** hachés, et **1 c. à soupe de câpres.** Remplacez le homard par **1 boîte (354 g/12,5 oz) de thon,** égoutté. Donne 4 portions.

SALADE DE RÉSISTANCE

*U*ne entrée chaude servie sur un lit de verdures mélangées offre toutes les qualités d'un plat-repas. Vous n'avez qu'à lui ajouter du pain croûté.

TIÈDE, FRAIS ET CROQUANT

En dressant de la volaille, de la viande, du poisson ou des fruits de mer chauds et escalopés sur un lit de verdures, vous mariez des textures différentes et vous servez un chaud-froid léger mais nourrissant, au goût du jour.

Assaisonnez la salade de sa vinaigrette avant de lui ajouter la garniture, comme cela se fait dans la recette de la page ci-contre. Et si le cœur vous en dit, ajoutez-y la sauce ou les jus obtenus durant la cuisson des viandes ou des poissons.

Mélangez les verdures pour donner de l'intérêt et du relief à la salade et choisissez une vinaigrette en accord avec la garniture : le citron convient aux fruits de mer ; un soupçon d'anchois relève le thon ; le piment s'accorde avec le porc, le fromage bleu avec le bifteck, et tout – depuis les saveurs acidulées jusqu'à celle du cari – convient au poulet ou à la dinde.

GARNITURES DE CHOIX

Les garnitures chaudes ne doivent être ni sèches ni imprégnées de sauce. La palme revient aux grillades de blanc de poulet, de bifteck et de thon frais. Dinde, poitrine de canard et médaillons de porc leur font concurrence, tout comme les crevettes ou les moules relevées d'une vinaigrette chaude, les champignons, l'aubergine et les poivrons grillés.

MANGUES

Une mangue fraîche pèse entre 500 et 750 g (1-1½ lb) pièce ; elle n'est pas dure et sa peau jaune-vert est maculée de rouge. (Voir page 162 pour la façon de la couper.) Vous pouvez la remplacer par du chutney de mangue.

COMMENT TRANCHER LE POULET ET LE BIFTECK POUR LA SALADE

*U*ne salade de résistance peut comporter du poulet ou du bifteck, détaillés en tranches, en julienne ou en dés.

Détaillez le bifteck grillé en minces tranches que vous enroulez ou dressez en éventail sur les verdures. Ou découpez le bifteck cru, faites-le sauter et ajoutez-le chaud à la salade.

Détaillez le blanc de poulet grillé en fines tranches, puis en julienne et dressez-le avec les légumes pendant qu'il est chaud. Ou détaillez-le en dés que vous ajoutez aux laitues, aux légumes et aux fruits en vinaigrette.

CHIMIE CULINAIRE

Vous mettez deux liquides transparents – huile d'olive et vinaigre – dans un bocal, vous le fermez et vous l'agitez énergiquement : vous obtenez une vinaigrette opaque et crémeuse. Que s'est-il passé ? La clé du mystère s'appelle : émulsion, un phénomène qui permet à deux liquides non miscibles de se mélanger, au moins temporairement.

Après avoir été agitée, l'huile forme des gouttelettes microscopiques qui restent en suspension dans le vinaigre. Or, comme la vinaigrette renferme trois volumes d'huile pour un de vinaigre, l'émulsion produit un très grand nombre de gouttelettes d'huile qui rendent le liquide épais et opaque.

Les émulsions se séparent à la longue, chaque liquide reprenant son autonomie. Parmi les émulsions culinaires familières, on compte aussi le lait homogénéisé, la mayonnaise et la sauce hollandaise.

Salade de poulet grillé et de mangue

2	poitrines de poulet désossées, sans la peau (750 g/1½ lb)
2	c. à soupe de jus de lime
2	c. à soupe d'huile à salade
2	c. à thé d'ail haché
½	tasse de noix de coco en flocons
2	tasses de laitue romaine déchiquetée
1	mangue moyenne, pelée, dénoyautée et détaillée en dés de 1 cm (½ po)
¼	tasse de raisins secs
⅓	tasse de noix de cajou grillées, hachées
1	tasse de carottes en julienne
2	c. à soupe de coriandre ciselée

1 Dans un bol en verre, déposez le poulet avec 1 c. à soupe de jus de lime, 1 c. à soupe d'huile et l'ail haché. Couvrez et laissez mariner 5 heures au réfrigérateur.

2 Préchauffez le four à 180 °C (350 °F). Étalez les flocons de noix de coco dans une lèchefrite non graissée et faites-les dorer au four en remuant souvent. Prévoyez 10 minutes environ.

3 Préchauffez le gril et faites griller le poulet à 10 ou 12 cm (4-5 po) de l'élément jusqu'à ce qu'il soit bien rôti. Allouez environ 10 minutes de chaque côté.

4 Dans l'intervalle, mélangez ensemble dans un grand saladier 1 c. à soupe de jus de lime, 1 c. à soupe d'huile, la noix de coco grillée, la romaine, les dés de mangue, les raisins secs, les noix de cajou, la julienne de carotte et la coriandre.

5 Détaillez le poulet grillé en lanières de 6 mm (¼ po) d'épaisseur.

6 Dressez la salade dans quatre assiettes, garnissez-les de poulet et servez immédiatement. Donne 4 portions.

Par portion : Calories 412 ; Gras total 18 g ; Gras saturé 8 g ; Protéines 38 g ; Hydrates de carbone 28 g ; Fibres 5 g ; Sodium 170 mg ; Cholestérol 94 mg

Préparation : 50 minutes
Marinage : 5 heures
Cuisson : 30 minutes

SALADES COMPOSÉES

Pour varier la présentation, dressez les éléments de la salade séparément sur l'assiette. Chacun choisira pour lui-même, soit de les mélanger, soit de les déguster un à un.

DES AIRS CONNUS

Certaines salades composées sont devenues des classiques. C'est le cas de la salade niçoise, une spécialité du sud de la France, qui comporte des pommes de terre, des haricots verts, des tomates, des œufs durs, des anchois, des câpres, de petites olives noires et – c'est obligatoire – du thon ; le tout est enrobé de vinaigrette. Les éléments autres que le thon peuvent varier selon les saisons. Dans la recette de la page ci-contre, on y ajoute des carottes et des piments doux rôtis.

Autre classique, la salade Cobb a été créée en 1936 au chic restaurant Brown Derby, de Hollywood, par son proprié-taire, Robert Cobb. Elle com-porte toujours du poulet ou de la dinde, du bacon émietté, des œufs durs, de l'avocat et des tomates sur un lit de laitue. Du roquefort égrené en constitue la garniture habituelle.

Bien que présentés séparément dans l'assiette, les éléments ont tôt fait de se mélanger dès que le convive y met la fourchette.

LES HARMONIES

Les salades proposées ici allient le poisson et la viande avec des légumes. Rien ne vous empêche cependant d'y mettre uniquement des légumes ou des fruits.

Dans les salades végéta-riennes, les pois mange-tout, les champignons et la courge d'été peuvent être servis crus, en tranches fines. D'autres légumes, comme les carottes et le brocoli, seront attendris par la cuisson et tiédis.

Pour vous assurer que tous les éléments d'une salade composée ont leur juste part de vinaigrette, disposez d'abord les verdures et aspergez-les de sauce. Par-dessus, dressez les autres élé-ments et versez la vinaigrette.

LE THÈME

Vous pouvez mettre dans une salade tout ce qui vous plaît. Mais avant de faire vos achats, pensez aux textures, aux formes et aux couleurs, et choisissez un thème.

Voulez-vous composer une salade dans les tons de vert ? Sur un lit de feuilles vert clair et vert foncé, disposez l'un ou l'autre des éléments suivants, déjà cuits : asperges, haricots verts, courgettes en tranches ou pois mange-tout. Pour faire contraste, ajoutez du poireau ou de l'oignon blanc, de peti-tes olives noires et des câpres.

Réalisez une salade tex-mex en disposant sur un lit de laitue des épis de maïs cuits, des

(suite à la page 180)

INGÉNIEUX !

Les bocaux à vinaigrette

Les accessoires les plus simples sont souvent les plus utiles. Un petit récipient à couvercle ou un bocal à confiture : voilà le mélangeur parfait à vinaigrette. Il vous permet d'agiter les ingrédients avec un mouvement oscillant qui les émulsionne rapidement en une vinaigrette épaisse et crémeuse.

ÉLÉGANTS ARRANGEMENTS

Salade tout en vert

Salade tex-mex

Salade italienne

Salade de fruits

Salade niçoise

- **1 grosse échalote hachée**
- **1 c. à soupe de moutarde de Dijon**
- **1 c. à soupe de câpres, égouttées**
- **1 c. à soupe de vinaigre de vin rouge**
- **3 c. à soupe d'huile d'olive**
- **1 pomme moyenne de romaine, coupée en deux sur la longueur**
- **2 œufs cuits dur, écalés et coupés en deux sur la longueur**
- **½ tasse de piment doux rôti en bocal, égoutté et coupé en lanières de 5 cm x 6 mm (2 x ¼ po)**
- **3 tomates, détaillées sur la longueur en huit quartiers**
- **2 carottes, épluchées, blanchies et tranchées en minces rondelles**
- **250 g (½ lb) de haricots verts, parés, blanchis et coupés en deux**
- **500 g (1 lb) de petites pommes de terre rouges, cuites et coupées en tranches de 6 mm (¼ po)**
- **24 petites olives noires**
- **1 boîte (184 g/6½ oz) de thon dans l'huile, égoutté**

1 Déposez l'échalote, la moutarde, les câpres et le vinaigre dans un grand bol. Incorporez l'huile au fouet. Réservez la moitié de cette vinaigrette à part.

2 Mettez la romaine dans le bol, remuez bien et répartissez-la également entre quatre assiettes.

3 Disposez artistiquement le reste des ingrédients sur la romaine, dans chaque assiette. Arrosez chacune avec une cuillerée de la vinaigrette réservée. Donne 4 portions.

Par portion : Calories 432 ; Gras total 21 g ; Gras saturé 4 g ; Protéines 24 g ; Hydrates de carbone 40 g ; Fibres 8 g ; Sodium 728 mg ; Cholestérol 123 mg

Préparation : 1 heure

SALADE À LA COBB

Suivez la recette ci-contre, mais supprimez les câpres, les carottes, les haricots verts, les pommes de terre et le thon. Ajoutez ½ **tasse de fromage bleu,** émietté, **1 avocat,** pelé, dénoyauté et détaillé en dés, et ½ **tasse de bacon croustillant,** émietté. Hachez les œufs durs, le piment doux rôti, les tomates et les olives ; disposez les ingrédients sur la romaine. Donne 4 portions.

(suite de la page 178)

tranches de poulet grillé, d'avocat et de poivron rouge rôti, des haricots pinto, rincés et égouttés, des tomates hachées, des tranches de monterey jack et une généreuse cuillerée de salsa. Couronnez d'oignon haché, de coriandre ciselée et de chilis marinés.

Préparez maintenant une salade tricolore à l'italienne. Sur un lit de roquette et de radicchio rouge et blanc, dressez des haricots blancs (cannellinis), rincés et égouttés, des tomates tranchées, du prosciutto ou du jambon de Parme enroulé et des cœurs d'artichauts marinés. Garnissez d'oignons verts ou de gorgonzola émietté, d'olives noires ou d'anchois.

Enfin, composez une salade estivale de fruits. Sur un fond d'endives et de cresson, disposez des tranches de melon brodé, de melon de miel, de pêches, de mangue et de raisins verts. Ajoutez des lanières de fromage doux et parfumé, telle la fontina. Décorez de framboises ou d'abricots tranchés et d'amandes effilées. Offrez à part une sauce crémeuse au yogourt.

PALETTE DE COULEURS

Donnez libre cours à votre imagination. Les poivrons rouges, orange ou jaunes sont très décoratifs ; taillés en petits dés, ils ressemblent à des confettis. Ajoutez des quartiers d'œufs durs ou poussez le jaune à travers un tamis pour créer des œufs mimosa. Détaillez les tomates en dés et disposez-les en monticule, ou en tranches fines et ouvrez-les en éventail.

PANZANELLA AUX OLIVES NOIRES

Dans la recette ci-contre, remplacez le vinaigre de vin par **¼ tasse de vinaigre balsamique**, le basilic par **1 c. à soupe d'estragon séché** et le pain par du **pain au levain**. Ajoutez **½ tasse d'olives noires**, dénoyautées et coupées en deux, et réduisez le sel à ¼ c. à thé. Donne 4 portions.

L'immense variété des légumes et autres éléments à salade maintenant vendus dans les supermarchés vous permet de composer des salades selon votre fantaisie. Voici quelques suggestions groupées selon des thèmes chromatiques. Les éléments seront crus ou cuits, tranchés ou détaillés en dés ou en lanières.

Blanc. Poulet ou dinde, haricots blancs, poireau ou oignons verts, radis blancs, champignons blancs, bouquetons de chou-fleur, cœurs de chou palmiste, pommes de terre, endives, petites pâtes, blancs d'œufs, feta, fromage de chèvre.

Jaune et orange. Poivrons jaunes ou orange, jaunes d'œufs mimosa, pois chiches, tomates jaunes ou orange, courge d'été, carottes, lentilles blondes ou orange, cheddar râpé ou autres fromages jaunes, maïs miniatures, maïs à grains entiers, haricots jaunes.

Rouge. Betteraves, haricots rouges, rincés et égouttés, tomates, pommes de terre rouges, salami ou jambon, crevettes ou homard, languettes de bifteck, radis roses, chou rouge, poivron rouge, piment doux rôti, oignon rouge, laitue rose, radicchio, salsa rouge.

Vert. Avocats, haricots verts, asperges, courgettes, tomates vertes, concombre, câpres, oignons verts, ciboulette, bouquetons de brocoli, cœurs d'artichauts, pois mange-tout, petits pois, salsa verte.

Éléments décoratifs. Olives noires, anchois, aubergine grillée, caponata, champignons grillés ou marinés, chou rouge, basilic rouge.

PANZANELLA

La panzanella est un plat robuste et savoureux – moitié salade, moitié soupe – venu de la campagne italienne. Sa première fonction était de permettre la consommation du pain rassis et des tomates mûres.

Panzanella

- **2 c. à soupe de vinaigre de vin rouge**
- **3 c. à soupe d'huile d'olive**
- **1 tasse de basilic frais, haché gros**
- **½ c. à thé de sel**
- **½ c. à thé de poivre noir**
- **1 petit pain italien ou français (300 g/10 oz) un peu rassis ou grillé, détaillé en cubes de 1 cm (½ po) de côté**
- **8 tomates mûres, en cubes de 1 cm (½ po)**
- **1 oignon rouge moyen, détaillé en petits dés**

1 Dans un grand bol, mélangez au fouet le vinaigre, l'huile, le basilic, le sel et le poivre.

2 Ajoutez le pain, les tomates et l'oignon. Remuez bien. Donne 4 portions.

Par portion : Calories 326 ; Gras total 13 g ; Gras saturé 2 g ; Protéines 8 g ; Hydrates de carbone 45 g ; Fibres 4 g ; Sodium 629 mg ; Cholestérol 3 mg

Préparation : 30 minutes

Prenez du pain de campagne à mie alvéolée, de style français ou italien, détaillé en cubes. (Plusieurs chefs italiens préfèrent enlever la croûte avant de mettre le pain dans la panzanella.)

INGRÉDIENTS

Le pain doit être un peu rassis quand vous l'ajoutez au plat. Coupez-le en tronçons et laissez-les sécher sur une grille ; tournez-les de temps à autre.

Un petit conseil : si vous n'avez pas de pain de style français ou italien, prenez du pain de mie, coupez-le en cubes et faites-les griller.

Choisissez des tomates bien mûres. Les Italiens préfèrent les tomates dites italiennes, en forme de prunes : ils trouvent qu'elles ont plus de saveur et plus de chair. À dire vrai, toute tomate mûre fait l'affaire.

CUISSON AU GRIL

BIFTECK GRILLÉ

Choisissez une coupe appropriée à la cuisson au gril et assaisonnez-la bien : vous dégusterez un bifteck inoubliable.

DE BONNES COUPES

Les coupes les plus tendres se situent dans le dos, entre les côtes et la cuisse. La longe courte fournit le bifteck d'aloyau à gros et petit filets, le contre-filet et la plupart des biftecks de filet. De la surlonge, logée derrière la longe, proviennent les biftecks de haut de surlonge, de surlonge et le reste des biftecks de filet. On peut faire cuire ces pièces sur le barbecue, dans le four ou à la sauteuse.

La côte d'aloyau ainsi que les biftecks de côte et d'entrecôte sont assez tendres pour être grillés au four ou sur le barbecue. Parmi les coupes moins chères, les biftecks attendris, prélevés dans la ronde, peuvent être cuits au barbecue, sous le gril ou dans la sauteuse.

Enfin, le bifteck de flanc est tout indiqué pour la cuisson sous le gril. Toutefois, comme la chair est un peu dure, il faut absolument la conserver saignante. La cuisson au barbecue est donc un peu risquée. Tranchez le bifteck de flanc de biais et en sens contraire aux fibres (voir l'encadré ci-dessus, à droite). La cuisson à la sauteuse n'est pas recommandée pour cette coupe.

PRÉPARATION

La teneur en gras du bœuf n'est plus que la moitié de ce qu'elle était il y a 20 ans, à cause des pressions exercées par les consommateurs en faveur d'une chair plus maigre. Les bovins mangent moins de maïs et plus de fourrage ; à l'abattoir, on ôte une plus grande partie du gras visible.

Pour la cuisson au barbecue, on recommande de ne laisser que 3 mm (⅛ po) de la couche externe de gras et de l'entailler tous les 2 à 4 cm (1-1½ po) pour empêcher la pièce de friser en cuisant. Il est également préférable d'assaisonner la viande à sec. Cela fait, remettez-la au réfrigérateur pour la ressortir 30 minutes avant la cuisson.

Huilez la grille ou vaporisez-la d'enduit antiadhésif. Réglez-la à 10 ou 12 cm (4-5 po) au-dessus des braises si les pièces sont peu épaisses, à 15 à 17 cm (6-7 po) si elles sont épaisses.

Allumez le brasier 45 minutes d'avance : les charbons auront le temps de rougir et de se couvrir de cendre.

Installez les biftecks ; badigeonnez-les de marinade ou de sauce, sauf s'il s'agit de pièces de première qualité dont on ne veut pas masquer la saveur.

Ben Barker

« J'aime le charbon de bois parce qu'il devient très chaud et brûle proprement. Si je trouve du bois de pommier ou des copeaux de hickory, j'en mets sur les braises avant de faire griller la volaille. Le chêne est trop odorant à mon goût, tout comme le prosopis (mesquite) qui se vend au rayon des produits pour barbecue. »

ASSAISONNEMENT

Avant la cuisson, frottez la viande avec des assaisonnements secs. Voici une recette passe-partout : mélangez 1 c. à soupe de gros sel, 1 c. à soupe de poivre noir moulu, 1 c. à soupe de flocons de persil, 1 c. à soupe de paprika, 1 c. à thé de poudre d'ail et ½ c. à thé de cayenne. Vous pouvez ajouter des épices antillaises ou du Moyen-Orient.

Gardez ces condiments dans un bocal bien fermé. Si vous préférez utiliser de l'ail nature ou des herbes fraîches, préparez-les juste avant l'usage.

BIFTECKS POÊLÉS

Si vous faites cuire le bifteck dans une sauteuse ordinaire ou une poêle-gril, retirez le jus qui coule dans le fond avec une pipette à arroser ou une cuiller.

Réchauffez l'ustensile à feu assez vif jusqu'à ce qu'une goutte d'eau puisse y grésiller ; vaporisez-le d'enduit anti-

TRANCHER UN BIFTECK DE FLANC

Les fibres du bifteck de flanc sont très visibles. Coupez-le perpendiculairement à ces fibres, de biais et en tranches fines : la viande sera plus tendre.

adhésif et disposez les pièces. Quand elles portent les marques du gril, retournez-les et diminuez un peu la température. Comptez 2 à 3 minutes pour un bifteck saignant, 5 à 6 minutes pour un bifteck à point, jusqu'à 15 minutes pour une viande bien cuite. Ajoutez 4 à 5 minutes pour chaque centimètre (½ po) d'épaisseur.

FUMÉE SUR GAZ

Voici comment donner un goût de charbon de bois aux viandes cuites sur un barbecue au gaz propane. Mettez à tremper une poignée de copeaux de bois dur pendant 15 minutes. Ôtez l'eau et enveloppez le bois dans du papier d'aluminium en laissant une extrémité ouverte.

Enfilez des gants isolants et déposez ce fumoir improvisé sur la grille chaude du barbecue ou sur les cailloux. Attendez 15 à 20 minutes : une fumée odorante viendra parfumer la viande. Renouvelez le fumoir à chaque usage.

Bifteck d'aloyau

Pour la marinade, prenez ¼ **tasse de vinaigre balsamique, 2 gousses d'ail, 1 tasse de basilic frais,** bien tassé, **½ c. à thé de sel** et **½ c. à thé de poivre noir.** Suivez les étapes de la recette ci-contre pour mariner et faire griller un **bifteck d'aloyau** de 700 g (1½ lb) et de 3 cm (1¼ po) d'épaisseur. Donne 4 portions.

Filet grillé

Pour la marinade, prenez ¼ **tasse de vinaigre de vin rouge, 2 échalotes,** pelées, **2 c. à soupe d'huile d'olive, ½ c. à thé de sel** et **½ c. à thé de poivre noir.** Suivez les étapes de la recette ci-contre pour mariner et faire griller **4 filets mignons** de 250 g (8 oz) et de 3 cm (1¼ po) d'épaisseur. Donne 4 portions.

Surlonge épicée

Mélangez **2 c. à soupe de cumin, 3 gousses d'ail hachées, 1 c. à thé de sel, ½ c. à thé de cayenne** et **½ c. à thé d'origan.** Enrobez de ce mélange **4 biftecks de surlonge** de 120 g (5 oz) chacun et de 1 cm (½ po) d'épaisseur. Suivez l'étape 2 de la recette ci-contre pour les faire griller. Cuisson à point : 4 minutes de chaque côté. Donne 4 portions.

Bifteck de flanc mariné

- ¾ **tasse de jus d'ananas**
- 2 **gousses d'ail, pelées**
- ¼ **tasse de sauce soja**
- 1 **cube de 4 cm (1½ po) de côté de gingembre frais, pelé**
- 1 **piment jalapeño moyen, paré, épépiné et coupé en deux**
- ¼ **tasse de miel**
- 2 **c. à soupe d'huile**
- 800 **g (1¾ lb) de bifteck de flanc**

1 Au robot, mettez en purée tous les ingrédients, sauf le bifteck. Versez la marinade dans un grand sac de plastique et ajoutez la viande. Scellez le sac, agitez-le pour enrober la viande et réfrigérez-le au moins 5 heures ou jusqu'au lendemain.

2 Allumez le gril ou le brasier. Retirez le bifteck de la marinade, épongez-le avec de l'essuie-tout et faites-le griller sur un brasier modérément chaud ou sous le gril, au four, à 10 cm (4 po) de la source de chaleur. Prévoyez 5 à 6 minutes de cuisson de chaque côté pour qu'il soit saignant, 6 à 7 minutes pour qu'il soit à point. Au-delà, la viande sera trop dure. Laissez reposer 10 minutes. En commençant par le plus petit côté de la pièce, découpez-la, transversalement aux fibres, en tranches très minces. Donne 4 portions.

Par portion : Calories 363 ; Gras total 18 g ; Gras saturé 7 g ; Protéines 42 g ; Hydrates de carbone 6 g ; Fibres 0 g ; Sodium 170 mg ; Cholestérol 104 mg

Préparation : 10 minutes
Marinage : 5 à 24 heures
Cuisson : 10 à 14 minutes
Repos : 10 minutes

HAMBOURGEOIS

Les hambourgeois occupent une place de choix dans la cuisson au gril. Et voilà que la dinde vient concurrencer le bœuf et décupler ce succès.

LE BŒUF HACHÉ

Le bœuf haché est étiqueté extra-maigre, maigre, mi-maigre et régulier. Le premier renferme 10 p. 100 ou moins de matières grasses ; le bœuf maigre, 17 p. 100. L'un et l'autre donnent des galettes sèches et compactes. Il vaut

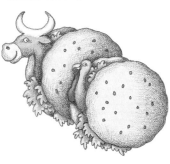

donc mieux les réserver pour les cas où la viande est associée à d'autres ingrédients sans cuisson préalable, comme dans les rouleaux au chou.

Le bœuf étiqueté mi-maigre renferme 23 p. 100 de matières grasses. C'est celui qui convient aux hambourgeois. Une galette de 100 g (3½ oz) ne contient plus que 11 g de gras quand la viande est bien cuite.

Le bœuf haché proprement dit renferme 30 p. 100 de gras. Sa forte teneur en matières grasses signifie que la galette ne rétrécira pas à la cuisson. Néanmoins, on s'en sert dans les plats où la viande, précuite, est en partie dégraissée avant d'être ajoutée à d'autres ingrédients, comme dans les tacos.

SUR LE GRIL

Façonnez la viande en galettes de 2 à 3 cm (1 po) d'épaisseur au centre. Manipulez-les en douceur pour ne pas tasser la viande et la rendre friable. Huilez ou vaporisez la grille d'enduit antiadhésif et placez-la à 15 cm (6 po) du brasier.

Déposez les galettes sur la grille. Pour une cuisson à point, prévoyez 4 minutes d'un côté et 3 minutes de l'autre. N'aplatissez pas les galettes avec la spatule durant la cuisson : cela leur ferait perdre du jus et de la saveur.

Pour les faire cuire sur la cuisinière, utilisez une poêle-gril, dont les rainures évitent que la viande ne mijote dans son propre jus.

SOYEZ PRUDENT

Le Centre d'information sur le bœuf conseille de bien faire cuire le bœuf haché. Des organismes toxiques comme des colibacilles peuvent demeurer dans la viande insuffisamment cuite et causer des intoxications graves.

Faites cuire les galettes pour qu'elles atteignent 71 à 74 °C (160-165 °F) au thermomètre électronique quand vous l'introduisez au centre. Ou incisez la galette : si le jus qui s'écoule est doré ou transparent, la cuisson est à point.

LA DINDE

Pour varier, remplacez le bœuf par de la dinde. Au Canada, il n'est pas obligatoire de l'étiqueter selon sa teneur en gras ; donnez la préférence aux marques qui fournissent ce renseignement. La dinde maigre renferme, par exemple, 17 p. 100 de gras, comme le bœuf haché maigre.

Décuplez sa saveur en lui ajoutant 1 c. à soupe de sauce Worcestershire. Ou mettez 2 c. à thé de sauce chili ou de sauce barbecue dans 500 g (1 lb) de dinde hachée. Essayez aussi 2 c. à soupe de sauce chinoise aux prunes et 1 c. à thé de gingembre frais haché ; remplacez alors l'oignon par de l'oignon vert.

HAMBOURGEOIS À LA DINDE

Dans la recette de la page ci-contre, remplacez le bœuf haché par de la **dinde hachée.** Au lieu du ketchup et de la moutarde, ajoutez, en même temps que le sel et le poivre, **¼ tasse de persil haché, ¼ tasse d'oignon haché fin** et **1 gousse d'ail hachée.** Faites griller 6 à 7 minutes de chaque côté. Donne 4 portions.

VARIANTES

Au mélange ci-dessus, ajoutez 2 c. à soupe de sauce barbecue ; ou 1 c. à thé de moutarde de Dijon, ½ c. à thé de thym et ½ c. à thé de zeste de citron râpé ; ou encore 2 c. à soupe de sauce chinoise aux prunes et 1 c. à thé de gingembre haché et, au lieu d'oignon, ½ tasse d'oignon vert haché fin.

DES ATOUTS

Le thermomètre à gril et le thermomètre électronique

Ce sont deux accessoires indispensables pour bien faire cuire les viandes sur le barbecue. Le thermomètre à gril (en bas) vous indique que le gril a atteint la température désirée ; il tient au moyen d'un aimant. Le thermomètre électronique (en haut) donne en quelques secondes la température qu'a atteint la viande à l'intérieur ; il suffit de l'introduire dans la pièce et de lire le petit cadran.

HAMBOURGEOIS AU ROQUEFORT OU AU FROMAGE BLEU

Suivez la recette ci-contre, mais utilisez **750 g (1½ lb) de bœuf haché.** Formez huit galettes minces. Au centre de quatre galettes, déposez **1 c. à soupe de roquefort,** ou autre fromage bleu, émietté (voir l'encadré ci-contre). Couvrez avec les quatre autres galettes. Faites griller selon la recette. Donne 4 portions.

HAMBOURGEOIS AU BRIE

Suivez la recette ci-dessus, mais entre les galettes, remplacez le roquefort ou un autre fromage bleu par **une tranche de brie froid,** de 2 cm x 2 cm x 6 mm (1 x 1 x ¼ po). Donne 4 portions.

HAMBOURGEOIS SURPRISE

Préparez des hambourgeois au roquefort, comme ci-dessus. Mais entre les galettes, remplacez le roquefort par **1 c. à soupe d'oignons hachés,** revenus à la poêle, **1 c. à thé de relish sucrée** et **1 c. à thé de moutarde de Dijon.** Donne 4 portions.

GARNIR UN HAMBOURGEOIS AU ROQUEFORT

1 Sur une galette mince, émiettez du roquefort ou un autre fromage.

2 Déposez une seconde galette par-dessus et pincez les bords.

Hambourgeois classique

500	g (1 lb) de bœuf haché mi-maigre
2	c. à soupe de ketchup
2	c. à thé de moutarde de Dijon
1	c. à thé de sel
¼	c. à thé de poivre noir

1 Préchauffez le gril ou le brasier. Dans un bol, mélangez tous les ingrédients. Formez quatre galettes de 15 cm (6 po) de diamètre et 2 à 3 cm (1 po) d'épaisseur.

2 Faites griller les galettes sur un brasier modérément chaud ou, sous le gril du four, à 10 cm (4 po) de la source de chaleur. Prévoyez 6 à 7 minutes de cuisson de chaque côté pour les avoir à point. Donne 4 portions.

Par portion :
Calories 227 ;
Gras total 14 g ;
Gras saturé 5 g ;
Protéines 22 g ;
Hydrates de carbone 2 g ;
Fibres 0 g ;
Sodium 755 mg ;
Cholestérol 78 mg

Préparation : 10 minutes
Cuisson : 12 à 14 minutes

BROCHETTES

Optimisez leur cuisson : montez la viande et les légumes sur des brochettes distinctes. Ainsi, tout sera cuit à la perfection.

CHOIX DE LA VIANDE

Le gigot d'agneau détaillé en cubes de 2 à 3 cm (1-1½ po) est une viande tendre et haute en saveur. Si l'on préfère le bœuf, les meilleures coupes sont le faux-filet et la surlonge. Le filet est à écarter ; non seulement manque-t-il de goût, mais il durcira à la cuisson.

Le bœuf étiqueté « pour brochettes » est prélevé dans l'extérieur de ronde ou le bas-côté. Son prix est avantageux, mais il est coriace.

LA MARINADE

Avant la cuisson, les brochettes séjournent dans une marinade dont on les badigeonne durant la cuisson. Vin, vinaigre ou jus d'agrume additionnés d'huile et de condiments – oignon et fines herbes – entrent dans sa composition.

Les meilleures marinades sont souvent les plus simples, comme du vin rouge relevé d'un peu d'huile et condimenté d'une poignée de persil plat haché.

Une marinade à matières grasses réduites peut comporter 1 tasse de bouillon de bœuf, 1 c. à soupe de vinaigre de vin rouge, ½ tasse de vin rouge, 1 gousse d'ail hachée, ½ c. à thé ou plus de sauce Tabasco, 1 c. à thé de sel et ¼ c. à thé ou plus de poivre noir moulu.

LES BONS LÉGUMES

Choisissez des légumes fermes mais mûrs ; coupez-les en morceaux assez gros pour bien tenir sur les brochettes. Épépinez les poivrons, mais non les tomates.

Lavez, mais ne pelez pas, la courge jaune ou les courgettes et détaillez-les en tronçons de 2 cm (1 po). Enfilez-les à travers la pelure de façon que la chair soit à l'extérieur.

UN ŒIL SUR LA MONTRE

Les experts recommandent d'enfiler les viandes et les légumes sur des brochettes distinctes et de commencer la cuisson des légumes un peu après celle des viandes.

Néanmoins, si vous préférez enfiler les viandes et les légumes sur les mêmes brochettes, mettez les seconds aux extrémités, la viande au milieu : la cuisson sera plus uniforme car de cette façon les viandes se trouveront au centre du brasier, là où la chaleur est toujours le plus intense.

BROCHETTES AU FOUR

Les brochettes sont presque aussi bonnes si vous les faites cuire au four sous le gril. Déposez-les sur une grille dans la lèchefrite ou soutenez-les sur les bords d'un plat peu profond. Badigeonnez-les de marinade ou d'huile, mettez-les à 10 ou 12 cm (4-5 po) de la source de chaleur et prévoyez 10 à 15 minutes pour les avoir à point. Retournez les brochettes une ou deux fois en cours de cuisson.

LE MONTAGE

Tassez les bouchées sur la brochette si vous aimez la viande saignante ; espacez-les pour l'avoir bien cuite.

Si vous mettez tout sur la même brochette, enfilez la viande au centre, les légumes aux extrémités.

CHIMIE CULINAIRE

Les marinades donnent de la saveur aux viandes, mais aussi, dans une certaine mesure, les attendrissent. Les éléments acides assouplissent les tissus conjonctifs ; les enzymes de la papaye vont jusqu'à fractionner les protéines. Mais comme la viande crue n'est pas poreuse, la marinade n'agit vraiment qu'en surface. La meilleure façon de mariner des cubes de viande est de se servir d'un sac de plastique qu'on agite de temps à autre.

UN ATOUT

La diversité

En métal, les brochettes peuvent avoir toutes sortes de poignées : à vous de choisir celles qui se tiennent le mieux avec un gant. En bambou, elles ne coûtent pas cher, mais il faut les mouiller pour qu'elles ne brûlent pas à la cuisson.

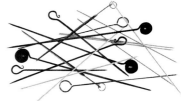

AU POULET

Suivez les indications de la recette ci-contre mais en faisant mariner, au lieu du bœuf, **500 g (1 lb) de blanc de poulet**, désossé et sans la peau, dans **⅓ tasse de jus de citron, 2 oignons verts**, hachés, **2 c. à soupe de sauce soja, 2 c. à soupe de moutarde de Dijon, 2 c. à soupe d'huile d'olive** et **¼ c. à thé de sauce Tabasco.** Le temps de cuisson sera de 8 à 10 minutes pour que la dinde perde sa teinte rosée. Donne 4 portions.

AUX PÉTONCLES

Suivez les indications de la recette ci-contre mais en faisant mariner, au lieu du bœuf, **500 g (1 lb) de gros pétoncles** dans **¼ tasse de sauce soja, 2 oignons verts**, hachés, **⅓ tasse de jus d'orange, 2 c. à thé de gingembre frais**, râpé, **2 c. à soupe d'huile d'olive, 2 c. à soupe de zeste d'orange**, râpé, et **1 gousse d'ail**, hachée. Le temps de marinage n'est que de 30 à 60 minutes et la cuison, de 5 à 6 minutes. Les pétoncles sont cuits dès que la chair a perdu son luisant. Donne 4 portions.

Brochettes de bœuf ou d'agneau

¼ **tasse de vin rouge sec**
2 **oignons verts, hachés**
2 **c. à soupe de vinaigre balsamique**
1 **c. à soupe de romarin frais, ciselé, ou ½ c. à thé de romarin séché**
2 **c. à soupe d'huile d'olive**
2 **c. à soupe d'eau**

2 **gousses d'ail, écrasées**
½ **c. à thé de sel**
½ **c. à thé de poivre noir**
500 **g (1 lb) de bas-côté de bœuf, ou de gigot d'agneau, désossés et détaillés en cubes de 3 cm (1¼ po) de côté**

1 Mélangez tous les ingrédients sauf la viande dans un grand sac de plastique autofermant. Ajoutez la viande, fermez le sac, agitez-le pour enrober la viande de marinade et réfrigérez au moins 4 heures ou jusqu'au lendemain.

2 Allumez le gril ou le brasier. Épongez la viande et enfilez-la sur quatre brochettes en espaçant les bouchées uniformément.

3 Faites griller environ 10 minutes sur un brasier assez ardent ou à 10 cm (4 po) de l'élément. Badigeonnez souvent de marinade et tournez une fois. Donne 4 portions.

Par portion : Calories 277 ; Gras total 17 g ; Gras saturé 5 g ; Protéines 26 g ; Hydrates de carbone 3 g ; Fibres 0 g ; Sodium 1 085 mg ; Cholestérol 82 mg

*Préparation : 1 heure • Marinage : 4 à 24 heures
Cuisson : 10 à 15 minutes*

CÔTELETTES D'AGNEAU

La cuisson au gril donne beaucoup de saveur aux côtelettes d'agneau. Servez-les entourées de légumes verts.

LES BONNES COUPES

Les meilleures côtelettes d'agneau sont prises dans le carré. Celles coupées dans le bout des côtes sont presque aussi tendres.

Les tranches d'épaule comportent un os et sont moins chères que les côtelettes, mais aussi moins tendres ; il sera peut-être nécessaire de les faire mariner, comme dans la recette de la page ci-contre.

PRÉPARATION

Laissez une lisière de gras de 3 mm (⅛ po) ; cela empêchera la viande de sécher à la cuisson. Badigeonnez les côtelettes d'huile d'olive et assaisonnez-les de poivre noir fraîchement moulu.

TEMPS DE CUISSON

Pour faire cuire l'agneau à point, placez les pièces de 2 cm (1 po) d'épaisseur à 12 ou 15 cm (5-6 po) des braises et faites-les griller 4 à 5 minutes de chaque côté : à l'entaille, le centre sera rose. Pour les avoir bien cuites, mettez-les à 20 cm (8 po) du brasier et comptez 6 à 7 minutes d'un côté, 4 à 5 de l'autre.

Les côtelettes ont généralement 2,5 cm (1 po) d'épaisseur ; si les vôtres sont plus

minces, réduisez la cuisson de 1 minute de chaque côté.

Les côtelettes dites doubles ont 5 cm (2 po) d'épaisseur. Grillez-les sur un brasier grisâtre et retournez-les souvent. Prévoyez 10 à 12 minutes pour les avoir saignantes, 12 à 15, à point, 15 à 18, bien cuites.

UN CONSEIL

Les pièces qu'on retourne souvent ont besoin de cuire plus longtemps. Recommandée pour les côtelettes épaisses, cette méthode ne l'est pas pour les côtelettes minces, à moins de les arroser souvent.

À LA POÊLE

La cuisson à la poêle exige un ustensile à fond très épais. Elle est deux fois plus rapide que sous le gril du four et se fait sans addition de gras. Ce procédé culinaire convient aux côtelettes qui ont moins de 2,5 cm (1 po) d'épaisseur.

LE MARINAGE

La façon la plus simple de faire mariner des pièces est de les mettre avec la marinade dans un sac de plastique. Vous pouvez facilement remuer la viande pour bien l'enrober. Le sac prend peu de place au réfrigérateur et vous n'avez rien à laver.

Réchauffez la poêle et badigeonnez les côtelettes d'huile. Faites cuire à feu vif 8 à 9 minutes pour les avoir saignantes, 10 à 12, à point. Retournez-les à mi-cuisson.

CÔTELETTES POÊLÉES

Prenez des **côtelettes** de 2,5 à 4 cm (1-1½ po) d'épaisseur. Dans une poêle épaisse et à feu assez vif, réchauffez **1 c. à thé d'huile d'olive** pendant 30 à 45 secondes. Faites-y bien brunir la viande ; retournez-la à mi-cuisson. Comptez en tout 8 à 9 minutes pour avoir des côtelettes rosées, 10 à 12, à point, 12 à 15, bien cuites. Gardez-les au chaud. Déglacez la poêle avec ½ **tasse de bouillon de poulet,** ou d'eau, et **2 à 3 c. à soupe de vinaigre balsamique.** Laissez réduire 1 minute à feu vif en dégageant les particules rôties. Versez sur les côtelettes et servez. Donne 4 portions.

ASSAISONNEMENTS VARIÉS

Côtelettes grillées. Enrobez les côtelettes de sauce barbecue ou d'une vinaigrette aux fines herbes ou à l'italienne. Vous pouvez aussi jeter des brins de romarin, de thym ou de sauge sur le brasier, ou même des copeaux de chêne ou de hickory humides.

Côtelettes poêlées. Frottez les pièces avec l'un ou l'autre des mélanges suivants : ail, huile d'olive et poivre noir ; ail et gingembre frais ; ail et sauce soja ou vinaigre balsamique. Laissez-les s'en imprégner 15 à 30 minutes avant de les faire cuire.

INGÉNIEUX !
La poêle-gril

Ronde ou carrée et dotée d'arêtes imitant un gril, elle permet de faire cuire la viande à feu vif sans qu'elle attache et la soustrait aux jus de la cuisson.

Côtelettes d'agneau marinées

- **3 c. à soupe d'huile**
- **1 c. à thé de zeste de citron râpé**
- **3 c. à soupe de jus de citron**
- **2 gousses d'ail, hachées**
- **1 c. à thé de romarin séché**
- **½ c. à thé de thym séché**
- **½ c. à thé de sel**
- **¼ c. à thé de poivre noir**
- **4 tranches d'agneau dans l'épaule de 1,5 cm (¾ po) d'épaisseur (700 g/1½ lb en tout), dégraissées**
- **1 citron, en huit quartiers**

1 Dans un grand sac de plastique autofermant, mélangez l'huile, le zeste et le jus de citron, l'ail, le romarin, le thym, le sel et le poivre.

2 Ajoutez l'agneau, fermez le sac, agitez-le pour bien enrober la viande de marinade et réfrigérez au moins 4 heures ou jusqu'au lendemain.

3 Allumez le gril. Épongez les tranches d'agneau et déposez-les entre 15 et 20 cm (5-8 po) au-dessus d'un brasier bien chaud. Retournez-les et badigeonnez-les de marinade toutes les 3 minutes ; prévoyez 12 à 14 minutes de cuisson. Décorez de quartiers de citron. Donne 4 portions.

Par portion : Calories 261 ; Gras total 18 g ; Gras saturé 4 g ; Protéines 23 g ; Hydrates de carbone 2 g ; Fibres 0 g ; Sodium 334 mg ; Cholestérol 75 mg

Préparation : 10 minutes • Marinage : 4 à 24 heures • Cuisson : 12 à 14 minutes

GIGOT D'AGNEAU PAPILLON

Une sauce aux prunes rend ce plat exquis. La préparation est simple mais les résultats sont impressionnants.

REMARQUES

La cuisson au gril convient bien à l'agneau. Elle met ses parfums en relief et le débarrasse d'un excès de gras.

Dans le gigot papillon, l'agneau est désossé et coupé presque en deux, de façon à l'ouvrir en crapaudine. Ainsi préparée, la viande cuit beaucoup plus vite, en 45 à 60 minutes selon le degré désiré. La pièce n'étant pas d'une égale épaisseur partout, il s'y trouve toujours des morceaux plus cuits ou moins cuits : on peut ainsi satisfaire les goûts de tous les convives avec le même gigot.

Note : le gigot désossé et roulé peut, lui aussi, être ouvert et grillé à plat.

LA BONNE COUPE

Même si vous n'attendez pas huit personnes à votre table, prenez un gigot complet, patte et selle, pour le désosser. C'est la coupe la plus charnue et la moins chère. L'agneau grillé est une viande si savoureuse que vous n'aurez aucune difficulté à utiliser les restes.

CONDIMENTS

Si vous préférez ne pas faire mariner le gigot, condimentez-le simplement. Huile d'olive, ail, quelques brins de menthe ou de romarin suffisent. Pensez aussi à du jus de citron, de la poudre de cari, de la moutarde de Dijon ou une pâte faite de moutarde, de sauce soja et de cassonade.

DE L'EXOTISME

Notre recette fait appel à un ingrédient inusité : de la mélasse de grenade. Si vous ne trouvez pas cette spécialité du Moyen-Orient parmi les épiceries fines, mélangez 3 c. à soupe de grenadine et 1 c. à soupe de mélasse. Vous en aurez ¼ tasse.

Voici une autre recette du Moyen-Orient. Frottez le gigot papillon de jus de citron et de cumin avant de le faire griller. Servez-le avec une sauce au yogourt et à l'aneth obtenue ainsi : mélangez 1 tasse de yogourt nature, 1 c. à soupe d'huile d'olive, 2 c. à thé d'ail haché, 1 concombre haché et ¼ tasse d'aneth ciselé.

UN BON ACCOMPAGNEMENT

Pour compléter le dépaysement, remplacez les pommes de terre ou le riz par du couscous (voir page 126).

GIGOT AVEC SON OS

Si vous voulez cuire un gigot entier – non désossé – sur le gril, il vous faut un barbecue couvert, à cuisson plus lente, ou une broche.

Pour faire rôtir le gigot à la broche, incisez la chair tous les 2 cm (1 po) et insérez de fines lamelles d'ail. Frottez la pièce avec du jus de citron ou des assaisonnement secs de votre goût. Insérez la broche le long de l'os et placez le gigot entre 20 et 22 cm (8-9 po) du brasier. Mettez un plat en aluminium sous la viande pour recevoir la graisse et l'empêcher de tomber dans le brasier.

Arrosez l'agneau régulièrement et donnez-lui un quart de tour toutes les 15 minutes. Prévoyez 1 h 15 de cuisson pour un gigot de 2,25 à 2,75 kg (5-6 lb).

Insérez le thermomètre sans approcher le brasier ou l'os. La chaleur interne est de 60 à 65 °C (140-150 °F) pour une cuisson rosée et de 80 à 82 °C (175-180 °F) pour une cuisson à point. Les mêmes températures valent pour un carré.

DÉCOUPAGE DU GIGOT D'AGNEAU PAPILLON

Le découpage est simple puisque la pièce est désossée. Coupez-la en diagonale par rapport aux fibres. La tranche que donne un gros gigot couvre une assiette.

Gigot d'agneau papillon de Ben Barker

Marinade :

1½	tasse de vin rouge fruité
¼	tasse de mélasse à la grenade
3	c. à soupe d'huile d'olive
3	gousses d'ail, écrasées
1½	c. à thé de paprika hongrois doux
1½	c. à thé de coriandre moulue
1½	c. à thé de cumin moulu
1	c. à thé de sel
½	c. à thé de graines d'anis, broyées
¼	c. à thé de cayenne
¼	c. à thé de cannelle
⅛	c. à thé de clou de girofle
½	tasse de menthe fraîche, ciselée
½	tasse de coriandre fraîche, ciselée

Agneau :

2	kg (4 lb) de gigot d'agneau désossé
1	c. à thé, ou plus, de gros sel

Sauce aux prunes :

1	oignon rouge moyen, haché fin
2	gousses d'ail, hachées fin
⅔	tasse de vin rouge fruité
3	c. à soupe de mélasse à la grenade
¼	tasse de cassonade blonde, bien tassée
¾	c. à thé de cumin moulu
¾	c. à thé de coriandre moulue
¾	c. à thé de gingembre moulu
1	c. à thé de sel
750	g (1½ lb) de prunes mûres, dénoyautées et détaillées en dés de 1 cm (½ po)
¼	tasse de menthe fraîche, ciselée
¼	tasse de coriandre fraîche, ciselée

1 **Marinade.** Dans un grand bol inoxydable, mélangez ensemble tous les ingrédients.

2 **Agneau.** Retournez l'agneau dans la marinade, couvrez et réfrigérez le bol de 4 à 24 heures ; remuez de temps à autre.

3 **Sauce aux prunes.** Dans une casserole inoxydable moyenne, mettez l'oignon, l'ail, le vin, la mélasse, la cassonade, le cumin, la coriandre, le gingembre et le sel. Portez à ébullition à feu modéré. Ajoutez les prunes, baissez le feu et laissez mijoter à découvert environ 25 minutes pour que la sauce réduise à 2½ ou 3 tasses. Retirez du feu et ajoutez la menthe et la coriandre. Laissez tiédir.

4 Préparez le barbecue en plaçant des charbons de bois dur à une extrémité seulement. Laissez-les devenir modérément chauds. Déposez le gigot à l'autre extrémité du gril, à 20 cm (8 po) au-dessus du brasier. Comptez 15 minutes de cuisson.

5 Salez la pièce, badigeonnez-la de marinade, fermez le barbecue et poursuivez la cuisson en badigeonnant le gigot toutes les 5 minutes jusqu'à ce que l'agneau atteigne une température interne de 60 à 63 °C (140-145 °F) au thermomètre électronique ; prévoyez pour cela 30 à 45 minutes.

6 Laissez la pièce reposer 15 à 20 minutes avant de la découper ; la viande continuera de cuire. Servez avec la sauce aux prunes. Donne 8 portions.

Par portion : Calories 527 ; Gras total 19 g ; Gras saturé 5 g ; Protéines 48 g ; Hydrates de carbone 32 g ; Fibres 2 g ; Sodium 929 mg ; Cholestérol 145 mg

Préparation : 30 minutes • Marinage : 4 à 24 heures • Cuisson : 1 h 10

Côtes levées

Le plat sino-américain de côtes levées avec sauce à l'ail n'a pas attendu que l'art de la rôtisserie maison se généralise pour s'imposer dans la faveur populaire. C'est un mets à succès !

Sauce à côtes levées de la Géorgie

Les amateurs de côtes levées apprécieront cette sauce aigre-douce qui donne du piquant au plat.

- 1½ tasse de ketchup
- 1 tasse de vinaigre de cidre
- ⅓ tasse d'huile à salade
- ⅓ tasse de sauce Worcestershire
- ½ tasse de cassonade brune, bien tassée
- 3 c. à soupe de moutarde jaune
- 3 gousses d'ail, hachées
- 1 citron, coupé en deux

Mélangez les ingrédients dans une casserole inoxydable ; pressez le citron directement dans la sauce et ajoutez-y un des demi-citrons pressés. Mélangez. Réchauffez la sauce doucement pendant environ 10 minutes. Gardez-la au chaud pour en badigeonner les côtes levées. Retirez le demi-citron, ramenez la sauce à ébullition et présentez-la en saucière. Donne 3 tasses.

À VOUS DE CHOISIR

Côtes levées. Situées à l'extrémité des côtes, elles sont peu charnues. La flèche au complet pèse 1,5 kg (3 lb). Si vous les servez en plat principal, comptez 350 à 500 g (¾-1 lb) par personne.

Côtes de dos. Ce sont de courtes flèches découpées sur le flanc, comme les précédentes, mais du côté de la colonne vertébrale.

Côtes à la paysanne. Épaisses et charnues, prises près de l'épaule, elles ressemblent plus à des côtelettes qu'à des côtes levées. Comptez que trois côtes feront 500 g (1 lb).

PRÉPARATION

On peut séparer les côtes levées et les faire griller à l'unité. Mais il est plus facile de badigeonner et de tourner une flèche entière qu'une côte.

Essuyez les côtes avec de l'essuie-tout et ôtez le gras qui se trouve en surface. Ôtez également les filaments parcheminés qui adhèrent à la surface, du côté intérieur de la flèche. Vous pouvez frotter la pièce de fines herbes et d'épices ou la faire mariner.

ASSAISONNEMENT

Préparez un mélange de fines herbes et d'épices : vous en aurez sous la main au moment voulu.

Réunissez ¼ tasse chacun de gros sel, de poivre noir frais moulu, de paprika doux et de sucre dans un bocal muni d'un couvercle étanche. Juste avant de vous en servir, ajoutez 1 c. à soupe de zeste de citron râpé pour 2 c. à soupe de mélange.

Vous pouvez aussi adapter les assaisonnements donnés pour le biftreck à la page 182 en ajoutant ½ c. à thé de gingembre râpé et 1½ c. à thé d'écorce d'orange séchée et râpée.

QUELQUES CONSEILS

Pour réduire le temps de cuisson des côtes levées sur le gril, on recommande souvent de les faire d'abord pocher. Si vous ne souhaitez pas passer par cette étape, augmentez le temps de cuisson et prévoyez un brasier peu ardent.

Une cuisson lente garde la chair des côtes tendres. Sans précuisson, prévoyez au total 1 h 10 pour les côtes levées et jusqu'à 1 h 30 pour les côtes à la paysanne.

Badigeon

Liez ensemble quelques brins de fines herbes et servez-vous-en pour badigeonner les viandes que vous faites cuire sur le gril.

Il n'est pas indispensable de les badigeonner durant la cuisson. Si vous y tenez néanmoins, mélangez ½ tasse de bouillon de poulet, le jus de 1 citron ou 1 lime et 1 c. à thé de sauce Tabasco.

Si vous voulez les enduire d'une sauce barbecue à la tomate, attendez la mi-cuisson pour les badigeonner ; sinon, la sauce noircira et brûlera.

Côtes lustrées

À mi-cuisson, utilisez le badigeon décrit à gauche pour arroser les viandes avec une sauce qui doit être assez épaisse pour ne pas se répandre. Mettez-en généreusement.

Quand les côtes sont à point, découpez-les en portions de trois avec un couteau de chef.

Côtes à la diable

Fond de pochage :
- **8 à 10 tasses d'eau**
- **1 tasse de vinaigre de cidre**
- **1 c. à thé de flocons de piment rouge concassés**

Côtes levées :
- **1 flèche (1,5 kg/3 lb) de côtes levées de porc**
- **2 c. à thé de sel**

Marinade :
- **2 tasses de vinaigre de cidre**
- **2 c. à soupe de cassonade brune, bien tassée**
- **1 c. à soupe de mélasse**
- **1¼ c. à thé de flocons de piment rouge concassés**
- **½ c. à thé de poivre noir**
- **½ c. à thé de sel**

Sauce :
- **¾ tasse de ketchup**
- **3 c. à soupe de vinaigre de cidre**
- **3 c. à soupe de cassonade brune, bien tassée**
- **2 c. à soupe de bourbon**
- **1 c. à soupe de mélasse**
- **½ c. à thé de graines de moutarde**

1 **Pochage.** Dans une très grande sauteuse, ou une rôtissoire, et à feu modéré, amenez l'eau, le vinaigre et le piment rouge à ébullition. Ajoutez la flèche de côtes et faites mijoter 30 minutes sans couvrir. Laissez refroidir dans le fond de pochage.

2 **Marinade.** Mélangez tous les ingrédients dans un grand bol. Ajoutez les côtes, tournez-les pour les enrober de marinade de tous les côtés. Couvrez le bol et réfrigérez au moins 4 heures, au plus 24 heures.

3 Préparez le gril en allumant les charbons de bois à une extrémité. Déposez les côtes sur un brasier modérément vif, à 20 cm (8 po) des braises. Couvrez le gril et accordez un peu de ventilation. Au bout d'environ 10 minutes, il se formera une croûte sur les côtes. Saupoudrez-les alors avec les 2 c. à thé de sel.

4 Déposez les côtes sur le gril de façon qu'elles ne soient pas directement au-dessus des charbons. Badigeonnez-les de marinade, couvrez et prolongez la cuisson de 30 minutes en les arrosant de marinade toutes les 5 minutes.

5 **Sauce.** À feu modéré, amenez les ingrédients à ébullition tout en remuant. Retirez. Servez la sauce tiède ou réfrigérez-la pour avoir une sauce trempette. Donne 4 portions.

**Par portion : Calories 806 ;
Gras total 49 g ; Gras saturé 18 g ;
Protéines 48 g ;
Hydrates de carbone 39 g ; Fibres 1 g ;
Sodium 1 237 mg ; Cholestérol 194 mg**

*Préparation : 20 minutes
Marinage : 4 à 24 heures
Cuisson : 1 h 10*

POULET AU BARBECUE

L'arôme du poulet cuit sur un brasier est synonyme d'été. Il y a mille et une façons de l'apprêter pour varier ses plaisirs.

PRÉPARATION

Sortez le poulet du réfrigérateur à la toute dernière minute. Nettoyez l'intérieur et enlevez le gras apparent. N'enlevez pas la peau ; elle empêche la chair de se dessécher sur le gril.

Frottez le poulet avec un demi-citron et badigeonnez-le avec un peu d'huile d'olive. Pour varier, utilisez de l'huile parfumée au sésame ou de l'huile de noix, plus odorantes. Salez, poivrez et aromatisez de persil, de romarin, de sauge ou d'estragon.

CUISSON

La température de l'air influe sur la chaleur du gril. Un poulet découpé met entre 45 et 60 minutes à cuire par temps chaud, mais il faut compter 15, voire 30 minutes de plus s'il fait froid ou venteux.

Mesurez la température interne des demi-poulets ou des quarts de poulet avec un thermomètre électronique : il doit marquer 82 °C (180 °F) dans la poitrine et 85 °C (185 °F) dans

CONSEIL DE CHEF

Jeanne Voltz

« Si vous mettez trop de charbon de bois, il se produit des flammes et les aliments brûlent. Or il faut 30 minutes de cuisson pour cuire de petites cuisses de poulet, 45 pour les grosses. Pour que le brasier reste constant, il vaut donc mieux empiler deux rangs de charbons de bois ou de briquettes sur une petite surface. S'il faut ajouter des charbons, vous pourrez les déposer d'abord autour. »

la cuisse. Ou bien, incisez la chair : si le jus est transparent, le poulet est à point ; s'il est rosé, prolongez la cuisson.

CUISSON À LA BROCHE

La cuisson du poulet à la broche décuple sa saveur.

Salez, poivrez et badigeonnez le poulet entièrement de sauce, y compris la cavité. Bridez le poulet solidement avec de la ficelle de cuisine. Enfilez la broche par le cou. Fixez les fourches devant et derrière. Mettez la broche en place et faites-la tourner pour vérifier son équilibre.

Repoussez les charbons ardents vers l'arrière du brasier et installez un plat sous le poulet pour recevoir les gouttes de gras et de jus. Verrouillez la broche, faites démarrer le moteur et laissez cuire le poulet jusqu'à ce que la peau cloque et soit dorée. (Hissez la broche si le poulet pèse plus de 3 kg (6 lb) pour que le plat soit 18 cm (7 po) au-dessous.)

Toutes les 15 minutes, badigeonnez d'huile d'olive et de jus de citron en parts égales. Laissez cuire jusqu'à ce que le thermomètre marque 85 °C (185 °F) de température interne.

SAUCE À BADIGEONNER

Voici un bon mélange qui donne du goût au poulet sans activer le feu.

Dans une petite casserole, mélangez ½ tasse de bouillon de poulet, ¼ tasse de jus de citron, 1 gousse d'ail hachée, 1 c. à soupe d'huile d'olive et 1 c. à soupe de persil, d'estragon ou de romarin hachés. Ajoutez ½ c. à thé de sel, ¼ c. à thé de poivre et, à votre gré, ½ c. à thé de sauce Tabasco. Déposez la casserole à une extrémité du gril pour que la sauce reste chaude.

SAUCE DE FINITION

Vous pouvez aussi attendre que le poulet soit cuit pour le badigeonner avec la sauce suivante : faites revenir à feu modéré ¼ tasse d'oignon haché fin dans 1 c. à soupe d'huile ; ajoutez ½ tasse de sauce barbecue, ¼ tasse de jus de citron et ¼ tasse de bouillon de poulet. Cette quantité vaut pour un poulet.

POULET À LA JAMAÏCAINE

Mélangez les ingrédients suivants : **¼ tasse d'huile d'olive, 2 gousses d'ail**, hachées, **2 c. à soupe chacun de vinaigre de vin blanc, de jus de lime et de gingembre frais, râpé, 1 c. à soupe de mélasse, 1 c. à thé chacun de sauce Tabasco, de sel et de piment de la Jamaïque moulu** et **¾ c. à thé de cannelle.** Avec cette sauce-marinade, suivez les étapes 3 à 5, page ci-contre. Donne 4 portions.

POULET À LA SUDISTE

Mélangez les ingrédients suivants : **6 c. à soupe de vinaigre de cidre, 2 c. à soupe d'huile, 2 c. à soupe de cassonade, 2 gousses d'ail**, hachées, **1 c. à thé de sauce Tabasco** et **1 c. à thé de sel.** Laissez reposer plusieurs heures à la température ambiante. Avec cette sauce-marinade, suivez les étapes 3 à 5 de la recette ci-contre. Donne 4 portions.

Poulet grillé à la mode du Texas

- **2** c. à soupe d'huile d'olive
- **1** gros oignon, haché
- **1** côte de céleri, hachée
- **2** gousses d'ail, hachées
- **1** tasse de ketchup
- **½** tasse de bourbon
- **½** tasse de Fond de poulet (page 39) ou de bouillon de poulet
- **¼** tasse de mélasse
- **3** c. à soupe de vinaigre de cidre
- **1** c. à soupe de moutarde jaune
- **1** citron (zeste et jus)
- **¼** à **½** c. à thé de sauce Tabasco
- **1** poulet à griller (1,5 kg/ 3 lb), coupé en quatre

1 Dans une casserole moyenne, réchauffez l'huile 1 minute à feu modéré. Ajoutez l'oignon et le céleri et faites-les revenir 5 minutes en remuant de temps à autre. Ajoutez l'ail et faites revenir 2 minutes de plus.

2 Ajoutez le ketchup, le bourbon, le fond de poulet, la mélasse, le vinaigre, la moutarde, le zeste et le jus de citron ainsi que la sauce Tabasco. Lancez l'ébullition à feu vif. Baissez le feu et laissez mijoter 20 minutes à découvert. Laissez refroidir la sauce; vous pouvez aussi la conserver jusqu'à trois jours au réfrigérateur.

3 Dégagez la peau du poulet pour mettre la chair à nu, mais ne l'enlevez pas. Mettez la volaille dans un grand sac de plastique autofermant, ajoutez la moitié de la sauce et réfrigérez au moins 4 heures, ou jusqu'au lendemain, en agitant le sac de temps à autre. Réfrigérez le reste de la sauce.

4 Préchauffez le gril ou allumez le barbecue. Retirez le poulet du sac; réservez la sauce. Remettez la peau du poulet en place et déposez-le, peau dessous, à 12 cm (5 po) au-dessus d'un plat destiné à recevoir les gouttes de gras et de jus, sur le brasier incandescent. Fermez le gril, laissez les orifices de ventilation ouverts à demi (ou selon la vélocité du vent et la température qu'il fait). Faites cuire le poulet 15 à 20 minutes en le retournant une fois. Badigeonnez-le généreusement de sauce et poursuivez la cuisson pendant 25 à 30 minutes en le retournant une fois et en le badigeonnant de temps à autre. Le poulet est à point quand la chair, près de l'os du haut de cuisse, n'est plus rose.

Note: si vous faites griller le poulet dans le four, placez-le entre 18 et 22 cm (7-9 po) de l'élément et faites-le cuire 10 minutes. Badigeonnez-le de sauce et faites-le cuire encore 5 minutes. Retournez le poulet et poursuivez la cuisson et les badigeonnages 15 minutes de plus.

5 Entre-temps, réchauffez à feu doux la sauce réfrigérée à l'étape 3. Servez-la en guise de trempette pour le poulet grillé. Donne 4 portions.

Par portion : Calories 746 ; Gras total 29 g ; Gras saturé 7 g ; Protéines 44 g ; Hydrates de carbone 52 g ; Fibres 2 g ; Sodium 929 mg ; Cholestérol 141 mg

Préparation : 1 heure
Marinage : 4 à 24 heures
Cuisson : 30 à 50 minutes

CREVETTES GRILLÉES

Les crevettes que l'on fait sauter sur le gril ou dans la poêle ont plus de saveur que bouillies. Ce processus fait ressortir la saveur naturelle des crevettes et leur conserve tout leur moelleux.

ACHAT

De préférence, achetez les crevettes le jour où vous les faites cuire. Contrairement aux crevettes surgelées ou décongelées, les crevettes fraîches se vendent entières, avec la tête. À cru, leur carapace est verdâtre, rosâtre ou brune selon leur variété et leur origine.

Les crevettes se décongèlent rapidement. Si elles sentent l'ammoniaque, c'est qu'elles ont séjourné trop longtemps à l'étalage.

LA BONNE TAILLE

Pour la cuisson au gril, prenez de grosses crevettes : vous en aurez 12 à 15 pour 500 g (1 lb), 10 si elles sont géantes.

Évitez les petites crevettes qui s'échapperont par les fentes du gril ou du panier à griller et qui sont difficiles à saisir avec la pince à long manche.

NETTOYAGE

Parer les crevettes, c'est leur enlever, sur le dos, un filament noirâtre – le fil intestinal – plus visible sur les grosses crevettes que sur les petites.

Sous la dent, ce filament a une texture sablonneuse ou caillouteuse. S'il est transparent, vous n'avez pas besoin de l'enlever.

PRÉPARATION

Débarrassez les crevettes de la carapace et ôtez le fil intestinal s'il y a lieu. Déposez-les dans le panier à griller ou enfilez-les sur des brochettes ; posez-les sur le gril, 7 à 10 cm (3-4 po) au-dessus d'un brasier modéré.

Badigeonnez-les d'huile si elles n'ont pas mariné auparavant et faites-les cuire jusqu'à ce qu'elles soient roses. Prévoyez 5 à 7 minutes de cuisson au total, en les retournant à mi-cuisson. Cuite, leur chair est rose et opaque.

Attention : un excès de cuisson les rend coriaces et insipides. Pour savoir si elles sont cuites, croquez-en une.

PRÉPARATION DES CREVETTES

Faites mariner et cuire les crevettes avec ou sans leur carapace.

1 Pour les peler, coupez la carapace sur le dos avec des ciseaux ; retirez-la, mais gardez la petite queue intacte.

2 Pour retirer le filament, s'il y a lieu, entaillez le dos avec la pointe d'un couteau.

3 Tirez sur le fil ou lavez la crevette à l'eau courante froide.

SUR LE GRIL

Pour empêcher les crevettes de glisser dans le brasier, servez-vous d'un panier huilé muni de charnières et d'un fermoir. Ce panier sert aussi à griller les galettes de bœuf et bien d'autres aliments.

Vous pouvez aussi enfiler les crevettes sur des brochettes de bambou imbibées d'eau. N'en mettez que deux par brochette : vous aurez amplement d'espace pour retourner les brochettes sur le gril et les retirer après la cuisson.

Autre méthode : après avoir décortiqué et paré les crevettes géantes, coupez-les sur l'épaisseur sans séparer les deux moitiés et faites-les cuire à plat sur le gril, en crapaudine.

CREVETTES AU POIVRE NOIR

Faites mariner pendant 1 heure au réfrigérateur **500 g (1 lb) de crevettes géantes,** décortiquées ou non, dans **¼ tasse de jus de citron, ½ c. à thé de sel** et **1 c. à soupe de poivre noir,** concassé. Faites-les griller 3½ minutes de chaque côté sur un brasier modéré, ou 4 à 5 minutes de chaque côté sous le gril préchauffé du four. Donne 4 portions.

CREVETTES À L'ORIENTALE

Suivez la recette ci-dessus, mais supprimez le poivre noir et ajoutez à la marinade **2 c. à soupe d'huile de sésame, 1 grosse gousse d'ail,** hachée, et **1 c. à soupe de sauce soja.** Donne 4 portions.

Crevettes géantes poêlées

- **2** c. à soupe de beurre doux ou de margarine non salée
- **500** g (1 lb) de crevettes géantes, décortiquées et parées
- **2** gousses d'ail, hachées

1 Posez une grande sauteuse sur le gril, 10 à 15 cm (4-6 po) au-dessus du brasier, ou réchauffez-la à feu assez vif sur la cuisinière. Faites-y fondre le beurre. Quand il mousse, faites-y sauter les crevettes 2 minutes.

2 Ajoutez l'ail, le sel, le poivre, le persil et, 1 minute plus tard, le jus de citron.

- **½** c. à thé de sel
- **1** c. à thé de poivre blanc
- **2** c. à soupe de persil haché
- **3** c. à soupe de jus de citron

3 Servez immédiatement sur un lit de riz blanc cuit. Donne 4 portions.

Par portion : Calories 127 ; Gras total 7 g ; Gras saturé 4 g ; Protéines 15 g ; Hydrates de carbone 2 g ; Fibres 0 g ; Sodium 423 mg ; Cholestérol 150 mg

Préparation : 10 minutes
Cuisson : 3 minutes

DARNES DE POISSON AU BARBECUE

Les darnes de poisson cuites sur un brasier sont un mets digne d'un roi. Préparées à notre façon, elles sortent du gril succulentes et pleines de saveur.

POISSONS ET COUPES POUR LE GRIL

Aiglefin. Chair mi-ferme, peu grasse et douce. Darnes de 2,5 cm (1 po).

Espadon. Chair ferme, assez maigre et douce ; ne s'assèche pas en cuisant. Darnes de 3 cm (1¼ po) ou brochettes.

Flétan. Chair blanche, peu grasse, ferme, très fine. Darnes de 2,5 cm (1 po) ou cubes.

Mahi-mahi. Chair peu grasse, assez ferme et douce. Filets ou darnes de 2,5 cm (1 po).

Requin. Chair mi-grasse et douce. Darnes ou filets de 2,5 cm (1 po).

Saumon. Le saumon rose est le moins gras ; le chinook, le plus goûteux. Filets ou darnes de 2,5 cm (1 po) ou cubes.

Thon. Chair mi-grasse, ferme, rouge virant au brun à la cuisson. Darnes de 3 cm (1¼ po) ou cubes pour brochettes.

Tile. Chair mi-grasse, tendre, à saveur raffinée. Pour le gril, darnes de 2,5 cm (1 po).

ACHAT ET CONSERVATION

Prévoyez 150 à 250 g (5-8 oz) par personne. Procurez-vous du poisson frais du jour. Enlevez l'emballage d'origine ; enveloppez-le dans du papier ciré et gardez-le au réfrigérateur jusqu'à la cuisson.

MARINADE

Quoiqu'elle ne soit pas essentielle, vous pouvez en préparer une avec ¼ tasse d'huile d'olive, 2 c. à soupe de jus de citron et 1 c. à soupe de persil, de romarin ou d'aneth haché ; ou une autre, avec ½ tasse de vinaigrette italienne et 2 c. à soupe de jus de citron ou de vinaigre de vin blanc.

BEURRE COMPOSÉ POUR LE GRIL

Le beurre empêche le poisson de se dessécher sur le gril.

Mélangez le beurre avec les condiments choisis. Façonnez-le en rouleau dans du papier ciré et réfrigérez-le. Quand il est ferme, détaillez-le en tranches. Enveloppez, étiquetez et congelez.

Mettez poisson et marinade dans un sac de plastique. Réfrigérez tout juste 30 minutes pour que la texture et le goût du poisson restent intacts.

Égouttez le poisson et mettez la marinade dans un bol que vous garderez au chaud sur le bord du gril pour en badigeonner le poisson de temps à autre durant la cuisson.

CUISSON PROPRE

Pour empêcher le poisson d'attacher, enveloppez darnes, filets ou petits poissons entiers de papier d'aluminium et percez-y des trous.

Ou mettez-les dans une feuille de laitue ou de chou. Assujettissez avec une broche à trousser ou un cure-dent imbibé d'eau. Huilez la feuille ainsi que le gril. Supprimez la feuille avant de servir.

Vous pouvez aussi vaporiser le poisson ou le gril d'un enduit antiadhésif. Ou vous servir d'un panier à griller huilé.

SUR LE GRIL

Selon l'épaisseur de la pièce, la cuisson au total peut prendre entre 4 et 15 minutes et vous retournez la pièce une seule fois. Servez-vous d'une spatule large et bien huilée. La chair au centre de la découpe doit être à la veille de s'effeuiller et être tendre à la fourchette. Servez sans attendre.

SOUS LE GRIL

Allumez le gril du four et faites dorer la pièce rapidement. Ensuite, terminez la cuisson au four, à 190 °C (375 °F), en arrosant la pièce de temps à autre jusqu'à ce que la chair soit opaque.

BEURRES COMPOSÉS

Au raifort : ¼ tasse de beurre, 2 c. à soupe de sauce raifort égouttée, ⅛ c. à thé de cayenne et de sel.

Miel-moutarde : ¼ tasse de beurre, 4 c. à thé de moutarde forte, ½ c. à thé de miel.

Citron : ¼ tasse de beurre, ¼ c. à thé de zeste de citron râpé, 2 c. à thé de jus de citron, ⅛ c. à thé de cayenne et autant de sel.

Fines herbes : ¼ tasse de beurre, 3 c. à soupe de persil, d'estragon et/ou de ciboulette hachés, ¼ c. à thé de zeste de citron râpé, 2 c. à thé de jus de citron, ⅛ c. à thé de cayenne et de sel.

Thon grillé aux câpres et au beurre d'olive

Suivez la recette ci-contre en remplaçant l'espadon par du **thon**. Préparez le beurre, non pas avec des anchois, mais avec **1 c. à soupe de câpres**, égouttées et hachées, **1 c. à soupe d'olives calamatas**, hachées fin, et **¼ c. à thé de graines de fenouil**, broyées (facultatif). Donne 4 portions.

Saumon grillé avec salsa aux pêches

Suivez la recette ci-contre en remplaçant l'espadon par du **saumon**. Supprimez la marinade. Frottez plutôt le saumon avec **½ c. à thé de sel, ¼ c. à thé de sucre** et **une pincée de piment de la Jamaïque**. Badigeonnez avec **1 c. à soupe d'huile d'olive** et faites griller.

Pour la salsa, mélangez **2 pêches**, pelées et coupées en petits dés, **¾ tasse de maïs en grains, ½ tasse de sauce chili, ¼ tasse d'oignon rouge, ¼ tasse de dés de poivron rouge, ¼ tasse de menthe hachée, ¼ tasse de coriandre, 2 c. à soupe de jus de lime, 2 c. à soupe de miel** et **½ c. à thé de sel**. Dressez sur le saumon grillé. Donne 4 portions.

Darnes d'espadon au beurre d'anchois

Espadon :
- **4 darnes d'espadon (200 g/6 oz chacune)**
- **½ c. à thé de sel**
- **½ c. à thé de romarin séché**
- **2 c. à soupe d'huile d'olive**

Beurre d'anchois :
- **¼ tasse (½ bâtonnet) de beurre doux ou de margarine non salée**
- **4 filets d'anchois, écrasés, ou 2 c. à thé de pâte d'anchois**
- **¼ c. à thé de zeste de citron râpé**
- **2 c. à thé de jus de citron**
- **⅛ c. à thé de cayenne**
- **⅛ c. à thé de sel**

1 **Espadon.** Mettez l'espadon dans un plat, saupoudrez-le de sel et de romarin et frottez-le pour que les condiments pénètrent. Aspergez-le d'huile et retournez-le pour bien l'enrober. Vous pouvez le faire macérer jusqu'à 4 heures au réfrigérateur avant de le faire cuire sur le gril.

2 **Beurre d'anchois.** Dans un petit bol ou au mélangeur électrique, mélangez le beurre, les anchois, le zeste et le jus de citron, le cayenne et le sel. Mettez le beurre composé dans un petit ramequin, couvrez et réfrigérez jusqu'au moment de servir.

3 Allumez le gril ou le barbecue. Huilez généreusement le gril ou la lèchefrite pour que le poisson n'attache pas. Faites-le cuire à 20 cm (8 po) du feu sur un brasier modéré 2 à 3 minutes de chaque côté. Ou faites-le griller au four, 2 à 3 minutes de chaque côté, à 15 cm (6 po) de l'élément.

4 Retirez-le avec une spatule bien huilée et déposez dessus une cuillerée de beurre composé. Donne 4 portions.

Par portion : Calories 310 ; Gras total 23 g ; Gras saturé 9 g ; Protéines 24 g ; Hydrates de carbone 0 g ; Fibres 0 g ; Sodium 569 mg ; Cholestérol 79 mg

Préparation : 6 minutes
Macération (facultative) : 4 heures
Cuisson : 4 minutes

LÉGUMES CUITS SUR LE GRIL

*F*ace aux autres modes de cuisson, c'est le gril qui réussit le mieux aux légumes. Et même plus qu'aux viandes, à cause de la caramélisation de leurs sucres.

QUELS LÉGUMES ?

Les légumes charnus sont les mieux indiqués : épis de maïs, aubergine, courges d'été et champignons portobellos. Faites des expériences.

PRÉPARATION

Lavez les légumes et enlevez les meurtrissures. Ne les pelez pas à moins que la recette ne l'exige : la peau leur conserve leur forme et les empêche de sécher. Essuyez les chapeaux de champignons avec un essuie-tout humide.

COUPES

Détaillez-les en tranches épaisses. Faites cuire directement sur le gril ou dans le panier à griller de belles plaques d'aubergine et de courgette ainsi que les gros oignons d'Espagne et les gros oignons blancs, jaunes ou rouges.

Grillez sans les découper les petites courges, les poivrons et les oignons non pelés. Détaillez les grosses tomates en quartiers, les petites en deux. Vous pouvez les enfiler sur des brochettes pour faciliter la manipulation.

Si vous les piquez sur des brochettes, séparez les légumes tendres, comme les tomates et les champignons, des légumes plus coriaces, comme les poivrons et les oignons. Mais si vous faites blanchir ces derniers, vous pouvez les associer à des légumes tendres sur les mêmes brochettes.

MAÏS SUR LE GRIL

Le maïs est plus sucré si vous le mettez sur le gril avec ses feuilles et ses barbes. Suivez les étapes illustrées ci-contre. Les épis grillés à nu, sans feuilles ni papier d'aluminium, se dessèchent, mais ils acquièrent une agréable saveur de grillé. Pour les empêcher de brûler, badigeonnez-les de sauce barbecue ou d'eau toutes les 3 à 5 minutes.

Servez le maïs grillé avec l'un des beurres composés ou des condiments dont la recette figure à la page 202.

(suite à la page 202)

PRÉPARATION ET CUISSON SUR LE GRIL

Maïs non paré

1 Rabattez les feuilles et ôtez une partie des barbes avec une brosse.

2 Ramenez les feuilles, ficelez et faites tremper dans l'eau 30 à 90 minutes.

Maïs en papillote

1 Enlevez complètement les feuilles et les barbes des épis de maïs.

2 Enveloppez l'épi dans du papier d'aluminium. Percez le papier.

Légumes charnus

Coupez-les en tranches ou en plaques de 1 cm (½ po) d'épaisseur et placez-les sur le gril ou dans le panier.

Enfilez les pièces ou les petits légumes sur des brochettes, en séparant les légumes tendres des fermes.

Légumes marinés et grillés

- ¾ **tasse de coriandre, hachée**
- ¼ **tasse de vinaigre de vin blanc ou rouge**
- ⅓ **tasse d'huile d'olive**
- 1½ **c. à thé de zeste de lime râpé**
- 3 **c. à soupe de jus de lime**
- ¾ **c. à thé de sel**
- ¼ à ½ **c. à thé de sucre**
- ¼ à ½ **c. à thé de sauce Tabasco**
- ¼ **c. à thé de poivre noir**
- 750 **g (1½ lb) d'aubergines, courgettes, courges d'été, poivrons, champignons portobellos mélangés ou non, préparés pour la cuisson au gril**

1 Mélangez tous les ingrédients, sauf les légumes, au fouet dans un petit bol.

2 Mettez tous les légumes, sauf les champignons, dans un sac de plastique avec la marinade. Ne réfrigérez pas plus de 4 heures ; agitez le sac de temps à autre. Ajoutez les champignons 2 heures avant la cuisson.

3 Retirez les légumes du sac ; réservez la marinade.

4 Allumez le brasier. Huilez la grille. Disposez les légumes sur un brasier modéré ou assez chaud, à 12 cm (5 po) des braises, et faites griller dans l'ordre et selon les temps de cuisson donnés à la page 202 ; retournez-les et badigeonnez-les de marinade de temps à autre. Donne 4 portions, avec 1 tasse de marinade.

Par cuillerée à soupe de marinade :
Calories 41 ; Gras total 4 g ;
Gras saturé 1 g ; Protéines 0 g ;
Hydrates de carbone 1 g ; Fibres 0 g ;
Sodium 100 mg ; Cholestérol 0 mg

Préparation : 30 minutes
Marinage : 2 à 4 heures

LÉGUMES GRILLÉS AU BASILIC ET AU THYM

Suivez la recette ci-contre, mais faites la marinade avec ⅓ **tasse d'huile d'olive, 3 c. à soupe de jus de citron, 2 c. à soupe de basilic frais** et **2 c. à soupe de thym frais,** hachés (ou 2 c. à thé de ces mêmes herbes séchées), 1½ **c. à thé de sel** et ¼ **c. à thé de poivre noir.** Donne environ 1 tasse de marinade.

LÉGUMES GRILLÉS À L'ORIENTALE

Mélangez les ingrédients suivants : **1 grosse échalote,** hachée fin, 4½ **c. à thé de vinaigre balsamique, 2 c. à soupe de sauce soja,** 1½ **c. à thé d'huile de sésame, 1 c. à thé de moutarde de Dijon, 1 gousse d'ail,** hachée, ¼ à ½ **c. à thé de sucre** et ⅛ à ¼ **c. à thé de sauce Tabasco.** Ne faites pas mariner les légumes, mais badigeonnez-les de sauce avant de les faire cuire. Suivez l'étape 4 ci-contre pour la cuisson et badigeonnez de nouveau les légumes avec la sauce après les avoir retournés. Si vous utilisez des champignons, laissez les chapeaux entiers. Donne environ ¼ tasse de sauce.

(suite de la page 200)

LE BRASIER

Si vous faites cuire seulement des légumes, préparez un petit brasier; préparez-en un gros s'il y a aussi de la viande. Mettez celle-ci au centre du gril et les légumes en périphérie.

SUR LE GRIL

Disposez les légumes sur une grille placée en travers de celle du barbecue.

Badigeonnez les légumes avec la sauce ou la marinade de la viande ou avec deux parts d'huile mélangées à une part de vinaigre ou de jus de citron.

Déposez les légumes en périphérie sur un brasier modéré, en tenant compte de leur temps respectif de cuisson. Retournez-les avec une spatule large ou avec une pince.

1 h 15 à 1 h 45: gros oignons non pelés, pommes de terre ou patates douces entières (retournez toutes les 10 minutes);

45 à 50 minutes: maïs badigeonné de sauce, aubergine entière, tranches épaisses de pommes de terre ou d'oignon;

35 à 45 minutes: épis de maïs non épluchés ou en papillotes (retournez-les souvent);

20 à 25 minutes: courgettes et courge d'été entières, gros chapeaux de champignons;

15 à 20 minutes: courgettes ou courge jaune en tranches épaisses, aubergine, tomates entières, brochettes de légumes variés.

PLUS DE SAVEUR

Plongez un brin d'une herbe fine dans la sauce ou la marinade et badigeonnez les légumes quand vous les retournez. À la fin, jetez le brin dans les braises pour aromatiser davantage encore les légumes. Associez basilic et tomates ou poivrons, sauge et oignons, thym ou aneth avec la courge, romarin avec tout.

Maïs en épi grillé

4 épis moyens de maïs

1 Rabattez les feuilles des épis à 5 cm (2 po) de la base. Retirez les barbes et ramenez les feuilles en place de façon qu'elles chemisent les épis. Enroulez de la ficelle de cuisine autour des épis pour tenir les feuilles en place.

2 Remplissez l'évier ou un grand récipient d'eau glacée et faites tremper les épis 30 à 60 minutes. Égouttez-les et secouez-les pour enlever une partie de l'eau.

3 Allumez le brasier. Huilez généreusement le gril. Faites griller les épis directement sur les braises, à 12 cm (5 po) du brasier; retournez-les de temps à autre. Prévoyez 30 à 45 minutes de cuisson.

4 Enlevez la ficelle et les feuilles; servez le maïs avec l'un des beurres composés ci-contre. Donne 4 portions.

> **Par portion (sans le beurre): Calories 83;**
> **Gras total 1 g; Gras saturé 0 g;**
> **Protéines 3 g; Hydrates de carbone 19 g; Fibres 2 g;**
> **Sodium 13 mg; Cholestérol 0 mg**
>
> *Préparation : 30 minutes • Trempage : 30 à 60 minutes*
> *Cuisson : 30 à 45 minutes*

CONDIMENTS SECS POUR LE MAÏS

Chile et cumin: Dans un petit bol, mélangez 2½ c. à thé d'assaisonnement au chile, 2½ c. à thé de cumin et 1 c. à thé de sel. Donne 2 cuillerées à soupe.

Gingembre et cari: Dans un petit bol, mélangez 4 c. à thé de gingembre frais râpé, 1 c. à thé de poudre de cari et 1 c. à thé de sel. Donne 2 cuillerées à soupe.

Fines herbes: Dans un petit bol, mélangez 1 c. à soupe de romarin haché, 1 c. à soupe de sauge hachée et 1 c. à soupe de thym haché (ou 1½ c. à thé de chacune de ces fines herbes séchées). Donne 3 cuillerées à soupe.

BEURRES COMPOSÉS

Beurre à la tomate et au basilic: Mélangez ½ tasse (1 bâtonnet) de beurre doux en pommade, ou de margarine, ¼ tasse de tomates séchées dans l'huile, épongées et hachées, et ⅓ tasse de basilic frais haché. Donne ½ tasse.

Beurre au piment doux rôti et aux olives noires: Mélangez ½ tasse (1 bâtonnet) de beurre doux en pommade, ou de margarine, ¼ tasse de piment doux rôti, haché, ¼ tasse d'olives noires dénoyautées, hachées, et ¼ c. à thé de poivre noir. Donne ½ tasse.

Beurre au citron et à la ciboulette: Mélangez ½ tasse (1 bâtonnet) de beurre doux en pommade, ou de margarine, ¼ tasse de ciboulette ciselée (ou 4 c. à thé de ciboulette lyophilisée) et 2 c. à thé de zeste de citron râpé. Donne ½ tasse.

MAÏS EN PAPILLOTE

Parez 4 épis de maïs moyens. Découpez des carrés de 45 cm (18 po) de papier d'aluminium robuste; placez un épi au milieu de chacun. Ajoutez un beurre composé ou un mélange aromatique (ci-contre) additionné de 1 c. à soupe de beurre et aspergez chaque épi de 1 c. à soupe d'eau. Repliez deux pointes en diagonale en laissant un peu d'espace pour la vapeur. Repliez les deux autres. Faites griller environ 45 minutes. Retirez la papillote et servez avec un beurre composé si l'épi n'est pas condimenté. Donne 4 portions.

POISSONS ET FRUITS DE MER

FILETS DE POISSON

Pochés ou poêlés, nature, panés ou farcis, les filets de poisson sont toujours excellents. Vous trouverez ici toutes les techniques de base.

SOLE ET TURBOT : DES NOMS ERRONÉS

La vraie sole, aussi appelée sole de Douvres, est un poisson cher, importé d'Europe. Ce qui se vend dans nos poissonneries sous le nom de sole peut être de la plie canadienne, de la plie grise ou de la plie rouge, pêchées dans l'Atlantique Nord et dans le golfe du Saint-Laurent, ou de la limande à queue jaune, provenant de la Gaspésie et des îles de la Madeleine. Fraîches ou congelées, ces fausses « soles » n'en sont pas moins excellentes.

Le même cas se présente pour le turbot. Le véritable turbot est originaire d'Europe ; le poisson qui se vend ici sous ce nom est en réalité du flétan noir, ou flétan du Groenland.

AUX PETITS SOINS

Traitez ces poissons avec beaucoup de délicatesse : leur chair fine est extrêmement fragile. Retournez-les et retirez-les de la sauteuse avec une ou deux spatules larges.

Respectez les temps de cuisson spécifiés dans les recettes. Lorsqu'ils sont trop cuits, les filets de poisson se dessèchent et se brisent.

POISSONS À POCHER

Pour faire pocher les filets de poissons plats, prenez une sauteuse en fonte émaillée, en aluminium épais et étamé, en acier inoxydable à grande conduction ou en cuivre épais revêtu d'étain ou d'acier inoxydable.

La fonte noire et l'aluminium non traité sont à éviter : le court-bouillon, toujours un peu acide, y prend un goût métallique et noircit.

POCHAGE

Pour que le poisson n'attache pas, vaporisez la sauteuse d'enduit antiadhésif ou badigeonnez-la légèrement de beurre ou d'huile végétale.

Le court-bouillon doit à peine couvrir les filets. Enrichissez-le de vin, de jus de palourde, de fumet de poisson ou de jus de citron.

Faites-le frémir doucement. Ne le menez pas au point d'ébullition : les bouillons auraient tôt fait de disloquer les filets.

Utilisez un couvercle ; la vapeur contribue, elle aussi, à la cuisson du poisson.

DURÉE DE CUISSON

Après 3 à 4 minutes de pochage, vérifiez la cuisson du filet le plus épais avec une fourchette. La chair est-elle opaque ? Il est à point. Si elle s'effeuille, il a trop cuit ; une sauce réparera les dégâts.

Préchauffez le plat de service dans le four chaud, à l'eau chaude ou dans le lave-vaisselle, au cycle de séchage.

Déposez les filets dans un plat, couvrez de papier d'aluminium, et gardez-les au four préchauffé à 80°C (175°F) pendant que vous faites la sauce. Ne dépassez pas cette température : le poisson serait sec et trop cuit.

ENROULER DES FILETS

Mettez les filets à plat, peau dessus, et garnissez-les de farce. Enroulez-les sur eux-mêmes du bout le plus large au plus étroit. Fixez avec un cure-dent.

FILETS POCHÉS AU FOUR, SAUCE CITRONNÉE

Mettez les filets à plat, côté peau dessus, et enroulez-les (voir ci-contre). Détaillez **1 citron** en tranches très minces ; étalez-les dans un plat beurré, peu profond. Disposez les filets dessus. Ajoutez ½ **tasse de vin blanc sec** et ½ **tasse de bouillon de poisson, 2 brins de persil, 1 brin de thym** (ou ¼ c. à thé de thym séché), **2 c. à soupe d'oignon haché, ½ c. à thé de sel et 3 grains de poivre noir.** Couvrez lâchement de papier d'aluminium et faites cuire au four préchauffé à 180°C (350°F), pendant 20 à 25 minutes. Entre-temps, préparez la sauce comme à l'étape 3, page ci-contre, en ajoutant **1 c. à soupe de jus de citron** et ½ **c. à thé de zeste de citron râpé.** Nappez-en les filets et décorez de persil et de tranches de citron. Donne 4 portions.

POISSONS ET FRUITS DE MER

Filets Véronique

Suivez la recette ci-contre, mais au lieu du persil, ajoutez à la sauce **½ c. à thé de zeste de citron râpé** et **1 tasse de raisins verts sans pépins,** pelés et coupés en deux. Avant de servir, glissez la sauteuse 1 à 2 minutes sous l'élément du gril. Donne 4 portions.

Filets poêlés

Farinez les filets avec **¼ tasse de farine,** assaisonnée de **⅛ c. à thé de sel** et de **⅛ c. à thé de poivre.** Tapotez-les pour faire tomber l'excédent. Poêlez-les à feu assez vif dans **3 à 4 c. à soupe de beurre,** ou de margarine (ou d'un mélange moitié huile, moitié beurre), 3 à 4 minutes de chaque côté. Épongez les filets sur de l'essuietout. Donne 4 portions.

Filets panés

Farinez les filets avec **¼ tasse de farine,** assaisonnée de **⅛ c. à thé de sel, ⅛ c. à thé de poivre** et **1 à 2 c. à thé de parmesan râpé** (ou ½ c. à thé de thym ou de marjolaine séchés). Tapotez-les pour faire tomber l'excédent. Retournez-les ensuite dans **1 œuf,** battu avec **2 c. à soupe d'eau,** ou de lait, puis dans de la **chapelure fine,** ou de la farine de maïs. Faites sauter comme ci-dessus. Donne 4 portions.

Filets pochés, sauce au vin blanc

Filets :
- 4 **filets de flétan noir (turbot) ou de plie (sole) (750 g/1½ lb)**
- 1 **tasse de vin blanc sec**
- ½ **à 1 tasse de Bouillon de poisson (page 54) ou d'eau**
- 2 **brins de persil**
- 1 **brin de thym**
- 2 **c. à soupe d'oignon haché**
- ½ **c. à thé de sel**
- 3 **grains de poivre noir**

Sauce :
- 2 **c. à soupe de beurre ou de margarine**
- 2 **c. à soupe de farine**
- ½ **tasse de crème à 35 p. 100**
- ½ **c. à thé de sel**
- ⅛ **c. à thé de poivre blanc**
- 2 **c. à soupe de persil haché**

1 Filets. Déposez les filets côte à côte dans une sauteuse moyenne. Ajoutez le vin et assez de bouillon de poisson ou d'eau pour les recouvrir. Ajoutez les autres ingrédients et lancez l'ébullition à feu vif. Couvrez et laissez mijoter à feu plutôt doux 3 à 4 minutes, ou jusqu'à ce que le poisson soit presque à point. Déposez-le dans un plat de service chaud en réservant le fond de pochage. Couvrez-le de papier d'aluminium et gardez-le au chaud.

2 Passez le fond de pochage à travers un tamis fin et ajoutez du bouillon pour avoir en tout 1 tasse de liquide.

3 Sauce. Dans une casserole moyenne, faites fondre le beurre à feu modéré. Avec une cuiller de bois, mélangez la farine et laissez-la blondir 3 minutes. Au fouet, incorporez peu à peu le fond de pochage, la crème, le sel et le poivre. Laissez cuire en fouettant constamment pendant 2 à 3 minutes ou jusqu'à épaississement.

4 Découvrez le poisson et videz le liquide qu'il aurait rendu. Nappez-le de sauce, saupoudrez de persil et servez. Donne 4 portions.

Par portion : Calories 386 ; Gras total 20 g ; Gras saturé 11 g ; Protéines 33 g ; Hydrates de carbone 4 g ; Fibres 0 g ; Sodium 923 mg ; Cholestérol 143 mg

Préparation : 10 minutes • Cuisson : 10 minutes

POISSON MEUNIÈRE

Les poissons « à la meunière » sont assaisonnés, farinés légèrement et cuits au beurre dans une poêle. Cet apprêt convient très bien aux truites.

FRAÎCHEUR

Ce sont des truites d'élevage qu'on trouve sur le marché. Achetez-les entières mais vidées ; vérifiez leur fraîcheur à l'aspect des yeux et de la peau. Elles doivent avoir bonne odeur, les yeux brillants – rejetez celles qui ont les yeux enfoncés dans l'orbite –, la peau humide mais non gluante. Appuyez le doigt sur la chair ; elle doit reprendre sa forme.

PORTIONS

Calculez 250 à 300 g (8-10 oz) par personne, avec les arêtes, la queue et la tête : vous les enlèverez à table ou juste avant le service. Le poisson sèche moins s'il est cuit avec la tête.

Déballez le poisson aussitôt rendu chez vous. Enveloppez-le lâchement dans du papier ciré ou siliconé et réfrigérez-le dans le bac à viande. Faites-le cuire dans les 24 heures.

FARINAGE

Farinez-le légèrement avec un mélange assaisonné de farine de blé et de maïs. Un farinage excessif produit une croûte pâteuse et détrempée. La farine de maïs donne au poisson un croustillant agréable.

Tapotez les filets pour faire tomber l'excédent de farine.

Réchauffez le beurre ou l'huile dans la sauteuse au point où un dé de pain dore en 30 secondes. Faites-y cuire un ou deux poissons à la fois.

Réchauffez de nouveau le beurre avant de faire cuire d'autres poissons. Saisi, le farinage devient croustillant et absorbe moins de corps gras.

RIEN NE SE PERD

Déposez le poisson dans un plat chaud, doublé d'essuie-tout pour absorber l'huile. Un truc de chef consiste à éponger le poisson sur des tranches de pain qu'on fait congeler pour confectionner plus tard une farce servant à garnir un poisson cuit au four.

SERVEZ CHAUD

Le poisson meunière doit être servi très chaud. Avant de commencer la cuisson, réchauffez d'abord le plat de service au four doux, à l'eau chaude ou dans le lave-vaisselle, au cycle de séchage. Mettez-y les poissons sitôt cuits et couvrez le plat de papier d'aluminium le temps de faire le service.

RETOURNER LE POISSON

Faites pivoter la tête avec une pince de cuisine ou une spatule pendant que vous retournez le corps du poisson avec une spatule large.

Si vous faites cuire le poisson en plusieurs portions, enfournez-le, à mesure qu'il est prêt, dans le four maintenu entre 80 et 95 °C (175-200 °F). Cependant, il ne faut pas laisser le poisson attendre ainsi plus de 15 minutes.

L'idéal est de servir le poisson meunière directement de la sauteuse. En d'autre termes, mieux vaut faire patienter les convives que le poisson !

CHOIX DE POISSONS

Outre la truite, d'autres poissons de petite taille peuvent être cuits à la meunière.

Poissons d'eau douce : petites barbottes, crapets-soleil, éperlans des Grands Lacs, tilapia (un poisson d'élevage).

Poissons d'eau salée : plusieurs petits poissons de mer se prêtent bien à ce mode de cuisson, notamment les petits vivaneaux, les éperlans de mer, les petits rougets et les sardines.

DÉCOUPER UNE TRUITE CUITE

1 Avec un couteau tranchant, faites une incision au-dessus de la nageoire dorsale.

2 Tournez le poisson et entaillez-le le long des nageoires abdominales.

3 Avec une spatule mince, soulevez le filet supérieur et enlevez l'arête centrale.

4 Mettez les deux filets l'un sur l'autre ; si vous y tenez, retranchez la tête et la queue.

Truite meunière au bacon et à la sauge

- 4 **truites entières de 250 à 350 g (8-12 oz) chacune, parées**
- ¼ **tasse de sauge fraîche, ciselée, ou 2 c. à thé de sauge séchée**
- 1½ **c. à thé de sel**
- ¾ **c. à thé de poivre noir**
- ½ **tasse de farine de blé**
- ¼ **tasse de farine de maïs, blanche ou jaune**
- 2 **c. à soupe de gras de bacon ou de jambon**
- 2 **c. à soupe d'huile végétale**

1 Épongez les poissons et assaisonnez-les au-dedans et en dehors avec la moitié de la sauge, 1 c. à thé de sel et ½ c. à thé de poivre.

2 Sur un morceau de papier ciré, mélangez la farine de blé, la farine de maïs, le reste de la sauge, ¼ c. à thé de sel et ¼ c. à thé de poivre. Farinez les poissons ; tapotez-les pour faire tomber l'excédent de farine et réservez-les.

3 Vaporisez d'enduit antiadhésif les côtés d'une grande sauteuse. Faites-y chauffer 1 c. à soupe de gras de bacon et 1 c. à soupe d'huile pendant 1 minute à feu modérément vif.

4 Faites cuire deux poissons à la fois pendant 5 minutes d'un côté. Retournez-les (voir l'encadré de la page ci-contre) et faites-les cuire 5 minutes de plus : la chair doit tout juste s'effeuiller à la fourchette.

5 Réservez-les au chaud sur un plat de service réchauffé pendant que vous faites cuire les deux autres poissons. Donne 4 portions.

Par portion : Calories 427 ; Gras total 25 g ; Gras saturé 7 g ; Protéines 36 g ; Hydrates de carbone 11 g ; Fibres 1 g ; Sodium 545 mg ; Cholestérol 107 mg

Préparation : 45 minutes • Cuisson : 22 minutes

TRUITE MEUNIÈRE AU PROSCIUTTO ET AU THYM

Farinez la truite comme à l'étape 2 ci-dessus, mais remplacez la sauge par ¼ **tasse de thym-citron** et supprimez le sel. Sautez l'étape 3. Enveloppez parfaitement chaque poisson dans plusieurs **tranches de prosciutto** qui se chevauchent. Exécutez les étapes 4 et 5, mais remplacez le gras de bacon par de l'huile végétale. Donne 4 portions.

CARBONADE CAJUN

*C*et apprêt, originairement belge, est le fruit d'une erreur du chef cajun Paul Prud'homme qui vit sa sébaste rouge virer au noir dans une sauteuse brûlante. Il y goûta et trouva cela bon.

LES BONNES ÉPICES

On sait que la cuisine louisianaise est piquante; les poissons en carbonade n'y échappent pas. Mais allez-y doucement! L'assaisonnement ne doit pas être incendiaire.

Tenez-vous-en la première fois à la quantité de poivre indiquée dans la recette de la page ci-contre, quitte à augmenter la dose la fois suivante.

Les assaisonnements suggérés ici font appel à trois sortes de poivres moulus, à des fines herbes, à de l'oignon et à de l'ail en poudre.

Le feu des poivres pénètre dans la chair tandis que les autres assaisonnements, en se colorant vivement, préservent le moelleux du poisson.

LA CUISSON

La carbonade de poisson se réalise mieux sur un brûleur au gaz. Sur élément électrique, retirez et ramenez la sauteuse selon le degré de coloration obtenu ou désiré. Le barbecue au propane donne d'excellents résultats, mais les charbons de bois ne produisent pas un feu assez ardent.

GARE À LA FUMÉE !

La carbonade cajun produit beaucoup de fumée et peut déclencher une alarme. Ouvrez les fenêtres et allumez la hotte.

MAGIE NOIRE

Une sauteuse en fonte noire bien conditionnée est essentielle à cet apprêt; la chaleur intense qui est requise peut détruire un matériau moins résistant. Retournez le poisson avec une spatule à manche calorifuge; un bon gant isolant s'impose pour pouvoir déplacer la sauteuse.

Note: Il se vend des poignées ou des gants renforcés de matière spéciale contre la chaleur intense.

LE BON TRAITEMENT

Il faut conditionner la sauteuse en fonte noire avant de l'utiliser la première fois. Lavez-la et asséchez-la, frottez généreusement l'intérieur de graisse végétale non salée et laissez-la deux heures au four chauffé à 180 °C (350 °F).

Par la suite, ne la nettoyez pas avec du détergent. Utilisez du gros sel et un tampon non abrasif; rincez et séchez. Pour l'empêcher de rouiller, terminez le séchage à feu doux.

Une sauteuse en fonte bien conditionnée et bien entretenue développe, avec le temps, une couche antiadhésive.

CARBONISATION

N'entreprenez la carbonade qu'au moment où le reste du repas est prêt: la cuisson est en effet très rapide.

Étendez les épices sur le poisson et tapotez-le pour les faire adhérer. Déposez le poisson à proximité de la cuisinière.

Réchauffez la sauteuse 10 minutes à feu très vif: vous verrez apparaître dans le fond des cendres blanchâtres. La chaleur doit être assez intense pour saisir le poisson sans lui donner le temps d'attacher. Si la sauteuse n'est pas encore bien conditionnée, étendez un peu d'huile dans le fond.

Déposez le poisson dans la sauteuse brûlante. Vous pouvez en mettre deux ou trois morceaux, mais pas plus. Quand le poisson a viré au brun-noir, retournez-le et faites carboniser l'autre face.

La durée de la cuisson dépend de l'épaisseur du morceau. Prévoyez 3 minutes sur chaque face pour des filets plutôt

minces. Le procédé est si rapide que, sous une couche carbonisée, le poisson reste moelleux à l'intérieur.

CHOIX DE POISSONS

Découvert par hasard avec des filets de sébaste, le procédé a été par la suite appliqué à d'autres poissons qui le supportent bien.

Choisissez des poissons à chair ferme : les filets de barbotte ou de barbue de rivière, sans la peau, sont typiques. Essayez aussi des filets d'achigan, d'espadon, de thon et de saumon.

Filets de barbue à la cajun

- 1 c. à thé de poudre d'ail
- 1 c. à thé de poudre d'oignon
- 1 c. à thé de sel
- 1 c. à thé de thym séché
- 1 c. à thé d'origan séché
- ½ à 1 c. à thé de poivre blanc
- ½ à 1 c. à thé de poivre noir
- ¼ à ½ c. à thé de cayenne
- ½ c. à thé de sucre
- 1 c. à thé d'huile d'olive (facultatif)
- 4 filets (250 g/8 oz chacun) de barbotte, de barbue de rivière, de saumon ou d'espadon, sans peau ni arêtes

1 Dans un petit bol, mélangez la poudre d'ail, la poudre d'oignon, le sel, le thym, l'origan, le poivre blanc, le poivre noir, le cayenne et le sucre. Frottez le poisson des deux côtés avec ce mélange.

2 Réchauffez une grande sauteuse en fonte noire sur un feu très vif jusqu'à voir apparaître de la fine cendre blanche dans le fond : cela demande environ 10 minutes. Si la sauteuse n'est pas bien conditionnée, badigeonnez-la avec l'huile pour empêcher le poisson d'attacher.

3 Faites cuire le poisson, au besoin en plusieurs fois, jusqu'à ce qu'il vire au brun-noir, environ 4 minutes sur chaque face. Servez sans attendre. Donne 4 portions.

Par portion :
Calories 228 ;
Gras total 7 g ;
Gras saturé 2 g ;
Protéines 38 g ;
Hydrates de carbone 3 g ;
Fibres 0 g ;
Sodium 632 mg ;
Cholestérol 131 mg

Préparation : 5 minutes
Cuisson : 8 minutes

POISSON ENTIER CUIT AU FOUR

Un poisson entier, farci et cuit au four, fait une magnifique pièce de résistance. La farce, outre qu'elle l'assaisonne, l'empêche de se dessécher.

UN APPRÊT FACILE

Farcir un poisson est chose simple. Les farces suggérées ici pour le bar et pour le vivaneau conviennent aussi pour farcir le tassergal, le maquereau, le brochet, le tilapia et le tile.

NE PERDEZ PAS LA TÊTE

La tête conserve au poisson sa fraîcheur durant la cuisson. Si vos convives n'apprécient pas l'aspect d'un poisson entier, coupez la tête et la queue au moment de le présenter.

PRÉPARATION

Pour farcir le poisson, ouvrez-le d'abord à plat. Voici comment faire : fendez-le de la tête à la queue dans le dos, de chaque côté de l'arête principale. Dégagez cette arête, sectionnez-la aux deux bouts pour l'enlever, ouvrez le poisson à plat et étalez la farce.

C'est la méthode que vous emploierez si vous cuisinez du poisson frais pêché. Autrement, vous pouvez charger le poissonnier de faire cette opération à votre place.

Achetez le poisson le jour même de la cuisson. Si votre poissonnerie n'est pas très achalandée, il est prudent de le commander à l'avance.

AUTRES MÉTHODES

Pour farcir le poisson sans l'ouvrir à plat, vous avez le choix entre deux méthodes.

La première consiste à l'ouvrir dans le dos, à cru, à retirer l'arête principale et, avec une cuiller, à introduire la farce dans la cavité ainsi formée, sans la tasser. Il vous faudra 2 tasses de farce pour un poisson de 2 kg (4 lb). Fermez l'ouverture avec des cure-dents ou recousez-la avec du fil robuste.

Mettez le poisson dans un plat beurré ou huilé. S'il est maigre, enduisez-le de beurre fondu ou d'huile et enfournez-le dans un four préchauffé à 200 °C (400 °F), sans couvrir. Cuisez-le 10 minutes par 2,5 cm (1 po), là où il est le plus épais.

L'autre méthode convient aux filets de saumon ou de tout gros poisson à chair ferme. Déposez un filet à plat dans un plat beurré et couchez l'autre par-dessus la farce. Assujettissez les deux filets avec des cure-dents. Badigeonnez celui du dessus d'huile ou de beurre fondu. Enfournez sans couvrir dans un four préchauffé à 200 °C (400 °F) et prévoyez environ 30 minutes de cuisson. La pièce est à point quand la chair commence à s'effeuiller.

POISSON NON FARCI

Vous pouvez préparer le poisson de la même façon, en vous contentant de l'assaisonner avec du sel, du poivre et des fines herbes.

PRÉSENTATION

Divisez le poisson ouvert en deux portions en le sectionnant de la tête à la queue du côté où il n'a pas été coupé.

Découpez transversalement le poisson entier, farci sans ses arêtes, ou les filets farcis.

ASSAISONNEMENTS

De nombreuses herbes fines s'accordent avec le poisson : basilic, cerfeuil, estragon, coriandre fraîche, aneth frais ou séché, persil ou aneth avec un peu de menthe, sauge fraîche ou un rien de sauge séchée. Mettez-les dans la farce ou sur le poisson s'il n'est pas farci.

FARCISSAGE DU POISSON À PLAT

Ouvrez le poisson à plat sur une plaque et étalez la farce en monticule sur chaque moitié. Faites-le cuire ainsi.

VIVANEAU FARCI AU RIZ

Exécutez la recette de la page ci-contre avec un **vivaneau** de la même taille. Pour la farce, mélangez **2 tasses de riz brun**, tiède, **125 g (4 oz) de champignons**, tranchés et sautés dans un peu de beurre, ¼ **tasse d'oignons verts**, ¼ **tasse de persil**, ½ **c. à thé de sel** et ¼ **c. à thé de poivre.** Donne 2 portions.

POMPANO À LA MODE DE FLORIDE

Exécutez la recette de la page ci-contre avec du **pompano.** Faites la farce avec de la **mie de pain de maïs** et du **bacon,** cuit et émietté. Ne mettez que 1 c. à soupe de beurre et supprimez le parmesan, le thym et le sel. Donne 2 portions.

Bar rayé farci de chapelure aux fines herbes

Poisson :

1 **bar rayé d'environ 750 g (1½ lb) avec la tête et la queue, débarrassé de son arête principale et ouvert à plat**

1 **c. à soupe de jus de citron**

Farce :

¼ **tasse de persil haché**

¼ **tasse de parmesan râpé**

1 **tasse de chapelure**

1 **c. à thé de thym séché**

4 **c. à soupe de beurre doux, ou de margarine non salée, fondus**

½ **c. à thé de sel**

¼ **c. à thé de poivre noir**

1 Préchauffez le four à 200 °C (400 °F). Vaporisez un moule à gâteau roulé de 38 x 25 cm (15 x 10 po) d'enduit anti-adhésif.

2 Poisson. Frottez l'intérieur du poisson de jus de citron. Déposez-le bien à plat sur sa peau dans le moule préparé : la cavité interne du poisson sera béante.

3 Farce. Dans un petit bol, mélangez les ingrédients de la farce et déposez le tout dans la cavité en tassant. Enfournez et faites cuire sans couvrir 15 à 20 minutes. Donne 2 portions.

Par portion : Calories 624 ; Gras total 35 g ; Gras saturé 19 g ; Protéines 38 g ; Hydrates de carbone 39 g ; Fibres 3 g ; Sodium 1 302 mg ; Cholestérol 167 mg

Préparation : 25 minutes
Cuisson : 15 à 20 minutes

POISSON EN PAPILLOTE

Cet apprêt a bien des atouts. Le poisson cuit sans gras, les saveurs se concentrent et il n'y a rien à laver.

LES PAPILLOTES

Il s'agit d'une petite enveloppe de papier dans laquelle le poisson bien condimenté cuit dans son jus. La vapeur qui se produit à l'intérieur de la papillote contribue à la cuisson du poisson. Les saveurs des condiments – oignons verts, ail, gingembre et autres – se concentrent et pénètrent dans la chair du poisson.

Confectionnez les papillotes avec du papier sulfurisé ou du papier d'aluminium. Montez-les au complet quelques heures d'avance et réfrigérez-les, mais sortez-les 30 minutes avant de les faire cuire.

QUELQUES CONSEILS

Le secret de la réussite est une papillote bien fermée. Voyez à droite comment plier le papier sulfurisé. Faites un double pli dans le papier d'aluminium.

Employez une plaque assez grande pour contenir toutes les papillotes côte à côte.

Pour les ouvrir, découpez un X sur le dessus avec un couteau ou des ciseaux et repliez le papier. Attention à vos doigts : la vapeur qui s'échappe est brûlante.

Si vous ne pouvez pas manger dans la papillote, ouvrez-la sur le côté et faites glisser le poisson et les légumes dans une assiette à soupe (et non un bol) bien réchauffée.

CHOIX DE POISSONS

La cuisson en papillote est idéale pour l'aiglefin, mais aussi pour le bar noir, le tassergal, la morue, le flétan, le pompano, le saumon, l'alose, le tilapia, le tile ou tout poisson à chair ferme qu'on peut découper en bouchées.

VIANDE ET VOLAILLE

La viande, la volaille et les abats se préparent aussi en papillote : blanc de poulet, côtelettes de dinde, petites portions de veau ou de filet de porc, ris de veau.

CUISSON

La cuisson est rapide. Pour en vérifier l'à-point dans une papillote en papier d'aluminium, dépliez-la. Si le poisson n'est pas assez cuit, refermez-la et prolongez la cuisson de quelques minutes. Si elle est en papier sulfurisé, il faut y faire un trou et vérifier le degré de cuisson à la fourchette.

CREVETTES EN PAPILLOTE

Exécutez la recette de la page ci-contre avec de **grosses crevettes** décortiquées et parées. Remplacez le jus de citron par **4 c. à soupe de sauce soja**, les échalotes par **1 c. à thé de gingembre râpé** et les poivrons par **1 tasse de poireaux** et **1 tasse de courgettes**, taillés en julienne. Supprimez le sel. Donne 4 portions.

PÉTONCLES EN PAPILLOTE

Suivez les mêmes directives que ci-dessus en remplaçant les crevettes par des **pétoncles,** le poireau et la courgette par **2 tasses de pois mange-tout,** défilandrés. Donne 4 portions.

JUS NATURELS OU CRÈME

Dans nos recettes, poisson et légumes cuisent dans la vapeur produite par leur jus. Vous pouvez néanmoins ajouter un peu de crème. Autre méthode : faites fondre des oignons verts dans 1 c. à thé de beurre et 1/4 tasse de vin blanc. Au premier bouillon, versez cet apprêt sur les éléments, dans les papillotes.

CONFECTION DES PAPILLOTES

1 Déposez le poisson et les légumes sur le côté du papier ; repliez-le en deux.

2 Roulez et lissez le papier sur les côtés pour bien fermer la papillote.

3 Enroulez finement la bordure en demi-cercle.

4 Terminez la papillote en repliant le dernier coin sur lui-même.

Aiglefin et légumes en papillotes

1 darne d'aiglefin de 500 g (1 lb), divisée en quatre

1 c. à thé de sel

½ c. à thé de poivre noir

4 c. à thé de jus de citron

2 oignons verts, hachés fin

4 c. à soupe de beurre doux ou de margarine, en petits morceaux

2 carottes moyennes, épluchées et découpées en julienne

2 poivrons (un rouge et un vert), parés, épépinés et détaillés en lanières de 6 mm (¼ po)

1 Préchauffez le four à 260 °C (500 °F). Sur quatre morceaux de papier sulfurisé ou d'aluminium de 30 x 45 cm (12 x 18 po), déposez un morceau de poisson sur le petit côté, à 7 cm (3 po) du bord. Empilez par-dessus les autres ingrédients. Confectionnez les papillotes (page ci-contre).

2 Déposez les papillotes côte à côte sur une plaque. Enfournez et faites cuire environ 15 minutes, ou jusqu'à ce que la papillote gonfle.

3 Déposez les papillotes sur les assiettes, découpez un X sur le dessus, ouvrez avec précaution et servez. Donne 4 portions.

Par portion : Calories 248 ; Gras total 14 g ; Gras saturé 8 g ; Protéines 23 g ; Hydrates de carbone 8 g ; Fibres 2 g ; Sodium 604 mg ; Cholestérol 164 mg

Préparation : 30 minutes • Cuisson : 15 minutes

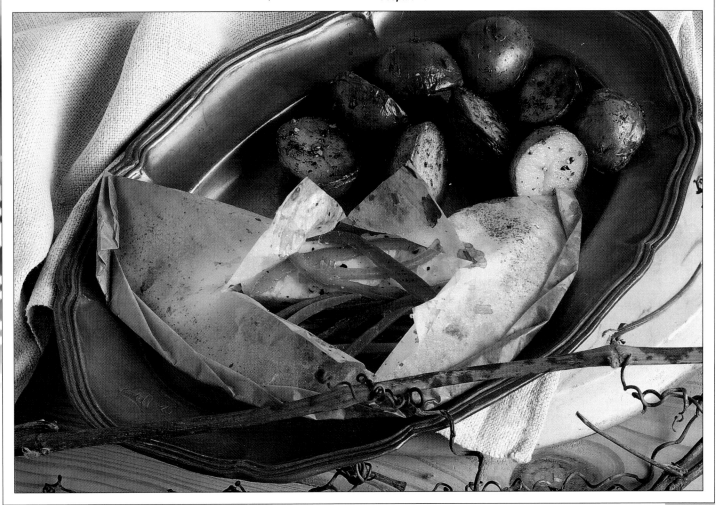

POISSON POCHÉ

L e saumon entier, poché en court-bouillon et servi froid, est magnifique pour un buffet. Poché en filets, il est plus facile à réaliser et presque aussi beau.

ALIMENT SANTÉ

Le saumon poché a toutes les qualités : il est beau à voir, exquis au goût et excellent pour la santé. Les acides gras oméga-3 qu'il renferme luttent contre le cholestérol et, par voie de conséquence, contre les maladies cardiaques.

De plus, le pochage se fait sans gras. Vous pouvez présenter une sauce en saucière ou le servir tout simplement avec du citron.

À L'ACHAT

Choisissez des filets qui ont encore la peau : ils gardent mieux leur forme durant le pochage. Mais faites enlever les écailles si ce n'est déjà fait. Sinon, elles vont tomber d'elles-mêmes dans le court-bouillon durant la cuisson.

CHOIX DE POISSONS

Ce mode de cuisson réussit aux poissons à chair ferme et aux fruits de mer : thon frais, espadon, limande, plie, sole, crevettes et pétoncles. Les filets des poissons plats sont minces ; saupoudrez-les de condiments et pliez-les ou enroulez-les sur eux-mêmes.

SAUMON PARÉ

Enlevez les fines arêtes des filets de saumon avec des brucelles. Promenez vos doigts sur le côté charnu des filets ; quand vous rencontrez une arête, ôtez-la. Cela prend quelques minutes mais accroît de beaucoup le plaisir à table.

LE BON USTENSILE

Utilisez une sauteuse de 30 cm (12 po) qui doit être en acier inoxydable, en fonte émaillée ou en fer émaillé ; autrement, les matières acides que contient le court-bouillon lui donneront un aspect trouble et un goût métallique désagréable.

CUISSON PARFAITE

On a coutume de dire : mesurez la pièce là où elle est le plus épais et calculez 10 minutes de cuisson par 2,5 cm

(1 po). Cette règle de base ne résout pas tout, parce que certaines chairs, plus denses que d'autres, mettent un peu plus de temps à cuire. Il est préférable de surveiller la cuisson.

UN CONSEIL

Pour éviter que le poisson n'attache, mouillez le plat d'eau ou de bouillon de poisson avant d'y mettre les filets.

POISSONS ENTIERS

On peut pocher des petits poissons dans une sauteuse à condition de les placer dans un panier ou de les envelopper d'étamine de coton : ménagez un jeu de 2 à 5 cm (1-2 po) aux deux bouts et mettez de la ficelle autour : vous retirerez plus facilement les poissons.

Pour pocher 500 g (1 lb) de petits poissons, accordez 3 minutes de cuisson dans l'eau qui frémit et laissez-les refroidir dans le court-bouillon. Si vous comptez les servir chauds, prévoyez une cuisson de 5 minutes une fois l'ébullition prise.

COURT-BOUILLON

La nature du court-bouillon dépend du poisson. Les poissons d'eau douce ont moins de saveur que les poissons de mer ; employez un court-bouillon plus relevé pour les premiers que pour les seconds.

Le court-bouillon peut être très simple – de l'eau additionnée de sel à raison de 1½ c. à thé de sel par litre d'eau – ou plus élaboré : du bouillon végétarien (page 45) ou du bouillon de poisson (page 54).

Il doit y en avoir 2 cm (1 po) au-dessus du poisson. Vous pouvez le condimenter, à votre

POCHAGE DES FILETS DE POISSON

1 Quand l'ébullition est prise, baissez le feu pour que le liquide mijote à peine : les bouillons briseraient les filets. Glissez une spatule large sous le poisson et déposez-le dans le fond de pochage.

2 Les filets doivent être placés côte à côte et complètement immergés dans le liquide. Si la sauteuse n'est pas assez profonde, posez du papier ciré sur les filets. Retournez une fois et remettez le papier ciré, s'il y a lieu.

gré, avec un oignon vert haché, 2 c. à soupe d'oignon en dés, une petite carotte en dés, une côte de céleri en dés, 3 ou 4 lanières de zeste de citron, 2 ou 3 brins de persil ou de thym, 3 ou 4 grains de poivre noir, une demi-feuille de laurier.

Saumon froid, sauce aux œufs

Suivez la recette ci-dessous, mais, à l'étape 3, ajoutez **1 œuf cuit dur, haché grossièrement,** et **¼ c. à thé de sauce forte au piment vert.** Donne 4 portions.

Saumon froid cuit au four

Saupoudrez les filets de saumon de **½ c. à thé de sel** ; enduisez-les de **1 c. à soupe d'huile d'olive** et faites-les rôtir 7 minutes environ dans le four préchauffé à 230 °C (450 °F). Terminez la préparation en suivant les étapes 2, 3 et 4 de la recette ci-dessous. Donne 4 portions.

Filets de saumon froids, pochés en court-bouillon

- **2 tasses de vin blanc**
- **2 tasses d'eau**
- **½ tasse d'aneth frais, ciselé, ou 2 c. à thé d'aneth séché**
- **1 feuille de laurier entière**
- **8 grains de poivre**
- **½ c. à thé de thym séché, écrasé**
- **½ c. à thé de sel**
- **4 filets de saumon de 170 g (6 oz) chacun**
- **¼ tasse de crème à 35 p. 100**
- **3 c. à soupe de mayonnaise légère**
- **½ c. à thé de zeste de citron râpé**
- **2 c. à soupe de jus de citron**
- **⅛ c. à thé de poivre blanc**

1 Dans une grande sauteuse et à feu modérément vif, amenez à ébullition le vin, l'eau, ¼ tasse d'aneth, la feuille de laurier, les grains de poivre, le thym et ¼ c. à thé de sel. Baissez le feu, ajoutez les filets, peau sur le dessus, et couvrez-les de papier ciré. Laissez mijoter doucement. Retournez à mi-cuisson. Comptez 7 minutes de cuisson au total. Les filets sont prêts quand ils s'effeuillent facilement.

2 Retirez les filets du court-bouillon et laissez-les tiédir avant de les mettre 1 heure au réfrigérateur ou jusqu'à ce qu'ils soient bien froids.

3 Entre-temps, fouettez dans un petit bol le reste des ingrédients, sans oublier le reste du sel (¼ c. à thé) et le reste de l'aneth frais ciselé (¼ tasse).

4 Pour servir, retirez la peau des filets, dressez-les dans un plat et nappez-les de sauce. Donne 4 portions.

Par portion : Calories 278 ; Gras total 14 g ; Gras saturé 5 g ; Protéines 34 g ; Hydrates de carbone 3 g ; Fibres 0 g ; Sodium 354 mg ; Cholestérol 112 mg

Préparation : 10 minutes • Cuisson : 7 minutes

PÉTONCLES

Le pétoncle d'Amérique du Nord n'est en rien inférieur à la coquille Saint-Jacques, sauf qu'il est presque toujours séparé de sa coquille aussitôt pêché.

UN BON CHOIX

Dans les poissonneries, on trouve, selon la saison, des pétoncles de mer ou des pétoncles de baie. Le premier, le plus gros et le plus goûteux des deux, est très employé en fine cuisine ; le pétoncle de baie, jugé par certains plus tendre et plus sucré, est beaucoup plus petit puisqu'il ne mesure que 1 cm (½ po) de diamètre.

Choisissez de préférence des pétoncles jaunâtres ou un peu rosés ; les pétoncles très blancs ont trempé dans l'eau ou dans une solution de phosphate qui les fait gonfler et augmente leur longévité chez le marchand. À la cuisson, ils perdent une grande quantité de liquide qu'il faut enlever ou laisser diminuer.

Il existe des pétoncles plus petits que ceux de baie, les calicos, mais ils ne sont jamais

identifiés ainsi chez le poissonnier. Parce que leur coquille a été ouverte à la vapeur, leur chair est opaque en périphérie.

PRÉPARATION

Prévoyez de 125 à 250 g (4-8 oz) de pétoncles par personne en plat principal, selon que vous les présentiez seuls ou dans un plat composé.

Enlevez le petit muscle blanc, opaque et coriace, situé sur le côté de la noix. Il se détache facilement.

UN REPAS MINUTE

Les pétoncles peuvent se manger crus. C'est dire qu'il faut à peine les faire cuire : 3 minutes au total pour les petits pétoncles, 5 à 7 minutes pour les très gros. Cuits avec excès, ils sont caoutchouteux.

PÉTONCLES POÊLÉS

La meilleure façon de faire cuire les pétoncles, c'est de les sauter au gras. Asséchez-les avec de l'essuie-tout avant de les mettre dans la sauteuse et réchauffez bien le beurre ou l'huile pour qu'ils soient instantanément saisis.

Ajoutez les pétoncles trois ou quatre à la fois ; autrement,

vous refroidissez le corps gras et les pétoncles perdent leur jus avant de cuire. La cuisson est à point quand la chair est opaque. Dès que vous le constatez, retirez-les sans tarder.

Si vous terminez la cuisson des pétoncles dans une sauce, faites preuve de la plus grande vigilance lors de la première cuisson. Faites cuire les pétoncles de baie 2 minutes seulement, les pétoncles de mer 3 à 4 minutes tout au plus.

Gardez les pétoncles au chaud pendant que vous faites la sauce. Pour utiliser les jus qu'ils ont rendus, préparez-la dans la même sauteuse. Quand elle est prête, remettez-y les pétoncles et réchauffez-les brièvement.

EN BROCHETTES

Les pétoncles gardant leur forme à la cuisson, ils se présentent bien en brochettes. Mélangez au fouet 1 c. à soupe de vinaigre balsamique ou de jus de citron, 3 c. à soupe d'huile d'olive, une pincée de sel, ¼ c. à thé de poivre blanc et 1 c. à soupe de ciboulette ciselée ou d'oignon vert haché. Badigeonnez les brochettes juste avant de les faire cuire et une autre fois à mi-cuisson. Prévoyez 3 à 5 minutes de cuisson sur un gril préchauffé ; tournez-les souvent.

AUTRES APPRÊTS

Les pétoncles remplacent bien le crabe ou le homard : étalez-les dans une quiche avant d'y verser les œufs ou mettez-les en sauce pour fourrer des crêpes. Vous pouvez aussi les enfourner avec un peu de beurre et une garniture de chapelure et les faire cuire 10 minutes à 180 °C (350 °F).

TROIS TYPES DE PÉTONCLES

*V*oici trois types de pétoncles vendus en poissonnerie ; le premier est rare.

Pétoncles calicos

Pétoncles de baie

Pétoncles de mer

S'il vous arrive d'acheter des pétoncles dans leur coquille – ce qui est rare –, insérez un couteau là où les valves se rattachent l'une à l'autre et donnez un coup bref. Ne gardez que la noix et le corail. Ou bien cuisez-les à la vapeur.

Pétoncles de baie sautés au thym

¼ **tasse d'huile d'olive**

500 **g (1 lb) de pétoncles de baie, lavés et bien épongés**

½ **tasse d'oignons verts hachés**

1 **gousse d'ail, hachée**

½ **tasse de vin blanc sec**

1 **c. à soupe de thym frais, haché, ou ½ c. à thé de thym séché**

½ **c. à thé de sel**

¼ **c. à thé de poivre noir**

1 Dans une grande sauteuse, réchauffez l'huile 2 minutes à feu modéré.

2 Ajoutez les pétoncles trois ou quatre à la fois et faites-les sauter 90 secondes à 2 minutes pour que la chair soit opaque. Retournez-les et comptez 90 secondes de plus. Gardez-les au chaud dans un bol.

3 Mettez les oignons verts et l'ail dans la sauteuse et faites-les revenir 1 à 2 minutes. Ajoutez le vin, le thym, le sel et le poivre et faites bouillir à feu vif pour que le liquide réduise de moitié.

4 Remettez les pétoncles dans la sauteuse et réchauffez-les en les remuant vivement. Servez immédiatement. Donne 2 à 4 portions.

Par portion de 125 g (4 oz) : Calories 217 ;
Gras total 16 g ; Gras saturé 2 g ;
Protéines 10 g ;
Hydrates de carbone 5 g ; Fibres 1 g ;
Sodium 505 mg ; Cholestérol 18 mg

Préparation : 20 minutes
Cuisson : 10 minutes

CHAIR DE CRABE SAUTÉE

Dans la recette ci-contre, remplacez l'huile par ⅓ **tasse de beurre,** le vin par **2 c. à soupe de vinaigre de vin blanc,** les pétoncles par **500 g (1 lb) de chair de crabe** et le poivre noir par ¼ **c. à thé de cayenne.** Doublez la proportion d'oignons verts hachés et supprimez le thym. Donne 4 portions.

CREVETTES

*C*uites à l'eau bouillante ou à la vapeur, les crevettes ont la faveur populaire. Présentez des crevettes et un assortiment de sauces : les bravos fuseront.

POUR COMMENCER

Vous pouvez servir les crevettes en hors-d'œuvre sur des craquelins ou avec une sauce trempette : nous vous en suggérons cinq. Vous pouvez aussi les glisser dans la salade, la quiche ou la sauce à pâtes alimentaires, ou les enrober d'une marinade au citron et les servir froides.

PORTIONS

Comptez 125 g (4 oz) de crevettes non décortiquées par portion pour une entrée. Pour les amateurs, allez jusqu'à 250 g (½ lb). Vous aurez 12 à 15 grosses crevettes, 16 à 20 moyennes et 21 à 25 petites crevettes.

TEMPS DE CUISSON

Un excès de cuisson rend les crevettes coriaces. Décortiquées, elles cuisent en 1 à 2 minutes ; en 3 minutes avec la carapace. Retirez-les dès qu'elles sont roses, rincez-les à l'eau froide pour stopper la cuisson et égouttez-les.

PLUS DE SAVEUR

Voyez à la page 196 comment nettoyer et parer les crevettes. Certains préfèrent les décortiquer avant la cuisson de façon à utiliser les carapaces pour préparer la sauce. Dans ce cas, faites mijoter les carapaces dans l'eau tout de suite ou rangez-les dans un sac de plastique et congelez-les, au maximum un mois. Par la suite, faites-les cuire dans de l'eau ou du bouillon et utilisez ce fond pour préparer du riz, des soupes ou des sauces.

Pour les condimenter, mettez des fines herbes, du zeste de citron et d'autres aromates dans de l'étamine de coton et plongez-les dans l'eau de cuisson : les crevettes absorbent les saveurs sans être colorées de vert par les fines herbes.

SAVEURS VARIÉES

Pour aromatiser les crevettes bouillies, suivez les indications de la page ci-contre, mais mettez dans l'eau de cuisson 1 côte de céleri coupée en quatre, 1 c. à soupe de vinaigre de vin blanc, ½ c. à thé d'épices à marinade et 1 feuille de laurier.

Pour les citronner, mettez dans l'eau de cuisson 1 oignon moyen, pelé et coupé en quatre, 1 citron en quartiers, 4 tranches de 6 mm (¼ po) de gingembre frais et 2 gousses d'ail coupées en deux.

SAUCE GRIBICHE

2 œufs cuits dur, écalés	2 c. à soupe de cornichons marinés, hachés fin
¼ tasse d'huile d'olive	1 c. à thé de moutarde de Dijon
2 c. à soupe de vinaigre de vin blanc	1 c. à thé de ciboulette, hachée fin, ou de persil
2 c. à soupe de câpres, égouttées	

1 Hachez fin les blancs d'œufs et réservez-les. Au mélangeur, réduisez les jaunes d'œufs en purée. L'appareil en marche, incorporez la moitié de l'huile en filet.

2 Ajoutez 1 c. à soupe de vinaigre. Remettez le mélangeur en marche et incorporez le reste de l'huile. (Si le mélange se sépare, incorporez 1 à 2 c. à soupe d'eau bouillante.) Ajoutez le reste du vinaigre et terminez le mélange.

3 Versez la sauce dans un petit bol ; incorporez les blancs d'œufs et les autres ingrédients. Couvrez et réfrigérez 2 heures ou jusqu'au lendemain. Donne 1 tasse.

SAUCE ANDALOUSE

½ tasse de tomates séchées	2 c. à soupe de piment doux rôti, haché
⅔ tasse d'eau	1 petite gousse d'ail, écrasée
½ tasse de mayonnaise légère	⅛ c. à thé de cayenne
½ tasse de crème sure allégée	

1 Dans un bol moyen, faites tremper les tomates dans l'eau. Quand elles sont tendres (15 minutes environ), épongez-les et hachez-les.

2 Mélangez-les au reste des ingrédients. Couvrez et réfrigérez 2 heures ou jusqu'au lendemain. Donne 1¼ tasse.

SAUCE TARTARE

½ tasse de mayonnaise légère	2 c. à soupe de jus de citron
½ tasse de crème sure allégée	1 c. à soupe de câpres, égouttées
6 oignons verts, hachés fin	1 c. à soupe de persil haché
¼ tasse de cornichons tranchés, hachés	1 c. à soupe de moutarde de Dijon

Mélangez tous les ingrédients. Couvrez et réfrigérez 2 heures ou jusqu'au lendemain. Donne 1¼ tasse.

SAUCE TREMPETTE À L'ORIENTALE

¾ tasse de sauce soja

½ tasse de saké ou de xérès

¼ tasse d'oignons verts hachés

¼ tasse de gingembre râpé

2 c. à thé d'huile de sésame aromatique

2 gousses d'ail, hachées

Mélangez tous les ingrédients. Couvrez et réfrigérez 2 heures ou jusqu'au lendemain. Donne 1 tasse.

SAUCE VERTE

1 tasse de coriandre hachée

¾ tasse de persil haché

⅓ tasse d'oignons verts hachés

2 c. à soupe de jus de citron

1½ c. à soupe de vinaigre de vin blanc

¼ à ½ c. à thé de sauce Tabasco

¼ à ½ c. à thé de sel

1 gousse d'ail, pelée

⅓ tasse d'huile d'olive

1 Au mélangeur, défaites en purée la coriandre, le persil, les oignons verts, le jus de citron, le vinaigre, la sauce Tabasco, le sel et l'ail.

2 Incorporez l'huile versée en filet.

3 Quand la sauce est crémeuse, mettez-la dans un bol. Couvrez et réfrigérez 2 heures ou jusqu'au lendemain. Donne 1 tasse.

Crevettes bouillies aux cinq sauces

4 tasses d'eau
1 c. à soupe de sel

500 g (1 lb) de grosses crevettes avec la carapace

Dans une grande casserole et à feu vif, faites bouillir l'eau et le sel. Ajoutez les crevettes et une fois l'ébullition reprise, couvrez et laissez mijoter 3 minutes à feu doux. Décortiquez les crevettes et parez-les (voir page 196). Donne 4 portions.

Par portion : Calories 68 ; Gras total 1 g ; Gras saturé 0 g ; Protéines 14 g ; Hydrates de carbone 0 g ; Fibres 0 g ; Sodium 287 mg ; Cholestérol 135 mg

Préparation : 5 minutes • Cuisson : 3 minutes

HOMARD

À cause de son prix, toujours assez élevé, le homard est un plat des grands jours. Il est cependant facile à préparer, bouilli ou farci et cuit au four.

PORTIONS

Un homard de 750 g (1½ lb) renferme environ 200 g (6 oz) de chair. Prévoyez-en un par personne. C'est le plus petit homard que vous puissiez farcir. Coupez les gros en deux.

PRÉFÉRENCES

Certains amateurs soutiennent que la femelle est meilleure que le mâle. Pour les distinguer l'un de l'autre, examinez les petites pattes natatoires sous la queue. Chez la femelle, elles sont grandes, souples et minces ; chez le mâle, elles sont plus petites et plus cartilagineuses.

QUOI MANGER

Une fois terminées les pinces et la queue, que peut-on manger dans ce qui reste ? On appelle corail les œufs de homard logés dans le coffre, mais aussi dans la queue. Le corail est rouge vif ; il est fort apprécié des gourmets.

Quand on découpe le homard à cru, le corail se présente sous l'aspect d'une masse vert sombre et gélatineuse ; certaines recettes demandent de le mélanger au foie ou de l'ajouter à la sauce ou à la farce.

Le foie gris-vert et mou se trouve aussi dans le coffre, au-dessus de la queue. Son goût appuyé lui vaut la faveur des gourmets.

La veine intestinale, d'un blanc cassé presque transparent, court dans la queue ; on peut la retirer, mais elle est inoffensive si on la mange.

Enfin, entre les yeux se trouve un sac pierreux qui sert d'estomac au crustacé. Il n'est pas comestible.

PREMIÈRES ÉTAPES

Il est essentiel que le homard soit vivant au moment de la cuisson parce que, sitôt mort, il développe des toxines dangereuses. Choisissez un homard qui gigote beaucoup.

Acheté cuit, la queue enroulée par-dessous indique que le homard était vivant au moment de la cuisson.

HOMARDS BOUILLIS

N'en faites pas cuire plus de deux en même temps. Saisissez le homard par le dos et plongez-le tête première dans beaucoup d'eau bouillante salée (1 c. à soupe de sel par litre d'eau). Couvrez, faites reprendre l'ébullition ; quand elle est prise, soulevez un peu le couvercle et comptez 5 à 6 minutes par 500 g (1 lb).

Le homard vivant est bleu-vert ; il vire au rouge vif quand il est cuit. Autre signe qu'il est à point : tirez sur une antenne de la tête ; si elle se détache, la cuisson est terminée.

PRÉSENTATION

Offrez aux convives des pinces à homard ou des casse-noix pour briser les pinces et en retirer la chair. Accompagnez le homard chaud de pointes de citron, de beurre fondu ou d'ailloli.

DÉCOUPAGE DU HOMARD VIVANT

1 Pour tuer le homard, plantez le couteau dans le pli entre le coffre et la queue.

2 Retournez le homard sur le dos et fendez-le au centre.

3 Jetez l'estomac ; gardez le foie (voir « Quoi manger »).

4 Brisez les pinces avec une pince ou un casse-noix.

CREVETTES FARCIES

Décortiquez, parez et ouvrez en papillon **1 douzaine de grosses crevettes** (500 g/1 lb). Préparez une demi-recette de farce comme à l'étape 2, à droite. Mettez les crevettes à plat dans une plaque graissée, côté coupé dessus, et garnissez-les de farce. Enfournez à découvert et faites cuire à 200 °C (400 °F) pendant 6 à 10 minutes. Donne 4 portions.

HOMARD THERMIDOR

Allumez le gril. Prenez **4 homards cuits** pesant entre 700 g et 1 kg (1½-2 lb); retirez la chair des queues et des pinces. Réservez les carapaces. À feu modéré, faites fondre **2 c. à soupe de beurre**; au fouet, ajoutez **2 c. à soupe de farine** et délayez avec **1½ tasse de lait**. Ajoutez **¼ c. à thé de sel** et **¼ c. à thé de cayenne**. En remuant, laissez mijoter jusqu'à épaississement. Incorporez **¾ tasse de cheddar fort râpé** et **2 c. à soupe de parmesan râpé**. Quand le fromage est fondu, mêlez la sauce à la chair de homard. Disposez les carapaces sur une plaque tapissée de papier d'aluminium et farcissez-les. Faites gratiner 2 à 3 minutes à 15 cm (6 po) de l'élément. Donne 4 portions.

Homards farcis cuits au four

- 4 **homards vivants de 700 g (1½ lb) chacun**
- 4 **tasses de mie de pain émiettée**
- 2 **oignons verts, hachés fin**
- ½ **tasse de persil haché**
- ¼ **tasse de parmesan râpé**
- 3 **c. à soupe de jus de citron**
- ¼ **tasse d'huile d'olive**
- ½ **c. à thé de romarin séché**

1 Préchauffez le four à 200 °C (400 °F). Mettez les homards un à un sur le ventre et plantez-leur un couteau pointu dans le dos, là où la queue et le coffre s'articulent. Retournez-les sur le dos et fendez-les de haut en bas, dans le centre. Retirez le sac pierreux et l'intestin; réservez le foie et le corail. Brisez les pinces.

2 Dans un bol moyen, mélangez la mie de pain émiettée, les oignons verts hachés, le persil haché, le parmesan râpé, le jus de citron, 3 c. à soupe d'huile et le romarin. Incorporez le foie et le corail des homards qui ont été réservés à l'étape 1.

3 Disposez les homards, côté chair dessus, dans un grand plat peu profond. Badigeonnez-les avec le reste de l'huile et dressez la farce dans la cavité du coffre. Enfournez à découvert et laissez cuire 25 minutes pour que la chair soit à point et légèrement gratinée. Donne 4 portions.

Par portion : Calories 330 ; Gras total 17 g ; Gras saturé 3 g ; Protéines 18 g ; Hydrates de carbone 26 g ; Fibres 2 g ; Sodium 551 mg ; Cholestérol 45 mg

Préparation : 12 minutes
Cuisson : environ 25 minutes

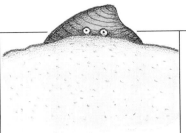

MOULES ET PALOURDES

*L*es moules et les palourdes vous composent à peu de frais un petit festin. Accompagnez-les d'une salade et de pain : le repas sera complet.

À LA POISSONNERIE

N'achetez que des moules et des palourdes bien vivantes, c'est-à-dire fermées. Elles béent lorsqu'elles ont été retirées de l'eau depuis longtemps. Si elles sont à peine ouvertes, donnez un petit coup ; elles doivent se refermer. Sinon, ne les prenez pas.

Les myes sont toujours un peu ouvertes. Effleurez le siphon en saillie ; s'il se rétracte, la mye est fraîche.

MYES, PALOURDES ET PARENTÉ

Les palourdes *(hard-shell clams)* et les myes *(soft-shell clams)* s'ouvrent rapidement à la vapeur. Servez les palourdes américaines et les palourdes japonaises avec une petite sauce aromatique.

Autre type de palourde, les quahogs sont trop grosses pour être mangées dans la coquille. Il faut les couper en petits morceaux. On les réserve donc aux chaudrées et aux plats gratinés.

Les myes se servent nature avec du bouillon et du beurre clarifié ; on les accompagne parfois d'un épi de maïs. Elles sont rarement utilisées dans des recettes. On les ouvre à la vapeur et on les consomme telles quelles.

PORTIONS

Les moules et les palourdes se vendent au poids. En plat principal, prévoyez 500 g (1 lb) de moules ou de palourdes par personne et 750 g (1½ lb) de myes.

NETTOYAGE

Les moules vivent en colonies sur des rochers ou des pilotis. Elles sont rarement sableuses ; il faut tout simplement les ébarber, les brosser et les rincer. (Voir page 22 pour savoir comment les nettoyer.)

Les palourdes, au contraire, vivent enfouies dans le sable ; quand vous les achetez, elles exigent un bon nettoyage avant d'être cuites.

Pour les débarrasser du sable qu'elles renferment, mettez-les dans un grand récipient d'eau froide salée, saupoudrée de farine de maïs à raison de ¼ tasse pour 4 litres d'eau. Laissez reposer au froid ou au frais 2 heures avant la cuisson.

CUISSON VAPEUR

Moules et palourdes se cuisent à la vapeur. Pour 2 kg (4 lb) de moules ou de palourdes en coquilles, réchauffez 1 tasse de vin blanc ou de vermouth blanc sec, 1 tasse d'oignons hachés, le jus de 1 citron et ⅓ tasse de persil dans une marmite couverte qui ne soit pas en aluminium. Quand le liquide a atteint l'ébullition, mettez-y les moules ou les palourdes et couvrez. Retirez-les dès qu'elles sont ouvertes – au bout d'environ 5 minutes. Servez-les dans leurs écailles, avec un peu du fond de pochage.

Les myes se cuisent à la vapeur dans 1 cm (½ po) d'eau seulement, sans autres ingrédients : leur saveur leur suffit. Elles mettent 10 minutes à ouvrir. Servez les myes dans des bols, arrosées du fond de cuisson passé au tamis. Accompagnez de beurre fondu, additionné de jus de citron. Note : jetez les sujets qui ne s'ouvrent pas.

GAGNEZ DU TEMPS

Les fonds de pochage peuvent être préparés à l'avance et gardés deux ou trois jours au réfrigérateur dans un plat cou-vert, ou trois à quatre semaines au congélateur. Vous n'aurez qu'à rectifier l'assaisonnement au besoin avant d'y mettre les mollusques à cuire.

Voici quatre types de palourdes vendues en poissonnerie : 1. quahogs 2. myes 3. palourdes américaines 4. palourdes japonaises

1

2

3

4

Moules ou palourdes à la provençale

3 c. à soupe d'huile d'olive

½ tasse d'oignon, haché fin

3 gousses d'ail, hachées fin

2 tasses de tomates italiennes, concassées dans leur jus

1 c. à thé de sel

1 c. à thé de basilic séché, écrasé

1 c. à thé de thym séché, écrasé

½ c. à thé de sucre

¼ c. à thé de poivre noir

1 c. à soupe de vinaigre balsamique

2 kg (4 lb) de moules ou 3 douzaines de palourdes américaines non écaillées, parées pour la cuisson

¼ tasse de persil haché

1 Dans un faitout ou une marmite, réchauffez l'huile 1 minute à feu modéré. Ajoutez l'oignon et l'ail et faites-les revenir 5 minutes. Incorporez les tomates, le sel, le basilic, le thym, le sucre et le poivre et lancez l'ébullition à feu vif. Couvrez et laissez mijoter à petit feu 30 minutes pour que la sauce épaississe. Versez-y le vinaigre.

2 Ajoutez les moules. Couvrez et faites cuire à feu assez vif 5 minutes ou jusqu'à ce qu'elles se soient ouvertes. Jetez celles qui ne le sont pas.

3 Saupoudrez de persil et servez avec du pain croûté chaud. Donne 4 portions.

Par portion : Calories 194 ; Gras total 12 g ; Gras saturé 2 g ; Protéines 11 g ; Hydrates de carbone 12 g ; Fibres 2 g ; Sodium 936 mg ; Cholestérol 21 mg

Préparation : 15 minutes
Cuisson : 45 minutes

MOULES À LA SAUCE PIQUANTE

Suivez la recette ci-contre, mais, à l'étape 1, faites revenir, en même temps que l'oignon et l'ail, **2 poivrons rouges,** parés, épépinés et hachés, et ¼ à ½ **c. à thé de flocons de piment rouge,** écrasés. Donne 4 portions.

LES FRITOTS

Un seul secret pour réussir des fritots croustillants et non graisseux : maintenir la friture à une haute température. Le poisson reste succulent.

USTENSILES

Il faut un faitout ou une marmite d'excellente qualité et à fond plat. Le panier à friture est fort utile puisqu'il permet de retirer tous les fritots en même temps. Quant au thermomètre à friture, il est presque indispensable pour contrôler la température du bain.

LA BONNE HUILE

L'huile d'arachide peut atteindre 190 °C (375 °F) sans rien perdre de ses qualités ; on recommande aussi les huiles de canola, de maïs, de carthame, de tournesol et les huiles légères. Certains affirment que la graisse végétale donne des fritures plus croquantes. Mais sachez que, contrairement à l'huile, elle est riche en gras saturés.

Le bain d'huile doit recouvrir complètement les fritots et leur permettre de se déplacer aisément ; il faut au moins 8 cm (3 po) d'huile dans l'ustensile. Selon les dimensions du faitout, 2 litres d'huile conviennent pour 4 à 6 portions.

LA PÂTE

La plupart des pâtes à frire peuvent vous attendre 15 à 30 minutes, à moins de contenir des blancs d'œufs.

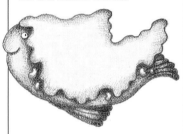

POUR COMMENCER

Plongez la pièce à enrober dans la pâte ; laissez-la s'égoutter. Un excès de pâte donne une croûte lourde. Si la pâte est épaisse, ajoutez quelques gouttes d'eau ; dans le cas contraire, ajoutez de la farine.

Avec une pince ou une cuiller à trous, déposez les pièces une à une : le bain doit être à 190 °C (375 °F) ; réchauffez-le s'il n'atteint pas 185 °C (365 °F).

Laissez l'huile circuler librement autour des fritots ; c'est ainsi qu'ils seront croquants. Remuez-les une ou deux fois pour uniformiser la cuisson.

Avant de recommencer, ramenez le bain à 190 °C (375 °F).

Les fritots sont à point quand la croûte est dorée et que le poisson, à l'intérieur, est tendre et opaque.

VARIANTES DE LA PÂTE À FRIRE

À la bière. Dans la recette de la page ci-contre, supprimez la levure chimique. Remplacez le babeurre et l'eau par **1 tasse de bière** ou de soda. Donne 1½ tasse, ou de quoi enrober 700 g à 1 kg (1½-2 lb) de poisson ou de fruits de mer.

Style tempura. Dans la recette de la page ci-contre, utilisez **1¼ tasse de farine à pâtisserie**, ou 1 tasse de farine tout usage, et **¼ tasse de fécule de maïs.** Supprimez le babeurre et l'eau, mais incorporez, d'un trait, **2 blancs d'œufs mousseux** et **1 tasse d'eau glacée ;** la pâte sera grumeleuse. Donne 2 tasses, ou de quoi enrober 1 kg (2 lb) de poisson ou de fruits de mer.

SAUCES À TREMPETTE
(Pour 1 tasse de mayonnaise)

Rémoulade. Ajoutez 1 c. à soupe de cornichons sucrés, hachés, 1 c. à soupe de persil haché, 2 c. à thé de pâte d'anchois et 1 c. à thé de moutarde de Dijon. Donne 1 tasse.

Cocktail. Ajoutez ⅓ tasse de sauce chili, 2 c. à soupe de cornichons sucrés, hachés, 1 c. à soupe de vinaigre de cidre et 1 c. à thé de sauce Worcestershire. Donne 1⅓ tasse.

Citron et câpres. Ajoutez 3 c. à soupe de jus de citron, 2 c. à soupe de câpres hachées, 2 c. à soupe de persil haché et ½ c. à thé de zeste de citron râpé. Donne 1 tasse.

APRÈS LA CUISSON

Retirez les fritots dans le panier ou avec une écumeuse et déposez-les sur de l'essuie-tout étendu sur une pile de journaux ou sur une grille.

Servez-les tout de suite ou conservez-les dans un four préchauffé à 95 °C (200 °F) jusqu'à ce que tout soit cuit. Servez avec des pointes de citron ; offrez aussi les sauces ci-dessus en trempette.

UN ATOUT
La friteuse électrique

Avec elle, vous menez vos fritures à la perfection. Grâce à son thermostat intégré, l'huile se maintient à la température que vous avez choisie. Aucun risque, non plus, de laisser tomber de l'huile sur une flamme puisque l'élément de la friteuse est enfermé dans le corps de l'appareil. Enfin, un filtre antiodeurs élimine une bonne partie des relents d'huile.

Palourdes en fritots, sauce tartare

Pâte à fritots :
- 1 tasse de farine tout usage
- 1¼ c. à thé de levure chimique
- 1 c. à thé de sel
- 1 tasse de babeurre
- ¼ tasse d'eau froide

Palourdes :
- 2 litres d'huile végétale
- 2 tasses de palourdes ou de myes écaillées

Sauce tartare :
- 1 tasse de mayonnaise
- ¼ tasse d'oignons verts hachés
- ¼ tasse de cornichons sucrés ou à l'aneth, hachés
- 2 c. à soupe de câpres hachées
- 2 c. à soupe de persil haché
- 2 c. à soupe de vinaigre de cidre
- 1 c. à thé de moutarde de Dijon
- ½ c. à thé de sucre

1 Pâte à fritots. Tamisez la farine, la levure chimique et le sel. Ajoutez le babeurre et l'eau au fouet. Couvrez et réservez.

2 Palourdes. Dans une friteuse ou une sauteuse profonde, réchauffez l'huile à 190 °C (375 °F) à feu assez vif. Vérifiez sa température avec un thermomètre à friture.

3 Épongez les palourdes sur de l'essuie-tout, plongez-les dans la pâte, laissez-les s'égoutter et faites-en frire six ou huit à la fois pendant 1 à 2 minutes. Épongez-les sur de l'essuie-tout et déposez-les sans les couvrir dans un four chaud pendant que vous faites cuire les autres.

4 Sauce tartare. Mélangez tous les ingrédients de la sauce. Servez-la en trempette avec les fritots. Donne 4 portions.

Par portion : Calories 846 ;
Gras total 74 g ; Gras saturé 11 g ;
Protéines 21 g ; Hydrates de carbone 27 g ; Fibres 1 g ;
Sodium 1 109 mg ; Cholestérol 89 mg

Préparation : 10 minutes • Cuisson : 30 à 45 minutes

HUÎTRES EN FRITOTS

Remplacez les palourdes par **2 tasses d'huîtres écaillées**, égouttées. À l'étape 3, faites frire cinq ou six huîtres à la fois pendant 2 à 3 minutes. Donne 4 portions.

CREVETTES PAPILLON

Remplacez les palourdes par **500 g (1 lb) de crevettes**, décortiquées et ouvertes en papillon. À l'étape 3, faites frire cinq ou six crevettes à la fois pendant 3 à 4 minutes. Donne 4 portions.

BÂTONNETS

Remplacez les palourdes par **500 g (1 lb) de poisson à chair ferme**, sans la peau. Découpez-le en bâtonnets de 7 x 2,5 cm (3 x 1 po). À l'étape 3, faites frire quatre bâtonnets à la fois pendant 3 à 4 minutes. Donne 4 portions.

BOUILLABAISSE

La vraie bouillabaisse ne peut se faire que dans le sud de la France puisque c'est là qu'on trouve les poissons essentiels à sa composition. En voici une version nord-américaine.

RÉGAL MARSEILLAIS

La bouillabaisse est une soupe composée de poissons cuits dans un bouillon de légumes et du vin blanc et relevée d'huile, de tomate, d'ail, de safran, de persil et d'une foule d'aromates. Le liquide doit épaissir à vive ébullition avant qu'on y plonge les poissons.

LES ÉLÉMENTS DE BASE

La bouillabaisse se prépare avec un minimum de six poissons ou fruits de mer : c'est un plat pour grosses tablées. Elle est autant de saison en hiver qu'en été, parce qu'elle est somme toute légère bien que nourrissante.

La bouillabaisse ne saurait se passer de rouille, sorte de purée relevée de piment rouge qu'on ajoute à la soupe au moment de la manger. Sans la rouille, la bouillabaisse n'est guère autre chose qu'une bonne soupe de poisson.

LA ROUILLE

La rouille tire son nom justement de la couleur rouge orangé que le piment rouge lui donne. Remplacez-le, à votre gré, par du poivron rouge, doux, ou même par du piment doux rôti en bocal.

Vous pouvez apprêter la rouille la veille et la garder au réfrigérateur. Mais ramenez-la à la température ambiante avant de l'ajouter à la soupe.

POUR COMMENCER

Préparez d'abord un bon bouillon de poisson comme celui de la page 54. Vous y ajouterez des légumes et il sera encore meilleur.

Choisissez des tomates rouges, des oignons hauts en saveur, comme les blancs et les jaunes, beaucoup de poireau et d'ail et de grosses carottes.

FRUITS DE MER

Moules, palourdes et crevettes ne sont pas essentielles. Vous pouvez même supprimer les fruits de mer, toujours chers, puisque la bouillabaisse est en réalité la soupe du pauvre.

Si vous mettez des moules et des palourdes, brossez-les et laissez-les s'ouvrir dans le bouillon. Servez-les dans leur coquille avec la soupe.

Mettez à la disposition de vos convives deux ou trois poubelles de table pour qu'ils puissent se débarrasser des coquilles vides.

Par contre, il est préférable de décortiquer les crevettes avant de les servir : c'est une opération un peu plus salissante.

Si vous faites mijoter les carapaces des crevettes dans de l'eau, ce fond peut remplacer en partie le jus de palourde.

Pour donner plus de panache à la bouillabaisse, ajoutez, en même temps que les coquillages, des petits crabes, des pinces de crabe ou des queues de homard.

LES RÈGLES DE LA BOUILLABAISSE

Première règle et la plus importante : ne pas faire cuire les poissons et les fruits de mer avec excès. Tous les éléments du plat peuvent être préparés d'avance, mais pour y mettre les poissons et les crustacés, il faut attendre à la toute dernière minute.

Auparavant, le bouillon doit être parfaitement condimenté et bouillant. Vous aurez déjà brossé les mollusques, tronçonné les poissons, et mis le plat de rouille sur la table. Quand vos convives se seront installés à leur place, ajoutez les fruits de mer et, en second lieu, les poissons.

Deuxième règle : ne vous mettez pas martel en tête pour choisir le poisson. N'oubliez pas que si la bouillabaisse se présente aujourd'hui comme un plat de réception, c'était à l'origine une simple soupe du pêcheur. Son attrait vient de ce qu'elle est toujours bonne, quoi que vous y mettiez.

CONFECTION DE LA ROUILLE

Choisissez une huile d'olive de toute première qualité. Défaites l'ail cru en purée et ajoutez-le à la purée de légumes chauds : sa saveur en sera décuplée.

1 Faites mijoter tous les légumes ensemble. Défaites-les en purée au robot culinaire.

2 L'appareil en marche, incorporez l'huile en filet. Vous obtiendrez une sauce épaisse et rouge.

Au lieu de morue et d'aiglefin, essayez un poisson maigre et un gras (voir le tableau, page 228). Et n'enlevez pas la peau avant la cuisson.

(suite à la page 228)

Bouillabaisse nord-américaine avec sa rouille

Bouillon :

- 1 oignon moyen, haché
- 2 carottes moyennes, épluchées et tranchées mince
- 1 gros poireau, coupé en deux sur la longueur, bien lavé et tranché mince
- 2 tomates moyennes, parées, épépinées et hachées
- 2 grosses gousses d'ail, hachées
- 1 tasse de vin blanc sec
- 4 tasses de jus de palourde
- 6 tasses de Bouillon de poisson (page 54)
- 2 pincées de safran en filaments, émiettés

Poissons et fruits de mer :

- 1 kg (2 lb) de moules non écaillées
- 1 douzaine de palourdes non écaillées
- 250 g (8 oz) d'aiglefin, coupé en morceaux de 3 cm (1½ po)
- 250 g (8 oz) de petite morue, coupée en morceaux de 3 cm (1½ po)
- 250 g (8 oz) de pétoncles de baie
- 250 g (8 oz) de grosses crevettes, décortiquées et parées

Rouille : recette page suivante

1 Bouillon. Dans un faitout, amenez tous les ingrédients rapidement à ébullition. Laissez mijoter à feu doux, sans couvrir, pendant 30 minutes.

2 Passez le bouillon, jetez les légumes et remettez le bouillon dans le faitout. Ramenez l'ébullition.

3 Poissons et fruits de mer. Ajoutez les moules et les pétoncles et laissez mijoter à feu assez doux pendant 5 minutes pour que les coquillages s'ouvrent. Jetez les mollusques qui sont restés fermés. Ajoutez le poisson et laissez mijoter 5 minutes de plus, sans couvrir.

4 Dressez les poissons et les fruits de mer dans six grands bols à soupe réchauffés. Ajoutez le bouillon et couronnez chaque plat de 2 c. à soupe de rouille. Donne 6 portions.

Par portion : Calories 232 ;
Gras total 4 g ;
Gras saturé 1 g ; Protéines 33 g ;
Hydrates de carbone 3 g ; Fibres 0 g ;
Sodium 798 mg ; Cholestérol 115 mg

Préparation : 20 minutes
Cuisson : 50 minutes

Rouille

- 1 tasse de piment doux rôti, haché
- 1 pomme de terre Idaho moyenne, épluchée et tranchée mince
- 4 gousses d'ail
- ¼ c. à thé de thym séché, écrasé
- 2 tasses de Bouillon de poisson (page 54)
- 6 gouttes de sauce Tabasco
- ½ c. à thé de sel
- ¼ tasse d'huile d'olive

1 Dans une casserole moyenne et à feu vif, amenez à ébullition le piment doux, la pomme de terre, l'ail, le thym et le bouillon. Laissez mijoter à petit feu 20 minutes, sans couvrir. Filtrez le bouillon en réservant les légumes.

2 Défaites les légumes en purée au robot avec ¼ tasse de bouillon. Ajoutez la sauce Tabasco et le sel. L'appareil en marche, incorporez l'huile en filet et remuez jusqu'à ce que la préparation soit onctueuse comme une mayonnaise. Donne 1½ tasse.

> Par cuillerée à soupe : Calories 40 ;
> Gras total 3 g ; Gras saturé 0 g ;
> Protéines 2 g ; Hydrates de carbone 2 g ; Fibres 0 g ;
> Sodium 66 mg ; Cholestérol 3 mg
>
> *Préparation : 10 minutes • Cuisson : 20 minutes*

(suite de la page 226)

SERVICE

Répartissez tous les éléments, sans oublier le bouillon, dans de grandes assiettes à soupe réchauffées. Mettez quelques cuillerées de rouille dessus ou offrez celle-ci dans un bol, en accompagnement. Servez du pain croûté ou des rondelles de baguette grillées, frottées d'un peu d'ail.

LES RESTES

Utilisez le bouillon qui reste pour faire pocher du poisson ou cuire du riz. La rouille vous servira à condimenter des crevettes cuites à l'eau bouillante ou des poissons grillés.

AUTRES SOUPES DE POISSON

Chaque région maritime a une recette de soupe de poisson. En voici quelques-unes qui ont acquis leurs lettres de noblesse au fil des ans ; préparez-les comme des variantes de la bouillabaisse.

Bourride. C'est une spécialité du sud-ouest de la France. La plus connue, la bourride de Sète, comporte de la baudroie et une mayonnaise à l'ail, l'ailloli (page 366). On peut y mettre des coquillages, du poulpe ou de la morue.

La bourride classique renferme de l'oignon, du céleri, des carottes râpées, de l'ail, du poireau, de la tomate, de petites pommes de terre entières et du vermouth blanc ; elle est aromatisée au zeste d'orange et de citron. Le safran, ici comme ailleurs, est essentiel.

Bourthétos. De la France, nous passons à la Grèce, et plus spécialement à Corfou dont c'est la spécialité. Le bourthétos renferme de l'huile d'olive et de l'oignon, parfois de la tomate. Parmi les poissons, on retrouve la carpe, la morue, le maquereau, le bar ou la truite, cuits dans un fond d'eau ou de bouillon de poisson relevé d'un peu de vin blanc ou rouge et condimenté de cayenne, de paprika et de persil plat.

Kavakia. Autre soupe de poisson à la grecque, la kavakia porte le nom de la soupière dans laquelle cuisent des poissons tronçonnés et des condiments : oignon, ail, céleri, carottes et tomate. Le bouillon est relevé de jus de citron, de laurier et de vin blanc sec.

Zuppa di pesce. Spécialité de la Riviera italienne, cette soupe comporte des fruits de mer – pieuvre, palourdes – de l'huile d'olive, de l'ail, du persil, de la tomate et du fenouil. On peut y mettre de petits artichauts détaillés en quartiers ou de gros tronçons de cardon.

Zarzuela de mariscos. Un petit saut à l'ouest et nous voici en Espagne, avec une soupe faite de légumes, de fruits de mer et de poissons – poissons de la Méditerranée en Espagne, langouste dans les Caraïbes. Oignon, ail, poivrons verts et tomate enrichissent le bouillon.

Sopa al cuarto de hora. Voici une autre soupe espagnole, prête en un quart d'heure comme le dit son nom. Dans une grande marmite, on fait sauter du jambon serrano, de l'oignon et de la tomate ; on mouille avec du bouillon de poisson ou du jus de palourde, on ajoute de la morue, des crevettes, des petits pois et un peu de riz cru. Enfin, on garnit de persil ciselé et d'œuf dur haché fin. *¡ Muy rico !*

Caldeirada. De l'Espagne, passons au Portugal, avec une soupe relevée, aillée, composée à la fortune des arrivages. Les poissons mijotent dans un fond d'eau relevé d'oignon, d'ail, de poivron vert, de tomate, de vin rouge ou blanc, et condimenté de coriandre.

DÉLICIEUSES INITIATIVES

Une association moitié moitié de poissons maigres et de poissons gras équilibre la saveur et la texture des soupes de poisson, les poissons gras étant, de loin, les plus goûteux. Voici quelques suggestions pour vous aider à introduire de la variété dans vos recettes :

Poissons gras : corégone, espadon, esturgeon, hareng, saumon, tassergal, thon (albacore, bonite)

Poissons maigres : aiglefin, bar, bar noir, baudroie, coryphène (mahi-mahi), doré, loup atlantique, merluche, morue, sébaste, tilapia, vivaneau

BŒUF, VEAU, AGNEAU ET PORC

RÔTI DE BŒUF

S i vous voulez servir une très belle pièce de viande, choisissez un rosbif de côte. Il est succulent, très goûteux, facile à préparer et simple à découper.

UNE COUPE SUPERBE

Le rosbif de côte désossé prend le nom de rôti d'entre-côte. Beaucoup d'amateurs prétendent toutefois que la viande cuite avec les os est plus succulente.

Si tel est votre choix, demandez au boucher d'enlever la viande qui entoure la noix ainsi que l'os de longe et de parer les extrémités de la pièce à la française.

Parmi les autres bonnes coupes, il y a l'intérieur et l'extérieur de ronde, le haut de surlonge, la noix de ronde et la noix de palette, mais aucune n'a la succulence de la côte rôtie, avec ou sans os.

RÔTISSAGE

Posez le rôti sur ses os, gras dessus ; mettez le rôti d'entre-côte sur une grille. N'ajoutez pas d'eau et ne couvrez pas la pièce car vous ne voulez pas qu'elle cuise à la vapeur.

TEMPÉRATURE

Utilisez un thermomètre à viande ou un thermomètre électronique ; c'est la seule façon de savoir avec précision à quel moment la viande est cuite au degré voulu.

Le thermomètre électronique ne doit pas rester dans la pièce. Retirez le rôti, piquez le thermomètre dans la partie la plus épaisse sans toucher à un os : en 15 secondes vous obtenez une lecture. Retirez-le avant de remettre le rosbif au four : la chaleur ferait fondre le disque de plastique qui recouvre le cadran.

TEMPS DE REPOS

Une pause de 15 à 20 minutes à la sortie du four permet au rosbif de se détendre et aux jus de se redistribuer dans la chair, ce qui facilite le découpage.

Durant cette pause, la viande continue de cuire cependant et sa température interne monte de quelques degrés.

TRANCHEZ ET SERVEZ

Calculez deux portions par vertèbre. Le rôti peut être découpé comme ci-contre, ou à l'anglaise : on le dresse sur une extrémité en piquant une fourchette du côté des os et on découpe à l'horizontale entre les vertèbres.

Les accompagnements traditionnels sont les pommes de terre poêlées ou en purée, les popovers à l'américaine et le Yorkshire pudding à l'anglaise.

YORKSHIRE PUDDING

La pâte, pour cet accompagnement du rôti de bœuf très britannique, est la même que pour le popover américain (page ci-contre). La différence, c'est qu'on la dépose dans la graisse brûlante du rôti.

Préparez la pâte comme aux étapes 5 et 6, page ci-contre. Mettez 3 c. à soupe des jus de cuisson du rôti dans un moule de 32 x 22 cm (13 x 9 po). Réchauffez 2 minutes au four. Versez la pâte dans le moule et laissez cuire 10 minutes. Baissez le thermostat du four à 230 °C (450 °F) et laissez cuire 12 à 15 minutes de plus. La pâte doit gonfler et prendre une belle teinte dorée. Découpez-la en carrés et servez avec le rosbif.

DÉCOUPAGE DU ROSBIF

Avec un long couteau, découpez des tranches de 1 cm (½ po) d'épaisseur entre les côtes.

ROSBIF AU JUS

Dégraissez les jus de cuisson du rôti pour ne garder que 1 cuillerée à soupe de gras. Ajoutez **2 tasses de Bouillon de bœuf maison** (page 32) (ou d'eau chaude, ou d'eau de cuisson de légumes) et réchauffez à feu modéré en dégageant les particules rôties dans le fond. Laissez réduire 3 à 4 minutes. Salez et poivrez. Donne 2 tasses.

SAUCE DEMI-GLACE

Le rosbif une fois cuit, versez les jus de cuisson dans une grande sauteuse ; complétez avec du beurre fondu au besoin pour qu'il y en ait ¼ tasse. Réservez. À feu modéré, déglacez la rôtissoire avec **2 tasses de Bouillon de bœuf maison** (page 32) (ou 1 tasse de bouillon et 1 tasse d'eau). Laissez mijoter 1 minute en grattant les particules qui ont adhéré au fond.

Réchauffez la sauteuse à feu modéré. Incorporez **¼ tasse de farine** et laissez cuire en remuant 1 à 2 minutes. Ajoutez peu à peu le bouillon et faites épaissir.

Prolongez la cuisson de 2 à 3 minutes à petit feu ; remuez de temps à autre. Salez et poivrez à volonté. Passez la demi-glace dans un tamis et servez-la dans une saucière réchauffée. Donne 2 tasses.

Côte de bœuf rôtie aux fines herbes et popovers

Rôti :
- 1 rosbif de côte (2,5 kg/6 lb)
- 1 grosse gousse d'ail, fendue
- 1 c. à thé de thym séché
- 1 c. à thé de moutarde sèche
- ½ c. à thé de romarin séché
- ½ c. à thé de poivre noir

Popovers :
- ½ tasse de farine tamisée
- ½ c. à thé de sel
- ½ tasse de lait
- ¼ tasse d'eau froide
- 2 œufs, légèrement battus
- 1 c. à soupe des jus de cuisson du rôti

Sauce demi-glace (page ci-contre)

1 **Rôti.** Préchauffez le four à 230 °C (450 °F). Déposez la pièce de viande, les os au fond, dans une grande lèchefrite. Frottez-la avec l'ail. Dans un petit bol, mélangez le thym, la moutarde, le romarin et le poivre : frottez le rosbif avec cette pâte.

2 Introduisez un thermomètre à viande au centre de la pièce en vous assurant qu'il ne touche à aucun os (ou vérifiez la température plus tard avec un thermomètre électronique).

3 Faites rôtir 25 minutes à découvert. Baissez le thermostat à 150 °C (300 °F) et poursuivez la cuisson jusqu'à ce que la température interne du rôti soit de 57 à 60 °C (135-140 °F), pour l'avoir saignant, de 65 à 68 °C (150-155 °F), si vous le voulez à point, et de 70 à 73 °C (160-165 °F), si vous l'aimez bien cuit.

4 Sortez le rôti du four, couvrez-le d'une feuille d'aluminium et laissez-le reposer pendant 15 à 20 minutes avant de le découper.

5 **Popovers.** Préparez la pâte des popovers 30 minutes avant la fin de la cuisson du rôti. Mélangez la farine et le sel dans un petit bol. Au batteur électrique ou à main, incorporez le lait petit à petit. Quand la pâte est lisse, ajoutez l'eau et les œufs. Couvrez et réservez 30 minutes dans un endroit frais, mais pas au réfrigérateur.

6 Réglez le thermostat du four à 260 °C (500 °F). Fouettez la pâte au batteur pendant 1 à 2 minutes pour qu'il se forme des bulles à la surface.

7 Versez ½ c. à thé des jus de cuisson de la lèchefrite dans six alvéoles à muffins ; réchauffez le moule 2 minutes au four. Versez ¼ tasse de pâte dans chaque alvéole, enfournez à découvert et laissez cuire 8 minutes sans ouvrir la porte du four. Baissez le thermostat du four à 200 °C (400 °F) et prolongez la cuisson 8 à 10 minutes : les popovers seront gonflés, dorés et croustillants. Servez immédiatement avec le rôti et la sauce en saucière. Donne 6 portions.

> Par portion : Calories 598 ; Gras total 35 g ; Gras saturé 14 g ;
> Protéines 59 g ; Hydrates de carbone 10 g ; Fibres 0 g ;
> Sodium 422 mg ; Cholestérol 239 mg

Préparation : 25 minutes • Cuisson : environ 3 heures

BŒUF BRAISÉ

Peu de plats ont autant d'attraits, malgré sa modestie, que le bœuf braisé grâce auquel on peut utiliser des coupes peu coûteuses, mais savoureuses.

UNE CUISSON À L'ÉTUVÉE

Une viande braisée est d'abord saisie, puis cuite lentement avec des légumes dans très peu de liquide. La cuisson se fait à l'étuvée, c'est-à-dire sous couvercle. Cette façon de faire requiert du temps, mais très peu d'attention.

LES BONNES COUPES

Les coupes recommandées sont riches en tissu conjonctif; on les trouve dans l'épaule et le quartier arrière: pointe de poitrine, épaule, croupe et extérieur de ronde. Une cuisson lente à chaleur douce attendrit la viande et transforme les tendons en gélatine.

Si la pièce n'est pas d'un seul tenant, attachez-la avec une ficelle pour qu'elle ne se défasse pas à la cuisson et retirez la ficelle au moment de servir.

QUELQUES CONSEILS

Vous pouvez enrober la viande de farine assaisonnée, mais ce n'est pas essentiel. Ce qui importe, c'est de saisir la viande sur toutes ses faces pour bien sceller les jus et de le faire à feu modérément vif pour ne pas durcir la viande.

Gardez ensuite le fond de braisage en dessous du point d'ébullition. De temps à autre, assurez-vous que les bulles se brisent en surface, signe que la viande mijote.

Si la cuisson lente attendrit la viande, il faut se rappeler aussi qu'un excès de cuisson va la faire durcir. Vérifiez qu'elle est à point en la piquant à la fourchette.

LE BON USTENSILE

Il est important d'utiliser un faitout épais. S'il est mince, vous aurez du mal à garder le mouillement sous le point d'ébullition. Et s'il ferme mal, la vapeur va s'échapper.

MODES DE CUISSON

Les viandes braisées cuisent en règle générale sur la table de cuisson. Vous pouvez néanmoins les faire cuire au four, à 180 °C (350 °F) pendant 2 heures à 2 h 30 dans un plat bien fermé. Dans une cocotte électrique, le temps de cuisson est le même mais vous réglez le thermostat à 95 °C (200 °F). À l'autocuiseur, mettez ½ à 1 tasse de liquide et prévoyez 15 minutes pour 500 g (1 lb).

ADDITION DE LIQUIDE

Le fond de mouillement est généralement de l'eau, tout simplement. Si vous préférez utiliser du vin rouge, du jus de tomate, de la bière, ou du bouillon de bœuf ou de légumes, diluez-les avec le même volume d'eau, pour en atténuer le goût trop puissant.

AGENT D'ÉPAISSISSEMENT

Plutôt que d'épaissir le fond avec de la farine, réduisez en purée une partie des légumes dans le fond de mouillement et remettez-les dans le liquide.

MEILLEUR LA SECONDE FOIS

Le bœuf braisé est tout aussi délicieux – et peut-être davantage – lorsqu'il est réchauffé. Transférez-le dans un plat qui peut passer du réfrigérateur au four. Vous le réchaufferez sans laisser bouillir. Ou faites-en l'un des plats suivants.

Ragoût minute. Faites rissoler de l'oignon, de l'ail et la viande détaillée en dés; réchauffez avec un peu du liquide de cuisson.

Chili. Faites sauter des poivrons, de l'oignon et de l'ail; ajoutez des tomates, des haricots rouges, de la poudre de chili et le bœuf cuit, haché.

DÉCOUPAGE DU BŒUF BRAISÉ

Mettez la pièce sur une planche, déficelez-la et coupez-la contre le sens des fibres en tranches épaisses. Dressez-les avec les légumes.

BŒUF BOURGUIGNON

Suivez la recette de la page ci-contre, mais, à l'étape 2, remplacez l'eau par **½ tasse de bourgogne**. À l'étape 3, ajoutez **1 c. à thé de thym séché** et **1 feuille de laurier**. Remplacez les carottes en tronçons par **20 petites carottes entières**, épluchées, et les oignons en quartiers par **20 petits oignons blancs**, pelés. Mettez **6 gousses d'ail.** Supprimez le panais et le rutabaga, mais ajoutez **20 petits champignons.** À l'étape 5, allongez le bouillon de **½ tasse de bourgogne** et laissez mijoter 5 minutes. Exécutez l'étape 6; ôtez le laurier. Donne 6 portions.

Bœuf braisé aux légumes d'hiver

- 2 c. à soupe d'huile végétale
- 2 kg (4 lb) de bœuf désossé (croupe, bout de poitrine, pointe de surlonge ou extérieur de ronde)
- 3 gros oignons, l'un haché, les deux autres en quartiers
- 2 c. à thé de sel
- ½ c. à thé de poivre noir
- ½ tasse d'eau froide
- 500 g (1 lb) de grelots de pommes de terre rouges, nettoyés
- 4 carottes moyennes, épluchées et coupées en tronçons de 2,5 cm (1 po)
- 2 panais moyens, épluchés et coupés en quatre sur la longueur
- 500 g (1 lb) de rutabaga, épluché et détaillé en tronçons de 2,5 cm (1 po)
- 4 gousses d'ail entières, pelées
- 3 tasses de Bouillon de bœuf maison (page 32)
- ¼ tasse de farine

1 Dans un faitout de 6 litres, réchauffez l'huile 1 minute à feu modérément vif. Épongez le bœuf, mettez-le dans le faitout et saisissez-le de tous les côtés dans l'huile. Retirez-le et réservez-le.

2 Mettez l'oignon haché dans le faitout et laissez-le rissoler 5 minutes pour le colorer. Remettez le bœuf dans le faitout, ainsi que les jus qu'il a rendus, et saupoudrez-le de 1 c. à thé de sel et de ¼ c. à thé de poivre. Ajoutez l'eau, couvrez et laissez mijoter à petit feu pendant 1 h 30.

3 Ajoutez les pommes de terre, les carottes, le panais, le rutabaga, les oignons coupés en quartiers, l'ail, ½ tasse de bouillon et le reste du sel et du poivre. Couvrez et laissez mijoter pendant 45 à 60 minutes, ou jusqu'à ce que tous les ingrédients soient à point.

Le bœuf braisé, tout comme sa variante, le bœuf bourguignon, illustré ci-dessus, demande peu d'attention pendant qu'il mijote sur le feu.

4 Retirez la viande et les légumes et réservez-les au chaud dans un plat de service couvert et réchauffé. Dégraissez le fond de mouillement. Dans un petit bol, délayez au fouet la farine dans ½ tasse du bouillon.

5 Versez dans le faitout les 2 tasses de bouillon qui restent et faites cuire 2 minutes à feu modérément vif en dégageant les particules rôties dans le fond du faitout. Incorporez doucement la farine délayée et prolongez la cuisson en remuant jusqu'à épaississement. Laissez cuire 1 minute de plus.

6 Découpez la viande en tranches épaisses (voir page ci-contre); servez-la avec les légumes et la sauce. Donne 6 portions.

Par portion : Calories 636 ; Gras total 19 g ; Gras saturé 7 g ; Protéines 68 g ; Hydrates de carbone 47 g ; Fibres 7 g ; Sodium 875 mg ; Cholestérol 198 mg

Préparation : 1 heure • Cuisson : environ 2 h 30

BŒUF GRILLÉ, SAUCE TÉRIYAKI

Dans le bœuf à la tériyaki, la viande est tranchée mince et grillée : une excellente recette pour le bifteck de flanc.

À L'ORIENTALE

Le bœuf à la tériyaki est une spécialité japonaise qui a de nombreux adeptes chez nous. La même recette peut servir à préparer le porc, le poulet, les crevettes, les pétoncles et le thon frais, détaillés en morceaux. C'est un plat assez simple pour faire partie de la cuisine quotidienne, mais assez raffiné pour être servi les jours de fête et de réception.

Le préfixe « téri » signifie laqué et fait référence à la glace luisante dont on enduit la viande juste avant de la servir. Le terme « yaki » veut dire que la viande est grillée rapidement – à sec ou dans très peu de gras – sur charbon de bois, dans le gril du four ou dans une sauteuse. Ces trois modes de cuisson peuvent être indifféremment utilisés dans tous les apprêts à la tériyaki.

LA SAUCE

Dans notre recette, une seule et même sauce sert à faire mariner le bœuf et à le lustrer. Le bœuf mariné acquiert de la saveur et s'attendrit. Par contre, un séjour dans la marinade ramollirait le poulet et les fruits de mer ; contentez-vous de les y plonger juste avant la cuisson.

Une sauce tériyaki renferme un peu de sucre, ou, comme dans la recette donnée ici, du miel, ainsi que de la sauce soja et quelques ingrédients sapides. Le sucre et l'huile donnent le lustre à la viande, dès lors que la préparation a épaissi.

Si vous faites griller la viande, badigeonnez-la de sauce à la fin de la cuisson. Mais si vous la faites sauter, versez la sauce dans la sauteuse et enrobez-en la viande.

PRÉSENTATION

Le tériyaki s'intègre bien à un buffet, surtout si vous faites griller la viande et la servez sur des brochettes de bambou : celles-ci sont jetables et dispensent de fourchettes. Faites-les tremper dans l'eau au préalable et, pour mettre de la couleur, insérez une tranche d'oignon vert entre les cubes de viande.

Ou bien présentez le bœuf à la tériyaki – avec ou sans brochettes – nappé de sauce sur un lit de riz blanc bien léger.

DÉCORATIONS À LA JAPONAISE

Les Japonais accordent beaucoup d'importance à la présentation des plats et les décorent de feuilles ou de légumes travaillés. Voici comment rehausser l'apparence d'un plat, lors d'un buffet ou d'un grand dîner.

1 Coupez un concombre en tronçons de 5 cm (2 po). Insérez un petit couteau au centre. Avec un autre couteau, entaillez le concombre à l'oblique jusqu'au premier.

2 Tournez le concombre à l'envers. Faites une autre entaille en diagonale. Retirez les couteaux et séparez les pièces. Vous obtenez la coupe « en montagne ».

1 Découpez de minces rectangles dans une carotte. Faites deux entailles parallèles et ouvrez pour former un Z.

2 Repliez par en dessous une branche du Z vers l'autre pour former un triangle. C'est la coupe « en aiguille de pin ».

MANIPULATION DES BAGUETTES

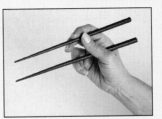

1 La baguette inférieure, nichée au creux du pouce, sert d'appui.

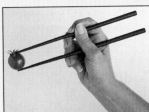

2 La baguette supérieure, placée entre le pouce et l'index, est mobile.

Satay de bœuf à l'indonésienne

Dans la recette ci-contre, remplacez l'huile par **3 c. à soupe d'eau** et ajoutez **½ tasse de beurre d'arachide,** crémeux ou croquant. Faites mariner et griller la viande selon la recette. Présentez le reste de la marinade en sauce trempette. Donne 4 portions.

Bœuf à la tériyaki

700	**g (1½ lb) de bifteck de flanc**
¼	**tasse de sauce tamari**
¼	**tasse de miel**
1½	**c. à thé d'ail haché**
1½	**c. à thé de gingembre haché**
1	**c. à soupe d'huile**

1 Découpez le bœuf contre le sens des fibres en 12 tranches de 18 cm (7 po) de longueur, 4 cm (1½ po) de largeur et 1 cm (½ po) d'épaisseur.

2 Dans un grand bol, mélangez au fouet le reste des ingrédients. Déposez la marinade et la viande dans un grand sac de plastique autofermant et laissez mariner 1 heure à la température de la pièce.

3 Allumez le gril. Prenez quatre brochettes de bambou de 30 cm (12 po) ayant trempé dans l'eau 15 minutes ; sur chacune, enfilez trois tranches de bifteck.

4 Faites griller les brochettes 5 minutes de chaque côté à 10 cm (4 po) de l'élément. Badigeonnez la viande deux ou trois fois avec la marinade. Retirez-la du four, badigeonnez-la de nouveau et servez sans attendre. Donne 4 portions.

Par portion : Calories 312 ; Gras total 15 g ; Gras saturé 6 g ; Protéines 39 g ; Hydrates de carbone 5 g ; Fibres 0 g ; Sodium 320 mg ; Cholestérol 96 mg

Préparation : 20 minutes
Marinage : 1 heure
Cuisson : 10 minutes

PAIN DE VIANDE

Voici une façon économique d'apprêter la viande. Suivez nos conseils et vous préparerez des pains de viande bons... à s'en lécher les doigts.

VIANDE HACHÉE

Le bœuf haché à 17 p. 100 de matières grasses est l'élément de base de la plupart des pains de viande. Le bœuf haché plus maigre devient à la cuisson excessivement sec et compact.

Le pain est plus savoureux quand vous utilisez un mélange de bœuf, de porc et de veau en proportions égales. On peut remplacer le porc ou le veau par de la dinde hachée ou du poulet.

Note : la présence de porc ou de volaille dans le mélange de viandes vous oblige à faire cuire le pain complètement. En d'autres termes, le thermomètre électronique doit vous donner une lecture de 71 °C (160 °F) quand vous l'introduisez au centre du pain.

QUELQUES CONSEILS

Mélangez les ingrédients à la main sans insister. Une manipulation excessive rend le pain compact et lourd.

Déposez le mélange dans un moule à pain ou un moule en anneau ; ou mettez-le en forme sur une plaque : dans ce cas, il croûte de tous les côtés, pour le plus grand bonheur de la plupart des amateurs.

La quantité de liquide à introduire dans le pain est laissée au goût de chacun. Si vous augmentez les quantités de légumes – oignons, céleri, poivron –, il sera plus tendre.

Laissez reposer le pain 10 minutes avant de le trancher et découpez-le avec un couteau à lame dentée et un mouvement de va-et-vient.

AUTRES INGRÉDIENTS

Les composantes d'un pain de viande sont matière de goût. Vous n'aimez pas le poivron ? Mettez plus d'oignon ou de céleri et ajoutez de la carotte.

Rien ne vous empêche de relever le pain d'un peu de piment fort haché. Vous manquez de chapelure ? Prenez du gruau ou des flocons de maïs.

UN CENTRE D'INTÉRÊT

Exercez votre imagination. Insérez au centre du pain un élément intéressant. Couchez la moitié du mélange dans le moule ; déposez par-dessus des cornichons marinés ou des œufs durs, bout à bout. Ajoutez le reste des viandes. Faites cuire comme à l'accoutumée. Chaque tranche arborera une mosaïque de cornichons ou d'œufs durs.

PRENEZ DE L'AVANCE

Préparez, moulez et congelez le pain de viande à cru. Enveloppez-le dans du papier d'aluminium et il se conservera trois mois au congélateur. Faites-le décongeler 24 heures au réfrigérateur, dans son emballage, avant de le faire cuire.

LES RESTES

Le pain de viande froid est fort savoureux, mais découpez-le seulement au moment du service car il sèche rapidement.

Le pain de viande cuit se garde un mois au congélateur. Prévoyez 24 heures de décongélation au réfrigérateur.

Détaillez-le en tranches minces pour en garnir un sandwich. Pour le servir chaud, déposez-en une tranche sur du pain et arrosez d'une sauce fumante.

UNE BONNE GLACE

En badigeonnant le pain de viande de glace avant la fin de la cuisson, vous le dotez d'une croûte fort goûteuse qui retient les jus à l'intérieur.

Vous avez le choix entre plusieurs glaces. Essayez une de celles qu'on vous propose ou faites des expériences. Moutarde et cassonade ou confiture d'abricots sont des glaces aigres-douces fort appréciées. Un reste de glace peut servir à napper les tranches.

PAIN DE JAMBON

Dans la recette de la page ci-contre, remplacez le bœuf haché par **350 g (12 oz) de jambon haché** et **250 g (8 oz) de porc haché**, et le ketchup par **½ tasse de moutarde au miel.** Supprimez l'ail. Donne 4 portions.

GLACES

Vous pouvez remplacer la moutarde au miel (ci-dessus) par l'une des glaces suivantes.

Aux canneberges. Dans 1½ tasse de compote de canneberges, incorporez 1 c. à thé de gingembre râpé. Donne 1½ tasse.

Orange et ananas. Mélangez ¾ tasse de marmelade d'oranges, ¾ tasse d'ananas broyé, égoutté, 1 c. à soupe de jus de citron et ⅛ c. à thé de sauce Tabasco. Donne 1½ tasse.

Chutney au cari. Dans 1½ tasse de chutney haché, incorporez 1 c. à thé de cari ; amenez à ébullition et laissez cuire 3 à 5 minutes en remuant. Donne 1½ tasse.

Érable et épices. Dans 1½ tasse de sirop d'érable, incorporez ½ c. à thé de piment de la Jamaïque et ¼ c. à thé de clou de girofle. Amenez à ébullition et laissez cuire 3 à 5 minutes en remuant. Donne 1½ tasse.

BŒUF, VEAU, AGNEAU ET PORC

Pain de viande du restaurant Manhattan

- **2** **c. à soupe de beurre ou de margarine**
- **1** **oignon moyen, haché fin**
- **½** **côte de céleri moyenne, hachée fin**
- **¼** **tasse de poivron vert, haché fin**
- **1** **gousse d'ail, hachée**
- **1** **œuf**
- **550** **g (1¼ lb) de bœuf haché**
- **½** **tasse de ketchup**
- **⅓** **tasse de chapelure de pain rassis**
- **1** **c. à thé de sel**
- **½** **c. à thé de poivre noir**

1 Préchauffez le four à 180 °C (350 °F). Dans une grande sauteuse, faites fondre le beurre à feu modéré. Ajoutez l'oignon, le céleri et le poivron et faites-les sauter 5 minutes en remuant de temps à autre. Ajoutez l'ail et laissez cuire 1 minute de plus pour que tout soit tendre, sans colorer. Réservez.

2 Dans un grand bol, battez l'œuf légèrement. Ajoutez le bœuf haché, ¼ tasse de ketchup, la chapelure, le sel, le poivre noir et les légumes sautés.

3 Effectuez le mélange avec les mains, sans insister. Mettez cet appareil dans un moule carré, non graissé, de 20 cm (8 po) de côté et 5 cm (2 po) de profondeur ; façonnez-le en un pain de 20 cm (8 po) de longueur sur 10 cm (4 po) de largeur.

4 Enfournez sans couvrir et faites cuire 45 minutes. Badigeonnez le dessus avec le reste du ketchup en guise de glace et laissez cuire environ 20 minutes de plus, ou jusqu'à ce qu'un thermomètre électronique inséré au centre du pain indique 71 °C (160 °F). Laissez le moule reposer 10 minutes sur une grille avant de découper le pain. Donne 4 portions.

Par portion : Calories 409 ; Gras total 23 g ; Gras saturé 10 g ; Protéines 32 g ; Hydrates de carbone 18 g ; Fibres 2 g ; Sodium 1 110 mg ; Cholestérol 170 mg

Préparation : 30 minutes • Cuisson : 1 h 11

Autres glaces

Tomate et épices. Mélangez au fouet ½ tasse de ketchup avec ¼ tasse de mélasse, ¼ tasse de vinaigre de cidre, 2 c. à soupe de moutarde préparée et 1 c. à soupe de sauce Worcestershire. Badigeonnez-en le pain, à la place du ketchup, 15 minutes avant la fin de la cuisson. Donne 1¼ tasse.

Moutarde et crème sure. Mélangez 1¼ tasse de crème sure partiellement écrémée, ⅓ tasse de moutarde préparée et 1 c. à soupe de cassonade. Employez cette glace pour le pain de bœuf ou de jambon. Donne 1⅔ tasse.

Raifort et crème sure. Mélangez 1¼ tasse de crème sure partiellement écrémée et ⅓ tasse de raifort préparé. Employez cette glace pour le pain de bœuf ou de jambon. Donne 1⅔ tasse.

EMPANADAS

Spécialité de la cuisine argentine, ces petites pièces en forme d'aumonière sont garnies d'un apprêt à la viande. On les sert en entrée ou comme repas léger.

UNE PETITE TOURTIÈRE

La tourtière québécoise – seul souvenir que nous ait laissé la tourte, maintenant disparue – est un plat de même nature que l'empanada d'origine sud-américaine : un apprêt à base de viande entre deux croûtes.

La pâte brisée fait très bien l'affaire, mais si on veut soigner la présentation, on peut utiliser de la pâte feuilletée. Vous trouverez à la page 28 des renseignements la concernant.

Le point délicat des empanadas, c'est que la garniture doit renfermer assez de liquide pour ne pas se dessécher pendant la cuisson sans pour autant détremper la pâte.

Les empanadas se cuisent à grande friture ou au four, comme ici, pour réduire le gras et les calories.

PICADILLO

Le picadillo est un hachis de bœuf épicé qui sert à confectionner les empanadas et les chimichangas ; on en fait aussi une trempette qu'on présente avec des croustilles de maïs. À Cuba, le picadillo est surmonté de purée de pomme de terre, saupoudré de fromage râpé et gratiné au four, un peu comme notre pâté chinois.

VARIANTES

Vous pouvez remplacer le picadillo par un apprêt de votre choix, par exemple un hachis de jambon, d'oignon, d'olives vertes et d'œufs durs relevé de parmesan râpé. Ajoutez un peu d'ail ou de chili vert haché si vous aimez le piquant. Liez avec de l'huile d'olive.

Vous pouvez également utiliser des restes de viande, de fromage et de légumes, du saucisson à l'ail, du chili ou du poulet cuit.

Les empanadas font de très bons desserts. Fourrez-les avec des garnitures à tarte à la citrouille, aux pommes, au mincemeat ou tout simplement avec de la confiture.

GAGNEZ DU TEMPS

Les empanadas se congèlent avant cuisson, mais sans dorure. Congelez-les sur une plaque ; ensuite, groupez-les dans un sac de plastique. Elles se garderont deux mois au congélateur. Au moment voulu, enfournez-les congelées, après avoir appliqué la dorure, et faites cuire 30 minutes environ.

TRIANGLES AU PORC

Dans la recette de picadillo de la page ci-contre, remplacez le bœuf par du **porc haché.** Supprimez le jalapeño, le pepperoncini et les raisins secs, mais ajoutez **1 poivron rouge moyen,** paré et haché. Préparez la pâte à empanadas, mais abaissez-la en un rectangle de 3 mm (⅛ po) d'épaisseur et découpez-le en cinq carrés de 9 cm (3½ po) de côté. Formez-les en triangles. Donne 20 triangles.

PRÉPARATION D'UNE EMPANADA

Préparez de la pâte brisée en quantité généralement requise pour deux croûtes.

1 Pétrissez la pâte 1 minute sur une planche farinée. Faites-en quatre boules que vous envelopperez dans du papier ciré pour les réfrigérer 30 minutes.

2 Abaissez quatre cercles de 3 mm (⅛ po) d'épaisseur. Découpez-y des cercles de 9 cm (3½ po) que vous agrandissez au rouleau en les amincissant.

3 Mettez 2 c. à thé de picadillo au centre de chaque cercle. Dorez le bord à l'œuf battu et repliez en aumonière. Festonnez le bord à la fourchette.

4 Piquez les pièces à la fourchette, badigeonnez-les de dorure, mettez-les sur une plaque tapissée de papier sulfurisé. Faites cuire 20 minutes à 200 °C (400 °F).

Empanadas fourrées de picadillo

Picadillo :

- **1** c. à soupe d'huile d'olive
- **1** gros oignon, haché
- **1** poivron vert moyen, paré, épépiné et haché
- **1** petit piment jalapeño, paré, épépiné et haché fin
- **4** petits pepperoncinis ou autres petits piments chilis forts, parés, épépinés et hachés
- **4** gousses d'ail, hachées
- **250** g (8 oz) de bœuf haché maigre
- **18** olives farcies à la pâte de poivron rouge, hachées
- **1** boîte (796 ml/28 oz) de tomates entières, concassées dans leur jus
- **1** c. à thé de sel
- **½** tasse de raisins secs
- **1** tasse de haricots noirs, rincés et égouttés

Empanadas :

- **2** recettes de Pâte à tarte à deux croûtes (page 307)
- **2** œufs, légèrement battus

1 **Picadillo.** Dans un faitout de 4 litres, réchauffez l'huile 1 minute à feu assez vif. Faites revenir l'oignon, le poivron vert, les piments et l'ail 5 minutes environ ou jusqu'à ce qu'ils soient tendres.

2 Dans une grande sauteuse, faites revenir le bœuf haché 15 minutes dans son gras à feu assez vif ; défaites les grumeaux à la spatule de bois. Quand il est rôti, retirez-le et égouttez le gras.

3 Mettez le bœuf rissolé et le reste des ingrédients du picadillo dans le faitout. Couvrez et laissez cuire 40 minutes à feu doux. Préparez les empanadas.

4 **Empanadas.** Préchauffez le four à 200 °C (400 °F). Préparez la pâte à tarte à deux croûtes. Abaissez-la et préparez les empanadas (page ci-contre).

5 Enfournez et faites cuire 20 minutes ou jusqu'à ce que les empanadas soient bien dorées. Donne 32 empanadas.

Par empanada : Calories 142 ; Gras total 8 g ; Gras saturé 2 g ; Protéines 4 g ; Hydrates de carbone 14 g ; Fibres 1 g ; Sodium 228 mg ; Cholestérol 14 mg

Préparation : 30 minutes
Cuisson : 1 h 21

FOIE DE VEAU

Parmi tous les abats, le foie de veau occupe le rang d'honneur. Servez-le rosé si vous voulez apprécier sa fine texture et son goût délicat.

À L'ACHAT

Renommé pour sa texture crémeuse et sa fine saveur de noisette, le foie de veau est un mets luxueux au restaurant comme à la boucherie. Moins cher, le foie de bœuf est par contre moins délicat et plus dur. Mais aujourd'hui, les bœufs qu'on mène à l'abattoir sont si jeunes que la différence entre les deux foies tend à s'atténuer.

Assurez-vous qu'on vous vend bien ce que vous demandez. Le foie de bœuf est rouge foncé, le foie de veau, rose ou beige.

Prévoyez 200 g (6 oz) par personne. C'est un aliment très périssable : ne le gardez pas plus de 24 heures. Dans certaines boucheries, il se vend du foie tranché et surgelé.

LA MEILLEURE SAVEUR

Les personnes qui n'aiment pas le foie n'en ont sans doute jamais mangé qui soit à point. C'est une viande qui se cuit facilement, mais qu'il est tout aussi facile de mal cuire.

Le foie est détaillé en tranches avant la cuisson. Il est servi rosé, de préférence. Passé ce point, il devient coriace, âcre et déplaisant à l'odorat. Par contre, lorsqu'il est cuit à point, il est tendre, juteux, rosé à l'intérieur et tout aussi savoureux qu'un bifteck. Est-il gris ? Vous l'avez trop fait cuire.

En règle générale, poêlez les tranches minces rapidement à feu vif, les tranches épaisses lentement à feu doux.

Le foie de veau à la vénitienne est toujours tranché très mince. Pour le barbecue, prenez des tranches épaisses enduites d'huile d'olive.

Tournez les tranches une seule fois durant la cuisson.

Manipulez-les avec une pince ; une fourchette brise la chair et permet aux jus de s'échapper.

MARINÉ AU LAIT

Mis à tremper plusieurs heures dans du lait, le foie s'adoucit et perd le peu d'âcreté qu'il pourrait avoir. Cette opération est presque nécessaire pour le foie de bœuf.

CROÛTE FARINÉE ET CROUSTILLANTE

Le foie ne brunit pas dans la sauteuse comme le bifteck, mais un léger farinage lui permet de croûter. Dans ce cas, la sauteuse doit être très chaude quand vous y mettez le foie ; c'est la seule façon de faire adhérer et croûter la farine.

ACCOMPAGNEMENT

Quelques gouttes de jus de citron suffisent à relever le foie de veau. Néanmoins, oignons rissolés ou tranches de bacon croquantes sont des accompagnements classiques. Pour varier, faites revenir rapidement de l'ail et du persil hachés dans une noix de beurre et déposez-en un peu sur chaque tranche de foie.

PRÉPARATION DU FOIE

Il y a autour du foie une fine membrane qu'il faut enlever parce qu'elle rétrécit à la cuisson et fait gondoler ou retrousser les tranches.

1 Coupez le foie en fines tranches. Dégagez la membrane avec la pointe d'un couteau et ôtez-la.

2 Éliminez tous les tissus conjonctifs. Faites cuire selon la recette.

FOIE ET OIGNONS À LA VÉNITIENNE

Suivez la recette de la page ci-contre, mais découpez le foie en fines lanières. Au lieu d'exécuter les étapes 2, 3 et 4, séparez les oignons en anneaux et faites-les revenir 10 minutes avec ¼ tasse de persil haché et 1 c. à soupe d'huile. Augmentez la chaleur, ajoutez le reste de l'huile et faites cuire le foie 3 minutes avec ½ c. à thé de sel. Ajoutez le vinaigre et cuisez encore 3 minutes. Donne 4 portions.

OIGNONS CARAMÉLISÉS

Tranchez 3 oignons. Chauffez 1 c. à soupe d'huile à feu modéré. Faites-y dorer les oignons avec 2 c. à thé de sucre en ajoutant, vers la fin, 2 c. à soupe de vinaigre balsamique et ¼ c. à thé de sel.

Foie de veau aux oignons caramélisés

4 tranches de foie de veau (200 g/6 oz chacune), parées

½ tasse de lait

3 c. à soupe d'huile d'olive

3 oignons moyens, coupés en deux sur la longueur et tranchés mince

2 c. à thé de sucre

2 c. à soupe de vinaigre balsamique

¾ c. à thé de sel

3 c. à soupe de farine

1 Mettez le foie dans un bol moyen, arrosez-le de lait, couvrez et réfrigérez au moins 1 heure ou jusqu'au lendemain.

2 Dans une sauteuse antiadhésive de 30 cm (12 po), réchauffez 1 c. à soupe d'huile 1 minute à feu modéré. Ajoutez les oignons, saupoudrez-les de sucre et laissez cuire 15 minutes, ou jusqu'à ce qu'ils soient dorés, en remuant souvent. Ajoutez le vinaigre et ¼ c. à thé de sel et prolongez la cuisson 1 à 2 minutes pour les faire caraméliser. Réservez-les au chaud.

3 Épongez les tranches de foie sur de l'essuie-tout. Salez-les avec le reste du sel (½ c. à thé) et retournez-les dans la farine ; secouez-les pour faire tomber l'excédent.

4 Dans la sauteuse où ont caramélisé les oignons, réchauffez l'huile qui reste (1 c. à soupe) 1 minute à feu modérément vif. Faites sauter une ou deux tranches de foie à la fois ; ajoutez de l'huile au besoin et prévoyez 1½ à 3 minutes de cuisson de chaque côté, selon l'épaisseur de la tranche, pour que le foie soit rosé.

5 Dressez le foie dans quatre grandes assiettes réchauffées et garnissez-les d'oignons caramélisés. Offrez de la moutarde ou du raifort en accompagnement. Donne 4 portions.

Par portion : Calories 294 ; Gras total 14 g ; Gras saturé 4 g ; Protéines 25 g ; Hydrates de carbone 16 g ; Fibres 2 g ; Sodium 460 mg ; Cholestérol 611 mg

Préparation : 12 minutes
Cuisson : environ 25 minutes

ESCALOPES DE VEAU

Les escalopes de veau doivent être très minces. Poêlez-les après les avoir farinées ou panées.

PARLONS DU VEAU

Le veau est une viande provenant d'un animal dont l'âge ne dépasse pas 16 semaines. Elle est maigre, rose pâle et très fine. Comme elle est beaucoup plus maigre que celle du bœuf, par exemple, il faut la faire cuire rapidement pour éviter qu'elle ne devienne dure et sèche.

L'escalope constitue une spécialité de plusieurs cuisines d'Europe, comme la Wiener schnitzel en Autriche et l'escalope de veau à la milanaise. Son prix est élevé ; néanmoins, il n'y a aucune perte et la pièce rétrécit peu. Avec 500 g (1 lb), on sert aisément trois personnes, et même quatre si la sauce est crémeuse.

UN ENROBAGE CROUSTILLANT

Les escalopes de veau sont encore meilleures lorsqu'on leur donne un enrobage qui les rend dorées et croustillantes. Dans certaines recettes, comme celle de la Piccata de veau, il suffit de les rouler dans la farine. Dans d'autres cas, après les avoir farinées sans excès, on les plonge dans l'œuf battu et on les roule dans une chapelure nature ou légèrement assaisonnée.

Pour paner les escalopes, travaillez à la chaîne. Prenez deux carrés de papier ciré ; sur l'un mettez la farine, sur l'autre, la chapelure. Entre les deux, posez une assiette creuse contenant l'œuf battu.

Ajoutez un peu d'eau à l'œuf et battez-le simplement pour mélanger le blanc et le jaune. Farinez les escalopes et passez-les tout de suite dans l'œuf pour que la farine ne devienne pas collante.

Après les avoir passées dans la chapelure, laissez-les sécher 10 à 15 minutes à l'air libre.

Gardez les escalopes cuites dans un four à 95 °C (200 °F) pendant la cuisson des autres.

DES SAUCES LÉGÈRES

Évitez les sauces fortement relevées. Quelques gouttes de jus de citron, du sel et du poivre suffisent.

À Milan, on sert les escalopes panées « à la jardinière », c'est-à-dire accompagnées d'une petite salade verte relevée d'une vinaigrette légère.

Autre recette : quand les escalopes sont cuites, faites revenir dans la sauteuse un peu d'oignon vert haché, mouillez de vin blanc et laissez réduire. Nappez les escalopes de cette sauce.

ESCALOPES PANÉES FRITES À LA POÊLE

1 Farinez les escalopes. Saupoudrez-les de sel et de poivre. Tournez-les dans l'œuf battu avec un peu d'eau puis dans la chapelure.

2 Réchauffez bien l'huile dans une sauteuse. Faites revenir les escalopes une à une, 2 minutes de chaque côté. Retournez-les une fois. Réservez-les au chaud.

APLATIR LES ESCALOPES

Ce n'est pas pour attendrir les escalopes que certaines recettes demandent qu'on les martèle à la batte à viande, mais bien pour les rendre très minces. Prenez soin de ne pas les perforer.

1 Mettez l'escalope entre deux feuilles de papier ciré pour qu'elle ne se déchire pas et ne colle pas au battoir.

2 Martelez-la doucement avec une batte à viande jusqu'à ce qu'elle ait l'épaisseur désirée.

UN ATOUT
La batte à viande

La batte à viande lourde, à disque plat et lisse et à manche vertical, est l'instrument idéal pour aplatir du veau, du poulet ou de la dinde facilement et sans risque. À défaut, vous pouvez prendre un rouleau à pâtisserie ou une bouteille de 1 litre dont vous utilisez le fond ou le côté. Il ne faut pas confondre la batte à viande avec l'attendrisseur à viande qui est muni de pointes arrondies.

Escalopes de veau au Marsala

Exécutez les étapes 1 et 2 de la recette ci-contre. À l'étape 3, gardez 2 c. à thé de gras dans la sauteuse et faites-y revenir **250 g (8 oz) de champignons,** tranchés. Ajoutez ¼ **tasse de marsala** et, 1 minute plus tard, ½ **tasse de bouillon de poulet ;** prolongez la cuisson de 2 minutes. Supprimez le reste du sel, le zeste et le jus de citron. Exécutez l'étape 4. Donne 4 ou 5 portions.

Wiener Schnitzel

À l'étape 1 de la recette ci-contre, saupoudrez les escalopes avec tout le sel (½ c. à thé). Après les avoir farinées, retournez-les dans **1 œuf battu** avec **2 c. à thé d'eau** et panez-les dans **1 tasse de chapelure.** Remplacez l'huile d'olive par ⅓ **tasse de beurre doux** et faites-les cuire comme à l'étape 2 pour qu'elles soient dorées et croustillantes. Supprimez le reste des ingrédients et terminez la recette en épongeant les escalopes sur de l'essuie-tout. Servez-les telles quelles, garnies de quartiers de citron. Donne 4 ou 5 portions.

Piccata de veau

- **4 escalopes de veau (700 g/1½ lb en tout), aplaties à la batte à viande**
- ½ **c. à thé de sel**
- ⅓ **tasse de farine**
- 3 **c. à soupe d'huile d'olive**
- 1 **tasse de Fond de poulet (page 39)**
- ½ **c. à thé de zeste de citron râpé**
- 2 **c. à soupe de jus de citron**
- 2 **c. à soupe de beurre ou de margarine, en petits morceaux**
- 2 **c. à soupe de persil haché**

1 Saupoudrez les escalopes de ¼ c. à thé de sel. Retournez-les dans la farine ; secouez pour faire tomber l'excédent.

2 Réchauffez 1½ c. à soupe d'huile 1 minute à feu assez vif. Faites cuire les escalopes de veau deux par deux, en comptant 1 à 2 minutes de chaque côté ;

ajoutez de l'huile au besoin. Réservez au chaud.

3 Enlevez le gras qui reste dans la sauteuse ; versez-y le bouillon et laissez mijoter à feu assez vif pendant 1 minute en grattant les particules qui ont adhéré au fond. Ajoutez le zeste et le jus de citron, ainsi que le reste du sel (¼ c. à thé), et laissez réduire la sauce à ¾ tasse : prévoyez 3 minutes.

4 Hors du feu, ajoutez le beurre et le persil et remuez simplement pour que le beurre fonde. Versez la sauce sur les escalopes et servez. Donne 4 portions.

Par portion : Calories 337 ; Gras total 18 g ; Gras saturé 7 g ; Protéines 33 g ; Hydrates de carbone 8 g ; Fibres 0 g ; Sodium 450 mg ; Cholestérol 144 mg

Préparation : 15 minutes
Cuisson : 10 minutes

GIGOT D'AGNEAU

Texture fine, chair tendre, saveur exquise: le gigot d'agneau ne laisse personne indifférent.

À L'ACHAT

Le gigot d'agneau non désossé pèse entre 2,5 et 3 kg (5-7 lb) et se vend entier ou divisé en deux parties: celle du jarret et celle du quasi. Cette dernière renferme plus de viande que la première et se vend plus cher. On peut aussi acheter le gigot désossé, roulé et ficelé.

Le gigot désossé est plus cher, mais il n'y a pas de perte; une pièce de 1,25 kg (2½ lb) sert 6 personnes.

Dans son emballage d'origine, le gigot se garde deux jours au réfrigérateur. Pour le conserver deux jours de plus, déballez-le, mettez-le dans une assiette et déposez un papier d'aluminium par-dessus.

LES BONS APPRÊTS

Le goût distinctif de l'agneau répond bien à certains condiments: ail, origan, romarin, menthe, thym et citron. Vous pouvez les appliquer directement sur la pièce ou les introduire dans la chair (voir l'encadré à droite).

LA MEILLEURE PRÉSENTATION

L'os du jarret, en saillie, est en général fendu et replié. Demandez au boucher de le

Merle Ellis

« Pour tirer le meilleur parti d'un gros gigot, demandez au boucher de le diviser en deux et de prélever une tranche d'environ 2,5 cm (1 po) sur chaque moitié. Congelez ces deux tranches ainsi que l'une des deux moitiés du gigot. Une tranche du centre nourrira deux ou trois personnes. Faites-la cuire sous le gril, 6 minutes de chaque côté, si vous aimez l'agneau à point. »

laisser entier dans toute sa longueur, mais de le dégager. Vous vous servirez de cet os comme d'un manche pour stabiliser le gigot pendant que vous le découpez.

TEMPS D'ATTENTE

Un proverbe dit: il faut manger l'agneau bêlant. Sans aller jusque-là, mieux vaut servir le gigot un peu rosé. Laissez-le attendre 15 minutes à la fin de la cuisson pour que les jus se redistribuent dans la chair.

PIQUER LE GIGOT D'AIL ET DE ROMARIN

1 Pratiquez 12 petites incisions de 1 cm (½ po) dans la partie charnue du gigot.

2 Introduisez dans chacune une lamelle d'ail ainsi qu'un peu de romarin séché.

DÉCOUPAGE DU GIGOT

1 Saisissez le gigot par le manche, partie charnue sur le dessus. Taillez une pièce triangulaire au centre du gigot.

2 Tenez le couteau à l'horizontale et détaillez ce triangle en tranches. Tournez le gigot et découpez à l'horizontale.

TABLEAU DE CUISSON LENTE
Pour une cuisson à 160 °C (325 °F) dans un four préchauffé

Coupe	Température interne au thermomètre à viande	Minutes par livre
Gigot non désossé (2,25 à 3 kg/5 à 7 lb)	63 °C/145 °F rosé 70 °C/160 °F à point	20 25
Gigot désossé (2 à 2,75 kg/4 à 6 lb)	65 °C/150 °F rosé 70 °C/160 °F à point	30 32-34
Gigot, bout du quasi avec os (1,2 à 2 kg/3 à 4 lb)	65 °C/150 °F rosé 70 °C/160 °F à point	35-40 40-45
Gigot, bout du jarret avec os (1,2 à 2 kg/3 à 4 lb)	65 °C/150 °F rosé 70 °C/160 °F à point	30-35 35-40

Gigot d'agneau aux fines herbes

- **2 c. à soupe de persil haché**
- **1 c. à soupe de romarin frais ou
  1 c. à thé de romarin séché**
- **1 c. à soupe de thym frais ou
  1 c. à thé de thym séché**
- **1 c. à soupe de menthe ciselée ou
  1 c. à thé de flocons de menthe**
- **1 c. à soupe d'huile d'olive**
- **1 c. à soupe de vinaigre
  balsamique**
- **1 c. à soupe de moutarde de Dijon**
- **1 c. à thé de sel**
- **½ c. à thé de poivre noir**
- **1 gigot d'agneau entier (3 kg/6 lb)**
- **2 gousses d'ail, en lamelles**

1 Préchauffez le four à 230 °C (450 °F). Dans un petit bol, mélangez tous les ingrédients, sauf le gigot et l'ail.

2 Déposez le gigot, gras sur le dessus, sur une grille, dans une lèchefrite. Avec un petit couteau d'office bien tranchant, pratiquez dans la chair 12 incisions de 1 x 1 cm (½ x ½ po) espacées de 5 à 7 cm (2-3 po). Introduisez une lamelle d'ail dans chacune de ces entailles (voir l'encadré de la page ci-contre).

3 Mélangez tous les condiments ; étalez cette pommade sur le gigot. Insérez le thermomètre à viande dans la partie la plus charnue de la pièce en évitant de toucher à l'os (ou utilisez un thermomètre électronique en fin de cuisson).

4 Laissez rôtir à découvert 15 minutes. Baissez le thermostat à 180 °C (350 °F) et prolongez la cuisson, toujours à découvert, jusqu'à ce que la température interne du gigot soit de 63 °C (145 °F) si vous l'aimez rosé, de 70 °C (160 °F) si vous le préférez à point.

5 Retirez le gigot du four et laissez-le reposer 15 à 20 minutes avant de le découper. Donne 8 portions.

Par portion : Calories 324 ; Gras total 14 g ; Gras saturé 5 g ; Protéines 45 g ; Hydrates de carbone 1 g ; Fibres 0 g ; Sodium 376 mg ; Cholestérol 142 mg

*Préparation : 15 minutes
Cuisson : environ 1 h 20*

Jarret Braisé

On dit que la viande située près des os est la plus tendre. Quand vous aurez cuisiné des jarrets d'agneau ou de veau, vous n'en douterez plus.

LE JARRET

Le jarret d'agneau et de veau – la partie inférieure de la cuisse – est une coupe très appréciée en Europe. Avec l'intérêt nouveau pour les cuisines ethniques, cette partie de l'animal, riche en tissu conjonctif, a conquis chez nous ses lettres de noblesse.

Les jarrets de veau et les jarrets d'agneau s'apprêtent de la même façon. Ils exigent tous deux une cuisson lente en milieu humide. Le moyen le plus simple consiste à les faire braiser ou étuver au four pendant 2 heures. Les accompagnements peuvent être ceux que vous auriez mis dans un ragoût, mais il existe deux recettes classiques. Dans la recette française, le jarret est préparé avec de l'ail et des haricots blancs secs, servis entiers ou en purée.

Un classique italien, l'osso buco est composé de jarrets de veau braisés avec des légumes et servis avec un risotto. Le plat a une saveur très fine; la moelle des os, qu'on retire

avec une petite cuiller, est l'un de ses attraits. À Milan, on lui ajoute de la *gremolata*, mélange aromatique de persil, d'ail et de zeste de citron.

À L'ACHAT

Le jarret d'agneau renferme plus d'os que de viande. Entier, il pèse entre 340 et 600 g (³⁄₄-1¼ lb); c'est une coupe économique.

Demandez au boucher de fracturer le jarret au centre : la cuisson sera plus uniforme et la viande restera également tendue sur l'os.

Le jarret de veau est plus charnu que le jarret d'agneau et plus cher. Le jarret avant convient à la plupart des

Osso buco

Dans la recette de la page ci-contre, remplacez l'agneau par **1 kg (2½ lb) de jarret de veau,** en rondelles de 5 cm (2 po). Ficelez chacune pour maintenir la viande. À l'étape 4, faites cuire le veau 1 h 30 et supprimez les haricots blancs. Pour la *gremolata,* mélangez ¼ **tasse de persil haché, 2 gousses d'ail,** blanchies et hachées, et **2 c. à thé de zeste de citron râpé.** Éparpillez ce mélange sur l'osso buco 10 minutes avant la fin de la cuisson. Accompagnez de risotto au parmesan (page 130). Donne 4 portions.

recettes, mais pour l'osso buco, il est préférable de choisir le jarret proprement dit, celui des membres postérieurs, plus charnu. On le vend découpé en rondelles; une petite ficelle au centre de chacune lui gardera sa forme.

GIGOTINS D'AGNEAU

À un repas pour deux, servez des jarrets d'agneau cuits à la façon d'un gigot. Prenez des jarrets de 350 g (12 oz). Piquez-les d'ail. Frottez-les d'huile d'olive et de jus de citron; assaisonnez-les.

Déposez les petits jarrets sur une grille dans une lèchefrite et enserrez-les dans du papier d'aluminium. Enfournez-les à 160 °C (325 °F) et faites cuire 45 minutes. Retirez l'aluminium et prolongez la cuisson de 30 à 45 minutes.

Préparation du jarret de veau en osso buco

Faites découper le jarret en rondelles de 4 à 5 cm (1½-2 po) d'épaisseur; entourez-les d'une ficelle pour tenir la chair.

Préparation du jarret d'agneau

1 Achetez de longues sections de jarret charnu; faites fracturer l'os au centre de chacune.

2 Supprimez le gras ainsi que la membrane fibreuse externe.

1 Avec un petit couteau d'office, enlevez la membrane fibreuse qui recouvre les jarrets. Assaisonnez-les avec les deux tiers du sel (½ c. à thé) et avec le poivre. Farinez-les; secouez-les pour faire tomber l'excédent de farine.

2 Dans un faitout de 6 litres, réchauffez l'huile 1 minute à feu modéré. Par portion au besoin, faites-y revenir les jarrets 5 minutes environ pour qu'ils soient bien dorés. Retirez et réservez.

3 Préchauffez le four à 180 °C (350 °F). Mettez l'oignon et l'ail dans le faitout et laissez-les cuire 5 minutes environ en remuant souvent. Mouillez avec le vin. À feu vif, laissez cuire 1 minute en dégageant les particules rôties dans le fond de l'ustensile. Ajoutez les tomates, le bouillon, le zeste et le jus d'orange, le basilic ainsi que le reste du sel (¼ c. à thé). Quand l'ébullition est prise, mettez les jarrets dans ce fond de cuisson.

4 Enfournez le faitout en le plaçant sur la grille au milieu du four, couvrez et laissez cuire 1 heure. Retournez les jarrets, ajoutez les haricots, couvrez et prolongez la cuisson de 40 minutes ou jusqu'à ce que les jarrets soient à point. Donne 4 portions.

Par portion : Calories 339 ; Gras total 11 g ; Gras saturé 2 g ; Protéines 25 g ; Hydrates de carbone 32 g ; Fibres 6 g ; Sodium 655 mg ; Cholestérol 56 mg

Préparation : 30 minutes
Cuisson : 2 heures

Jarrets d'agneau braisés aux haricots blancs

4 jarrets d'agneau (environ 1,5 kg/3 lb en tout)	**⅔** tasse de Fond de poulet (page 39) ou de bouillon
¾ c. à thé de sel	**3** lanières (7 cm x 6 mm/ 3 x ¼ po chacune) de zeste d'orange
½ c. à thé de poivre noir	
3 c. à soupe de farine	**¼** tasse de jus d'orange
3 c. à soupe d'huile d'olive	**⅓** tasse de basilic frais, ciselé
1 gros oignon, haché fin	
4 gousses d'ail, hachées fin	**2** tasses de haricots blancs secs cuits ou de haricots blancs en conserve, rincés et égouttés
½ tasse de vin blanc sec	
2 tasses de tomates en boîte, concassées dans leur jus	

CARRÉ DE PORC

Le carré de porc enroulé en couronne autour d'une garniture bien relevée est une pièce remarquablement belle et bonne.

COURONNE DE CÔTES

Il faut en règle générale commander ce rôti d'avance à la boucherie.

Pour constituer une couronne, le boucher prend deux carrés de côtes dans le centre de la longe, les incurve en mettant les os à l'extérieur et les entoure d'une ficelle.

On peut préparer l'agneau de la même façon, mais le rôti est plus cher. Par contre, les côtes de bœuf ou de veau sont beaucoup trop volumineuses.

Demandez au boucher de dégager l'extrémité des côtes pour rendre l'os apparent : cela donne beaucoup d'élégance au rôti ou aux côtelettes. Si vous avez l'intention de décorer le bout des côtes de papillotes de papier, cette préparation est même essentielle ; vous pouvez d'ailleurs l'exécuter vous-même en grattant la partie terminale des côtes avec un petit couteau d'office.

CUISSON MODÉRÉE

Le porc a beaucoup plus de saveur si vous le faites cuire modérément, soit à une température interne de 71 à 75 °C (160-170 °F) ; à ce point, il est un peu rosé au centre.

GARNITURE

Dans la cavité centrale du rôti en couronne, dressez une farce au pain ou à la chair de saucisse – la même que pour la dinde. Couvrez-la de papier d'aluminium. Environ 45 minutes avant la fin de la cuisson, retirez le rôti pour colorer la garniture.

Si vous voulez remplacer cette farce par une garniture de légumes frais – petits pois ou purée de pommes de terre –, il faut la dresser après la cuisson du rôti seulement. Mais pour lui garder sa forme pendant qu'il cuit, remplissez le centre de papier d'aluminium. Vous le retirez au moment de servir pour mettre la garniture de légumes à sa place.

ACCOMPAGNEMENT

Les compotes de pommes et autres fruits s'accordent bien avec le porc. Servez-les à côté ou intégrez-les à la farce.

Le porc et la volaille ont des saveurs qui ne sont pas étrangères l'une à l'autre. Tout ce qui va bien avec la dinde convient au porc, notamment les patates douces et les accompagnements assaisonnés de sauge ou de thym.

DÉCOUPAGE ET SERVICE DU RÔTI EN COURONNE

1 La couronne est facile à découper. Posez-la sur une planche. Enlevez la ficelle qui lui donne sa forme.

2 Maintenez l'ensemble avec une fourchette et détaillez des portions de une ou deux côtes.

DES CHIFFRES

Le rôti en couronne pèse entre 2,75 et 3 kg (6-7 lb). Il comprend environ 16 côtes, de quoi satisfaire 8 convives.

CONFECTION DES PAPILLOTES

Préparez-les pendant que le rôti cuit ; vous les poserez au moment de servir.

1 Découpez du papier blanc en bandes de 20 x 7 cm (8 x 3 po) ; pliez-les en deux sans marquer le pli.

2 Du côté du pli, faites des entailles de 2 cm (¾ po) à 6 mm (¼ po) d'intervalle. Enroulez la bande de papier sur votre doigt du côté simple : la papillote doit avoir la circonférence de la côte. Fixez-la avec du ruban gommé.

3 Gonflez les pliures en y insérant le doigt. Enfilez une papillote sur chaque côte.

Carré de porc en couronne avec petits pois et oignons

1 carré de porc en couronne de 2,75 à 3 kg (6-7 lb), renfermant 16 côtes

3 c. à soupe de romarin frais, ciselé, ou 1½ c. à thé de romarin séché

2 c. à thé de sel

1½ c. à thé de poivre noir

2 recettes de Petits pois aux petits oignons (page 139)

2 tasses de Bouillon de bœuf maison (page 32)

¼ tasse de farine

1 Préchauffez le four à 200 °C (400 °F). Assaisonnez le rôti avec 2 c. à soupe de romarin, le sel et 1 c. à thé de poivre. Déposez-le sur une grille dans une grande lèchefrite et couvrez le bout des côtes de papier d'aluminium pour éviter qu'ils ne calcinent. Froissez du papier d'aluminium au centre pour garder la forme du cercle.

2 Introduisez un thermomètre à viande dans la chair entre deux côtes, en prenant soin de ne pas l'appuyer sur un os. Laissez rôtir à découvert 10 minutes. Baissez le thermostat à 160 °C (325 °F) et faites cuire pendant 2 h 30 à 3 heures ou jusqu'à ce que le thermomètre à viande marque 70 °C (160 °F).

3 Retirez l'aluminium et dressez les petits pois aux oignons au centre du rôti.

4 Gardez le rôti au chaud pendant que vous préparez la sauce. Versez les jus de cuisson dans un récipient en verre de 1 litre. Retirez le gras à la surface et mettez-le dans une tasse à mesurer. Gardez-en ¼ tasse (complétez avec de l'huile d'olive au besoin). Versez-le dans une casserole.

5 Réchauffez la lèchefrite à feu modéré ; ajoutez 1 tasse de bouillon et laissez mijoter 1 minute en dégageant les particules qui adhèrent au fond. Versez ce bouillon dans les jus de cuisson réservés : vous devriez obtenir 2 tasses de liquide. Complétez au besoin avec du bouillon.

6 Réchauffez à feu modéré la casserole contenant le gras. Quand il est bouillant, incorporez la farine au fouet. Dès que le mélange est lisse, ajoutez le reste du romarin (1 c. à soupe) et remuez pendant 2 à 3 minutes. Au premier bouillon, versez peu à peu les 2 tasses de liquide réservé et laissez cuire en remuant constamment au fouet. Accordez 3 à 5 minutes de cuisson. Incorporez au fouet le reste du poivre (½ c. à thé) et versez la sauce dans une saucière bien chaude. Donne 8 portions.

> Par portion : Calories 659 ; Gras total 35 g ; Gras saturé 13 g ; Protéines 67 g ; Hydrates de carbone 17 g ; Fibres 4 g ; Sodium 755 mg ; Cholestérol 199 mg

Préparation : 1 heure • Cuisson : 3 heures à 3 h 30

CÔTELETTES DE PORC

*L*es côtelettes de porc sont plus mai- gres que jadis. Pour rester tendres et succulentes, elles doivent cuire sans hâte dans un milieu humide.

À L'ACHAT

Le porc est l'un des meilleurs achats au rayon de la viande. Néanmoins, les prix varient d'une coupe à l'autre. Les côtelettes avec filet sont plus chères que les côtelettes sans filet, qui sont elles-mêmes plus chères que les tranches de palette ou d'épaule, savou- reuses mais moins tendres.

ÉPAISSEUR DES CÔTELETTES

Les côtelettes de 2,5 cm (1 po) sont succulentes et bien char- nues. Pour pouvoir les farcir, elles doivent avoir au moins 3 à 4 cm (1¼ -1½ po). Les gros mangeurs apprécient les côte- lettes doubles, qui ont de 4 à 5 cm (1½-2 po) d'épaisseur.

Les côtelettes minute, qu'on fait griller rapidement dans une sauteuse, ont 1 cm (½ po) ou moins. Dès qu'elles sont plus épaisses, il faut les faire braiser lentement dans un milieu humide, au four ou sur la cuisinière.

PLUS DE SAVEUR

Pour obtenir les meilleurs résultats, sortez les côtelettes 30 minutes avant la cuisson. N'enlevez pas tout le gras ; il

empêche la viande de sécher et lui donne de la saveur.

Quelle que soit la méthode de cuisson adoptée, il est préfé- rable de saisir rapidement les côtelettes. Épongez-les si vous voulez qu'elles se colorent bien. Frottez-les de sel et de poivre noir ; ajoutez d'autres condiments à votre goût.

CÔTELETTES FARCIES

Les recettes données ici sont pour des côtelettes épaisses. Vous devez pratiquer une ou- verture dans la chair pour for- mer une poche dans laquelle vous mettez la farce. (Le bou- cher peut le faire pour vous.) À cause de l'épaisseur des piè- ces, un braisage au four dans un fond réduit est préférable.

LES FARCES

Ouvrez les côtelettes d'avance si vous voulez gagner du temps. Enveloppez-les ensuite dans de la pellicule plastique

et gardez-les dans l'intervalle au réfrigérateur.

Il ne faut pas tasser la farce. Faites cuire ce qui en reste 15 minutes au four dans un plat couvert pour que ce soit bien chaud. Par contre, si la farce renferme des œufs, elle doit atteindre une température interne de 73 °C (165 °F).

Les farces à base de pain de maïs, de riz et de chapelure qu'on utilise pour le poulet ou la dinde conviennent aux côtelettes de porc. Les condi- ments les mieux appropriés sont le romarin, la sauge, l'ail, l'oignon, les champignons, les chilis et les pacanes.

EN SAUTEUSE

Les côtelettes plus minces peuvent être braisées en sauteuse. Faites-les dorer sur les deux faces et jetez le gras qu'elles ont rendu. Versez ¼ à ⅓ tasse de bouillon ou de vin, couvrez et laissez cuire à feu modéré le temps voulu.

Retirez les côtelettes quand elles sont à point. Pour la sauce, versez dans la sauteuse de la farine délayée à l'eau à raison de 1 c. à soupe de farine pour ½ tasse d'eau.

Laissez cuire en remuant pour dégager les particules rôties. Assaisonnez, au goût, de sel et de poivre noir.

CÔTELETTES DE PORC BRAISÉES AU FOUR ET FARCIES DE RIZ AUX PACANES

Exécutez l'étape 1 de la recette, page ci-contre. Dans un bol moyen, battez légèrement **1 œuf**. Ajoutez **¾ tasse de riz brun**, cuit, **¼ tasse de pacanes**, hachées fin, **1 c. à soupe de romarin**, ciselé, **1 gousse d'ail**, hachée, et **¼ c. à thé de poivre noir**. Introduisez la farce dans les côtelettes et exécutez les étapes 3 et 4. Donne 4 portions.

OUVRIR ET FARCIR UNE CÔTELETTE DE PORC

1 Introduisez un couteau dans la côtelette, du côté du gras ; ouvrez la chair en laissant de bonnes marges.

2 Soulevez la côtelette pour l'ouvrir. Mettez la farce sans la tasser.

Côtelettes de porc braisées, farcies de champignons au thym

4 **côtelettes de porc de 3 à 4 cm (1¼-1½ po) d'épaisseur, prélevées dans la longe, dégraissées**

2 **c. à soupe d'huile végétale**

1 **gousse d'ail, hachée**

170 **g (6 oz) de champignons moyens, hachés fin**

⅓ **tasse de mie de pain émiettée**

1½ **c. à soupe de thym frais, ciselé, ou 1 c. à thé de thym séché**

½ **c. à thé de sel**

¼ **c. à thé de poivre noir**

¼ **tasse de Bouillon de bœuf maison (page 32), bouillant**

1 Préchauffez le four à 180 °C (350 °F). Aménagez une poche au centre des côtelettes (voir l'encadré de la page ci-contre).

2 Dans une sauteuse de 30 cm (12 po), réchauffez 1 c. à soupe d'huile 1 minute à feu modéré. Faites-y revenir l'ail 1 minute en remuant. Ajoutez les champignons et faites-les sauter 5 minutes pour qu'ils perdent leur eau de végétation. Incorporez la mie de pain émiettée, le thym, ¼ c. à thé de sel et ⅛ c. à thé de poivre. Introduisez environ 3 c. à soupe de cette farce dans chaque côtelette.

3 Dans la même sauteuse, réchauffez le reste de l'huile (1 c. à soupe) 1 minute à feu assez vif. Assaisonnez les côtelettes avec le reste du sel (¼ c. à thé) et du poivre noir (⅛ c. à thé). Laissez-les se colorer 5 à 6 minutes ; retournez-les à mi-cuisson. Déposez-les dans un plat à four peu profond de 30 x 18 cm (12 x 7 po), non graissé. Mouillez avec le bouillon.

4 Couvrez les côtelettes de papier d'aluminium et laissez-les cuire environ 45 minutes ou jusqu'à ce qu'un thermomètre électronique introduit au centre de la farce marque 73 °C (165 °F). Donne 4 portions.

Par portion : Calories 424 ; Gras total 22 g ; Gras saturé 7 g ; Protéines 49 g ; Hydrates de carbone 7 g ; Fibres 1 g ; Sodium 360 mg ; Cholestérol 120 mg

Préparation : 45 minutes • Cuisson : 1 heure

JAMBON AU FOUR

Si vous vous demandez pourquoi il y a tant de jambons différents et pourquoi les prix varient de l'un à l'autre, voici quelques renseignements utiles.

1 Retirez la couenne ; ne laissez que 6 mm (¼ po) de gras. Incisez-le pour former de petits losanges.

2 Faites un trou au milieu de chaque losange et introduisez un clou de girofle. Faites cuire.

1 Vous pouvez aussi ciseler le gras en losanges après la cuisson.

2 Glacez le jambon avant de l'apporter à table et de le dépecer.

PARLONS JAMBON

La présentation, la taille et la salaison des jambons varient énormément, mais une chose reste immuable : ils sont tous coupés dans la cuisse de porc. L'épaule de l'animal peut recevoir le même traitement pour en assurer la conservation, mais ce n'est pas un jambon.

LES COUPES

Jambon entier. Il équivaut à toute la cuisse et pèse entre 4,5 et 11 kg (10-24 lb). On le détaille en jambon de croupe et jambon de jarret.

Jambon de croupe. Il est plus charnu que le jambon de jarret et il se vend plus cher. Quand le jambon est étiqueté « bout de croupe » ou « bout de jarret », cela signifie qu'un morceau a été prélevé entre les deux moitiés de cuisse.

Jambon à demi désossé. Il a perdu l'os de la croupe et ne garde que l'os rond du tibia : la pièce se découpe beaucoup plus facilement.

Jambon désossé. Quand il se vend tel quel, il porte la mention « genre toupie ». S'il a été roulé, il peut aussi avoir été apprêté : jambon Forêt-Noire, jambon au poivre, etc.

Jambon en conserve. Il est d'abord traité, puis cuit dans la boîte ; il faut le garder au réfrigérateur. Mais les petites boîtes, stérilisées durant la salaison, peuvent rester sur les rayons. L'étiquette vous renseignera.

SALAISON, FUMAGE ET VIEILLISSEMENT

Les Gaulois semblent avoir été les premiers Européens à pratiquer l'art de saler et de fumer le porc.

La salaison des jambons s'effectue en milieu liquide ou à sec. La plupart des jambons vendus dans les marchés d'alimentation sont marinés dans la saumure ou en reçoivent par injection. Certains jambons fins sont en outre fumés et soumis à un vieillissement contrôlé.

Dans le traitement à sec, le jambon est frotté avec un

mélange de sel et de condiments. Après une période de macération, il est lavé, fumé et vieilli ou simplement séché et vieilli sans être fumé.

En général, les jambons fins sont traités à sec et vendus crus ou pochés.

JAMBONS FINS

Ce sont les plus racés. Ils proviennent de petites maisons ayant leurs méthodes de salaison et leurs propres élevages de porcs spécialement nourris. Ces jambons fins coûtent plus cher que les jambons commerciaux et on ne les trouve que dans les épiceries ou les rayons d'aliments fins.

Jambons de campagne. Ce sont des jambons salés à sec selon de très anciennes recettes qui peuvent varier de région en région. Les jambons de campagne peuvent être précuits ou non. Il faut parfois les faire tremper et les brosser avant de les faire pocher lentement. Après leur avoir enlevé la peau, on termine la cuisson au four. Suivez les instructions sur l'étiquette.

Jambon de Virginie. C'est le nom que portent certains jambons fins spécialement salés à sec par l'un des nombreux fournisseurs établis à Smithfield, en Virginie (É.-U.).

(suite à la page 254)

Jambon rôti avec glace poivrée au whisky et à la cassonade

- **4 kg (8½ lb) de jambon de jarret non désossé, cuit et fumé**
- **½ tasse de cassonade blonde bien tassée**
- **2 c. à soupe de whisky canadien ou de bouillon de bœuf**
- **1¼ c. à thé de poivre noir**

1 Préchauffez le four à 160 °C (325 °F). Retirez la couenne s'il y a lieu et ne laissez que 6 mm (¼ po) de gras.

2 Déposez le jambon sur le côté coupé, sur une grille, dans la lèchefrite. Introduisez un thermomètre à viande au centre de la pièce, en ayant soin de ne pas atteindre l'os (ou utilisez en fin de cuisson un thermomètre électronique).

3 Faites cuire le jambon à découvert jusqu'à ce que sa température interne soit entre 55 et 57 °C (130-135 °F). Comptez 2 heures à 2 h 45 de cuisson. S'il rôtit prématurément, couvrez-le de papier d'aluminium.

4 Retirez le jambon du four et montez le thermostat à 190 °C (375 °F). Avec un petit couteau d'office, ciselez le gras en losanges. Mélangez la cassonade, le whisky et le poivre; étalez cette glace sur la pièce.

5 Remettez le jambon au four, à découvert, et faites-le cuire 15 à 20 minutes de plus: le thermomètre à viande marquera 60 °C (140 °F). Laissez reposer la pièce 15 minutes avant de la découper. Donne 16 portions.

> **Par portion :** Calories 482 ; Gras total 13 g ; Gras saturé 4 g ; Protéines 54 g ; Hydrates de carbone 37 g ; Fibres 0 g ; Sodium 3 107 mg ; Cholestérol 117 mg

Préparation : 1 heure • Cuisson : environ 2 h 30

AUTRES GLACES

Cassonade et orange. À l'étape 4 ci-dessus, remplacez le whisky par **2 c. à soupe de jus d'orange** (ou de liqueur à l'orange) et le poivre noir par **1½ c. à thé de zeste d'orange râpé.** Ajoutez **1 c. à thé de moutarde de Dijon.**

Cassonade et gingembre. À l'étape 4 ci-dessus, remplacez le whisky par **2 c. à soupe de jus de citron** et le poivre noir par **1 c. à soupe de gingembre râpé.**

Sirop d'érable. À l'étape 4 ci-dessus, remplacez le whisky par **3 c. à soupe de sirop d'érable** et le poivre noir par **¼ c. à thé de piment de la Jamaïque** et **¼ c. à thé de clou de girofle moulu.**

(suite de la page 252)

Ces jambons couleur d'acajou sont si riches qu'on les sert en petites tranches très minces.

Jambon de Parme. On réserve ce nom au prosciutto produit dans la ville même de Parme, en Italie. Il est cher et exquis. Le prosciutto désigne un jambon fabriqué selon les mêmes normes, mais non à Parme. Dans les deux cas, il est salé à sec et vieilli à l'air, mais non poché. Il est utilisé comme hors-d'œuvre ou dans diverses recettes.

Parmi les jambons fins de même type, nommons le jambon de Bayonne, en France, le jambon de Westphalie, en Allemagne et le jambon des Asturies, en Espagne, encore meilleur s'il provient de porcs nourris de glands de chênes.

L'Angleterre, le Danemark, la Pologne et le Portugal en produisent aussi d'excellents.

CALCUL DES PORTIONS

Il est avantageux d'acheter un gros jambon, genre toupie par exemple. Ce qu'on ne mange pas à un premier service s'utilise bien par la suite.

Prévoyez 300 g (²/₃ lb) par personne pour un jambon de croupe non désossé, 150 à 225 g (¹/₃-¹/₂ lb) pour tous les autres jambons non désossés et 125 à 150 g (¹/₄-¹/₃ lb) pour les jambons désossés.

JAMBON CUIT OU PRÊT À MANGER

La plupart des jambons sont précuits; vous n'avez qu'à les réchauffer. Dans le cas contraire, l'étiquette mentionne clairement qu'il faut faire cuire le jambon avant de le consommer. Mais tout jambon est meilleur si on lui accorde une seconde cuisson au four; la température interne doit alors atteindre 55 °C (130 °F). Cela s'applique au jambon en boîte.

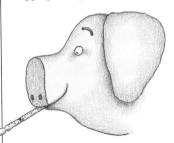

CUISSON AU FOUR

Au besoin, enlevez la couenne du jambon et dégraissez-le partiellement. Ciselez-le et décorez-le si vous le désirez. Introduisez un thermomètre à viande, sans atteindre l'os, et faites-le cuire au four préchauffé à 160 °C (325 °F).

Jambons non cuits. Déposez le jambon entier, gras dessus, sur une grille, dans la lèchefrite. (Couchez la demi-toupie sur la partie coupée.) Faites cuire à découvert jusqu'à ce que la température interne soit de 70 °C (160 °F). Prévoyez 18 à 20 minutes pour 450 g (1 lb) pour un jambon entier ou désossé, 22 à 24 minutes pour une demi-toupie. Laissez reposer 15 à 20 minutes avant de découper.

Jambons prêts à manger. Faites comme ci-dessus, mais une température interne de 55 °C (130 °F) suffit. Prévoyez 12 à 15 minutes pour 450 g (1 lb) pour un jambon entier désossé, 18 à 20 pour un demi.

Jambon en boîte. Cuisez-le à découvert, sur la grille de la lèchefrite, 20 minutes pour 450 g (1 lb); la température interne sera de 55 °C (130 °F).

ÔTER LA COUENNE DU JAMBON

1 Maintenez le jambon d'une main; coupez couenne et gras par couches minces, sur le long.

2 Tournez un peu le jambon. Ôtez une autre couche de couenne et de gras adjacente à la première coupe. Faites le tour du jambon ainsi.

UNE FIN EN BEAUTÉ

On peut utiliser un reste de jambon de bien des façons, sans parler des sandwichs ou du macaroni. Faites sauter des tranches épaisses et servez-les avec des œufs brouillés au petit déjeuner. Faites-en un pain de viande. Mettez des lamelles dans la salade ou dans une omelette. Ajoutez de fines tranches aux soupes et aux ragoûts. Hachez les petits restes, mélangez-les à du fromage à la crème, du piment doux rôti et de l'oignon; servez en trempette.

DÉCOUPAGE DU JAMBON DE JARRET

Posez le jambon sur une planche à découper et maintenez-le avec une fourchette à long manche.

1 Découpez quelques petites tranches à l'horizontale sur un côté de la pièce pour bien l'asseoir.

2 En commençant par le petit bout, découpez des tranches parallèles de 6 mm (¹/₄ po) en allant jusqu'à l'os.

3 Mettez le jambon debout et coupez à la verticale le long de l'os.

POULET, CANARD, OIE ET DINDE

POULET RÔTI

Il y a bien des façons de faire rôtir le poulet pour qu'il soit à point et succulent. Nos conseils et suggestions vous aideront aussi à le farcir et à le décorer.

UNE FAMILLE DE POULETS

Poulet Rock Cornish. Il s'agit d'un petit poulet d'élevage pesant entre 500 et 700 g (1-1½ lb). Le plus petit sert une personne, le plus gros, deux. On le fait généralement rôtir, mais on peut l'ouvrir en deux et le faire griller.

Poulet à griller. C'est un petit poulet de sept semaines, pesant entre 1,2 et 1,8 kg (2½-4 lb), qui sert de deux à quatre personnes. On peut le faire griller, frire, rôtir ou braiser ; il a la taille idéale pour le gril et la broche.

Poulet à rôtir. Celui-ci a de trois à cinq mois et il pèse entre 1,8 et 2,75 kg (4-6 lb). Il a plus de goût que le précédent et il est plus charnu. C'est le meilleur choix pour le poulet chasseur, les fricassées et tous les plats cuisinés.

Chapon. Le chapon désigne un coq châtré et engraissé, un usage qui date des Romains. Agriculture Canada spécifie que la castration doit se faire par intervention chirurgicale sur des coqs de six semaines. Cette opération ne se pratique pas à l'échelle commerciale au Québec.

À L'ACHAT

La peau d'un poulet nourri de blé et d'orge a une couleur crème. Elle est jaunâtre quand il a été nourri au maïs. Ne prenez jamais un poulet dont la peau est sèche et violacée.

CONGÉLATION ET DÉCONGÉLATION

Vérifiez la date d'emballage : congelez le poulet dans les deux jours qui suivent.

Le poulet congelé se garde deux mois. Jetez l'emballage d'origine et enveloppez-le de papier d'aluminium. Si vous voulez le conserver plus longtemps, mettez un second papier d'aluminium robuste ou une pellicule à congélation.

Pour un poulet entier, comptez un à deux jours de décongélation au réfrigérateur et cuisez-le dans les 24 heures qui suivent.

COMMENT FARCIR ET BRIDER LE POULET

Brider un poulet avant de le rôtir permet de lui garder sa forme et son moelleux. Le troussage des poulets Rock Cornish et des petits poulets à griller se limite à fermer les ouvertures avec une simple ficelle comme on le voit ci-dessous. Pour les gros poulets et les dindes, l'opération est plus complexe : il faut lacer une ficelle à travers l'ouverture (voir Bridage rapide d'une dinde, page 282) avant de les faire rôtir.

1 Si vous enlevez l'os du bréchet, le découpage sera plus facile. Grattez la chair qui l'entoure avec un couteau d'office et retirez-le.

2 Introduisez la farce dans les ouvertures du cou et du croupion. Ne la tassez pas car elle augmente de volume à la cuisson.

3 Couchez le poulet sur le dos et faites passer la ficelle sous le croupion. Tirez sur les deux bouts et croisez-les par-dessus le croupion. Faites une boucle autour des pilons et tirez pour qu'ils bloquent l'ouverture.

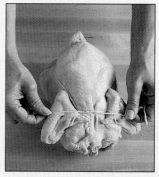

4 Tournez le poulet sur la poitrine. De chaque côté, ramenez la ficelle par-dessus la cuisse et autour de l'aile ; rabattez la peau du cou et nouez fermement la ficelle par-dessus.

PRÉPARATION

Ôtez les abats et le cou. Réservez-les ou congelez-les. Retirez le gras et jetez-le. Essuyez la volaille avec un linge humide. Frottez-la à l'intérieur comme à l'extérieur avec du citron. Assaisonnez l'intérieur avec du sel et du poivre.

À vous de décider si vous allez farcir le poulet ou non. Rappelez-vous de ne pas tasser les farces au pain de maïs ou à la chapelure : elles prennent du volume en cuisant.

PARFUMER L'INTÉRIEUR

Une farce bien relevée communique sa saveur au poulet.

Vous pouvez aussi le condimenter à l'intérieur sans le farcir. Selon les accompagnements choisis, mettez en entier dans le poulet un citron, une petite orange ou un petit oignon, ou même quelques gousses d'ail non pelées. Perforez le citron ou l'orange une ou deux fois avec un cure-dent. Durant la cuisson, les fruits laissent échapper de la vapeur qui parfume la volaille. Jetez-les après la cuisson du poulet.

Autre suggestion : mettez des fines herbes fraîches – thym, sauge, romarin ou estragon.

CONDIMENTER LA CHAIR ET LA PEAU

Vous pouvez également assaisonner le poulet sous la peau (voir l'encadré à droite) avec un beurre additionné de fines herbes, un fromage de chèvre aux fines herbes ou simplement des fines herbes.

Enfin, une dernière possibilité : condimenter la peau elle-

APPLICATION DE LA GLACE

Bridez la volaille, déposez-la sur une grille dans la lèche-frite. Badigeonnez de glace.

Badigeonnez-la de nouveau durant le rôtissage. La peau sera dorée et croustillante.

GLACES À VOLAILLE

Abricot et gingembre. Dans une petite casserole, amenez à ébullition à feu modéré ⅓ **tasse de Fond de poulet** (page 39) ou de bouillon en conserve, ½ **tasse de confiture d'abricots, 1 c. à soupe de gingembre haché** et ¼ **c. à thé de poivre noir.** Laissez mijoter 2 minutes à feu doux en remuant. Badigeonnez le poulet deux ou trois fois durant les 15 à 20 dernières minutes de la cuisson. Donne 1 tasse.

Prunes à l'orientale. Suivez la recette ci-dessus, mais remplacez la confiture d'abricots par ½ **tasse de purée de prunes à l'orientale,** ou de confiture de prunes, et le gingembre par ¼ **tasse d'oignons verts,** hachés fin. Supprimez le poivre, mais ajoutez **1 c. à soupe de vinaigre de cidre.** Donne 1 tasse.

Miel et moutarde. Suivez la recette du haut en remplaçant la confiture par **2 c. à soupe de miel,** le gingembre par **2 c. à soupe de moutarde de Dijon** et le poivre par ½ **c. à thé de zeste de citron râpé.** Donne environ ⅔ tasse.

même. Ayez recours à une des recettes de glaces ci-dessus ou inventez-en une en accord avec votre menu.

Ou bien frottez la peau (ou la chair) avec le mélange suivant. Prenez un peu d'huile d'olive, du sel et du poivre. Ajoutez du jus de citron, de l'ail écrasé et des fines herbes fraîches et ciselées (ou sèches et émiettées) : la sauge, l'origan, le thym et le romarin sont de

bons choix. Appliquez cet apprêt sur le poulet 30 minutes avant le rôtissage. Ou couvrez-le et réfrigérez 24 heures au maximum.

LA FORMULE DU PARFAIT RÔTISSAGE

On avait coutume de faire rôtir le poulet à chaleur constante 20 minutes par livre (450 g). Cette formule, qui convient

CONDIMENTER LE POULET SOUS LA PEAU

Parfumez le poulet en glissant sous la peau du fromage de chèvre ou du beurre aux fines herbes ou tout simplement des fines herbes.

1 Décollez avec précaution la peau des cuisses et de la poitrine sans la dégager tout à fait.

2 Déposez par intervalles des cuillerées de beurre ou de fromage.

3 Étalez uniformément le beurre, le fromage ou les fines herbes. Remettez la peau en place et faites cuire.

257

aux gros poulets, est plus aléatoire pour les petits poulets, plus difficiles à faire cuire à la perfection. La chair brune est plus lente à cuire que la chair blanche. Un petit poulet risque donc de sortir du four, soit avec des blancs desséchés, soit avec des cuisses insuffisamment cuites.

Un célèbre cordon-bleu américain, Julia Child, a mis au point une formule de cuisson aussi efficace pour les gros poulets que pour les petits. Enfournez le poulet dans un four préchauffé à 220 °C (425 °F) et laissez-le rôtir 15 minutes pour saisir la viande et sceller les jus à l'intérieur. Baissez le thermostat à 180 °C (350 °F) et comptez 45 minutes auxquelles vous ajoutez 7 minutes par livre. Un poulet de 1,3 kg (3 lb) est prêt en 66 minutes (45 plus 21).

Retirez la volaille du four et laissez-la reposer 20 minutes pour que les jus se distribuent dans la chair.

SAUMURAGE

Certains chefs soutiennent que le saumurage fait ressortir la saveur du poulet et de la dinde. Laissez la volaille tremper 5 heures dans une saumure composée de 1½ tasse de sel et autant de sucre pour 6 litres d'eau. Assurez-vous qu'on n'a pas déjà injecté de la saumure dans le poulet : il serait alors trop salé.

CROQUANT ET DORÉ

La chaleur sèche du four rend la peau du poulet croustillante. Pour accélérer le procédé, détachez-la de la chair en y promenant vos doigts, mais veillez à ne pas briser la membrane qui la relie à la chair.

POULETS ROCK CORNISH

En suivant la recette de la page ci-contre, faites rôtir **3 poulets Rock Cornish** de 700 g (1½ lb) chacun. À l'étape 3, prévoyez 35 à 45 minutes de cuisson environ. Donne 6 portions.

Vous pouvez aussi couper la peau qui est en excès près du cou et la glisser sous la peau de la poitrine, des cuisses et des pilons. En fondant, le gras de cette peau additionnelle donne de la saveur à la chair ; par ailleurs, elle écarte la peau de la chair. Cette méthode convient aussi à la dinde.

C'EST MEILLEUR AVEC DU BEURRE

Frottez la peau avec un peu de beurre en pommade. Vous pouvez faire la même chose avec de l'huile, mais le beurre a meilleur goût. Ne couvrez pas la volaille ; ne l'arrosez pas. La peau sera croustillante une fois le poulet cuit.

CUISSON PARFAITE

La cuisson est à point quand les cuisses du poulet jouent facilement dans leur articulation et que le jus qui sort de la chair est incolore. Un thermomètre introduit dans la poitrine – sans atteindre l'os – doit indiquer 70 °C (160 °F) ; dans la cuisse, 76 °C (170 °F).

Enfilé sur un support (à droite), le poulet prend 15 minutes par livre (450 g) pour atteindre sa température interne : 70 °C (160 °F) et 76 °C (170 °F).

COMMENT DÉCOUPER LE POULET RÔTI

1 Retirez le poulet du four. Déposez-le sur la planche à découper et laissez-le reposer 20 minutes. Retirez la ficelle à brider et jetez-la.

2 Cuisse. Coupez la peau entre le haut-de-cuisse et la poitrine ; écartez la cuisse du corps et tranchez au travers de l'articulation.

3 Aile. Introduisez le couteau dans la fente entre la poitrine et l'aile et tranchez à travers le blanc dans l'articulation. Retirez l'aile avec un peu de blanc de poitrine.

4 Poitrine. Piquez la fourchette du côté du sternum que vous voulez découper et tranchez la chair à la diagonale. Soulevez chaque tranche entre le couteau et la fourchette.

INGÉNIEUX !

Le support à rôtir

Avec ce support en acier inoxydable, vous pouvez faire rôtir le poulet à la verticale, même au four. Enfilez-le par le croupion sur le support, placez celui-ci dans une lèchefrite et enfournez dans un four préchauffé. Le métal, en se réchauffant, fait cuire le poulet de l'intérieur pendant que la peau rôtit et devient croustillante. Le gras fond et tombe dans la lèchefrite.

Poulet rôti au four et sauce demi-glace

citrons

Poulet :
- 1 **poulet à rôtir (2,5 kg/5 lb environ)**
- 1 **c. à thé de sel**
- ½ **c. à thé de poivre noir**
- 2 **c. à soupe de beurre fondu ou de margarine**

Demi-glace :
- 2 **tasses de Fond de poulet (page 39), de Bouillon végétarien (page 45) ou d'eau**
- 3 **c. à soupe de farine**

Sel et poivre au goût

1 Poulet. Préchauffez le four à 200 °C (400 °F). Salez et poivrez le poulet à l'intérieur et à l'extérieur. Bridez-le et badigeonnez la peau de beurre fondu. Introduisez un thermomètre à viande dans la partie la plus charnue de la cuisse en prenant soin de ne pas toucher à l'os (ou vérifiez la température interne de la volaille en fin de cuisson avec un thermomètre électronique).

2 Mettez le poulet sur une grille dans la lèchefrite et laissez rôtir 15 minutes à découvert.

3 Baissez le thermostat à 180 °C (350 °F) et prolongez la cuisson de 1 h 20 en arrosant la volaille toutes les 20 minutes avec les jus de cuisson : sa température interne doit être de 76 °C (170 °F). Retirez-la du four et laissez-la attendre 10 minutes. Entre-temps, préparez la demi-glace.

4 Demi-glace. Dégraissez les jus de cuisson de la lèchefrite. Ajoutez ½ tasse de bouillon et faites mijoter à feu modéré sur l'élément de la cuisinière pendant 1 minute en dégageant les fragments rôtis dans le fond. Versez dans une casserole.

5 Délayez la farine avec ¼ tasse de bouillon et jetez-la dans la casserole. Faites cuire à feu modéré en remuant constamment jusqu'à homogénéité. Ajoutez peu à peu le reste du bouillon (1¼ tasse) et laissez cuire 3 minutes ou jusqu'à épaississement en remuant sans arrêt. Rectifiez l'assaisonnement en sel et en poivre et servez. Donne 6 portions.

Par portion : Calories 430 ;
Gras total 24 g ; Gras saturé 7 g ;
Protéines 49 g ;
Hydrates de carbone 0 g ; Fibres 0 g ;
Sodium 503 mg ; Cholestérol 158 mg

Préparation : 10 minutes
Cuisson : 2 heures

POULET FRIT

Il y a deux façons de préparer le poulet pour la friture: le fariner ou l'enrober de pâte. Notre recette et sa variante vous les expliquent toutes deux.

DEUX RECETTES

Qui ne connaît le poulet masqué de pâte et cuit en grande friture: la croûte est croustillante; le poulet, tendre.

On peut aussi bien enrober le poulet de farine condimentée et le faire frire à la poêle dans un peu de gras: la croûte est mince et croquante.

L'ENROBAGE

Le poulet doit toujours être fariné; la farine constitue un enrobage en elle-même et, le cas échéant, fera tenir la pâte sur le poulet.

Mettez le poulet dans un sac avec la farine assaisonnée ou farinez-le à la main et laissez-le 30 minutes sur une grille.

Vous pouvez additionner la farine de blé d'une farine de sarrasin, de blé complet ou de seigle, à raison de 3 volumes pour 1, ou plonger le poulet dans du babeurre avant de l'enrober de farine autolevante.

Assaisonnez la farine à votre goût de sel et de poivre, mais aussi, au choix, de paprika, de chile, de cumin, de poudre de cari ou de fines herbes, séchées ou fraîches: basilic, marjolaine, origan, romarin, estragon et thym.

La pâte dans laquelle vous plongerez le poulet doit être préparée au moins 1 heure d'avance et mise au repos. Autrement, elle rétrécit ou se fragmente dans l'huile chaude.

LE BAIN

Huile d'arachide, de maïs, de canola et graisse végétale font toutes l'affaire. Une exigence: maintenir la température du bain aussi près que possible de 185 °C (365 °F). Assurez-vous-en avec un thermomètre à friture.

L'équipement doit être bien sec: la moindre goutte d'eau dans l'huile chaude provoque des éclaboussures.

QUELQUES CONSEILS

N'enlevez pas la peau. Faites frire le poulet dans beaucoup d'huile, quelques morceaux à la fois. Retournez-les avec une pince: la fourchette pourrait percer la peau et laisser échapper les jus.

Rappelez-vous que la chair blanche cuit plus vite que la chair brune. Retirez les morceaux dès qu'ils sont à point; déposez-les sur une plaque tapissée d'essuie-tout et gardez-les au chaud dans un four réglé au plus bas.

COMMENT DÉCOUPER LE POULET CRU

Utilisez un couteau bien coupant et installez-vous sur un plan de travail que vous pouvez laver après.

1 Posez le poulet sur la poitrine et sectionnez l'articulation qui rattache chaque aile à la poitrine.

2 Retournez le poulet, découpez la cuisse, écartez-la du corps pour faire sortir l'os de sa jointure et sectionnez-le.

3 Faites jouer le pilon pour trouver où il s'articule au haut-de-cuisse et sectionnez l'articulation.

4 Pour dégager la poitrine du dos, dressez le poulet sur le cou et coupez le long de la cage thoracique.

5 Couchez la poitrine sur la peau. Entaillez le sternum. Écartez les pièces pour faire sauter le bréchet.

6 Dégagez la poitrine des os et des cartilages. Coupez-la en deux dans le milieu pour séparer les blancs.

Poulet sauté à l'huile et servi en sauce blanche

Débutez la recette ci-contre à l'étape 5 et utilisez ⅓ tasse de farine. À l'étape 6, versez 6 mm (¼ po) d'huile dans une sauteuse profonde et réchauffez-la à feu modérément vif. Quand elle est chaude, faites colorer quelques découpes de poulet à la fois ; prévoyez environ 5 minutes de chaque côté. Ne conservez que 2 c. à soupe de gras dans la sauteuse. Remettez-y le poulet, peau dessous, couvrez partiellement et laissez cuire 20 minutes à feu doux ; tournez les pièces de temps à autre. Découvrez et prolongez la cuisson de 20 minutes. Réservez le poulet au chaud. Dans la sauteuse, faites frire **1 grosse botte de persil,** lavé et bien épongé, à feu modérément vif. Quand il est croustillant, épongez-le sur de l'essuie-tout.

Sauce. Délayez **2 c. à soupe de farine** dans le gras de la sauteuse et laissez colorer 2 à 3 minutes en remuant. Ajoutez peu à peu **1 tasse de lait** et faites épaissir 3 à 5 minutes. Salez et poivrez au goût. Servez avec le poulet et le persil frit. Donne 6 portions.

Fritots de poulet à l'américaine

- **1 poulet à griller (1,25 à 1,5 kg/ 3-3½ lb), découpé pour la friture**
- **2 tasses de babeurre**
- **2 tasses de farine**
- **1½ c. à thé de levure chimique**
- **3 c. à soupe de paprika**
- **1 c. à thé de sel**
- **½ c. à thé de poivre noir**
- **¾ tasse de lait**
- **2 œufs**
- **2 c. à soupe d'huile à salade huile à friture**

1 Placez le poulet et le babeurre ensemble dans un sac de plastique et réfrigérez au moins 4 heures ou jusqu'au lendemain.

2 Dans un petit bol, mélangez 1½ tasse de farine, la levure chimique, le paprika, ½ c. à thé de sel et ¼ c. à thé de poivre. Réservez.

3 Dans un grand bol, battez ensemble le lait, les œufs et l'huile à salade. Ajoutez peu à peu la farine assaisonnée. Laissez reposer 1 heure à la température ambiante.

4 Dans l'intervalle, égouttez et épongez le poulet. Laissez-le sécher 20 minutes à l'air, sur une grille.

5 Mettez le reste de la farine, du sel et du poivre dans un sac de papier brun. Ajoutez quelques découpes de poulet à la fois et agitez le sac pour les fariner. Remettez-les sur la grille.

6 Dans une friteuse ou une grande sauteuse, mettez au moins 5 cm (2 po) d'huile et réchauffez-la à 185 °C (365 °F).

7 Plongez les découpes de poulet dans la pâte ; assurez-vous qu'elles sont enrobées uniformément. Faites frire quelques pièces à la fois jusqu'à ce qu'elles soient dorées. Prévoyez 18 à 20 minutes et retournez-les fréquemment. Épongez-les sur de l'essuie-tout et gardez-les au chaud. Donne 6 portions.

Par portion : Calories 437 ; Gras total 22 g ; Gras saturé 6 g ; Protéines 35 g ; Hydrates de carbone 23 g ; Fibres 1 g ; Sodium 204 mg ; Cholestérol 142 mg

Préparation : 1 heure
Cuisson : 20 minutes par poêlée

POULET POCHÉ

Lorsqu'on les fait pocher, les blancs de poulet absorbent les saveurs du court-bouillon et conservent leur finesse et leur moelleux.

LE POCHAGE

Pocher une volaille, c'est la faire cuire en dessous du point d'ébullition dans un court-bouillon : quelques bulles à peine crèvent à la surface.

On fait pocher le poulet entier dans beaucoup d'eau agrémentée de quelques légumes. Ce peut être un plat en soi ou une cuisson préliminaire.

Les blancs de poulet sont pochés dans du bouillon. C'est une cuisson idéale pour les poitrines désossées et dépouillées de leur peau, fort exposées à sécher quand on a recours à d'autres méthodes.

Le pochage est le mode de cuisson sans gras par excellence. Le fond de pochage peut entrer dans une soupe ou servir de bouillon après avoir réduit pour gagner en saveur.

ASSAISONNEMENT DU COURT-BOUILLON

Un bouillon de poulet maison, comme celui de la page 39, constitue un excellent fond pour pocher les blancs de poulet. Les bouillons en conserve ou à base de cubes font aussi l'affaire ; on les améliore par l'addition d'oignon, de carotte, de céleri et de persil.

CONSEIL DE CHEF

Sara Moulton

« La méthode la plus simple et la plus sûre pour vérifier la cuisson d'une poitrine entière désossée, c'est de la couper en deux. S'il s'agit d'une demi-poitrine, pratiquez une petite incision dans la chair et écartez délicatement les bords.

« La chair ne doit montrer aucune nuance de rose. Si vous appuyez sur la viande, elle doit être ferme, mais nullement dure.

« Pour faire pocher doucement une demi-poitrine de poulet désossée, prévoyez environ 12 à 15 minutes de cuisson. »

On peut remplacer les deux tiers du bouillon par du vin, du jus de fruits ou du cidre.

Ajoutez un peu d'aneth, d'estragon, de romarin, de thym ou de sauge, mais ayez la main légère : un excès de condiment masquerait la fine saveur des blancs de poulet.

DÉSOSSER UNE POITRINE DE POULET

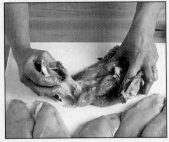

1 Prenez une poitrine de poulet entière, retirez-en la peau et posez-la à l'envers sur un plan de travail. Détachez à la pointe du couteau la membrane qui recouvre le bréchet.

2 En vous servant de vos deux mains, écartez les deux côtés de la poitrine pour faire saillir le bréchet. Retirez-le ainsi que les cartilages qui l'accompagnent.

3 Dégagez les os de la cage thoracique avec un couteau coupant : suivez le contour des côtes avec la pointe de la lame. Dégagez et retirez la fourchette (l'os du bréchet en forme de Y).

4 Coupez la poitrine en deux. Soulevez le morceau plat à l'extrémité la plus large, trouvez le tendon, dégagez-le, puis tirez dessus. Parez les demi-poitrines.

LES USTENSILES

Faites pocher le poulet dans une sauteuse large et peu profonde : vous aurez moins de difficulté à tourner les découpes et le court-bouillon réduira plus vite. Choisissez une matière inoxydable si vous y faites entrer des éléments acides.

Une écumoire ou une grande cuiller à trous vous aideront à tourner aisément les pièces.

LE BON COUTEAU

Avec un couteau tout usage à lame de 10 cm (4 po), le désossage des blancs de poulet se fait en 3 minutes.

Un couteau à dépecer fait aussi l'affaire. Sa lame, dont le poids et la longueur varient, a la souplesse et le profil qu'il faut pour permettre de contourner les os et d'en détacher la chair sans la réduire en charpie.

POITRINES DE POULET POCHÉES À L'ORANGE

Suivez la recette ci-contre, mais remplacez le fond de poulet par du **Bouillon de bœuf maison** (page 32) et le vin par **1 tasse de jus d'orange.** Au lieu de persil et d'estragon, utilisez **2 c. à thé de marjolaine séchée.** Décorez du **zeste de 1 orange,** taillé en julienne. Donne 4 portions.

POITRINES DE POULET POCHÉES À LA MEXICAINE

Suivez la recette ci-contre, mais remplacez le vin et le fond de poulet par **1½ tasse de jus de tomate,** le céleri par **1 tasse de maïs en grains,** le poireau par **1 tasse de dés d'oignon rouge** et la carotte par **1 tasse de courgette hachée.** Ajoutez **2 gousses d'ail** et **1 piment jalapeño moyen,** hachés. Avant de servir, décorez avec **2 c. à soupe de coriandre fraîche,** ciselée, ou de persil plat, haché. Donne 4 portions.

Poitrines de poulet pochées et servies en sauce blanche

- **2** tasses de vin blanc sec ou 1 tasse de jus de pomme et 1 tasse d'eau
- **3** côtes de céleri, hachées
- **1** gros poireau, bien lavé et haché
- **1** carotte moyenne, hachée
- **1** tasse de Fond de poulet (page 39)
- **1** c. à soupe de persil haché
- **1** c. à soupe d'estragon frais, ciselé, ou 1 c. à thé d'estragon séché, écrasé
- **4** demi-poitrines de poulet, désossées et sans peau
- **1** c. à soupe de farine
- **1** c. à soupe de beurre ou de margarine, en petits morceaux
- **½** c. à thé de sel
- **¼** c. à thé de poivre noir

1 Dans une grande sauteuse, mettez le vin, le céleri, le poireau, la carotte, le bouillon, le persil et l'estragon et amenez à ébullition. Ajoutez le poulet, couvrez et laissez mijoter à petit feu pendant 25 minutes. Retirez le poulet, couvrez-le de papier d'aluminium et gardez-le au chaud.

2 À feu modéré, laissez réduire le fond de pochage 5 minutes à découvert.

3 Retirez ¼ tasse du fond et versez-le dans un petit bol. Ajoutez la farine et mélangez jusqu'à homogénéité. Remettez ce mélange dans la sauteuse et laissez cuire et épaissir légèrement 3 minutes en remuant.

4 Hors du feu, incorporez le beurre. Salez et poivrez. Dressez le poulet dans des assiettes chaudes et nappez-le de sauce. Donne 4 portions.

Par portion : Calories 346 ; Gras total 7 g ; Gras saturé 3 g ; Protéines 40 g ; Hydrates de carbone 11 g ; Fibres 2 g ; Sodium 173 mg ; Cholestérol 111 mg

Préparation : 15 minutes • Cuisson : 36 minutes

Suprêmes de poulet farcis

Découpés et aplatis en escalopes, les blancs de poulet, appelés suprêmes en gastronomie, sont ensuite farcis, roulés et cuits au four. Exquis!

FARCES

Tous les types de farce conviennent aux suprêmes de poulet, dans la mesure où l'apprêt n'est pas détrempé : farces aux légumes – aux champignons émincés et sautés, par exemple –, à la ricotta, au gruyère, au fromage de chèvre, à la chapelure de pain de blé ou de pain de maïs, la gamme est vaste.

PRÉPARATION

Prévoyez une demi-poitrine de poulet par personne. Achetez des poitrines déjà désossées ou désossez-les vous-même (voir page 262).

Ensuite, aplatissez les demi-poitrines : cette opération rend la pièce plus grande et plus facile à farcir et à rouler. Les blancs sont fragiles ; martelez-les avec précaution pour ne pas les déchirer.

Glissez la demi-poitrine entre deux feuilles de pellicule plastique auxquelles vous aurez donné des dimensions bien supérieures à celles du blanc de poulet.

Utilisez une batte à viande, le côté d'un rouleau à pâtisserie ou le fond d'une bouteille lourde. Martelez la pièce graduellement ; déplacez la batte d'un côté vers l'autre.

Martelez-la à plusieurs reprises en la retournant fréquemment pour obtenir une tranche d'une épaisseur uniforme.

PLUS DE SAVEUR

Une fois aplatis, les blancs de poulet peuvent mariner 30 minutes à la température ambiante. Cette opération ne vise pas à attendrir la viande – elle est déjà tendre –, mais à la condimenter. Ne la prolongez pas au-delà de 30 minutes : la viande deviendrait trop molle.

Pour faire mariner quatre demi-poitrines, il vous faudra ¼ tasse d'huile d'olive mélangée à 2 c. à soupe de jus d'orange, de lime ou de citron et à du poivre noir frais moulu. Ajoutez, si vous le désirez, 1 gousse d'ail écrasée et ½ c. à thé de fines herbes.

CONGÉLATION

Faites provision de blancs de poulet escalopés en les congelant pour les imprévus. Glissez de la pellicule plastique entre les tranches et enveloppez le tout dans du papier d'aluminium. Elles se garderont congelées jusqu'à trois mois. Décongelez-les au réfrigérateur ou développez-les et laissez-les décongeler à la température de la pièce. Vous pourrez les farcir et les rouler 30 minutes plus tard.

EN UN TOURNEMAIN

Au lieu de les farcir, farinez légèrement les suprêmes et faites-les sauter au beurre ou à l'huile d'olive comme s'il s'agissait d'escalopes de veau. Voyez nos recettes et nos suggestions à la page 242.

Pour farcir et rouler les suprêmes

Il ne faut qu'une minute ou deux pour garnir, rouler et assujettir chaque demi-poitrine. Attention : mettez peu de farce dans chaque suprême et ne les roulez pas serrés.

1 Après l'avoir aplati, mettez chaque suprême à plat, le petit côté vers vous.

2 Garnissez-le de farce : 2 ou 3 c. à soupe de farce sur chaque suprême suffisent.

3 Enroulez le suprême à partir du petit bout ; au besoin, repoussez la farce à l'intérieur.

4 Fermez avec deux cure-dents. Salez et poivrez. Disposez dans le plat de cuisson.

SUPRÊMES DE POULET FARCIS, CUITS À LA POÊLE

Préparez comme pour la recette ci-contre. Utilisez **4 demi-poitrines de poulet désossées,** mais n'ôtez pas la peau et ne les aplatissez pas. Mélangez **125 g (4 oz) de fromage de chèvre frais** avec **2 c. à soupe de sauge fraîche,** ou 2 c. à thé de sauge séchée. Étalez la farce sous la peau du poulet. Farinez les suprêmes avec **1 c. à soupe de farine,** assaisonnée de **½ c. à thé de sel** et **¼ c. à thé de poivre noir.** À feu doux, faites fondre dans une sauteuse **1 c. à soupe de beurre.** Déposez les poitrines, peau dessous, couvrez à demi et faites cuire pendant 25 minutes. Tournez et prolongez la cuisson de 5 à 10 minutes. Donne 4 portions.

Suprêmes de poulet farcis au prosciutto et au fromage de chèvre

4	**demi-poitrines de poulet, désossées et sans peau**
½	**c. à thé de sel**
¼	**c. à thé de poivre noir**
125	**g (4 oz) de fromage de chèvre frais et crémeux**
60	**g (2 oz) de prosciutto ou de jambon, haché grossièrement**

1 Préchauffez le four à 200 °C (400 °F). Aplatissez les demi-poitrines à 6 mm (¼ po) d'épaisseur (voir Préparation, page ci-contre). Salez et poivrez des deux côtés.

2 Mélangez le fromage et le prosciutto et mettez 3 c. à soupe de farce sur chaque escalope. Enroulez-les à partir du petit bout. Fixez avec des cure-dents.

3 Déposez les suprêmes, pli dessous, dans un plat carré en verre à feu de 20 x 20 x 5 cm (8 x 8 x 2 po), beurré. Enfournez sans couvrir et laissez cuire pendant 25 à 30 minutes.

4 Retirez les cure-dents et découpez des tranches à la diagonale à 1 cm (½ po) d'intervalle. Versez les jus de cuisson sur les tranches et servez aussitôt. Donne 4 portions.

Par portion : Calories 303 ; Gras total 14 g ; Gras saturé 7 g ; Protéines 42 g ; Hydrates de carbone 0 g ; Fibres 0 g ; Sodium 684 mg ; Cholestérol 121 mg

Préparation : 25 minutes • Cuisson : 30 minutes

DÉCOUPES DE POULET BRAISÉES

L es braisés de poulet ressemblent à des fricassées, avec cette différence que le mouillement est moins abondant. Préparés la veille, ils sont encore meilleurs.

LA MAGIE D'UN NOM

On appelle « chasseur » un apprêt dans lequel la viande est découpée en morceaux et braisée. Il y entre obligatoirement des champignons et du vin blanc. En Italie, le poulet *cacciatore* braise sur un lit de légumes divers.

Le poulet Marengo, préparé pour Napoléon après la bataille de Marengo, dit-on, ressemble au précédent, mais il se fait avec des tomates.

LE BRAISAGE

C'est un excellent mode de cuisson pour le poulet puisqu'il l'empêche de sécher. Le poulet est saisi pour sceller les jus à l'intérieur avant de cuire lentement au four ou sur la table de cuisson dans un faitout hermétiquement fermé.

Il suffit souvent d'inclure ½ tasse de liquide : la volaille cuit dans la vapeur produite par les oignons, la tomate et le vin ou le bouillon. On utilise habituellement des découpes de poulet qui se distribuent mieux dans la sauteuse. Si vous préférez faire braiser un poulet entier, bridez-le au préalable.

PRÉPARATION

Nos deux recettes demandent un poulet entier, découpé. Vous pouvez néanmoins acheter les découpes de votre choix ; il suffit que le poids total soit le même.

AVEC OU SANS LA PEAU

Le poulet braisé avec la peau est beaucoup plus savoureux. Si vous désirez tout de même la supprimer pour réduire sa teneur en gras et en cholestérol, voici quelques suggestions intéressantes.

Enlevez la peau et le gras des découpes de poulet avant la cuisson. Enrobez les morceaux de farine assaisonnée et secouez pour faire tomber l'excédent. Saisissez-les dans l'huile et terminez la recette.

Autre méthode : préparez le plat la veille et mettez-le au réfrigérateur. Retirez la peau des découpes avant de réchauffer le braisé.

CUISSON À POINT

Le poulet cuit en milieu humide doit être tendre à la fourchette ; quand il est à point, la chair commence à se détacher des os. Attention à un excès de cuisson, surtout pour les blancs !

La chair blanche cuit plus vite que la chair brune. On suggère donc de mettre les découpes de poitrine à cuire 10 minutes après les autres ; ou bien retirez-les quand elles sont cuites et gardez-les au chaud. Blanc ou brun, le poulet est cuit dès qu'il perd toute trace de coloration rosée.

POULET MARENGO

Dans la recette de la page ci-contre, remplacez l'origan frais par **1 c. à thé d'origan séché** et **1 c. à thé de basilic séché**. À l'étape 3, remplacez le vin rouge par **½ tasse de vin blanc sec.** Environ 10 minutes avant la fin de la cuisson, ajoutez **2 tasses de champignons,** coupés en quatre, et **½ tasse d'un hachis d'olives noires.** Donne 4 portions.

VARIANTE

Voici une façon de varier la saveur et la couleur du poulet *cacciatore* (recette page ci-contre). Après avoir retiré le poulet de la sauteuse, faites-y rissoler ¼ tasse de pancetta hachée (bacon italien), ou de bacon ordinaire. Remplacez l'origan par 2 c. à thé de basilic séché et 1 c. à thé de thym séché. En même temps que le poivron vert, ajoutez 1½ tasse d'aubergine hachée ou un poivron rouge, paré et tranché – ou les deux. Utilisez 1 tasse de petits oignons blancs au lieu d'un gros oignon.

PELER LES TOMATES

Si vous avez une cuisinière au gaz, utilisez la méthode d'autrefois pour peler les tomates rapidement. Introduisez une fourchette à long manche dans la tomate, côté tige, et faites-la tourner lentement au-dessus de la flamme. Quand la peau fend, retirez-la, de même que le cœur.

Poulet braisé à la cacciatore

- **1** **poulet à griller d'environ 1 kg (2 lb), découpé en morceaux**
- **1** **c. à thé de sel**
- **½** **c. à thé de poivre noir**
- **3** **c. à soupe d'huile d'olive**
- **1** **gros oignon, coupé en deux sur la longueur et détaillé en tranches minces**
- **1** **gros poivron vert, paré, épépiné et tranché mince**
- **1** **côte de céleri moyenne, coupée en tranches minces**
- **2** **gousses d'ail, hachées**
- **2** **c. à soupe d'origan frais, ciselé, ou 2 c. à thé d'origan séché, écrasé**
- **1** **kg (2 lb) de tomates, pelées, épépinées et concassées, ou 2 boîtes (796 ml/28 oz chacune) de tomates entières, égouttées et concassées**
- **2** **c. à soupe de concentré de tomate**
- **½** **tasse de vin rouge sec**

1 Frottez le poulet avec le sel et le poivre noir. Dans une grande sauteuse ou un faitout de 5 litres, assortis d'un couvercle étanche, réchauffez l'huile 2 minutes à feu modéré. Ajoutez le poulet et faites-le dorer en le retournant de tous les côtés pendant 8 à 10 minutes. Déposez les morceaux sur une assiette.

2 Mettez l'oignon dans la sauteuse et faites-le attendrir pendant 5 minutes. Ajoutez le poivron vert et le céleri et faites-les revenir pendant 6 minutes. Ajoutez l'ail et l'origan et cuisez 1 minute de plus.

3 Remettez le poulet dans la sauteuse. Ajoutez les tomates, le concentré de tomate et le vin. Couvrez et laissez cuire à petit feu pendant 35 à 40 minutes : vérifiez la cuisson du poulet.

4 Accompagnez le braisé de pâtes courtes, comme des rigatonis, ou de riz, d'orzo, de purée de pommes de terre ou de polenta. Donne 4 portions.

Par portion : Calories 433 ; Gras total 25 g ; Gras saturé 5 g ; Protéines 31 g ; Hydrates de carbone 17 g ; Fibres 4 g ; Sodium 641 mg ; Cholestérol 88 mg

Préparation : 30 minutes
Cuisson : environ 1 heure

Coq au vin

Le coq est une appellation donnée au poulet dans certaines recettes. Celle-ci, fort ancienne, s'est modernisée et simplifiée avec le temps.

COQ AU VIN

Originaire de Bourgogne, le coq au vin est maintenant connu dans le monde entier. Autrefois, on le préparait avec un vieux coq qui avait servi à la reproduction, mais aujourd'hui on le fait avec un poulet ou une poule de bonne taille, sautés dans l'huile et mouillés de vin.

MOINS DE GRAS PLUS DE SAVEUR

La tradition veut que le coq au vin soit accompagné de petits lardons blanchis et sautés. Cette pratique donne du goût au poulet mais lui ajoute beaucoup de gras saturé.

Voilà pourquoi petits lardons et bacon ont été supprimés de nos recettes. Nous conservons néanmoins les aromates classiques et nous ajoutons un soupçon de sucre à la sauce pour l'adoucir sans la sucrer.

UNE TECHNIQUE FAMILIÈRE

La préparation du coq au vin ressemble à celle de la fricassée. Le fond est moins court que dans les braisés et la sauce plus épaisse que dans les ragoûts. On fait d'abord revenir le poulet pour relever la saveur du plat, puis on le fait cuire lentement dans du vin rouge. La sauce est épaissie à la fécule de maïs ou à la farine juste avant de servir.

Vous obtiendrez une délicieuse fricassée si vous remplacez le vin rouge par du vin blanc ou du bouillon. Dans ce cas, pour ne pas colorer la sauce, faites revenir le poulet au début sans le laisser dorer.

LA CUISSON AU VIN

Le coq au vin traditionnel se fait avec du vin de Bourgogne. Mais n'importe quel vin rouge bien charpenté fera l'affaire.

De préférence, prenez un vin de même type que celui que vous servirez à table. Rappelez-vous que meilleur est le vin, meilleur est le plat. S'il n'a pas de goût dans votre verre, il n'en aura pas plus dans le plat. En revanche, ne choisissez pas un vin de trop grande qualité : ce serait perdu.

UN PETIT ATOUT

Le coq au vin classique n'est pas flambé. C'est pourtant une excellente façon de le parfumer. Réchauffez ¼ tasse de brandy ou de cognac dans une petite casserole. Retirez le coq au vin du feu ; versez le brandy et enflammez-le immédiatement en vous servant d'une allumette longue. Distribuez les arômes en agitant la sauteuse jusqu'à ce que la flamme meure.

Toasts décoratifs

- **4 tranches de pain blanc**
- **1 c. à thé d'huile canola**
- **2 c. à soupe de persil haché fin**

1 Préchauffez le four à 200 °C (400 °F). Écroûtez les tranches de pain et coupez-les en diagonale. Vous pouvez découper les triangles en cœur.

2 Badigeonnez la plaque avec l'huile ; mettez-y les tranches de pain à plat et retournez-les pour les huiler. Faites rôtir 8 à 10 minutes.

3 Avant de servir, trempez le pain à un bout seulement dans la sauce puis dans le persil haché. Mettez-en deux morceaux dans chaque assiette, persil dessus.

CONSEIL DE CHEF

Jacques Pépin

« Vous obtiendrez les meilleurs résultats si vous préparez votre coq au vin ainsi.

« Prenez une grande sauteuse, assez grande pour contenir tous les aliments, mais pas davantage.

« Faites dorer les découpes sans hâte. Pour que les saveurs soient soutenues, il faut que viande et légumes rissolent lentement.

« Réglez la chaleur pour que le plat mijote doucement. Si le poulet cuit trop vite, à chaleur trop intense, il sera coriace et fade.

« Commencez par faire cuire les découpes de chair brune. Ajoutez par la suite les blancs de façon à ne pas les faire trop cuire : un excès de cuisson les rendrait à coup sûr secs et fibreux. »

Poulet au vin à l'espagnole

Suivez la recette à droite, mais, à l'étape 3, émiettez **200 g (6 oz) de chair de saucisse douce** dans l'huile au moment de la réchauffer. À l'étape 4, ajoutez **1 poivron rouge** et **1 poivron vert**, parés, épépinés et coupés en dés, avec l'oignon, et **¼ tasse de xérès demi-sec** avec le vin rouge. Terminez tel qu'indiqué. Donne 4 portions.

Coq au vin santé
de Jacques Pépin

Poulet :

- **1** poulet à rôtir d'environ 2 kg (4 lb), découpé en morceaux
- **½** tasse d'eau
- **½** c. à thé de sucre
- **2** c. à soupe d'huile d'olive
- **12** petits oignons blancs, pelés
- **4** gros champignons, pieds ôtés, chapeaux coupés en quartiers
- **1** oignon moyen, haché fin

- **3** gousses d'ail, hachées fin
- **1¼** tasse de vin rouge robuste
- **½** c. à thé de thym séché
- **2** feuilles de laurier entières
- **¾** c. à thé de sel
- **¾** c. à thé de poivre noir
- **1** c. à thé de fécule de maïs délayée dans 2 c. à soupe de vin rouge

Toasts :

    (encadré page ci-contre)

1 Divisez les ailes en trois aux articulations. Désossez les blancs et retirez la peau. Enlevez la peau du dos, des cuisses et des pilons, mais ne les désossez pas.

2 Dans une grande casserole, amenez à ébullition à feu vif l'eau, le sucre et 1 c. à soupe d'huile. Ajoutez les oignons blancs et faites-les cuire jusqu'à évaporation de l'eau (environ 4 minutes) : ils commenceront à se colorer. Laissez-les ensuite dorer à feu modérément vif. Ajoutez les champignons et faites-les rissoler 1 minute. Couvrez et réservez.

3 Dans une grande sauteuse, réchauffez le reste de l'huile (1 c. à soupe) 2 minutes à feu modérément vif. Faites-y revenir les ailes 2 à 3 minutes. Ajoutez les hauts-de-cuisse et les pilons et laissez colorer 2 à 3 minutes de chaque côté, puis les blancs et le dos que vous ferez revenir 2 minutes de chaque côté. Retirez et réservez le poulet.

4 Mettez l'oignon dans la sauteuse et faites-le sauter 1 minute. Ajoutez l'ail et, 10 secondes après, mettez le vin, le thym, les feuilles de laurier, le sel et le poivre. Laissez prendre ébullition. Remettez les pilons, les hauts-de-cuisse et les ailes dans la sauteuse, couvrez et laissez mijoter 8 minutes. Ajoutez les blancs et le dos et accordez encore 7 minutes de cuisson.

5 Versez la fécule délayée dans la sauteuse et laissez cuire 3 minutes, ou jusqu'à épaississement, en remuant. Mettez les oignons blancs et les champignons réservés ainsi que les jus qu'ils ont rendus et retirez du feu. Éliminez le laurier.

6 Coupez les blancs en deux ; servez un morceau de blanc, un morceau de cuisse, un morceau d'aile et deux toasts par personne. Saupoudrez de persil. Donne 4 portions.

Par portion : Calories 374 ; Gras total 16 g ; Gras saturé 3 g ; Protéines 34 g ; Hydrates de carbone 23 g ; Fibres 2 g ; Sodium 674 mg ; Cholestérol 92 mg

Préparation : 22 minutes • Cuisson : 30 minutes

POULET À LA CHINOISE

Le poulet, taillé en fines lanières, enrobé d'une pâte légère, puis sauté avec des lanières de légumes et de fruits, donne un plat léger, savoureux et nutritif.

POULET SAUTÉ À L'AIGRE-DOUCE

Dans la recette de la page ci-contre, remplacez le brocoli par **2 gros poivrons,** parés et tranchés mince, et **1 tasse de pois mange-tout,** défilandrés et tranchés ; utilisez du **jus d'orange** au lieu de jus d'ananas. Supprimez le zeste râpé, l'huile de sésame et les flocons de piment rouge, mais ajoutez **2 c. à soupe de cassonade** et **2 c. à soupe de vinaigre de cidre.** Enfin, remplacez les mandarines par **1 tasse d'ananas broyé,** égoutté, et **1 tasse de châtaignes d'eau,** tranchées. Donne 4 portions.

SAUTÉ EN SAUCE

Dans les deux recettes qui vous sont suggérées ici, le poulet sauté est enrobé d'une pâte légère qui le rend croustillant. Il est servi avec une petite sauce épaissie à la fécule de maïs que parfume un plaisant alliage de fruits et de légumes finement taillés.

Il n'est toutefois pas indispensable d'enrober le poulet de pâte ni de le servir en sauce. Vous pouvez, en suivant les conseils donnés à la page 148, découper le poulet en fines lanières et le faire tout simplement sauter 3 minutes.

TAILLE UNIFORME

Pour découper le poulet en lanières de taille identique, la façon la plus simple est de le raffermir d'abord une petite heure au congélateur.

LA BONNE PLANCHE À DÉCOUPER

Bien que les planches à découper en matière synthétique soient commodes du fait qu'elles vont au lave-vaisselle, elles ne sont pas aussi hygiéniques que les planches en érable. La raison en est que les bactéries ne survivent pas sur le bois non traité, mais qu'elles ont tendance à se loger dans les moindres entailles d'une planche synthétique.

Après avoir découpé du poulet, de la viande ou du poisson sur une planche en bois, brossez-la dans l'évier avec de l'eau chaude et du savon. Rincez bien. De temps à autre, nettoyez-la à fond avec une solution à 10 p. 100 d'eau de Javel.

FÉCULE DE MAÏS

La fécule de maïs, délayée dans l'eau puis incorporée à un bouillon chaud, donne une sauce transparente et soyeuse. C'est un épaississant plus délicat que la farine et plus efficace : il en faut deux fois moins pour avoir les mêmes résultats.

La fécule de maïs délayée sert aussi à enrober le poulet pour qu'il devienne croustillant quand vous le faites sauter. Par ailleurs vous pouvez l'utiliser à sec, au lieu de farine, pour cuire le poulet en grande friture. Cela donne une délicate enveloppe croustillante.

L'addition de soda ou de bière rend l'enveloppe encore plus légère et croustillante, comme pour la tempura japonaise.

LES BONS FRUITS

Les Chinois associent les fruits aux viandes et aux légumes avec beaucoup plus de virtuosité que les Occidentaux. Il en résulte d'étonnantes harmonies de saveurs et de textures. Les agrumes, l'ananas, les mangues et les pêches ont tous leur place dans la cuisine chinoise. L'ananas supporte une forte cuisson, mais la plupart des autres fruits doivent cuire très peu car ils risquent de se transformer en purée.

LES CONTRASTES

La cuisine chinoise se fonde sur l'harmonie des contrastes : l'aigre et le doux, l'épicé et l'acide. La sauce aigre-douce est généralement épaissie en fin de cuisson et associée à des sautés de poulet, de viande ou de poisson. Elle renferme presque toujours du sucre et du vinaigre de cidre ou de vin.

UN ATOUT

Le couteau-fendoir

Il en existe trois modèles : un lourd, pour fendre les os et les articulations ; un léger, pour les découpes délicates ; un moyen, comme celui-ci, pour tous les autres travaux de découpage. C'est un instrument particulièrement utile pour trancher le poulet et les légumes et même hacher ces derniers. Très large, sa lame peut servir de plateau pour transporter des aliments hachés de la planche à découper à la sauteuse. Si vous n'en avez pas, vous pouvez à la rigueur vous servir d'un grand couteau de chef. Mais le couteau-fendoir est un atout précieux pour une foule d'opérations en cuisine.

Sauté de poulet à la mandarine

- ½ tasse de soda ou de bière
- ½ tasse de fécule de maïs
- 2 demi-poitrines de poulet (environ 200 g/6 oz chacune), désossées et sans peau, détaillées transversalement en lanières de 5 cm (2 po) de longueur et 6 mm (¼ po) d'épaisseur
- 5 c. à soupe d'huile d'arachide
- ¼ c. à thé de flocons de piment rouge concassés
- 4 tasses de petits fleurons de brocoli
- ½ tasse de bouillon de poulet
- ¼ tasse de jus d'orange
- 3 c. à soupe de sauce soja
- 1 c. à soupe de gingembre haché
- 1 gousse d'ail, hachée
- 1 c. à thé de zeste râpé de mandarine ou d'orange
- 1 c. à thé d'huile de sésame (facultatif)
- 1 boîte (284 ml/10 oz) de mandarines, égouttées

1 Mettez le soda dans un petit bol peu profond et la fécule de maïs dans un sac plastique autofermant. Trempez les lanières de poulet dans le soda puis enrobez-les de fécule ; secouez-les pour faire tomber l'excédent. Déposez-les sur une grille.

2 Retirez 1 c. à thé de la fécule qui est dans le sac et délayez-la dans 1 c. à soupe du soda qui reste dans le bol ; réservez.

3 Dans un wok ou une sauteuse profonde de 30 cm (12 po) de diamètre, réchauffez 2 c. à soupe d'huile d'arachide à feu vif. Quand elle commence à fumer, jetez-y la moitié des lanières de poulet et faites-les sauter

3 minutes ou jusqu'à ce qu'elles soient dorées. Épongez-les sur de l'essuie-tout. Ajoutez 2 c. à soupe d'huile dans la sauteuse et faites sauter le reste des lanières. Épongez-les.

4 Ajoutez le reste (1 c. à soupe) de l'huile d'arachide et faites sauter les flocons de piment rouge à feu modéré pendant 30 secondes. Mettez le brocoli et laissez cuire 2 minutes. Ajoutez le bouillon, le jus d'orange, la sauce soja, le gingembre, l'ail, le zeste de mandarine et l'huile de sésame, s'il y a lieu, et faites cuire à découvert, de 3 à 5 minutes. Quand le brocoli est cuit à point, mettez dans la sauteuse les mandarines, le poulet réservé et la

fécule délayée dans le soda. Faites cuire 1 minute en remuant, ou jusqu'à ce que la sauce ait épaissi et que tout soit bien chaud. Servez sur un lit de riz. Donne 4 portions.

**Par portion : Calories 302 ;
Gras total 12 g ; Gras saturé 2 g ;
Protéines 24 g ;
Hydrates de carbone 26 g ; Fibres 4 g ;
Sodium 862 mg ; Cholestérol 51 mg**

*Préparation : 25 minutes
Cuisson : environ 20 minutes*

CANARD RÔTI

Le canard plaît tout spécialement à ceux qui aiment la chair brune et bien relevée. Mais pour que le plat ne soit pas gras, il faut obéir à certaines règles.

GÉNÉRALITÉS

Dans la nature, les termes canard et caneton s'appliquent respectivement à l'adulte et au petit. En cuisine, toutefois, tous les canards d'élevage sont jeunes.

La chair du canard est entièrement brune. Bien qu'il se trouve beaucoup de gras sous la peau, la chair est si savoureuse qu'elle vaut bien l'effort exigé pour l'apprêter.

Le canard est généralement rôti au four, mais on peut également le faire cuire à la broche ou sur le gril.

À L'ACHAT

Le canard du lac de Brôme est une volaille élevée commercialement ; dans les boucheries fines, on trouve aussi du canard de Barbarie, plus gros, moins gras, mais plus cher. Le canard de Brôme se vend frais ou surgelé.

Un canard pèse entre 1,5 et 2,5 kg (3½-5½ lb). Il faut prévoir néanmoins une perte d'environ 700 g (1½ lb) à la cuisson : ce n'est donc pas la volaille à choisir pour les grandes tablées. Un canard de 2 kg (4 lb) rassasiera tout juste quatre personnes.

DU GRAS À PERDRE

La saveur du canard lui vient de son gras ; mais il doit en perdre une grande partie en cours de cuisson, sinon la chair sera trop huileuse. Éliminez d'emblée les morceaux de gras autour du cou et du croupion. Perforez la peau en plusieurs endroits pour permettre à la couche adipeuse de s'écouler en fondant.

Pour que le gras fondu ne se mette pas à fumer, retirez-en toutes les 15 minutes.

FARCE À PART

Il est déconseillé de farcir le canard : une farce, surtout à base de chapelure, absorberait trop de gras pour être agréable. Pour parfumer le canard, déposez à l'intérieur un citron, une orange, une pomme, un oignon ou des fines herbes avant de le brider et de l'en-

POUR PERFORER LA PEAU D'UN CANARD

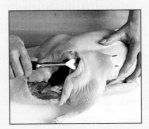

Utilisez une fourchette à long manche. Faites entrer les fourchons sous la peau et remontez-les à travers la peau sans déchirer la chair.

fourner. Et si vous tenez à la farce, faites-la cuire à part.

LES RESTES

Ne jetez pas la carcasse du canard sans en avoir tiré un bouillon. Ajoutez-y les restes et vous aurez tous les éléments d'un gombo (voir pages 42-43).

AIGUILLETTES DE CANARD AU GINGEMBRE

Demandez au boucher de prélever la **poitrine d'un canard de 2 kg (4 lb)** ou faites-le vous-même et utilisez le reste dans un bouillon. Perforez la peau ; déposez la viande dans un sac de plastique. Mélangez ¼ **tasse de sauce soja, 4 c. à thé de cassonade, 2 gousses d'ail,** hachées, et **1 c. à soupe de gingembre haché.** Versez la marinade sur le canard, fermez et réfrigérez pendant plusieurs heures. Préchauffez le four à 180 °C (350 °F). Déposez les aiguillettes, peau dessus, dans un plat. Faites rôtir à découvert 35 minutes ; retirez le gras à mesure qu'il s'accumule. Tranchez à l'oblique. Donne 2 portions.

DÉCOUPAGE DU CANARD RÔTI

Il vaut mieux découper le canard (et l'oie) à la cuisine. Coupez les articulations des cuisses près du corps et retirez-les. Faites de même pour les ailes. Incisez la peau de chaque côté du bréchet.

Insérez le couteau dans une des fentes près du bréchet et détachez toute la chair d'un seul tenant. Répétez de l'autre côté. Détaillez les deux pièces en aiguillettes. Dressez toutes les découpes dans un plat.

Canard à l'orange

- **1** canard de 2 kg (4 lb)
- **1½** c. à thé de sel
- **¾** c. à thé de poivre noir
- **1** petit citron, perforé à la fourchette
- **6** gousses d'ail, non pelées
- **2** feuilles de laurier entières zeste de 1 orange, en lamelles
- **⅓** tasse de vinaigre de vin blanc
- **¼** tasse de sucre
- **⅔** tasse de jus d'orange
- **1¾** tasse de Fond de poulet (page 39)
- **1** c. à thé de concentré de tomate
- **½** tasse de vin blanc sec
- **2** c. à thé de fécule de maïs délayée dans 2 c. à soupe d'eau froide

1 Préchauffez le four à 220 °C (425 °F). Retirez le gras à l'intérieur du canard et jetez-le. Perforez la peau à la fourchette. Assaisonnez l'intérieur du canard avec ½ c. à thé de sel et ¼ c. à thé de poivre et mettez-y le citron, l'ail et le laurier.

2 Déposez le canard, peau sur le dessus, sur une grille dans une lèchefrite. Assaisonnez-le avec ½ c. à thé de sel et ¼ c. à thé de poivre. Enfournez sans couvrir et laissez rôtir 15 minutes ; de temps à autre, enlevez à la cuiller le gras qui s'accumule dans le fond. Baissez le thermostat à 180 °C (350 °F) et prolongez la cuisson de 60 minutes. Vérifiez la température interne avec un thermomètre électronique ; elle doit être de 82 °C (180 °F).

3 Pendant la cuisson du canard, faites blanchir le zeste d'orange 10 minutes dans de l'eau bouillante.

Égouttez-le et réservez-le. Dans une casserole moyenne, amenez le vinaigre et le sucre à ébullition à feu modéré ; laissez cuire 4 minutes en remuant ou jusqu'à ce que le sirop soit couleur d'ambre. Incorporez le jus d'orange, le bouillon, le concentré de tomate, le reste du sel (½ c. à thé) et du poivre (¼ c. à thé) ainsi que le zeste d'orange réservé.

4 Videz le gras qui se trouve dans la lèchefrite. Versez-y le vin et faites-le cuire 2 minutes à feu modéré, sur le dessus de la cuisinière ; grattez le fond pour dégager les particules rôties. Ajoutez ce vin à la préparation à base de jus d'orange et, à découvert, laissez le mélange réduire du tiers : prévoyez environ 10 minutes. Incorporez la fécule de maïs délayée et lai[ssez cuire] 3 minutes ou jusqu'à épaissi[ssement] en remuant constamment.

5 Déposez le canard sur une planche à découper et détaillez-le en portions : détachez la chair du bréchet en aiguillettes et dégagez les cuisses ; séparez les hauts-de-cuisse des pilons. Disposez les découpes dans un plat de service et nappez-les de sauce à l'orange. Donne 4 portions.

**Par portion : Calories 727 ;
Gras total 52 g ; Gras saturé 18 g ;
Protéines 36 g ;
Hydrates de carbone 23 g ; Fibres 0 g ;
Sodium 963 mg ; Cholestérol 159 mg**

*Préparation : 15 minutes
Cuisson : environ 1 h 30*

OIE RÔTIE

L'oie rôtie était à Noël, au temps de Dickens, la dinde du pauvre. À comparer les prix aujourd'hui, c'est la dinde qui est devenue l'oie du pauvre.

À L'ACHAT

L'oie pèse entre 3 et 5,5 kg (7-12 lb). On la trouve à l'état surgelé ; pour l'avoir fraîche, il faut généralement la commander d'avance. Comptez plusieurs jours pour décongeler une oie au réfrigérateur.

Prévoyez environ 600 g (1¼ lb) d'oie par portion ; mais ne vous attendez pas à avoir beaucoup de restes. Si vous recevez plus de six à huit personnes, mieux vaut faire cuire deux petites oies plutôt qu'une grosse.

FARCIR L'OIE : OUI OU NON ?

Il en va de l'oie comme du canard : la farce a tendance à absorber trop de gras durant la cuisson. Mais cet avis ne fait pas l'unanimité et, pour beaucoup de gens, la farce est un élément indispensable d'un repas de fête.

Notre recette d'oie rôtie prévoit que vous la farcissiez. Mais vous pouvez choisir de faire cuire la farce à part. Préparez-la comme il est indiqué de le faire, mais au lieu de l'introduire dans l'oie, dressez-la dans un plat à four graissé, couvrez et enfournez. Si elle

contient des œufs, il est essentiel qu'elle atteigne une température interne de 73 °C (165 °F). Assurez-vous-en en insérant un thermomètre à lecture instantanée au centre de la farce.

Si la farce ne renferme pas d'œufs, son passage au four ne vise qu'à la réchauffer : 45 à 60 minutes suffiront.

RÔTISSAGE

Que l'oie soit farcie ou non, la chair est à point quand sa température interne atteint 82 à 85 °C (180-185 °F). Introduisez le thermomètre profondément dans le haut-de-cuisse, sans toucher à l'os. Prévoyez 30 minutes de cuisson de plus quand l'oie est farcie.

PRÉSENTATION

Après avoir été sortie du four, l'oie doit reposer 20 minutes.

Profitez-en pour la présenter à vos convives dans un plat de service joliment décoré, puis rapportez-la à la cuisine pour la découper.

Déposez-la sur une planche à découper. Détachez les cuisses et les ailes ; dégagez ensuite les blancs de poitrine du bréchet. Suivez les instructions données pour le découpage du canard à la page 272.

Servez la farce dans un bol chaud ou dressez-la sur l'assiette de service avec les découpes d'oie. Présentez la sauce en saucière : les convives se serviront eux-mêmes.

ACCOMPAGNEMENTS

Les volatiles gras comme l'oie et le canard sont mis en valeur par une farce ou des accompagnements aux fruits. Nous proposons une farce aux pommes et aux fruits séchés.

Arrosez l'oie ou le canard durant la cuisson avec du jus de pomme ou d'orange non sucré. Les compotes de canneberges entières, de canneberges à l'orange ou de pommes acides, ou encore des pommes cuites au four sans addition de sucre, sont des accompagnements fort appréciés.

Pour donner à l'oie un air de fête dans le plat de service, entourez-la de bouquets de cresson, de pommettes rouges ou de quartiers d'orange dont les convives pressent le jus.

CUISSON MOINS GRASSE

Si vous aimez la saveur de l'oie, mais qu'elle vous semble décidément trop grasse, vous pouvez, au lieu de la rôtir, la faire cuire à la vapeur, puis la braiser. Cette méthode exige

FARCE DE SAUCISSE ET DE FRUITS SÉCHÉS

Dans la recette de la page ci-contre, remplacez les pommes de la farce par **2 tasses de fruits séchés mélangés,** préalablement mis à tremper dans de l'eau ou du brandy.

FARCE DE POMMES DE TERRE ET D'OIGNON

Épluchez **1 kg (2 lb) de pommes de terre** et cuisez-les à l'eau bouillante. Faites revenir **3 gros oignons,** hachés, dans **3 c. à soupe d'huile.** Réduisez les pommes de terre en purée avec ⅓ **tasse de lait ;** incorporez les oignons, ¾ **c. à thé de sauge séchée,** ¾ **c. à thé de sel** et ½ **c. à thé de poivre noir.**

plus de travail, mais donne de bons résultats.

Déposez l'oie bridée mais non farcie sur la grille d'une rôtissoire munie d'un couvercle étanche. Ajoutez 2 cm (1 po) d'eau, couvrez et faites prendre l'ébullition sur le dessus de la cuisinière. Baissez le feu de façon qu'elle mijote très doucement pendant 45 à 60 minutes selon la taille. Au besoin, rajoutez de l'eau bouillante s'il vient à en manquer.

Retirez l'oie et videz le gras. Replacez l'oie tiède sur la grille. Couvrez la rôtissoire et enfournez-la dans un four préchauffé à 160 °C (325 °F). Prévoyez 1 h 30 à 2 heures de braisage ; arrosez de temps à autre. Retirez le couvercle pendant la dernière demi-heure.

Oie rôtie, farcie de saucisse et de pommes

- **1** c. à soupe d'huile d'olive
- **1** c. à soupe de beurre ou de margarine
- **125** g (4 oz) de chair de saucisse de porc, écrasée à la fourchette
- **8** tranches de pain blanc à mie ferme, légèrement grillé et émietté
- **1** oignon moyen, haché fin
- **3** gousses d'ail, hachées fin
- **2** pommes sucrées, comme la mcintosh, pelées, parées et détaillées en dés de 1 cm (½ po)
- **¼** tasse de persil haché
- **1½** c. à thé de sel
- **¾** c. à thé de sauge séchée
- **2½** tasses de Fond de poulet (page 39) ou de bouillon en conserve
- **1** oie (environ 3 kg/7 lb)
- **½** citron
- **2** c. à soupe de farine
- **¼** c. à thé de poivre noir

1 Préchauffez le four à 160 °C (325 °F). Dans une grande sauteuse, réchauffez l'huile et le beurre à feu modéré sans qu'ils fument. Ajoutez la chair de saucisse et faites-la cuire 5 minutes. Recueillez-la avec une cuiller à trous et réservez-la dans un bol. Ajoutez les miettes de pain grillé.

2 Dans la même sauteuse, faites revenir l'oignon et l'ail 5 minutes. Ajoutez les dés de pomme et laissez cuire 5 minutes. Versez le contenu de la sauteuse dans le bol précédent et ajoutez le persil, ¾ c. à thé de sel et la sauge. Incorporez ½ tasse de bouillon.

3 Frottez l'intérieur de l'oie avec ¼ c. à thé de sel. Mettez-y la farce sans la tasser, bouchez l'ouverture avec le croupion et fixez-le en place avec des piques de boucher. Bridez les pilons avec de la ficelle.

4 Déposez l'oie sur la grille d'une rôtissoire. Perforez la peau en plusieurs endroits. Frottez la peau avec le citron. Faites rôtir à découvert 3 heures environ : la température intérieure de l'oie doit atteindre 82 °C (180 °F) ; insérez le thermomètre dans la partie charnue du haut-de-cuisse, sans toucher à l'os. Avec une cuiller, enlevez le gras de temps à autre et réservez-le. Quand la cuisson est terminée, retirez l'oie du four et laissez-la reposer 20 minutes.

5 Versez dans la rôtissoire le reste du bouillon (2 tasses) et laissez-le mijoter 2 minutes, à feu modéré, sur le dessus de la cuisinière. Grattez le fond pour dégager les particules rôties.

6 Dans l'intervalle, mettez 2 c. à soupe du gras d'oie réservé dans une casserole moyenne et réchauffez-le à feu modéré. Incorporez la farine ; en remuant sans arrêt, laissez-la devenir brun clair : prévoyez 3 minutes environ. Mouillez peu à peu avec le bouillon qui est dans la rôtissoire et laissez cuire 3 à 5 minutes, ou jusqu'à épaississement, en remuant constamment. Incorporez le reste du sel (½ c. à thé) et le poivre. Donne 6 portions.

Par portion : Calories 1 003 ;
Gras total 68 g ; Gras saturé 21 g ;
Protéines 69 g ;
Hydrates de carbone 26 g ; Fibres 2 g ;
Sodium 1 019 mg ; Cholestérol 252 mg

Préparation : 30 minutes
Cuisson : environ 3 h 30

BLANCS DE DINDE

L es blancs de dinde, désossés ou non, entiers ou escalopés, sont d'excellents substituts pour la dinde entière et sont faciles à apprêter.

DÉCOUPES DE CHOIX

Grâce aux blancs de dinde frais ou surgelés, on peut maintenant manger de la dinde à longueur d'année.

Les découpes vous permettent en effet d'en servir à volonté sans vous engager dans la préparation d'une dinde entière. Non désossés, les blancs sont encore plus succulents.

Il faut les arroser souvent durant la cuisson. Par contre, vous ne risquez pas qu'ils se dessèchent en attendant que les cuisses soient prêtes. Et fini les luttes épiques pour savoir qui aura le blanc !

Les poitrines entières ou en demies se vendent aussi désossées, avec ou sans la peau. Si vous voulez les servir farcies, roulées et rôties, achetez-les désossées, mais avec la peau : la chair sèche moins à la cuisson. Et prévoyez environ 20 minutes de cuisson par livre (450 g).

La chair de blanc de dinde peut s'apprêter de bien des façons et notamment en escalopes. Dans ce cas, achetez des blancs sans la peau : ils ne renferment que 1 g de gras et 135 calories par portion de 100 g (3½ oz).

ESCALOPES DE DINDE

Les escalopes de dinde – aussi appelées aiguillettes – sont des tranches de blancs de 6 mm (¼ po), semblables aux escalopes de veau ; les mêmes recettes conviennent d'ailleurs aux deux. Aplatissez-les (voir page 242) ou servez-les telles quelles, pannées ou non.

Chacune pèse 125 à 200 g (4-6 oz) et constitue une portion.

À MANIER AVEC PRÉCAUTION

Si les recettes d'escalopes de dinde et d'escalopes de veau se ressemblent, la cuisson pourtant est différente : la dinde sèche et durcit plus vite que le veau. Une cuisson de 1½ à 2½ minutes par côté suffit, et le feu doit rester modéré ; ne les faites pas saisir à feu vif sous prétexte de les colorer rapidement en début de cuisson.

Si vous désirez les faire sauter à la chinoise, détaillez-les en julienne et ajoutez-les à la toute fin de la cuisson du plat. Réduisez alors la chaleur sous le wok ou la sauteuse et faites-les cuire brièvement en les remuant sans cesse dans la garniture de légumes.

BLANCS DE DINDE AUX FINES HERBES

- **1 poitrine de dinde d'environ 2,5 kg (5½ lb), non désossée**
- **1½ c. à thé de sel**
- **2 oignons moyens, pelés et découpés en quartiers**
- **2 carottes moyennes, épluchées et découpées en quartiers**
- **2 côtes de céleri moyennes, détaillées en tronçons**
- **4 brins de persil**
- **1 feuille de laurier entière**
- **6 c. à soupe de sauge fraîche, ciselée, ou 2 c. à soupe de sauge séchée**
- **2 c. à soupe de thym frais, ciselé, ou 2 c. à thé de thym séché**
- **5 c. à soupe (environ) de beurre fondu ou de margarine**
- **½ c. à thé de poivre noir**
- **4 c. à soupe de farine**
- **3 tasses (environ) de Fond de poulet (page 39) ou de bouillon en conserve**

1 Préchauffez le four à 160 °C (325 °F). Saupoudrez la dinde avec ½ c. à thé de sel. Mettez les oignons, les carottes, le céleri, le persil et le laurier dans le centre d'une grande lèchefrite.

2 Dégagez la peau sans la détacher. Assaisonnez la chair avec la moitié de la sauge et du thym. Remettez la peau en place et posez la poitrine sur les légumes. Badigeonnez la dinde avec 2 c. à soupe de beurre fondu ; assaisonnez avec le reste de la sauge et du thym, ½ c. à thé de sel et ¼ c. à thé de poivre. Laissez rôtir à découvert jusqu'à ce qu'un thermomètre inséré dans la partie la plus charnue indique 82 °C (180 °F) : prévoyez 2 h 15 à 2 h 30 de cuisson.

3 Prélevez le gras à la surface des jus de cuisson ; ajoutez-y du beurre fondu pour obtenir ¼ tasse en tout. Versez ce gras dans une petite casserole, incorporez la farine et remuez 1 minute à feu modéré. Mouillez avec les jus de cuisson dégraissés, allongés de bouillon pour faire 3 tasses. Faites cuire et épaissir en remuant. Salez et poivrez au goût. Donne 12 portions.

DÉCOUPAGE DES ESCALOPES

Elles vous reviennent moins cher si vous les préparez vous-même.

Maintenez la poitrine en place d'une main. Avec un couteau bien tranchant, détaillez le blanc en tranches de 6 mm (¼ po) d'épaisseur, aussi larges et longues que possible.

Escalopes de dinde poêlées

- **4** **escalopes de dinde d'environ 100 g (3 oz) chacune**
- **1¼** **c. à thé de sel**
- **⅛** **c. à thé de poivre noir**
- **⅓** **tasse de farine**
- **2** **œufs, légèrement battus**
- **1** **tasse de chapelure fine**
- **6** **c. à soupe de beurre ou de margarine**
- **12** **échalotes moyennes, hachées**
- **1** **tasse de Fond de poulet (page 39) ou de consommé**
- **¼** **tasse de persil haché**

1 Aplatissez les escalopes entre deux morceaux de pellicule plastique pour qu'elles soient d'épaisseur égale. Assaisonnez-les des deux côtés de sel et de poivre. Farinez-les, tapotez-les pour faire tomber l'excédent de farine, passez-les dans les œufs battus puis dans la chapelure.

2 Dans une grande sauteuse, faites fondre 5 c. à soupe de beurre à feu modéré ; faites-y cuire quelques escalopes à la fois environ 2½ minutes de chaque côté pour qu'elles soient bien dorées. Remuez la sauteuse de temps à autre pour les colorer uniformément. Déposez-les sur des feuilles d'essuie-tout pour absorber le gras.

3 Dans une petite casserole, faites cuire les échalotes à feu modéré dans le reste du beurre (1 c. à soupe) pendant 5 minutes environ. Délayez 1 c. à thé de la farine ayant servi à l'enrobage dans 2 c. à soupe du bouillon et versez sur les échalotes. Ajoutez le reste du bouillon et portez à ébullition. En remuant souvent, laissez réduire la sauce pour qu'il en reste environ ¾ tasse : prévoyez 5 minutes.

Retirez du feu et incorporez le persil haché.

4 Dressez les côtelettes dans les assiettes et nappez de sauce. Donne 4 portions.

Par portion : Calories 294 ; Gras total 14 g ; Gras saturé 7 g ; Protéines 23 g ; Hydrates de carbone 19 g ; Fibres 1 g ; Sodium 262 mg ; Cholestérol 124 mg

Préparation : 20 minutes
Cuisson : environ 20 minutes

ESCALOPES DE DINDE POÊLÉES, SAUCE À LA MOUTARDE

Aplatissez les escalopes comme à l'étape 1. Assaisonnez-les et farinez-les, mais supprimez les œufs battus et la chapelure. À l'étape 2, vaporisez une sauteuse d'enduit antiadhésif et faites-les dorer dans 2 c. à soupe de beurre seulement. Gardez-les au chaud. Mettez ¼ **tasse de vermouth blanc sec** et **2 c. à soupe de moutarde de Dijon** dans la sauteuse ; ajoutez ¾ **tasse de crème à 35 p. 100** et faites bouillir pour que la sauce épaississe un peu. Ajoutez ¼ **tasse de crème à 15 p. 100** et réchauffez 1 minute, mais ne laissez pas bouillir. Nappez la dinde. Donne 4 portions.

DINDE EN BÉCHAMEL

*L*ouis de Béchameil, financier sous Louis XIV, serait à l'origine de cette sauce et de l'apprêt que, pour cette raison, on appelle « financière ».

DINDE EN BÉCHAMEL À LA LOUISIANAISE

Suivez la recette de la page ci-contre en remplaçant les champignons par **1½ tasse de poivron vert et rouge** et **½ tasse d'oignons verts**, hachés, le thym par **2 c. à thé d'assaisonnement au chile** et **½ c. à thé de cumin**, les pois par du **maïs**, et l'eau de trempage par du **bouillon de poulet**. Donne 4 portions.

L'ART D'UTILISER LES RESTES

Découpez des restes de dinde en petits dés, nappez-les de béchamel crémeuse, nichez-les dans un toast en coupelle et vous avez un plat exquis, parfois meilleur que la dinde en son premier état.

VARIATIONS SUR UN MÊME THÈME

Cet apprêt, cher à nos grands-mères, a connu de nombreuses variantes et porte bien des noms. Il commence par une sauce blanche et des champignons sautés. Ici, nous associons aux champignons de couche des champignons séchés dont le liquide de trempage tient lieu de bouillon. Enfin nous terminons avec une pointe de crème sure.

Pour réduire la teneur en matières grasses, faites la sauce avec du lait écrémé à 1 p. 100 et de la crème sure allégée.

À cette sauce de base, vous pouvez ajouter des éléments de garniture : un peu de xérès, du piment doux rôti coupé en dés, un jaune d'œuf battu : vous aurez un apprêt qui s'apparente à celui qu'on qualifie de « financière ».

Variez les condiments. Relevez la sauce d'un soupçon de poudre de cari ou ajoutez-lui les légumes et les fines herbes de votre choix, comme dans notre recette à la louisianaise. Modifiez aussi l'élément de base ; prenez des pétoncles, du crabe, des œufs durs avec du saumon ou de la viande.

UN PLAT ÉLÉGANT

Les encadrés ci-contre montrent comment dresser la dinde en béchamel dans des toasts en coupelles ou des vol-au-vent. À l'occasion, servez-vous du même apprêt pour fourrer des crêpes (voir page 104) ou des pommes de terre au four, évidées de leur chair.

Coupez en deux des pommes de terre cuites au four ; ôtez la chair et gardez une coquille vide de 6 mm (¼ po) d'épais-

DRESSAGE DES VOL-AU-VENT

1 Achetez des vol-au-vent individuels surgelés et faites-les cuire selon les instructions. Quand ils sont dorés, retirez délicatement la calotte et réservez-la.

2 Évidez le vol-au-vent. Remplissez-le avec l'appareil. Posez la calotte en guise de couvercle.

COUPELLES DE PAIN GRILLÉ

1 Taillez un cercle dans une tranche de pain avec un emporte-pièce.

2 Mettez ces cercles dans des alvéoles à muffins vaporisées d'enduit anti-adhésif. Façonnez-les en coupelles avec les doigts.

3 Faites griller 15 à 20 minutes à 180 °C (350 °F). Démoulez sur une grille et laissez refroidir.

seur. Remplissez de dinde en béchamel, saupoudrez de 1½ c. à thé de parmesan râpé, enfournez à 180 °C (350 °F) et laissez gratiner.

Dinde en sauce béchamel

- **15 g (½ oz) de champignons porcinis séchés**
- **½ tasse d'eau chaude**
- **4 c. à soupe (½ bâtonnet) de beurre ou de margarine**
- **60 g (2 oz) de petits champignons de couche, tranchés**
- **¼ tasse de farine**
- **1 c. à soupe de thym frais, ciselé, ou 1 c. à thé de thym séché**
- **1¼ tasse de lait (environ)**
- **2 tasses de dinde cuite, détaillée en dés (ou de poulet)**
- **½ tasse de petits pois surgelés, décongelés et égouttés**
- **¾ tasse de crème sure**
- **1 c. à thé de sel**
- **¼ c. à thé de poivre noir**

1 Dans un petit bol, faites tremper les champignons séchés dans l'eau pendant 20 minutes. Égouttez en réservant le liquide. Rincez les champignons deux fois à l'eau froide, sous le robinet, épongez-les sur de l'essuie-tout et hachez-les grossièrement. Passez le liquide de trempage à travers un filtre à café.

2 Dans une casserole moyenne, faites fondre à feu modéré 1 c. à soupe de beurre. Ajoutez les champignons réhydratés et les champignons frais ; laissez-les cuire 3 à 5 minutes en remuant de temps à autre. Retirez-les avec une cuiller à trou et réservez-les.

3 Faites fondre le reste du beurre (3 c. à soupe) dans la même casserole sur un feu modéré. Ajoutez la farine et le thym et laissez cuire 5 minutes en remuant. Ajoutez assez de lait à l'eau de trempage réservée pour avoir 1½ tasse de liquide en tout. Incorporez-le peu à peu à la farine, avec un fouet, et laissez cuire 3 à 5 minutes ou jusqu'à épaississement.

4 Ajoutez la dinde, les petits pois et les champignons réservés ; prolongez la cuisson de 5 minutes.

5 Incorporez la crème sure et réchauffez, sans laisser bouillir. Salez et poivrez au goût. Dressez dans des toasts en coupelles, des vol-au-vent ou des pommes de terre au four évidées. Donne 4 portions.

**Par portion : Calories 414 ;
Gras total 26 g ; Gras saturé 16 g ;
Protéines 28 g ;
Hydrates de carbone 16 g ; Fibres 2 g ;
Sodium 772 mg ; Cholestérol 112 mg**

*Préparation : 30 minutes
Cuisson : 30 minutes*

DINDE RÔTIE

Vous trouverez ici comment préparer, étape par étape, une sauce classique aux abats et comment brider la dinde, rapidement et facilement.

LA DINDE

Nous parlons ici du rôtissage de la dinde. En ce qui concerne la farce, vous trouverez plusieurs suggestions à la page 338, où il est question du repas de l'Action de grâce.

À L'ACHAT

Prévoyez environ 500 g (1 lb) de dinde par personne, un peu plus si vous voulez apprêter les restes.

La dinde surgelée est aussi bonne que la dinde fraîche. L'avantage de celle-ci, c'est qu'elle n'encombre pas le réfrigérateur durant la décongélation, qui est longue.

DÉCONGÉLATION

Il faut décongeler complètement la dinde avant de la faire rôtir. L'opération se fait au réfrigérateur et demande 24 heures par 2,25 kg (5 lb).

Ne cédez pas à la tentation de la faire décongeler à la température de la pièce. Pour accélérer le processus, placez la dinde tout enveloppée dans un grand bassin d'eau très froide. Renouvelez l'eau toutes les 30 minutes et prévoyez 30 minutes par livre (450 g).

FARCIR LA DINDE : OUI OU NON ?

Une farce bien condimentée parfume la dinde durant la cuisson, mais elle a des inconvénients. Farcie, la dinde met plus de temps à cuire. Autre considération, la farce engendre des bactéries qui peuvent contaminer la chair si elle séjourne longtemps à l'intérieur.

Si vous ne la farcissez pas, mettez dans la dinde des oignons, du céleri, des pommes ou d'autres éléments aromatiques et frottez la peau avec de la sauge, du sel et du poivre. Faites cuire la farce à part dans un plat bien graissé et arrosez-la avec les jus de la rôtissoire durant les 30 dernières minutes de rôtissage.

LA FARCE

Si vous décidez de farcir la dinde, ne tassez pas la farce car elle prend du volume en cuisant. Prévoyez ½ tasse de farce par portion ; faites cuire à part ce qui n'entre pas dans la cavité. Préparez la farce le jour même et gardez-la au réfrigérateur jusqu'à son utilisation ; ne farcissez la dinde qu'au dernier moment.

(suite à la page 282)

SAUCE AUX ABATS

- **1** feuille de laurier entière
- **4** tasses (environ) d'eau froide
- **1** tasse de Fond de poulet (page 39) ou de bouillon en boîte
- **⅓** tasse de farine
- sel et poivre au goût

1 Pendant que la dinde rôtit, mettez le cou, le cœur et le gésier, mais non le foie, dans une casserole moyenne avec la feuille de laurier. Versez suffisamment d'eau pour recouvrir et portez à ébullition à feu vif. Baissez le feu, couvrez la casserole et laissez mijoter environ 45 minutes. Quand les abats sont tendres, ajoutez le foie, remettez le couvercle et laissez mijoter 15 minutes de plus. Égouttez et conservez le bouillon. Hachez la viande du cou et tous les abats et mettez-les dans un bol. Couvrez et réfrigérez.

2 Recueillez ⅓ tasse du gras de la rôtissoire. Videz les jus de cuisson dans un gobelet de 4 tasses, ajoutez le bouillon des abats et complétez les 4 tasses avec du bouillon.

3 Posez la lèchefrite sur un feu modéré et versez-y 1 tasse du bouillon précédent. Laissez mijoter 2 minutes en raclant les particules rôties. Reversez dans le gobelet.

4 Dans une casserole moyenne, réchauffez le gras réservé. Incorporez la farine et faites-la blondir 2 à 3 minutes en remuant.

5 Ajoutez peu à peu le bouillon et laissez cuire jusqu'à homogénéité en remuant. Ajoutez les abats hachés, salez, poivrez et réchauffez la sauce.

Dinde rôtie, sauce aux abats

Dinde :

1 dinde fraîche de 5,5 kg (12 lb), ou surgelée et décongelée

2 c. à thé de sel

½ c. à thé de poivre noir

2 c. à soupe de beurre fondu ou de margarine

Farce :

1 recette de votre farce préférée ou de l'une des farces de la page 338

Ou, pour remplacer la farce :

2 oignons moyens pelés, l'un entier, l'autre en quartiers

2 carottes moyennes, épluchées et en quartiers

2 côtes de céleri moyennes, détaillées en tronçons

4 brins de persil

2 feuilles de laurier entières

Sauce aux abats :
(ingrédients et préparation, voir page ci-contre)

1 Préchauffez le four à 160 °C (325 °F). Retirez le cou et les abats ; gardez-les pour confectionner la sauce. Lavez la dinde à l'intérieur comme à l'extérieur sous le robinet d'eau froide ; égouttez-la et épongez-la avec de l'essuie-tout.

2 Salez et poivrez les cavités du cou et du corps. Le cas échéant, introduisez la farce sans la tasser et bridez la dinde. Si vous ne la farcissez pas, placez l'oignon entier dans la cavité du cou. Mettez les carottes, le céleri, l'oignon en quartiers, le persil et les feuilles de laurier dans la cavité du corps et bridez.

3 Déposez la dinde, sur le dos, sur la grille de la rôtissoire, badigeonnez-la de beurre et couvrez la poitrine de papier d'aluminium. Laissez rôtir jusqu'à ce qu'un thermomètre inséré dans la partie la plus charnue de la cuisse, sans toucher à l'os, indique 82 °C (180 °F) ; prévoyez environ 4 heures. Dans l'intervalle, préparez la sauce aux abats en suivant les indications dans l'encadré de la page ci-contre.

4 Environ 30 minutes avant la fin de la cuisson de la dinde, retirez le papier d'aluminium et arrosez généreusement la peau avec les jus de cuisson. Quand la dinde est à point, dressez-la sur un plat de service chaud et laissez-la reposer pendant que vous finissez la sauce. Retirez les légumes et le laurier, s'il y a lieu. Donne 12 portions.

**Par portion : Calories 565 ;
Gras total 27 g ; Gras saturé 9 g ;
Protéines 73 g ;
Hydrates de carbone 2 g ; Fibres 1 g ;
Sodium 561 mg ; Cholestérol 217 mg**

*Préparation : 2 heures
Cuisson : environ 4 heures*

(suite de la page 280)

La farce est cuite quand sa température interne est de 70 à 73 °C (160-165 °F) au thermomètre instantané.

Retirez la farce avant de dépecer la dinde ou de la laisser refroidir. Réfrigérez séparément la farce et la dinde.

MODES DE RÔTISSAGE

Le rôtissage de la dinde obéit à deux règles. La première, c'est que la dinde est à point lorsque sa température interne atteint 82 °C (180 °F). La seconde, c'est qu'il ne faut pas la cuire longtemps à basse température ; cela favorise la multiplication des bactéries.

Cela dit, on peut rôtir la dinde à température moyenne et constante ou bien la saisir à 260 °C (500 °F) pendant 30 minutes, et poursuivre à une température élevée, soit 230 °C (450 °F). Plus rapide, ce mode de cuisson ne s'applique toutefois qu'à la dinde non farcie.

Les tenants de cette méthode soutiennent que, à feu très vif, les jus de la viande sont scellés dans la chair. Néanmoins, il risque d'y avoir de la fumée dans la cuisine. Pour éviter cet ennui, vous devez retirer le gras à mesure qu'il coule dans la rôtissoire ; mais alors, vous n'avez plus de jus de cuisson.

En outre, pour empêcher la volaille de sécher, il faut constamment ajouter de l'eau.

TESTS DE CUISSON

Pour savoir si la dinde est cuite, insérez un thermomètre dans la partie charnue de la cuisse, sans toucher à l'os. C'est le moyen le plus sûr, mais ce n'est pas le seul. Quand la cuisse bouge facilement dans son articulation, la dinde est à point. Vous pouvez aussi inciser légèrement l'intérieur de la cuisse ; le jus qui s'en écoule doit être incolore, sans la moindre trace de rose.

UNE PEAU DORÉE

Une dinde arrosée toutes les 30 minutes rôtit uniformément. Servez-vous d'une pipette, d'une cuiller ou, mieux encore, d'un pinceau à pâtisserie.

Les blancs ayant tendance à sécher, il est sage de les couvrir de papier d'aluminium. Ne couvrez pas la dinde en entier : elle cuirait dans sa vapeur. Retirez le papier 30 minutes avant la fin de la cuisson.

Certains préfèrent l'étamine de coton huilée au papier d'aluminium. Découpez un grand carré, pliez-le en deux et trempez-le dans de l'huile ou dans du beurre fondu. Vous pouvez arroser à travers l'étamine.

TEMPS DE CUISSON
D'UNE DINDE À 160 °C (325 °F)

Poids (lb)	Poids (kg)	Non farcie (h)	Farcie (h)
8 à 12	3,5 à 5,5	2 h 30 à 3 h	3 h à 3 h 30
12 à 14	5,5 à 6	3 h à 3 h 15	3 h 30 à 4 h
14 à 18	6 à 8	3 h 15 à 4 h 15	4 h à 4 h 15
18 à 20	8 à 9	4 h 15 à 4 h 30	4 h 15 à 4 h 45
20 à 24	9 à 10,5	4 h 30 à 5 h	4 h 45 à 5 h 15

BRIDAGE RAPIDE D'UNE DINDE

1 Farcissez les cavités du ventre et du cou. Attachez la peau du cou au dos avec des cure-dents ou des piques.

2 Fermez l'ouverture du croupion avec des cure-dents, des piques de boucher ou une brochette.

3 Attachez les pilons par-dessus le croupion avec de la ficelle. Insérez le thermomètre à viande.

4 Pour que les ailerons ne brûlent pas, repliez-les et fixez-les avec soin derrière les épaules.

DÉCOUPAGE D'UNE DINDE

1. Avec un couteau et vos doigts, coupez et détachez les pilons, les cuisses et les ailes aux articulations. Maintenez la poitrine avec une fourchette. Faites une entaille profonde à l'horizontale au niveau de l'articulation de l'aile. **2.** Détaillez ensuite le blanc en tranches minces.

ŒUFS ET FROMAGE

OMELETTE

Des ingrédients frais, un bon contrôle des temps de cuisson, une température adéquate, voilà à quoi tient le succès d'une omelette, plate ou soufflée.

GÉNÉRALITÉS

L'omelette peut être simple ou aussi originale que vous le désirez. Au Mont-Saint-Michel, en France, le restaurant de la Mère Poulard doit sa réputation, depuis des décennies, à son omelette flambée.

Il existe deux sortes d'omelettes : l'omelette plate, qui peut être fourrée et saucée ou non, et l'omelette soufflée, commencée sur le feu et terminée dans le four.

RÈGLES DE BASE

Les ingrédients d'une omelette doivent être de toute première fraîcheur, surtout les œufs, qui sont les éléments de base. Et ces œufs doivent être à la température ambiante.

L'étape suivante est d'une importance capitale. Il faut battre les œufs juste ce qu'il faut, avec un fouet ou un batteur manuel. Cela se fait, de préférence, au dernier moment.

Dans la poêle, vous aurez simplement fait fondre au préalable une cuillerée de beurre ou de margarine.

L'omelette à la française se mange « baveuse », c'est-à-dire coulante à l'intérieur. Vous pouvez la faire cuire davantage,

mais sans excès. Gare au feu trop vif qui la ferait brûler plutôt que de la saisir ! Mais gare aussi au feu trop doux qui rallonge la cuisson et durcit l'omelette !

Préparez d'avance la garniture, s'il y a lieu. Râpez le fromage, faites sauter les champignons, tranchez le jambon, ciselez les fines herbes : vous n'aurez plus qu'à les réchauffer sans faire attendre l'omelette sur le feu.

On ne fourre que les omelettes plates, jamais les omelettes soufflées.

POÊLE À OMELETTE

Ne préparez pas une omelette avec plus de trois œufs : elle risquerait d'être crue à l'intérieur et desséchée à l'extérieur. La poêle idéale pour deux ou trois œufs mesure 18 à 20 cm (7-8 po) de diamètre. Elle est légère de façon que vous puissiez la remuer facilement d'une seule main.

On recommande souvent d'utiliser une poêle ne servant qu'à cet usage. Si vous êtes amateur d'omelettes, pourquoi ne pas respecter cette règle ? Prenez-la à bord arrondi pour faciliter les manipulations. Il s'en vend dans une grande variété de matières.

COMMENT PLIER ET FARCIR UNE OMELETTE

1 Dès que l'omelette se met à coaguler, inclinez la poêle et ramenez les bords pris au centre pour répartir le liquide.

2 **Omelette pliée mais non fourrée.** Quand elle est juste à point, repliez les bords sur le centre. Appuyez sur le pli avec une fourchette et faites glisser l'omelette dans une assiette chaude.

3 **Omelette fourrée.** Tandis qu'elle est encore molle, déposez-y la garniture. Pliez-la en deux et faites-la glisser dans une assiette chaude.

PRÉPARATION DE L'OMELETTE SOUFFLÉE

1 Séparez les œufs. Battez les jaunes avec le lait. Fouettez les blancs en neige ferme. Incorporez-les dans les jaunes.

2 Faites fondre le beurre dans un plat à four de 25 cm (10 po). Versez-y les œufs. Étalez-les à la spatule et cuisez-les à feu modéré pour les saisir au fond.

3 Enfournez le plat à 180 °C (350 °F) et laissez cuire l'omelette 15 minutes : elle sera soufflée et à peine dorée.

Omelette fourrée au fromage

- **3** œufs, à la température ambiante
- **1** c. à soupe de lait
- **¼** c. à thé de sel
- **¼** c. à thé de poivre noir
- **1** c. à soupe de beurre ou de margarine
- **¼** tasse de cheddar, râpé fin

1 Dans un bol moyen, fouettez ensemble les œufs, le lait, le sel et le poivre.

2 Dans une poêle à omelette ou une sauteuse ordinaire de 20 cm (8 po) de diamètre, faites fondre le beurre à feu doux. Quand il est mousseux mais avant qu'il se colore, augmentez le feu d'un cran et agitez la poêle pour répandre le beurre dans le fond. Versez les œufs. À mesure que l'omelette cuit, inclinez la poêle d'un côté puis de l'autre et ramenez le pourtour vers le centre avec une fourchette. Agitez doucement la poêle pour répartir les œufs encore liquides.

3 Quand l'omelette vient tout juste de coaguler – au bout d'environ 2 minutes de cuisson – retirez-la du feu et masquez le dessus avec le fromage râpé.

4 Dégagez le pourtour avec une fourchette. Inclinez la poêle et, avec une spatule de caoutchouc, pliez l'omelette en deux. Faites-la glisser dans une assiette chaude. Donne 1 portion.

**Par portion : Calories 450 ;
Gras total 36 g ; Gras saturé 18 g ;
Protéines 27 g ;
Hydrates de carbone 3 g ; Fibres 0 g ;
Sodium 1 440 mg ; Cholestérol 702 mg**

*Préparation : 6 minutes
Cuisson : 2 minutes*

OMELETTE AU FROMAGE À LA MEXICAINE

Suivez la recette ci-contre, mais remplacez le cheddar par du **monterey jack**, nature ou au piment, et ajoutez **2 c. à soupe de salsa.** Donne 1 portion.

OMELETTE AUX CHAMPIGNONS

Suivez la recette ci-contre, mais remplacez le cheddar par **1 tasse de champignons**, tranchés et sautés au beurre, et **1 c. à soupe de ciboulette.** Donne 1 portion.

FRITTATA

La frittata est un plat italien qui associe des œufs, des légumes et du fromage : combinaison délicieuse pour utiliser les restes. Les œufs brouillés font appel à la même technique.

GÉNÉRALITÉS

Au sortir de la poêle, la frittata ressemble à une crêpe épaisse et ferme sans être sèche.

La cuisson démarre à feu lent sur l'élément de la cuisinière pour laisser à la frittata le temps de cuire de part en part sans brûler. Elle est ensuite terminée sous le gril du four. Pour cette raison, l'idéal est une sauteuse en fonte noire ; à défaut, utilisez une sauteuse dont le manche supportera la chaleur du four.

Mais vous n'êtes pas obligé d'utiliser le four. Vous pouvez vous contenter de retourner la frittata. Déposez une grande assiette graissée par-dessus la sauteuse, renversez celle-ci de façon que la frittata à demi cuite tombe dans l'assiette et faites-la glisser de nouveau dans la sauteuse. Si le feu est doux et la sauteuse bien graissée, tout se passera bien.

PRÉSENTATION

Ne pliez pas la frittata en deux ou en trois. Coupez-la en grandes pointes comme plat principal, en petites si vous la servez en entrée. Elle se sert aussi bien chaude que tiède.

La frittata étant généralement garnie d'éléments divers, elle vous donne plus de portions par œuf qu'une omelette : une frittata de six œufs sert aisément quatre personnes.

GARNITURES VARIÉES

En Italie, une frittata comporte toujours des oignons hachés et sautés. La garniture peut se limiter aux oignons et au fromage, mais à la vérité, il est difficile de résister au plaisir d'ajouter d'autres ingrédients.

Parmi ceux-ci, on compte les tomates et le basilic, les tomates vertes frites, les courgettes frites ou les asperges, les pommes de terre à l'huile ou des petits restes de pâtes. Tous ces éléments sont mélangés à du parmesan râpé.

La liste des additions possibles ne se limite pas à cela. Tous les légumes fraîchement cuits ou cuits de la veille, tous les restes de viande, de volaille ou même de fruits de mer font l'affaire. Vous les ajoutez aux œufs crus ou vous les déposez par-dessus.

La moindre trace d'humidité empêche la frittata de prendre. Essorez les épinards le plus possible et faites cuire les légumes de façon qu'ils perdent leur eau de végétation.

ŒUFS BROUILLÉS

Rien de plus facile à faire que des œufs brouillés, mais il faut suivre certaines règles.

Fouettez deux œufs suffisamment pour mélanger les jaunes et les blancs. Ajoutez du sel, du poivre et, si vous le désirez, une cuillerée à soupe d'eau, de lait ou de crème. Faites fondre du beurre, de la margarine ou du gras de bacon au fond d'une sauteuse.

Versez-y les œufs et faites-les cuire à feu doux en les remuant sans arrêt avec une spatule, une fourchette ou une cuiller de bois. Les œufs sont à point dès que l'ensemble est coagulé. Prévoyez 3 à 3½ minutes pour deux à quatre œufs.

Certains préfèrent un plat moins homogène. Faites cuire les œufs à feu doux en ramenant de temps à autre les parties cuites vers le centre : les œufs non cuits coulent vers le bord et le plat est grumeleux.

Avec l'une ou l'autre méthode, prolongez la cuisson de 1 ou 2 minutes après que les œufs ont coagulé si vous voulez les avoir fermes.

Enfin, si vous aimez vos œufs brouillés un peu gonflés, fouettez-les au préalable, à la main ou au mélangeur.

À L'AMÉRICAINE

Faites revenir 5 minutes à feu modéré dans une grande sauteuse ⅓ tasse d'oignon haché fin, ⅓ tasse de poivron vert et ⅔ tasse de jambon haché dans 1 c. à soupe de beurre.

Ajoutez 6 œufs, fouettés comme pour les œufs brouillés, et laissez-les cuire 4 minutes environ. Dressez-les sur quatre toasts beurrés et servez immédiatement.

PRÉPARATION DE LA FRITTATA

1 Faites fondre le beurre dans une sauteuse allant au four. Versez les œufs et faites cuire à feu très doux. Soulevez le bord pour que les œufs liquides coulent dessous.

2 Quand les œufs commencent à prendre, faites-les gratiner 2 minutes au four, à 15 cm (6 po) de l'élément.

Frittata aux courgettes et aux épinards

- **2** c. à soupe d'huile d'olive
- **1** petit oignon rouge, haché fin
- **2** gousses d'ail, hachées fin
- **2** courgettes moyennes, coupées en deux sur la longueur et tranchées en fines rondelles
- **1** paquet (300 g/10 oz) d'épinards surgelés, décongelés et essorés
- **¼** tasse de basilic frais, ciselé
- **½** c. à thé de sel
- **¼** c. à thé de poivre noir
- **6** œufs, légèrement battus
- **⅔** tasse de parmesan râpé
- **1** c. à soupe de beurre ou de margarine

1 Dans une grande sauteuse antiadhésive, réchauffez l'huile 1 minute à feu modéré. Ajoutez l'oignon et l'ail et faites-les revenir 5 minutes en remuant de temps à autre.

2 Mettez les courgettes et prolongez la cuisson de 3 minutes en remuant souvent. Ajoutez les épinards, le basilic, le sel et le poivre. Laissez cuire encore 5 minutes pour bien assécher les épinards.

3 Dans un grand bol, fouettez les œufs avec le parmesan. Ajoutez les légumes et mélangez parfaitement. Allumez le gril du four.

4 Nettoyez la sauteuse. À feu modéré, faites-y fondre le beurre jusqu'à ce qu'il soit mousseux. Versez les œufs et baissez aussitôt le feu au plus bas. Laissez cuire sans remuer pendant 12 minutes environ, ou jusqu'à ce que le fond et les côtés soient coagulés, le dessus étant encore liquide.

5 Glissez la sauteuse sous le gril, à 15 cm (6 po) de l'élément, et faites gratiner 2 minutes, le temps que le dessus soit coagulé. Hors du four, dégagez la frittata avec une petite spatule de métal et faites-la glisser dans une grande assiette. Détaillez-la en quatre pointes et servez-la chaude ou à la température ambiante. Donne 4 portions.

Par portion : Calories 309 ; Gras total 23 g ; Gras saturé 8 g ; Protéines 20 g ; Hydrates de carbone 9 g ; Fibres 3 g ; Sodium 757 mg ; Cholestérol 340 mg

Préparation : 15 minutes • Cuisson : 28 minutes

FRITTATA AU BROCOLI

Dans la recette ci-contre, remplacez les courgettes et les épinards par **4 tasses de fleurons de brocoli,** blanchis 2 minutes à l'eau bouillante avant d'être hachés et sautés au beurre. Donne 4 portions.

FRITTATA AUX POIVRONS

Dans la recette ci-contre, remplacez les courgettes et les épinards par **1 poivron rouge** et **1 poivron vert,** parés et taillés en petits dés. Donne 4 portions.

SOUFFLÉ SALÉ

Une béchamel enrichie de jaunes d'œufs forme la base du soufflé. Des blancs d'œufs en neige l'allègent.

UN NUAGE

Les soufflés sont plus faciles à faire qu'on le croit. Mais il faut les servir à la sortie du four ; autrement votre chef-d'œuvre s'effondrera piteusement. Nous parlons ici de soufflés salés ; les soufflés sucrés se trouvent à la page 320.

SÉPARER ET BATTRE LES ŒUFS

Séparez les blancs des jaunes pendant que les œufs sont froids. Prenez soin qu'aucune goutte de jaune ne se mêle aux blancs : cela les empêcherait de monter. Et pour qu'ils acquièrent plus de volume, faites séjourner le bol et les fouets au congélateur.

Choisissez un grand bol à fond arrondi en cuivre non étamé, en acier inoxydable, en verre ou en porcelaine.

L'idéal est de laisser reposer les blancs 45 minutes avant de les fouetter ; ils prendront ainsi le maximum de volume. Battez-les jusqu'à ce qu'ils forment des pics fermes et luisants. Au-delà de cette étape, leurs protéines commencent à se transformer et ils sont en voie de se désagréger. Les échecs sont plus souvent causés par des blancs trop battus que le contraire.

PRÉPARATION

Le plat à soufflé est un moule à bord bien vertical. Faut-il le beurrer ou non ? Les avis sont partagés. D'aucuns estiment que dans un moule non beurré, le soufflé adhère à la paroi et monte davantage. Par contre, il risque aussi d'attacher. Si votre moule a tendance à coller, beurrez-le et chemisez-le d'une couche de chapelure fine ou de parmesan râpé fin. Secouez-le pour faire tomber l'excédent.

Pour mettre toutes les chances de votre côté, réfrigérez le moule jusqu'au moment d'y verser l'appareil à soufflé.

HAUT-DE-FORME

Pour avoir un soufflé coiffé d'une croûte, prenez un moule un peu plus petit que celui spécifié dans la recette et faites-lui un collet en papier.

Pliez un morceau de papier d'aluminium en deux : découpez-le de façon qu'il fasse le tour du moule en lui ajoutant 7 cm (3 po) de hauteur. Remplissez le moule avec l'appareil à soufflé. Placez le collet en l'enfonçant légèrement à l'intérieur du moule et attachez-le avec un trombone. Versez le reste de l'appareil. Retirez le collet après cuisson.

PRÉPARATION DU SOUFFLÉ

1 Séparez les œufs dans des bols bien asséchés.

2 Préparez la béchamel au fromage.

3 Fouettez les jaunes pour qu'ils soient mousseux ; ajoutez-les à la béchamel. Faites cuire 2 minutes à feu doux. Couvrez de papier ciré.

4 Prenez 1 ou 2 blancs de plus si vous le voulez ; fouettez-les en neige ferme mais non sèche. Mettez-en le quart dans la sauce.

5 Incorporez le reste des blancs à la spatule de caoutchouc. Versez l'appareil dans le moule ; lissez-le.

6 Tracez un cercle au centre du moule. Durant la cuisson, cette partie se soulève : c'est le chapeau.

UN ATOUT

Le fouet ballon

La meilleure façon de battre des blancs d'œufs est d'utiliser un fouet ballon et un moule à fond arrondi. Cela vous permet d'agiter tous les blancs d'œufs simultanément ; ils prendront du volume en formant de minuscules bulles.

Soufflé aux deux fromages

- **3** c. à soupe de beurre ou de margarine
- **3** c. à soupe de farine
- **1** tasse de lait
- **¾** tasse de gruyère, râpé grossièrement
- **¼** tasse de parmesan râpé
- **½** c. à thé de sel
- **⅛** à **¼** c. à thé de cayenne
- **3** œufs, blancs et jaunes séparés

1 Dans une casserole moyenne, faites fondre le beurre à feu modéré. Incorporez la farine, mouillez peu à peu avec le lait ; fouettez pendant 3 à 5 minutes pour que l'appareil épaississe et soit homogène. Ajoutez le gruyère, le parmesan, le sel et le cayenne ; prolongez la cuisson en remuant sans arrêt pour faire fondre les fromages.

2 Dans un petit bol, fouettez les jaunes d'œufs. Ajoutez-leur un peu de sauce chaude et reversez le tout dans la casserole. Laissez cuire 2 minutes à feu doux en remuant sans arrêt. Hors du feu, posez un cercle de papier ciré directement sur la préparation et laissez tiédir.

3 Préchauffez le four à 180 °C (350 °F). Au batteur électrique ou avec un fouet ballon, battez les blancs d'œufs jusqu'à ce qu'ils soient fermes, mais non secs. Mêlez-en ¼ tasse à la sauce ; incorporez le reste délicatement.

4 Versez l'appareil dans un moule à soufflé de 5 tasses, non graissé ; placez-le sur une plaque, enfournez et faites cuire 45 minutes environ ou jusqu'à ce que le soufflé soit bien gonflé et doré. Servez sans attendre. Donne 4 portions.

**Par portion : Calories 303 ;
Gras total 23 g ; Gras saturé 13 g ;
Protéines 16 g ;
Hydrates de carbone 8 g ;
Fibres 0 g ; Sodium 616 mg ;
Cholestérol 219 mg**

*Préparation : 8 minutes
Cuisson : 52 minutes*

SOUFFLÉ AU CHEDDAR ET AUX TOMATES SÉCHÉES

Suivez la recette ci-contre, mais remplacez le gruyère et le parmesan par **1¼ tasse de cheddar**, demi-fort ou fort, et ajoutez **½ c. à thé de moutarde sèche** avec le cayenne. Faites cuire 4 minutes dans l'eau bouillante **¼ tasse de tomates séchées** (non macérées dans l'huile) ; les tomates très dures peuvent mettre plus de temps à cuire. Épongez-les, hachez-les fin et ajoutez-les à la sauce avec le cheddar. Donne 4 portions.

ŒUFS CUITS DUR ET FARCIS

Rien n'est aussi simple ni aussi compliqué qu'on ne le croit. Voici cinq recettes pour les œufs durs.

DES ŒUFS PARFAITS

On croit que les œufs durs sont cuits à l'eau bouillante. C'est vrai et faux en même temps. La chaleur intense de l'eau qui bout rend les blancs caoutchouteux et fait souvent éclater les œufs. Dans ce cas, le fer présent dans le jaune réagit au soufre qui est dans le blanc ; à la jonction des deux apparaît une couche gris-vert.

Pour éviter cet ennui, il faut prendre certaines précautions. Il s'agit, dès que l'eau arrive à ébullition, de retirer la casserole du feu et de la laisser reposer sans ôter le couvercle. En 15 minutes, les œufs seront durs. Néanmoins, s'ils sortaient tout juste du réfrigérateur, il vaut mieux

ajouter 5 minutes à ce temps de repos.

ÉCALER LES ŒUFS

Les œufs s'écalent comme un charme si vous fendillez le bout arrondi de la coquille et plongez l'œuf entier dans l'eau glacée sitôt que vous le sortez de l'eau bouillante.

Cette opération a aussi l'avantage d'empêcher la formation d'un cerne gris-vert entre le jaune et le blanc.

Quand les œufs sont tièdes, craquelez la coquille en la frappant contre le comptoir. Vous pourrez la retirer avec la membrane blanchâtre qui recouvre l'œuf. Autrement, l'œuf s'écalera difficilement.

FARCIR LES ŒUFS

Les œufs durs peuvent être cuits et réfrigérés la veille, mais il faut attendre à la dernière minute pour les farcir. Avec une poche à pâtisserie, c'est un jeu d'enfant. Si vous n'en avez pas, faites preuve d'imagination : prenez un sac en plastique ordinaire et percez un petit trou dans un coin.

COMMENT FARCIR DES ŒUFS DURS

1 Écalez les œufs ; coupez-les en deux sur la longueur. Retirez et tamisez les jaunes ; ajoutez-leur les condiments.

2 Mettez la farce dans une poche à douille n° 6 en étoile et garnissez les blancs.

ŒUFS À LA DIABLE

À l'étape 4, page ci-contre, remplacez les câpres et l'aneth par **4 c. à thé de moutarde préparée** et **4 c. à thé de vinaigre de vin blanc.** Assaisonnez avec **1 c. à thé de sel** et **1 c. à thé de sucre.** Doublez la quantité de poivre et ajoutez **½ tasse de céleri,** haché fin. Donne 12 portions.

ŒUFS AU CARI

À l'étape 4, page ci-contre, remplacez les câpres et l'aneth par **4 c. à thé de poudre de cari** et **3 c. à soupe de chutney,** haché. Donne 12 portions.

ŒUFS AU CHILE

À l'étape 4, page ci-contre, remplacez les câpres et l'aneth par **4 c. à thé d'assaisonnement au chile** et **1 c. à thé de cumin.** Donne 12 portions.

ŒUFS ÉPICÉS

À l'étape 4, page ci-contre, remplacez les câpres et l'aneth par **¼ tasse de raifort préparé** et **2 c. à soupe de persil haché.** Donne 12 portions.

ŒUFS COLORÉS

À l'étape 2, page ci-contre, craquelez les œufs aussitôt qu'ils sont cuits. Plongez-les dans du thé glacé bien fort. Réfrigérez pendant plusieurs heures. Donne 12 portions.

On peut colorer les œufs durs avec du thé, comme ci-dessus, ou les farcir et les assaisonner, comme à droite, avec des câpres et de l'aneth.

1 Déposez les œufs en une seule couche au fond d'une grande casserole. Ajoutez suffisamment d'eau pour les recouvrir de 2 cm (1 po). Amenez l'ébullition à feu vif. Dès qu'elle est prise, retirez la casserole du feu, mettez-y un couvercle et laissez reposer ainsi pendant 15 minutes.

2 Égouttez les œufs et fendillez-les au bout le plus arrondi. Refroidissez-les dans un bol d'eau glacée. Craquelez-les tous en les frappant contre le comptoir. Pour qu'ils s'écalent plus facilement, retirez la coquille sous le robinet d'eau froide.

3 Avec un petit couteau d'office, fendez les œufs en deux sur la longueur. Retirez les jaunes et faites-les passer à travers un tamis posé au-dessus d'un bol en vous servant du dos d'une cuiller comme d'un pilon.

4 Avec une fourchette, incorporez aux jaunes la mayonnaise, les câpres, l'aneth, le poivre et du sel à votre guise. Goûtez et rectifiez l'assaisonnement au besoin. Déposez 1 cuillerée à soupe de farce au centre de chaque blanc d'œuf ou garnissez-les en vous servant d'une poche à pâtisserie (voir l'encadré de la page ci-contre). Pour une belle présentation, décorez chaque œuf de câpres et de brins d'aneth. Donne 12 portions.

Par portion : Calories 147 ; Gras total 13 g ; Gras saturé 3 g ; Protéines 7 g ; Hydrates de carbone 1 g ; Fibres 0 g ; Sodium 117 mg ; Cholestérol 227 mg

Préparation : 40 minutes • Cuisson : 20 minutes
Refroidissement : 30 minutes

Œufs durs aux câpres et à l'aneth

12 œufs
½ tasse de mayonnaise ordinaire ou allégée
3 c. à soupe de câpres égouttées et hachées
3 c. à soupe d'aneth frais, ciselé, ou 1½ c. à thé d'aneth séché
½ c. à thé de poivre blanc
Sel au goût

BAVAROIS SALÉ

Pour la beauté, la saveur et la commodité, le bavarois froid en gelée, parfumé au fromage, est sans rival. En voici une recette et trois variantes.

NI TROP, NI TROP PEU

S'il y a trop de gélatine, le bavarois sera caoutchouteux. Mais s'il n'y en a pas assez, il sera à moitié pris, désagréable au regard et au goût. Morale : suivez la recette scrupuleusement. Vous trouverez des détails sur la préparation et le démoulage à la page 164.

CHOIX DU FROMAGE

Les fromages qui entrent dans le bavarois doivent être crémeux ou friables de façon à bien se mélanger aux autres ingrédients. Un fromage ferme mais qui fond bien, tel le cheddar, fera aussi l'affaire. Le parmesan n'est pas recommandé : il est trop sec.

FROMAGES BLEUS

Le roquefort est le plus connu des fromages bleus. Mais il y a aussi la fourme d'Ambert, le gorgonzola, le stilton, le bleu d'Auvergne, le bresse-bleu et bien d'autres. Le persillage de ces fromages est dû à des moisissures choisies qui leur donnent couleur et saveur.

La plupart des fromages bleus sont faits avec du lait de vache. Le roquefort, lui, est fait avec du lait de brebis, d'où sa texture très crémeuse. Gardez le papier métallique qui l'enveloppe jusqu'au moment de l'utiliser : il protège sa saveur. N'importe quel bleu moins coûteux convient tant qu'il est dépourvu d'agents de conservation artificiels qui modifient sa saveur et sa texture.

PÂTE FRIABLE

Un bleu friable se travaille mieux quand il est froid. Découpez des tranches de 1 cm (½ po) d'épaisseur, empilez-les et taillez-les en zigzags. Attendez que le fromage soit à température ambiante avant de l'ajouter aux ingrédients.

CHOIX DU MOULE

Choisissez un moule rond sans décor. Les moules carrés et ceux à bord biseauté ou à gravure en relief compliquent la tâche du démoulage. Si vous ne désirez pas utiliser un moule en anneau, prenez un moule à charlotte à bord droit ou une casserole de 1 litre.

Les appareils crémeux, comme celui de notre recette, se démoulent plus facilement quand le moule a été légèrement huilé ou vaporisé d'enduit antiadhésif avant d'être rempli. N'huilez pas le moule si la gelée est transparente : l'huile la rendrait opaque.

Réfrigérez le mélange parfaitement en suivant les instructions de la recette. Agitez le moule ; si le bavarois tremble, réfrigérez une heure de plus.

Laissez le moule au réfrigérateur jusqu'au moment de démouler le bavarois.

PRÉSENTATION

Un bavarois au roquefort monté dans un moule annulaire se présente bien sur la table. Accompagnez-le d'une corbeille de craquelins, de flûte tranchée ou de melbas.

Pour une grande quantité, utilisez deux ou trois moules plutôt qu'un seul, très grand, qui sera lent à prendre et fera du démoulage une opération périlleuse. Vous pouvez démouler le bavarois deux ou trois heures d'avance et le réfrigérer, couvert de pellicule plastique, jusqu'au service.

BAVAROIS LÉGER

Dans la recette de la page ci-contre, remplacez le vin par du **Bouillon végétarien** (page 45) et la crème à 15 p. 100 par du **lait écrémé**. Utilisez 350 g (12 oz) de fromage à la crème allégé et 125 g (4 oz) de roquefort. Donne 6 portions.

BAVAROIS AU PIMENT DOUX RÔTI

Dans la recette de la page ci-contre, remplacez le vin par du **Bouillon végétarien** (page 45), la crème à 15 p. 100 par ½ **tasse de lait** et le roquefort par **350 g (12 oz) de cheddar fort**, en dés. N'utilisez que 100 g (3 oz) de fromage à la crème. Défaites les fromages peu à peu au mélangeur ; ajoutez ¼ **tasse de mayonnaise** et ⅛ **c. à thé de muscade râpée**. Hors du mélangeur, ajoutez **250 g (8 oz) de piment doux rôti**, égoutté et haché. Donne 6 portions.

UN ATOUT
Le moule annulaire

Vous ne regretterez pas d'avoir dans vos armoires un moule annulaire, tout simple et peu coûteux, en aluminium. Facile à démouler, il convient aux bavarois, comme le Bavarois au roquefort, aux mousses pochées, aux pains de viande et aux flans. Montez-y un riz garni, un dessert ou même une simple salade : après l'avoir démoulé, vous aurez un plat des grands jours.

1 Versez le vin dans le gobelet du mélangeur ; saupoudrez la gélatine sur la surface et laissez-la gonfler 3 à 4 minutes.

2 Dans une petite casserole, à feu doux, amenez la crème à 15 p. 100 juste sous le point d'ébullition. Versez-la sur la gélatine, dans le gobelet du mélangeur, et battez à faible vitesse jusqu'à ce que la gélatine soit fondue – environ 2 minutes. Ajoutez peu à peu les fromages en fouettant à grande vitesse. Mettez l'oignon, l'ail et le cayenne ; travaillez le mélange jusqu'à consistance homogène. Goûtez et rectifiez les assaisonnements s'il y a lieu.

3 Versez le mélange dans un moule annulaire de 4 tasses légèrement huilé et réfrigérez plusieurs heures pour que le bavarois soit bien ferme.

4 Démoulez-le sur un lit de laitue. Servez avec des craquelins et des tranches de pommes ou de poires. Donne 6 portions.

Par portion :
Calories 317 ;
Gras total 27 g ;
Gras saturé 17 g ;
Protéines 13 g ;
Hydrates de carbone 3 g ;
Fibres 0 g ;
Sodium 807 mg ;
Cholestérol 83 mg

Préparation : 5 minutes
Réfrigération : 4 heures

Bavarois au roquefort

½ **tasse de vin blanc sec ou de bouillon de légumes**
1 **sachet (7 g/¼ oz) de gélatine sans saveur**
½ **tasse de crème à 15 p. 100**
1 **paquet (250 g/8 oz) de fromage à la crème ramolli, en morceaux**

250 **g (8 oz) de roquefort ou autre fromage bleu, émietté grossièrement**
2 **c. à soupe d'oignon râpé**
1 **gousse d'ail, hachée**
⅛ **à ¼ c. à thé de cayenne**

FONDUE GALLOISE

Cette très vieille recette, surtout connue sous le nom de Welsh rarebit, s'exécute en un tournemain et constitue un plat très substantiel.

SON ORIGINE

Le nom anglais de la fondue galloise, *Welsh rarebit* – ou *rabbit* –, s'explique de deux façons. Quand les chasseurs gallois revenaient bredouille de la chasse, ils devaient, pense-t-on, se contenter de pain grillé et de fromage, qu'on désignait ironiquement sous le nom de « rareté », d'après les uns, de « lapin », selon d'autres.

Une version moins fantaisiste fait dériver ce nom de *rearbit*, terme englobant toutes sortes de mignardises salées servies à la fin d'un repas.

PRÉSENTATION

La fondue galloise se sert sur des toasts. Le pain français, très croûté, et le pain italien, plus riche en mie, font bien l'affaire. Certains amateurs font gratiner le plat en le passant quelques secondes sous le gril avant de servir.

CHOIX DU FROMAGE

Le vieux cheddar possède la texture crémeuse et le goût un peu piquant qui convient à ces savoureuses bouchées. Vous pouvez aussi prendre, à votre fantaisie, du gruyère et de

l'emmenthal, du cheshire, du gloucester, du jarlsberg ou du colby : vous aurez alors une fondue suisse, anglaise, danoise ou américaine !

GARE AUX ALLÉGÉS !

Les fromages allégés ne font pas l'affaire ici parce qu'ils fondent mal. Si vous voulez vous y risquer, mélangez 1 c. à soupe de fécule de maïs au fromage râpé pour l'empêcher de se séparer et de filer à la chaleur.

TEMPÉRATURE ET TEMPS DE CUISSON

Deux points importants sont à respecter quand vous préparez un plat où il entre du fromage fondu. Tout d'abord, le fromage se réchauffe à feu doux ; à feu vif, ses matières grasses et ses protéines se séparent. Ensuite, le fromage doit chauffer aussi brièvement que possible. Une cuisson indûment prolongée le rend filandreux et caoutchouteux ; il s'y produit des grumeaux que rien ne peut défaire, ni la chaleur, ni l'énergie que vous mettriez à le battre.

Pour que le fromage fonde vite, commencez par réchauffer le lait, la bière ou tout autre liquide avant d'y mettre le fromage.

Râpez ou hachez le fromage en lamelles et laissez-le prendre la température de la pièce avant de l'ajouter au liquide chaud. Dès lors, remuez-le sans arrêt à la cuiller de bois jusqu'à ce qu'il soit fondu. Servez-le sans attendre.

LE BAIN-MARIE

L'opération est plus facile si vous l'exécutez au bain-marie. Mettez dans la partie inférieure juste ce qu'il faut d'eau pour qu'elle soit près de la partie supérieure sans y toucher.

Si vous n'avez pas de bain-marie, inventez-en un : mettez un bol en acier inoxydable ou en verre à feu sur une casserole d'eau bouillante. Ou glissez un diffuseur de chaleur sous une casserole ordinaire.

QUELQUES CONSEILS

Ne saupoudrez le fromage que 5 à 10 minutes avant la fin de la cuisson, sans quoi il se

1 Réchauffez le lait et le beurre au bain-marie avant d'y faire fondre le fromage râpé.

2 Ajoutez-le peu à peu et remuez jusqu'à épaississement. Assaisonnez.

transformera en une croûte coriace. Vous pouvez y mélanger un peu de chapelure en guise d'isolant.

Faites cuire les plats contenant du fromage dans un four réglé à 180 °C (350 °F), pas davantage.

UN ATOUT
Le bain-marie

Pour les sauces délicates, il vaut mieux éviter un contact brutal avec une source de chaleur. C'est l'avantage du bain-marie. Les éléments, dans le haut, cuisent à la température de l'eau bouillante, qui est constante. S'il est en verre à feu, vous pouvez voir ce qui se passe.

Fondue à l'œuf

Cette variante de la fondue galloise comporte un œuf poché, dressé sur le fromage. Nous vous suggérons d'y mettre de l'œuf dur.

Dans la recette ci-contre, remplacez le lait par de la **bière.** Hachez séparément les jaunes et les blancs de **4 œufs durs** et saupoudrez-les sur quatre toasts garnis de fromage. Donne 4 portions.

Fondue galloise

½ tasse de lait
1 c. à soupe de beurre ou de margarine
3 tasses de fromage cheddar fort, râpé
1½ c. à thé de sauce Worcestershire
½ c. à thé de moutarde sèche
1 pincée de cayenne

1 Dans la partie supérieure d'un bain-marie, sur de l'eau frissonnante, réchauffez le lait et le beurre 8 à 10 minutes, pour que le lait soit fumant.

2 Ajoutez le fromage peu à peu en remuant sans arrêt et faites cuire jusqu'à ce que la préparation soit lisse et épaisse.

3 Retirez du feu; incorporez la sauce Worcestershire, la moutarde et le cayenne. Servez sans attendre sur des toasts beurrés. Donne 4 portions.

Par portion : Calories 392 ; Gras total 32 g ; Gras saturé 20 g ; Protéines 22 g ; Hydrates de carbone 3 g ; Fibres 0 g ; Sodium 614 mg ; Cholestérol 101 mg

Préparation : 5 minutes • Cuisson : 15 minutes

FLAN AU FROMAGE

Les flans sont cuits au four dans un bain d'eau bouillante. Faits d'œufs, de fromage et de lait aromatisé, relevés de légumes, ce sont de vraies délices.

PRÉSENTATION

Les flans sont généralement servis en portions individuelles et démoulés avant le service. Versez l'appareil dans des moules à flan, des ramequins ou de petits moules à soufflé. Si vous préférez un seul et même plat, prenez un moule annulaire pour que la cuisson soit uniforme.

Dressés en petites timbales, les flans au fromage se servent en entrée ou avec un plat principal. Accompagnés de légumes ou d'une salade, ils peuvent constituer la pièce de résistance d'un repas léger.

Dans ce cas, vous voudrez peut-être les napper d'une sauce persillée ou encore d'une sauce forestière (voir page 364) et les recouvrir de chapelure grillée.

SAVEURS EXTRA

Les flans peuvent être tout simplement relevés de fromage ou agrémentés de légumes cuits ou de restes de viande.

Assaisonnez-les comme si c'était des quiches. La variante aux légumes (ci-contre) de notre recette principale donne la proportion souhaitable de légumes pour la quantité spécifiée de lait et d'œufs. Brocoli, épinards, asperges, champignons et maïs font l'affaire, mais aussi le poulet, le foie de poulet, le bacon ou le jambon, préalablement cuits.

Égouttez parfaitement les légumes pour qu'ils ne diluent pas l'appareil. Hachez les viandes très fin : elles se distribuent mieux dans le flan.

Vous pouvez remplacer le lait par un mélange moitié-moitié de crème à 15 p. 100 et de bouillon de poulet.

FLANS LÉGERS

Dans la recette de la page ci-contre, remplacez le lait entier par du **lait écrémé évaporé**, les œufs par **1 tasse de succédané d'œufs sans gras** et utilisez du **cheddar allégé**. Ajoutez ½ c. à thé de moutarde de **Dijon**. Donne 6 portions.

PETITS FLANS AUX LÉGUMES

Dans la recette de la page ci-contre, ne mettez que ½ tasse de cheddar. Incorporez **1 tasse de légumes en purée** (brocoli, épinards ou courgettes) dans l'appareil au fromage. Faites cuire 40 à 45 minutes seulement. Donne 8 portions.

Un soupçon de muscade râpée est l'assaisonnement classique des flans sucrés ou salés ; n'hésitez pas à le supprimer si sa saveur ne vous plaît pas ou s'harmonise mal avec les autres ingrédients.

DÉMOULAGE

Laissez refroidir le flan 10 minutes. Passez la lame d'un couteau sur le bord et renversez le moule dans une assiette. Si le flan ne se démoule pas, donnez un coup sec dans le fond.

Les flans se servent chauds ou tièdes. Dans ce dernier cas, accompagnez-les de mayonnaise ou d'une sauce émulsionnée.

CUISSON DES FLANS

Comme les moules à flan sont profonds, la cuisson au four est assez lente. Pour que l'appareil ne fasse pas de grumeaux, mettez les moules dans un grand plat d'eau bouillante avant de les enfourner et laissez-les cuire dans ce bain-marie.

1 Pour que les moules ne glissent pas quand vous les enfournez, mettez un linge à vaisselle au fond de la lèchefrite. Remplissez celle-ci d'eau jusqu'aux trois quarts. Couvrez avec une feuille de papier d'aluminium et faites cuire.

2 Quand les flans sont cuits et qu'ils ont tiédi, passez un couteau tout autour et démoulez-les. Nappez de sauce et servez.

Petits flans au fromage

- 1½ **tasse de lait ou de crème à 10, 15 ou 35 p. 100**
- 4 **œufs**
- 1 **c. à thé d'oignon, haché fin**
- ½ **c. à thé de sel**
- ⅛ **c. à thé de poivre blanc**
- ⅛ **c. à thé de muscade**
- 1 **pincée de cayenne**
- ¾ **tasse de cheddar fort ou de gruyère, râpé fin**
- ½ **tasse de parmesan râpé**

1 Préchauffez le four à 160 °C (325 °F). Beurrez six ramequins de 170 ml (6 oz) et réservez-les.

2 Dans une casserole moyenne, réchauffez le lait à feu doux. Quand il est bien chaud, retirez-le et réservez-le.

3 Dans un bol moyen, battez légèrement les œufs. Ajoutez peu à peu au fouet le lait chaud, l'oignon, le sel, le poivre, la muscade et le cayenne. Incorporez les fromages râpés.

4 Étendez un linge à vaisselle dans le fond d'une lèchefrite. Placez les ramequins par-dessus sans qu'ils se touchent et déposez-y, par cuillerées, la préparation au fromage. Versez de l'eau bouillante dans la lèchefrite jusqu'aux trois quarts de la hauteur des ramequins.

5 Couvrez lâchement de papier d'aluminium, enfournez et faites cuire 45 à 50 minutes; un couteau plongé au milieu d'un des ramequins doit ressortir propre. Donne 6 portions.

Par portion : Calories 183 ;
Gras total 13 g ; Gras saturé 7 g ;
Protéines 13 g ;
Hydrates de carbone 4 g ; Fibres 0 g ;
Sodium 492 mg ; Cholestérol 172 mg

Préparation : 10 minutes
Cuisson : environ 55 minutes

TOURTE AU FROMAGE

Les tourtes au fromage se servent en entrée ou comme hors-d'œuvre. Vous pouvez les préparer la veille d'une réception et les servir froides le moment venu.

NE PAS CONFONDRE

La tourte au fromage est salée; le gâteau au fromage est sucré. Bien que les recettes se ressemblent, la tourte salée est délicatement parfumée à l'ail. Notre variante au fromage de chèvre est relevée de fines herbes et de piment doux rôti.

LA RICOTTA

La ricotta ressemble au fromage Cottage. Mélangée à du fromage à la crème, elle donne un appareil lisse et dense. Vous trouverez plus de détails sur le gâteau au fromage à la page 326.

CROÛTE DE BISCUITS

Une croûte aux craquelins convient à la tourte au fromage. Prenez de préférence des craquelins au beurre et émiettez-les au robot. Ou étendez-les sur du papier ciré et pulvérisez-les au rouleau à pâtisserie; ensuite, mélangez-les à du beurre.

CUISSON

Quand la tourte est à point, elle est moelleuse dans le milieu et tremble si on agite le moule. Insérez un cure-dent au centre: il doit en ressortir propre et humide. Faites cuire la tourte dans un four doux ou modérément chaud pour l'empêcher de refouler et de grumeler.

DESSUS CRAQUELÉ

Très dense, la garniture de la tourte au fromage fendille souvent en surface. On ne peut rien y faire. Si cela vous gêne, masquez-la de fines herbes hachées, de champignons sautés, de tomates-cerises grillées et tranchées ou d'asperges disposées en rayons.

Pour démouler la tourte préparée dans un moule à bord amovible, passez un couteau tout autour avant de déclencher le ressort. Retirez doucement la paroi. Si des parcelles de tourte y adhèrent, ôtez-les et remettez-les à leur place sur la tourte.

TOURTE AU FROMAGE DE CHÈVRE

Suivez la recette de la page ci-contre en ajoutant à la croûte **¼ c. à thé de thym frais,** ciselé (ou ⅛ c. à thé de thym séché) et **1 c. à soupe chacun de persil et de ciboulette,** hachés. Doublez la quantité de fromage à la crème et remplacez la ricotta par **1 tasse de fromage de chèvre frais,** émietté. Supprimez l'ail. Versez la moitié de la garniture dans la croûte; répartissez **1 tasse de piment doux rôti,** haché, et versez le reste de la garniture. Enfournez et faites cuire 1 heure. Laissez tiédir et démoulez la tourte. Servez-la tiède ou froide. Donne 8 portions.

PRÉPARATION ET SERVICE DE LA TOURTE

1 Pressez la croûte aux craquelins dans le fond d'un moule à paroi amovible.

2 Versez la préparation; lissez-la à la spatule, enfournez et faites cuire.

3 Quand la tourte est tiède, dégagez-la avec un couteau et retirez la paroi.

4 Décorez la surface de fines herbes ciselées ou de légumes bien colorés.

INGÉNIEUX!

Le moule à ressort

Ce type de moule, doté d'une paroi qui s'enlève au déclic d'un ressort, facilite le démoulage des pièces fragiles. Vous avez le choix de laisser la tourte sur le fond du moule pour le service ou de la dégager à la spatule.

Tourte à la ricotta

Croûte :
42 craquelins ronds au beurre
4 c. à soupe de beurre fondu

Garniture :
250 g (8 oz) de fromage à la crème,
ramolli et en petits morceaux

1 c. à thé de sel
3 œufs
1 tasse de crème épaisse
2 tasses de ricotta
1 c. à soupe d'ail haché

1 Croûte. Émiettez grossièrement les craquelins au robot. Ajoutez le beurre fondu et mélangez au robot. Préchauffez le four à 160 °C (325 °F).

2 Vaporisez d'enduit anti-adhésif le fond et le bord d'un moule à paroi amovible. Pressez la chapelure de craquelins beurrée dans le fond.

3 Garniture. Mélangez au robot tous les ingrédients de la garniture. Versez la préparation dans le moule et laissez cuire la tourte 50 à 60 minutes ou jusqu'à ce qu'elle soit prise.

4 Mettez le moule sur une grille et laissez tiédir la tourte. Dégagez-la avec un couteau et retirez la paroi. Dressez la tourte dans une assiette de service et détaillez-la en huit pointes. Donne 8 portions.

Par portion :
Calories 468 ;
Gras total 41 g ;
Gras saturé 23 g ;
Protéines 13 g ;
Hydrates de carbone 14 g ;
Fibres 0 g ;
Sodium 629 mg ;
Cholestérol 198 mg

Préparation : 15 minutes
Cuisson : 1 heure

QUICHE

Une quiche chaude constitue un repas léger et exquis. Froide, elle s'emporte en pique-nique ; en tartelette, c'est une entrée parfaite.

QU'EST-CE QU'UNE QUICHE ?

La quiche est proche parente du flan au fromage et de la tourte. À tel point, d'ailleurs, que les recettes sont interchangeables. Une différence cependant : le flan, servi en timbales profondes, cuit lentement ; la quiche, étalée dans une croûte, demande 30 minutes de cuisson dans un four modéré.

LAIT OU CRÈME ?

On faisait autrefois la quiche avec de la crème épaisse et du fromage. Le fromage reste un ingrédient de base. Mais la recette a évolué : vous pouvez remplacer la crème épaisse par du lait, de la crème légère, un mélange de lait et de crème, voire par du lait écrémé évaporé si votre recette ne renferme pas par ailleurs beaucoup d'éléments acides.

CHOIX DU FROMAGE

Les fromages qui conviennent tout naturellement à la quiche sont le gruyère et l'emmenthal, mélangés ou non à du parmesan ou à de l'asiago. Vous pouvez ajouter du cheddar râpé ou égrener 60 à 120 g (2-4 oz)

de fromage bleu ou de chèvre sur la croûte avant d'y verser l'appareil proprement dit. Si vous ajoutez du bleu, cependant, supprimez le sel de la recette.

CROÛTE CROQUANTE

La croûte des quiches est généralement faite de pâte brisée, comme dans notre recette. Si la garniture est plutôt liquide, faites cuire la croûte en totalité ou en partie avant d'y verser la préparation pour qu'elle ne se détrempe pas au four. Quand la garniture ne requiert pas de cuisson, la croûte, évidemment, doit cuire au préalable.

UNE QUICHE QUI GARDE SA FORME

Pour éviter que la croûte boursoufle ou rétrécisse durant

(suite à la page 302)

PRÉPARATION D'UNE QUICHE

Vérifiez la cuisson de la quiche au bout de 25 minutes en introduisant un couteau au centre. Si la lame ressort propre et humide, la quiche est à point. Un excès de cuisson fait grumeler le flan et le dessèche.

1 Enroulez l'abaisse sur le rouleau et étalez-la dans un moule de 25 cm (10 po). Pressez. Laissez une marge de 2,5 cm (1 po) et repliez.

2 Passez le rouleau sur le bord du moule pour que la pâte soit égale partout. Perforez le fond et mettez 15 minutes au congélateur.

3 Couvrez lâchement l'abaisse de papier d'aluminium lesté de haricots secs. Faites cuire 25 minutes.

4 Retirez papier et haricots et prolongez la cuisson de 10 à 15 minutes : la croûte devient dorée.

5 Déposez le moule sur une plaque, remplissez-le aux trois quarts de flan, pas davantage, et enfournez-le.

6 La quiche sera prise en 30 minutes environ. Si elle brunit trop vite, couvrez-la de papier d'aluminium.

Quiche à la tomate

Croûte :

- **1** tasse de farine
- **¹⁄₈** c. à thé de sel
- **¹⁄₂** tasse (1 bâtonnet) de beurre en petits morceaux
- **¹⁄₄** tasse d'eau glacée

Garniture :

- **¹⁄₂** tasse de tomates séchées (non macérées dans l'huile)
- **3** œufs
- **1** tasse de lait ou de crème à 15 ou à 35 p. 100
- **¹⁄₄** tasse de parmesan râpé
- **¹⁄₂** tasse de gruyère râpé
- **¹⁄₂** c. à thé de sel
- **¹⁄₈** c. à thé de poivre noir
- **1** tomate moyenne, ferme et mûre, tranchée mais non pelée

1 Croûte. Mélangez la farine, le sel et le beurre au robot pour obtenir une sorte de chapelure grossière. Ajoutez l'eau peu à peu par le tube d'alimentation ; mélangez jusqu'à ce que la pâte soit homogène, mais pas davantage. Retirez-la et façonnez-la en boule. Aplatissez légèrement la boule, enveloppez-la de pellicule plastique et réfrigérez-la 15 minutes.

2 Préchauffez le four à 180 °C (350 °F). Sur un plan de travail légèrement fariné, abaissez la pâte avec un rouleau à pâtisserie en allant du centre vers la périphérie de façon à obtenir un cercle de 30 cm (12 po) de diamètre et 3 mm (¹⁄₈ po) d'épaisseur.

3 Garniture. Faites tremper les tomates séchées dans de l'eau bouillante à couvert pendant 5 minutes. Égouttez-les et hachez-les fin. Réservez.

4 Dans un bol moyen, fouettez les œufs et le lait. Ajoutez les tomates réservées, les fromages, le sel et le poivre. Versez la préparation dans

l'abaisse, disposez les tranches de tomate sur le dessus, enfournez et laissez cuire environ 30 minutes : la garniture doit être prise. Laissez tiédir 15 à 20 minutes avant de découper et servir la quiche. Donne 6 portions.

**Par portion : Calories 347 ;
Gras total 24 g ; Gras saturé 14 g ;
Protéines 12 g ;
Hydrates de carbone 22 g ; Fibres 2 g ;
Sodium 590 mg ; Cholestérol 167 mg**

*Préparation : 10 minutes
Attente : 30 minutes
Cuisson : 30 minutes*

(suite de la page 300)

la première cuisson, perforez-la en plusieurs endroits et réfrigérez-la, puis, juste avant de la mettre au four, couvrez-la de papier d'aluminium lesté de riz ou de haricots secs.

Si l'abaisse sort du congélateur, décongelez-la et faites ensuite comme ci-dessus.

UNE CROÛTE SÈCHE

Protégez la croûte avant d'y étendre la garniture si vous savez d'avance que la quiche devra attendre avant d'être servie.

Retirez le papier d'aluminium lesté après cuisson partielle de la croûte et, pendant qu'elle est encore chaude, badigeonnez-la de blanc d'œuf battu.

Saupoudrez-la d'un peu de fromage râpé et remettez-la 3 minutes au four. Ensuite, laissez-la refroidir. Versez-y la garniture juste au moment de la faire cuire au four.

MANIPULATION FACILE

Il n'est pas toujours facile de mettre la quiche au four ou de l'en retirer. Dressez la croûte partiellement cuite et tiédie sur une plaque lourde. Avec une louche ou une tasse à mesurer, versez-y la quantité voulue de garniture et enfournez la plaque.

PRÉSENTATION

Les quiches et les tartes à la française se font dans des moules à paroi droite. Elles sont démoulées avant d'être emportées à table pour que la présentation soit plus élégante et le service, plus facile.

Chez nous, on se sert couramment d'un moule à tarte à paroi oblique et fond amovi-ble. Quand la quiche est à point et a légèrement tiédi, vous déposez le moule sur un bol ou un bocal et la paroi tombe d'elle-même.

Vous pouvez présenter la quiche telle quelle dans une assiette de service ou enlever au préalable le fond du moule. Pour ce faire, introduisez une longue spatule entre la croûte et le fond et faites délicatement glisser la quiche dans l'assiette.

AUTRES TYPES DE MOULE

Le moule à quiche ou à tartelette est classique, mais vous pouvez utiliser un autre ustensile, par exemple un moule à tarte. Cependant, dans ce cas, n'essayez pas de démouler la quiche : la paroi en biseau, plus faible que la paroi droite, pourrait ne pas soutenir la garniture.

Si vous préparez plusieurs quiches à la fois, prenez des assiettes en aluminium, fort pratiques même si elles sont moins profondes, et super-posez-en deux pour chaque quiche : ce sera plus solide.

PETITS CONSEILS

La quiche gonfle à la cuisson ; ne remplissez la croûte qu'aux trois quarts. Au sortir du four, elle demeure gonflée pendant environ 10 minutes.

La quiche cuite à point est dorée. Si vous voyez qu'elle se colore trop vite, couvrez-la lâchement avec du papier d'aluminium.

Il peut y avoir des grumeaux si la quiche reste très long-temps au four ou cuit à une température très élevée. Retirez-la du four dès qu'elle est cuite : elle continue à cuire hors du four pendant quelques minutes. Introduisez un couteau au centre : la lame doit ressortir propre et humide.

REPAS LÉGER

La quiche est délicieuse servie à la température ambiante et elle se réchauffe bien, quoiqu'elle ne regonfle pas. Couvrez-la lâchement de papier d'aluminium et enfournez-la 10 à 15 minutes à 180 °C (350 °F). Réchauffée plus d'une fois, elle se desséchera.

VARIANTES

L'appareil qui garnit la quiche s'accommode d'une foule de saveurs. Remplacez les tomates séchées et le bacon par ³⁄₄ tasse de la garniture qui vous plaît. Viandes, fruits de mer et légumes qui ne se mangent pas crus d'ordinaire seront cuits et égouttés.

Essayez les combinaisons suivantes : chair de crabe et oignons verts, épinards et fromage de chèvre, aubergine, tomate et parmesan, oignon rouge, basilic et provolone, crevettes ou saumon et aneth,

Suivez la recette de la page 301.

QUICHE LORRAINE

Suivez la recette de la page 301. Remplacez les tomates par ⅓ **tasse de bacon émietté.** Doublez la quantité de gruyère et supprimez le parmesan et les tranches de to-mate. Donne 6 portions.

jambon et fromage, champignons, gruyère et oignons verts.

MINI-QUICHES

Une recette de quiche donne environ 14 à 18 tartelettes de 5 à 7 cm (2-3 po). Faites cuire partiellement les petites croûtes 10 minutes à 190 °C (375 °F) ; garnissez-les et passez-les 10 à 15 minutes au four. Prévoyez trois mini-quiches par personne.

PRENEZ DE L'AVANCE

Les abaisses, enveloppées dans du papier d'aluminium, se gardent trois ou quatre jours au réfrigérateur et quatre semaines au congélateur.

DES CHIFFRES

Croûte 20 cm (8 po) = 2½ tasses de flan = 4 à 6 portions
Croûte 25 cm (10 po) = 3¾ tasses de flan = 6 à 8 portions

UN ATOUT

Moule à fond amovible

Grâce au moule à fond amovi-ble, la quiche ou la tarte se sert avec élégance et se découpe facilement à table. Ôtez la paroi mais laissez le fond en place, il supportera la fragile pâtisserie.

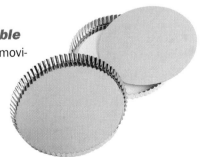

DESSERTS
GOURMANDS

TARTE FRANÇAISE

La tarte à la française comporte une croûte – et non deux –, de la crème pâtissière, des fruits et un glaçage.

LA CROÛTE

La tarte à la française comporte une seule croûte, celle du dessous. Celle-ci est généralement faite avec une pâte sucrée à base de beurre et enrichie de jaunes d'œufs, dont la consistance rappelle celle d'un biscuit. Elle est plus facile à démouler lorsqu'on emploie un moule spécial, à paroi amovible un peu évasée.

La pâte sucrée n'est pas essentielle. Vous pouvez lui préférer une pâte brisée (sucrée ou non) dont vous trouverez la recette à la page 307, une pâte feuilletée classique ou encore une pâte sucrée feuilletée, dont la recette est donnée pour la tarte aux fruits secs dans l'encadré ci-contre.

Garnie de crème pâtissière et de fruits crus, la croûte doit être cuite au préalable. Pour éviter que l'abaisse ne boursoufle et ne rétrécisse en cuisant, il faut la couvrir de papier d'aluminium et la lester avec du riz cru ou des haricots secs.

PÂTE SUCRÉE

La pâte sucrée est plus difficile à travailler que la pâte brisée classique ; faite avec du beurre, elle est aussi plus fragile. N'y renoncez pas pour

autant. Faites-la raffermir au réfrigérateur ou au congélateur après chaque opération et travaillez rapidement pour l'abaisser et l'étaler dans le moule.

CRÈME PÂTISSIÈRE

Nous préférons ne pas aromatiser la crème pâtissière pour laisser dominer la saveur des fruits. Vous pouvez néanmoins, si vous y tenez, lui ajouter ½ c. à thé d'essence de vanille ou d'amande, un peu de zeste de citron ou d'orange râpé ou encore 1 c. à thé de Grand Marnier ou d'une autre liqueur à base de fruits. Si la crème, au sortir du réfrigérateur, s'étend difficilement, fouettez-la énergiquement.

GLAÇAGE

Pour donner un vernis à la tarte, badigeonnez les fruits de marmelade ou de gelée de fruit. La gelée de fraise ou de cassis leur apporte une teinte rosée, tandis que la gelée de pêche ou d'abricot leur donne seulement de l'éclat.

Si vous ne servez pas la tarte tout de suite, badigeonnez la croûte cuite d'une fine couche de marmelade ou de gelée et laissez-la prendre avant d'étaler la crème pâtissière : cela l'empêchera de se détremper.

MONTAGE D'UNE TARTE AUX FRUITS

Faites cuire la croûte à point et laissez-la dans son moule pour la garnir de crème pâtissière et de fruits.

1 Versez la crème pâtissière dans la croûte cuite et étalez-la à l'aide d'une spatule.

2 Disposez les tranches de fruits en cercles concentriques de la périphérie vers le centre.

3 Badigeonnez les fruits de marmelade ou de gelée avec un pinceau.

TARTE AUX FRUITS SECS

Pour réaliser une pâte feuilletée, suivez la recette de la page ci-contre, mais doublez la quantité de beurre et supprimez le sucre et l'œuf. Sur un plan de travail fariné, abaissez la pâte pour former un rectangle de 25 x 38 cm (10 x 15 po) ; pliez-la en trois et réfrigérez-la 20 minutes.

Abaissez de nouveau un rectangle ; repliez les bords sur le centre et pliez le pâton en deux dans l'autre sens. Réfrigérez 20 minutes. Refaites ces quatre opérations deux autres fois. Pour finir, abaissez un rectangle de 19 x 25 cm (7½ x 10 po).

Découpez une lisière de 6 mm (½ po) sur chaque côté long et étalez l'abaisse sur une plaque. Mouillez les côtés longs avec de l'eau et collez-y les lisières pour surélever le bord. Piquez le fond à la fourchette et faites cuire à 180 °C (350 °F) pendant 45 à 50 minutes. Laissez refroidir.

Préparez la crème pâtissière comme dans la recette, mais remplacez les fruits frais par des fruits séchés. Amenez **1 tasse d'eau** et **1 tasse de sucre** à ébullition. Mettez dans des bols séparés **1 tasse d'abricots séchés, de pruneaux dénoyautés** et **de raisins de Smyrne.** Versez le tiers du sirop dans chaque bol et laissez macérer 1 heure à l'air libre. Étalez la crème pâtissière dans la croûte refroidie. Égouttez et dressez les fruits sur la crème. Supprimez la gelée. Donne 6 à 8 portions.

Tarte jardinière

Pâte sucrée :
- **1 tasse de farine**
- **1½ c. à soupe de sucre**
- **¼ tasse (½ bâtonnet) de beurre froid, en morceaux**
- **1 jaune d'œuf, légèrement battu**
- **2 c. à soupe d'eau glacée**

Crème pâtissière :
- **1½ tasse de lait**
- **½ tasse de sucre**
- **3 jaunes d'œufs**
- **3 c. à soupe de farine**

Fruits :
- **4 kiwis, pelés et tranchés mince**
- **2 prunes bleues, coupées en deux, dénoyautées et tranchées mince**
- **1 boîte (284 ml/10 oz) de mandarines, égouttées et épongées**
- **15 framboises**

Glace :
- **¼ tasse de gelée de fraise**
- **1 c. à soupe d'eau**

1 **Pâte sucrée.** Mélangez la farine et le sucre au robot. Ajoutez le beurre et travaillez les ingrédients jusqu'à ce que la consistance soit celle d'une grosse chapelure. L'appareil toujours en marche, ajoutez le jaune d'œuf puis l'eau, une cuillerée à soupe à la fois, et travaillez la pâte jusqu'à ce qu'elle forme une boule. Aplatissez-la un peu, enveloppez-la de pellicule plastique et réfrigérez-la pendant 1 heure.

2 Sur un plan de travail légèrement fariné, abaissez la pâte pour former un cercle de 30 cm (12 po) de diamètre et 3 mm (⅛ po) d'épaisseur. Enroulez l'abaisse autour du rouleau pour l'étaler dans un moule à tarte de 25 cm (10 po) de diamètre à paroi amovible. Égalisez le tour en laissant un excédent de 2,5 cm (1 po) que vous rabattrez à l'intérieur du moule. Collez le bord contre la paroi. Piquez le bord et le fond de l'abaisse à la fourchette. Faites raffermir 20 minutes au congélateur.

3 **Crème pâtissière.** Mettez le lait et ¼ tasse de sucre dans une casserole moyenne et lancez l'ébullition à feu vif. Dans un bol moyen, mélangez au fouet les jaunes d'œufs, le reste du sucre (¼ tasse) et la farine. Incorporez lentement au fouet le lait bouillant. Remettez la préparation dans la casserole et amenez-la à ébullition à feu modéré en fouettant constamment. Prolongez la cuisson de 1 minute. Transvasez la crème à travers un tamis dans un bol moyen et déposez de la pellicule plastique directement dessus ; laissez tiédir.

4 Préchauffez le four à 180 °C (350 °F). Couvrez l'abaisse de papier d'aluminium lesté de haricots secs. Enfournez et laissez cuire 20 à 25 minutes ; retirez les haricots et le papier et laissez dorer la croûte. Faites-la refroidir sur une grille avant de procéder au montage de la tarte comme illustré dans l'encadré de la page ci-contre.

5 **Glace.** Dans une petite casserole, mélangez la gelée de fraise et l'eau et amenez-les à ébullition à feu modérément vif en remuant au fouet. Quand la gelée a fondu pour devenir un sirop, retirez du feu, laissez refroidir quelques minutes, puis badigeonnez-en les fruits. Donne 6 portions.

Par portion : Calories 404 ; Gras total 13 g ; Gras saturé 7 g ; Protéines 8 g ; Hydrates de carbone 66 g ; Fibres 4 g ; Sodium 127 mg ; Cholestérol 153 mg

Préparation : 45 minutes • Cuisson : 50 minutes • Attente : 1 h 20

Tarte à l'Anglaise

Quand la tarte est parfaite, le goût des fruits mûrs éclate entre les deux minces couches d'une pâte qui s'effeuille.

PÂTE CROUSTILLANTE

Pour une tarte à deux croûtes, on emploie généralement la pâte brisée. Afin que l'abaisse du bas ne se détrempe pas, badigeonnez-la de blanc d'œuf battu après l'avoir étalée dans le moule, et laissez sécher. Ou saupoudrez-la de 2 c. à soupe de chapelure avant de la garnir.

Placez le moule sur une plaque préchauffée et enfournez à 220 °C (425 °F). Après 15 minutes, baissez le thermostat à 190 °C (375 °F).

DORURE

Pour badigeonner la croûte du dessus, battez 1 jaune d'œuf avec 1 c. à thé de sucre si vous la voulez brillante, ou avec 1 c. à soupe d'eau froide si vous la voulez luisante. Badigeonnez un peu de lait ou de crème pour avoir un fini satiné.

Pour lui donner du croquant, saupoudrez l'abaisse de 1 c. à thé de sucre après avoir appliqué la dorure de votre choix.

RAPIÉÇAGE

Si l'abaisse se déchire, humectez d'eau froide les bords de la déchirure et appliquez une pièce un peu plus grande que le trou ; soudez les deux morceaux avec les doigts.

TARTE DODUE

Si vous aimez les tartes bien remplies, ajoutez 2 tasses de fruits. Réunissez les fruits, le sucre, le beurre et les aromates dans une sauteuse et faites-les cuire à feu modéré sans couvrir jusqu'à ce que les fruits perdent leur jus. Égouttez-les et laissez bouillir le jus pour qu'il diminue de moitié. Versez la réduction sur les fruits. Garnissez l'abaisse en ménageant au centre un monticule de fruits plus haut de 5 cm (2 po) que le bord de la tarte.

MOINS DE GRAS

Remplacez le beurre de la garniture par 2 c. à soupe de pâte d'amande diluée avec 2 c. à soupe de lait écrémé ou par 3 c. à soupe de beurre de fruit.

Vous pouvez aussi vous contenter d'une seule abaisse, ou confectionner une pâte avec des miettes de biscuits.

ÉVITEZ LES DÉGÂTS

Utilisez un moule à tarte dont le bord comporte une rainure.

Ajoutez 1 à 1½ c. à soupe de farine pour chaque tasse de fruits et n'ajoutez jamais de liquide.

Rabattez la marge de l'abaisse du haut par-dessous celle de l'abaisse du bas et pincez les deux ensemble.

PLUS DE SAVEUR

Remplacez le sucre granulé par de la cassonade ou du sucre d'érable.

Ajoutez 1 c. à thé de zeste d'orange ou de citron râpé fin aux fruits ou relevez-les de 2 c. à soupe de confiture : la confiture d'oranges ou au gingembre va bien avec les pommes, les pêches et les poires.

CHOIX DES POMMES

Prenez les mcintoshs ou les jaunes délicieuses : elles gardent leur forme. Évitez les granny smiths que la cuisson réduit en purée.

À LA STREUSEL

Cette garniture, facile à faire et délicieuse, peut remplacer une croûte.

Mélangez ½ **tasse de cassonade**, ½ **tasse de farine tamisée** et ½ **c. à thé de cannelle.** Avec le mélangeur à pâte, introduisez ⅓ **tasse de beurre doux :** le mélange sera grumeleux. Émiettez-le sur la garniture de fruits. Faites cuire la tarte normalement.

COMMENT ASSORTIR LES POMMES

Les pommes ont des textures et des saveurs qui les prédisposent à certains usages. Les pommes à couteau sont excellentes pour la table mais ne supportent pas la cuisson. Les variétés énumérées ci-dessous sont bonnes pour la cuisson ; associez des pommes acidulées à des pommes sucrées.

Pommes acidulées Saveur et texture

Granny smith	Chair ferme et juteuse, goût prononcé
Rome beauty	Modérément acide, ferme, juteuse

Pommes sucrées

Cortland	Très parfumée, conserve sa forme
Délicieuse jaune	Sucrée, fine, juteuse
Délicieuse rouge	Comme la jaune, mais plus croquante
Gala	Croquante, juteuse et très parfumée
Idared	Ne se déforme pas en cuisant
Mcintosh	Chair ferme, croquante, juteuse
Melba	Juteuse, tendre, devient vite farineuse
Spartan	Plus colorée et sucrée que la mcintosh

Tarte aux pommes à l'américaine

- **1** recette de pâte pour deux croûtes (voir l'encadré ci-contre)
- **⅓** tasse de cheddar râpé (facultatif)
- **1** gros œuf, blanc et jaune séparés
- **4** pommes acides
- **4** pommes sucrées
- **2** c. à soupe de jus de citron
- **½** tasse de cassonade blonde bien tassée
- **½** tasse de sucre granulé
- **⅓** tasse de farine tamisée
- **¼** c. à thé de cannelle
- **⅛** c. à thé de piment de la Jamaïque
- **⅛** c. à thé de muscade râpée
- **2** c. à soupe de beurre
- **1** c. à soupe d'eau froide

1 Préchauffez le four à 220 °C (425 °F). Préparez la pâte à tarte en ajoutant le fromage aux ingrédients secs, s'il y a lieu. Étalez une abaisse dans un moule à tarte de 22 cm (9 po) ; laissez une marge de 2,5 cm (1 po). Battez le blanc d'œuf pour qu'il soit mousseux ; badigeonnez-en l'abaisse. Réservez le jaune pour la dorure. Abaissez la deuxième croûte ; recouvrez-la de pellicule plastique et réservez.

2 Pelez, parez et détaillez les pommes en tranches de 6 mm (¼ po) d'épaisseur ; mettez-les dans un bol. Aspergez-les de jus de citron à mesure

que vous les préparez. Ajoutez la cassonade, le sucre, la farine, la cannelle, le piment de la Jamaïque et la muscade ; mélangez. Dressez les fruits dans l'abaisse ; parsemez-les de beurre.

3 Humectez le bord de l'abaisse avec un peu d'eau et déposez la deuxième abaisse par-dessus. Faites-y quelques entailles pour que la vapeur s'échappe. Scellez la tarte en rabattant la marge supérieure en dessous de la marge inférieure et en pinçant le tout ensemble. Dans un petit bol, battez le jaune d'œuf avec l'eau. Appliquez la dorure sur l'abaisse du dessus sans en mettre dans les entailles.

4 Enfournez et faites cuire 15 minutes ; baissez le thermostat à 190 °C (375 °F) et prolongez la cuisson de 35 minutes, pour que la garniture soit bouillante et la croûte dorée. Si le bord brunit trop vite, couvrez-le de papier d'aluminium. Laissez refroidir la tarte 20 minutes sur une grille. Servez avec de la crème glacée ou fouettée. Donne 8 portions.

Par portion : Calories 429 ; Gras total 21 g ; Gras saturé 6 g ; Protéines 4 g ; Hydrates de carbone 57 g ; Fibres 2 g ; Sodium 308 mg ; Cholestérol 34 mg

Préparation : 1 heure • Cuisson : 50 minutes
Attente : 20 minutes

PÂTE À TARTE POUR DEUX CROÛTES

Tarte de 20-22 cm (8-9 po).

- **2** tasses de farine
- **1** c. à thé de sel
- **⅔** tasse de graisse végétale froide ou de suif
- **4-6** c. à soupe d'eau glacée

1 Mélangez la farine et le sel. Avec un mélangeur à pâte, introduisez la graisse : le mélange doit prendre l'aspect d'une chapelure grossière.

2 Versez 1 cuillerée à soupe d'eau à la fois en mélangeant la pâte à la fourchette pour qu'elle s'agglomère.

3 Divisez la pâte en deux pâtons et façonnez ceux-ci en boules. Aplatissez-en une sur un plan de travail fariné.

4 Avec un rouleau fariné, abaissez-la du centre vers la périphérie en un cercle de 30 cm (12 po) de diamètre et 3 mm (⅛ po) d'épais.

5 Enroulez l'abaisse sur le rouleau ; foncez le moule. Répétez pour l'autre abaisse.

TARTE MOUSSELINE

La garniture de la tarte mousseline est enrichie de jaunes d'œufs et liée à la gélatine; des blancs d'œufs fouettés la rendent légère... comme de la mousseline.

MOUSSELINE

Le terme « mousseline » s'applique à diverses préparations culinaires qui renferment une quantité plus ou moins grande de crème fouettée. Ces préparations peuvent êtres sucrées ou se préparer avec des purées de viande, de volaille, de poisson ou de fruits de mer.

On qualifie également de « mousseline » des entremets sucrés, délicats et légers, même s'ils ne renferment pas de crème fouettée. C'est le cas de la tarte mousseline qu'on peut agrémenter de divers ingrédients, comme on le voit ici avec trois variantes.

CRÈME ONCTUEUSE

La garniture de la tarte mousseline renferme de la gélatine et des jaunes d'œufs. Ces deux ingrédients doivent cuire lentement, sans jamais bouillir, pour finalement atteindre une température de 70 °C (160 °F). Il faut fouetter sans arrêt jusqu'à ce que la garniture ait épaissi (5 à 8 minutes).

Pendant qu'elle rafraîchit au réfrigérateur, remuez-la à quelques reprises pour qu'elle ne fasse pas de grumeaux.

Une fois qu'elle est bien prise, introduisez les blancs d'œufs. Ajoutez-les une cuillerée à soupe à la fois et faites-les entrer délicatement dans la garniture pour qu'ils ne perdent pas leur légèreté.

CROÛTE AUX MIETTES DE BISCUIT

La tarte mousseline comporte d'ordinaire une croûte aux miettes de biscuit. Émiettez les biscuits au robot ou mettez-en quelques-uns à la fois dans un sac de plastique et écrasez-les avec le rouleau à pâtisserie.

Cette croûte peut être cuite au préalable ou non. Dans le premier cas, elle garde mieux sa forme. Sinon, mettez-la 15 minutes au congélateur avant de monter la tarte.

Les croûtes achetées sont plus petites que la nôtre : le reste de la garniture peut alors être servi tel quel en dessert.

TARTE MOUSSELINE AU CHOCOLAT

Dans la recette de la page ci-contre, remplacez le zeste et le jus de lime par **60 g (2 oz) de chocolat mi-sucré**, râpé fin. Donne 8 portions.

TARTE MOUSSELINE À LA CITROUILLE

Préparez la garniture comme à la page ci-contre (étapes 2, 3 et 4), mais remplacez le sucre par de la **cassonade blonde,** bien tassée, 1 tasse d'eau par ¾ **tasse de lait** et utilisez 3 jaunes d'œufs seulement. Ajoutez ½ **c. à thé de sel** en même temps que la gélatine. Supprimez le zeste et le jus de lime. Dans un grand bol, mélangez **2 tasses de citrouille en boîte, 1 c. à thé de cannelle, ½ c. à thé de gingembre** et ¼ **c. à thé de clou de girofle.** Incorporez la gélatine dissoute. Couvrez et faites refroidir au réfrigérateur. À l'étape 5, fouettez 3 blancs d'œufs. Exécutez l'étape 6. Donne 8 portions.

TARTE MOUSSELINE AU LAIT DE POULE

À l'étape 2 de la page ci-contre, ajoutez ½ **c. à thé de sel** avec la gélatine et remplacez l'eau par **1 tasse de lait**. À l'étape 4, supprimez le zeste et le jus de lime ; ajoutez ⅓ **tasse de xérès sec,** ¾ **c. à thé de muscade** et **1 c. à thé de vanille.** À l'étape 5, ne mettez que ¼ tasse de sucre. Donne 8 portions.

PRÉSENTATION

Une guirlande de crème fouettée rehausse la tarte mousseline. Mettez un brin de menthe ou un zeste frisé sur la tarte mousseline aux agrumes, de la muscade râpée ou des frisons de chocolat (voir page 326) sur la tarte mousseline au chocolat ou au lait de poule.

PRÉPARATION DE LA GARNITURE

1 Préparez la garniture et réfrigérez-la jusqu'à ce qu'elle forme des monticules quand vous la déposez à la cuiller dans un plat.

2 Incorporez les blancs d'œufs. Faites-les entrer dans la garniture en ramenant celle-ci délicatement par-dessus avec une cuiller.

Tarte mousse-lime

Croûte :

1¼   tasse de biscuits graham émiettés ou de gaufrettes à la vanille ou au chocolat

5   c. à soupe de beurre fondu ou de margarine

¼   tasse de sucre

1   c. à thé de cannelle, de muscade, de gingembre ou d'une autre épice (facultatif)

Garniture :

¾   tasse de sucre

1   sachet (7 g/¼ oz) de gélatine sans saveur

1½   tasse d'eau chaude

4   jaunes d'œufs, légèrement battus

1   à 2 c. à soupe de zeste de lime râpé

⅓   à ½ tasse de jus de lime

4   blancs d'œufs

1 Croûte. Dans un bol moyen, mélangez à la fourchette les miettes de biscuit, le beurre, le sucre et la cannelle, s'il y a lieu. Étalez le mélange dans un moule à tarte de 22 cm (9 po); pressez avec les doigts pour lui donner du corps. Réfrigérez le moule pendant que vous préparez la garniture. (Pour rendre la croûte plus croustillante, cuisez-la 6 à 8 minutes dans un four préchauffé à 190 °C/375 °F.)

2 Garniture. Dans une petite casserole et à feu doux, mélangez ¼ tasse de sucre et la gélatine. Versez peu à peu 1 tasse d'eau et faites cuire jusqu'à dissolution complète du sucre et de la gélatine; nettoyez de temps à autre le bord de la casserole avec une spatule de caoutchouc.

3 Mélangez la gélatine aux jaunes d'œufs en remuant sans arrêt. Remettez-les dans la casserole et faites cuire en remuant constamment 5 à 8 minutes ou jusqu'à ce que la crème épaississe et que le thermomètre électronique indique 70 °C (160 °F).

4 Mettez la casserole sur une grille et incorporez le zeste et le jus de lime.

Posez une pellicule plastique directement sur la crème et réfrigérez 45 minutes environ ou jusqu'à ce que la garniture soit épaisse et forme des monticules quand elle tombe d'une cuiller. Remuez de temps à autre.

5 Mettez les blancs d'œufs dans le bol du batteur électrique et fouettez jusqu'à ce qu'ils soient mousseux. Ajoutez peu à peu le reste du sucre (½ tasse) et fouettez jusqu'à formation de pics souples.

6 Incorporez délicatement les blancs d'œufs à la garniture. Versez celle-ci dans la croûte et réfrigérez la tarte 3 à 4 heures ou jusqu'à ce qu'elle soit prise. Donne 8 portions.

Par portion : Calories 279 ; Gras total 12 g ; Gras saturé 6 g ; Protéines 4 g ; Hydrates de carbone 41 g ; Fibres 1 g ; Sodium 221 mg ; Cholestérol 126 mg

Préparation : 45 minutes • Cuisson : 15 minutes • Refroidissement : 4 à 5 heures

TARTE MERINGUÉE

Toujours légère et rafraîchissante, la tarte meringuée termine en beauté un dîner estival. La meringue doit avoir du volume et du corps.

MERINGUE

La meringue est un appareil composé de 3 blancs d'œufs montés en neige ferme avec ⅓ tasse de sucre et ¼ c. à thé de crème de tartre; on étale cette préparation sur la tarte pendant que la garniture est encore chaude et on la fait vivement dorer au gril, dans le four.

Comme dans toutes les recettes où il entre des blancs d'œufs, les personnes qui le désirent peuvent remplacer ceux-ci par des blancs d'œufs pasteurisés et déshydratés, qui auront été reconstitués selon les instructions.

QUELQUES CONSEILS

Déposez la meringue au centre de la tarte et, avec une cuiller, étalez-la en monticule vers la périphérie. Elle doit rejoindre l'abaisse de pâte: c'est ainsi qu'elle ne rétrécira pas à la cuisson. Avec une spatule étroite, travaillez-la en petits tourbillons.

Surveillez sa cuisson pendant qu'elle est au four: elle peut rôtir très vite. Vous saurez que la température du four est trop élevée si elle se met à « perler » ou à « pleurer ».

Laissez la tarte refroidir avant de la servir et découpez-la avec un couteau mouillé.

DE LA FINESSE

La garniture d'une tarte meringuée au citron se fait avec du jus de citron frais pressé et du zeste de citron râpé. La fécule de maïs n'est pas un ingrédient obligatoire, mais elle aide à épaissir la garniture.

Faites cuire la crème au citron à feu modéré. Si vous craignez de la voir faire des grumeaux au moment où elle épaissit, n'hésitez pas à utiliser un bain-marie et remuez constamment durant la cuisson.

Introduisez le jus et le zeste de citron seulement quand la garniture est cuite, car l'acide citrique retarde l'épaississement de la préparation.

LA CROÛTE

La tarte meringuée au citron a d'ordinaire une croûte en pâte brisée. Rien ne vous empêche, cependant, de la remplacer par une croûte aux miettes de biscuits (page 308). La méthode pour façonner la pâte brisée, telle qu'illustrée dans l'encadré ci-contre, convient à toutes les tartes.

FAÇONNER LA PÂTE

Décor festonné

1 Festonnez la crête de l'abaisse avec une cuiller à thé et vos doigts.

2 Appuyez une fourchette au centre de chaque feston, si vous le désirez.

Décor torsadé

1 Découpez et torsadez deux lisières de pâte de 1 cm (½ po) de largeur.

2 Humectez le bord de l'abaisse et collez-y la torsade; appuyez légèrement.

TARTE MERINGUÉE À LA LIME

Préparez l'abaisse de la page ci-contre. Pour la garniture, battez **3 jaunes d'œufs** avec **1¾ tasse de lait concentré sucré** et **¼ c. à thé de sel**. Incorporez **⅓ tasse de jus de lime** et **2 c. à thé de zeste de lime râpé**. Faites cuire à feu doux, en remuant, jusqu'à ce que le mélange marque 70 °C (160 °F) au thermomètre. Versez cette garniture dans la croûte et poursuivez avec l'étape 5. Donne 8 portions.

UN ATOUT

La toile à pâtisserie et le manchon à rouleau

Ces accessoires empêchent la pâte de coller. En tricot de coton, le manchon s'enfile et se retire facilement et il se lave sans problème. La toile, en plastique, permet de mesurer la croûte pendant qu'on l'abaisse. Elle se lave bien.

Tarte meringuée au citron

Croûte :

- 1⅓ tasse de farine non tamisée
- ¼ c. à thé de sel
- ½ tasse de graisse végétale réfrigérée
- 2 à 3 c. à soupe d'eau froide

Garniture :

- 1 tasse de sucre
- ¼ tasse de fécule de maïs
- ¼ c. à thé de sel
- 1½ tasse d'eau froide

- 3 jaunes d'œufs, légèrement battus
- 2 c. à thé de zeste de citron râpé
- ⅓ tasse de jus de citron
- 1 c. à soupe de beurre ou de margarine

Meringue :

- 3 blancs d'œufs
- ⅓ tasse de sucre
- ¼ c. à thé de crème de tartre

1 **Croûte.** Mélangez la farine et le sel. Avec un mélangeur à pâte, incorporez la graisse végétale : la préparation ressemblera à une chapelure grossière. Ajoutez l'eau, une cuillerée à soupe à la fois, en travaillant la pâte à la fourchette jusqu'à ce qu'elle s'agglomère en boule. Aplatissez-la légèrement, enveloppez-la de pellicule plastique et réfrigérez 15 à 30 minutes.

2 Préchauffez le four à 240 °C (475 °F). Sur un plan de travail légèrement fariné, abaissez la pâte du centre vers la périphérie en un cercle de 28 cm (11 po) et 3 mm (⅛ po) d'épaisseur. Enroulez l'abaisse sur le rouleau et déposez-la dans un moule à tarte de 22 cm (9 po). Lissez le bord avec votre doigt. Façonnez un décor torsadé, comme dans l'encadré de la page ci-contre. Piquez le fond et les bords de l'abaisse à la fourchette.

3 Posez sur l'abaisse un carré de papier d'aluminium lesté avec des haricots secs ; enfournez et faites cuire 8 à 10 minutes. Retirez les haricots et le papier ; enfournez de nouveau et laissez dorer la croûte pendant 5 minutes. Déposez le moule sur une grille et laissez la croûte tiédir. Baissez le thermostat du four à 180 °C (350 °F).

4 **Garniture.** Dans une casserole moyenne, mélangez le sucre, la fécule de maïs et le sel. Incorporez l'eau peu à peu et faites cuire à feu modéré en remuant constamment pendant que la préparation atteint le point d'ébullition et épaissit ; prévoyez 3 minutes environ. Retirez du feu. Versez un peu de cette préparation dans les jaunes d'œufs battus et remettez tout dans la casserole. Incorporez le zeste et le jus de citron ainsi que le beurre. Dressez la garniture dans la croûte de tarte.

5 **Meringue.** Au batteur électrique, battez les blancs d'œufs en neige. Quand ils sont mousseux, ajoutez le sucre, une cuillerée à la fois, et la crème de tartre. Fouettez jusqu'à formation de pics souples.

6 Étalez la meringue sur la garniture chaude en la collant à la croûte ; formez des tourbillons. Faites dorer au four 10 à 15 minutes. Laissez tiédir la tarte sur une grille. Donne 8 portions.

Par portion : Calories 377 ; Gras total 16 g ;
Gras saturé 5 g ; Protéines 5 g ;
Hydrates de carbone 54 g ; Fibres 1 g ;
Sodium 172 mg ; Cholestérol 84 mg

Préparation : 45 minutes
Réfrigération : 15 minutes • Cuisson : 35 minutes

MERINGUES

On donne le nom de meringues à de petites pâtisseries faites de blancs d'œufs et de sucre et desséchées lentement à four doux.

HISTORIQUE

Cette petite pâtisserie aurait été inventée vers 1720 par un cuisinier suisse qui officiait dans la ville de Mehrinyghen, laquelle a été immortalisée dans le mot meringue.

QUELQUES CONSEILS

Les œufs se séparent mieux au sortir du réfrigérateur, mais les blancs montent davantage quand ils sont tièdes.

Fouettez-les dans un bol à fond arrondi pour mieux atteindre l'ensemble.

PETITES BULLES

La présence d'une multitude de petites bulles rend les œufs légers. Pour qu'il ne se forme pas de grosses bulles, fouettez les blancs lentement au début et augmentez peu à peu le rythme.

Ajoutez le sucre au milieu de l'opération : il se répartira uniformément à l'intérieur des blancs d'œufs et ceux-ci atteindront une hauteur maximale.

Pour vérifier si le sucre s'est bien incorporé à la meringue, faites rouler un peu de blanc entre les doigts. Si le mélange vous paraît granuleux, fouettez-le 30 secondes de plus.

Les blancs d'œufs bien battus forment des pics luisants. Fouettés avec excès, ils deviennent secs et mous. Pour les rescaper, fouettez à point un blanc additionnel et ajoutez-le aux précédents.

GARE AU TEMPS PLUVIEUX !

Ne faites pas de meringues si le temps est humide ou pluvieux. L'humidité les ramollit et les rend pâteuses en dedans.

PRENEZ DE L'AVANCE

Les meringues peuvent être préparées plusieurs jours d'avance. Enveloppez-les dans de la pellicule plastique ou du papier d'aluminium et gardez-les dans un endroit frais et sec, mais pas au réfrigérateur.

Ô GOURMANDISE !

Meringues et fonds de tarte en meringue peuvent être fourrés de crème mousseline (page 308).

Vous pouvez aussi garnir les meringues de melon détaillé en boules, de fraises ou de pêches fraîches, tranchées et sucrées, mais aussi de crème pâtissière, de crème glacée ou de sorbet couronné de fruits.

PRÉPARATION DES MERINGUES

Les meringues se préparent avec ou sans poche à pâtisserie. Faites-les cuire sur une plaque tapissée de papier sulfurisé. Pour que le papier reste à plat, mettez un peu d'appareil à meringue ici et là sur la plaque et collez-le dessus.

Avec une poche à pâtisserie

1 Avec une douille # 6 en étoile, formez six cercles de meringue.

2 Repassez une seconde fois avec la douille autour de chaque meringue.

Avec une cuiller

1 Couchez six petits monticules de même dimension sur le papier sulfurisé.

2 Avec le dos d'une cuiller ronde à potage, creusez le centre de chaque meringue.

Croûte de tarte en meringue

1 Vaporisez un moule à tarte d'enduit antiadhésif ou huilez-le. Couchez la meringue.

2 Avec le dos d'une cuiller, étalez l'appareil du centre vers la périphérie.

GRANDE MERINGUE AU CHOCOLAT

Préparez la meringue comme à l'étape 1, ci-contre, en coupant les ingrédients de moitié. Vaporisez un moule à tarte de 20 cm (8 po) d'enduit antiadhésif ; couchez la meringue au fond. Étalez-la avec une cuiller et faites cuire comme à l'étape 3. Préparez la garniture au chocolat, page 308. Dressez-la dans la croûte de meringue et réfrigérez jusqu'à ce qu'elle soit prise. Donne 6 portions.

Petites meringues fourrées de framboises

Meringues :
- **1 tasse de blancs d'œufs (10 gros œufs)**
- **³⁄₄ tasse de sucre**
- **½ tasse de sucre glace**

Garniture :
- **½ tasse de sucre**
- **½ tasse d'eau**
- **2 c. à soupe de concentré de jus d'orange congelé**
- **2 tasses de framboises fraîches**

1 **Meringues.** Préchauffez le four à 120 °C (250 °F). Dans le grand bol du batteur électrique, fouettez les blancs d'œufs lentement jusqu'à ce qu'ils soient mousseux. Sans augmenter la vitesse de l'appareil, ajoutez ½ tasse de sucre et fouettez jusqu'à ce que le mélange soit argenté. Puis à vitesse modérée, ajoutez le reste du sucre (¼ tasse) et fouettez jusqu'à la formation de pics fermes. Incorporez le sucre glace.

2 Couchez les meringues avec une poche à douille (voir l'encadré de la page ci-contre) ou déposez six monticules de 1 tasse chacun d'appareil sur une plaque foncée de papier sulfurisé ; avec une grosse cuiller, creusez le centre.

3 Enfournez et faites cuire 1 heure. Éteignez le four sans l'ouvrir et laissez-y les meringues encore 1 heure à sécher. Faites refroidir la plaque sur une grille.

4 **Garniture.** Amenez le sucre et l'eau à ébullition à feu vif. Ajoutez le concentré de jus d'orange, puis, lorsque l'ébullition a repris, les framboises ; laissez cuire 2 minutes. Mettez ⅓ tasse de cette garniture dans chaque meringue. Donne 6 portions.

Par portion : Calories 251 ; Gras total 0 g ; Gras saturé 0 g ; Protéines 5 g ; Hydrates de carbone 57 g ; Fibres 2 g ; Sodium 67 mg ; Cholestérol 0 mg

Préparation : 1 heure • Cuisson : 1 heure Attente : 1 heure

CRÈME GLACÉE

Rien ne vaut la crème glacée maison, plus ou moins riche, plus ou moins sucrée, telle que vous la désirez.

LA JOIE PAR LE FROID

Pour faire de la crème glacée, il faut une sorbetière, appareil dans lequel congèle un mélange de lait et de crème pendant que des pales l'agitent pour éviter la formation de gros cristaux de glace.

On trouve des sorbetières électriques ou manuelles à tous les prix. Leur qualité varie, mais elles donnent satisfaction dans la mesure où elles sont nettoyées, séchées et bien entreposées après chaque usage. Pour diminuer le coût de revient, accumulez des cubes de glace dans le congélateur les jours qui précèdent pour ne pas devoir en acheter.

La préparation de la crème glacée peut devenir une fête familiale. Suivez fidèlement les instructions du fabricant, qu'il s'agisse de crème, de sorbet ou de yogourt glacés.

LES ÉTAPES

Dans toutes les recettes, on commence par réchauffer les ingrédients liquides avec le sucre et les aromates ; cela permet au sucre de bien fondre, aux aromates de développer tout leur potentiel.

Notre recette de base est une crème glacée à la vanille en gousse. Elle renferme des jaunes d'œufs, du lait et de la crème. Ce qui veut dire qu'elle se mange en petites quantités !

GOUSSE GOÛTEUSE

La gousse de vanille parfume la crème de base pendant qu'elle se réchauffe. Fendue en deux sur la longueur, elle donnera plus d'arôme. Si vous la remplacez par de l'essence de vanille, ajoutez-la une fois que l'appareil est tiède.

GLACE SANS ŒUFS

Supprimez les œufs : la crème glacée sera moins riche mais aussi délicieuse. Pour préparer 2 litres de glace à la vanille, il faut 1 litre de crème légère, 1½ tasse de sucre, 2 c. à soupe d'essence de vanille et 2 tasses de crème à fouetter.

Réchauffez le sucre avec la crème légère jusqu'à ce qu'il ait fondu. Laissez refroidir le mélange, ajoutez l'essence de vanille et la crème épaisse. Réfrigérez et terminez la recette.

GLACE AUX FRUITS

Hachés ou concassés, les fruits doivent cuire dans le sucre avant d'être incorporés dans la crème. Autrement, sous l'action du gel, ils se transformeront en vrais petits cailloux.

CRÈME GLACÉE AUX DEUX CHOCOLATS

Dans la recette de la page ci-contre, remplacez le sucre par de la **cassonade blonde**. À l'aide d'un fouet, incorporez aux jaunes d'œufs **¼ tasse de cacao hollandais non sucré**. À l'étape 4, ajoutez **½ tasse de petits grains de chocolat** au mélange refroidi. Donne 1 litre, soit 8 portions.

CRÈME GLACÉE CHOCO-MENTHE

À l'étape 1, ajoutez au lait **1 tasse de feuilles de menthe,** réduites en purée. À l'étape 4, incorporez **½ tasse de grains de chocolat** au mélange refroidi. Donne 1 litre.

CRÈME GLACÉE AUX FRAISES

À l'étape 1, mettez quatre lanières de 7 x 1 cm (3 x ½ po) de **zeste d'orange** dans la crème ; vous les retirerez en même temps que la gousse de vanille. Au robot, écrasez **2 tasses de fraises**, lavées et équeutées, dans **⅓ tasse de sucre** ; ajoutez-les à l'appareil froid. Donne 1 litre, soit 8 portions.

CRÈME GLACÉE AUX BLEUETS

À feu modéré, faites cuire 4 à 5 minutes en remuant souvent **2 tasses de bleuets équeutés, ⅓ tasse de sucre** et quatre lanières de 5 x 1 cm (2 x ½ po) de **zeste de citron.** Retirez les zestes ; passez les fruits au tamis fin. Ajoutez à la purée **½ c. à thé de poivre blanc** et **½ c. à thé de gingembre moulu**. À l'étape 3, incorporez cette purée au mélange refroidi. Donne 1 litre, soit 8 portions.

CRÈME GLACÉE AUX PÊCHES

Ébouillantez, pelez et dénoyautez **2 grosses pêches mûres.** Hachez-les avec **⅓ tasse de cassonade blonde**, bien tassée, **1 c. à soupe de jus de citron** et **¼ c. à thé de gingembre moulu**. À l'étape 3, incorporez cette purée au mélange refroidi. Donne 1 litre, soit 8 portions.

DERNIÈRE ÉTAPE

La crème glacée frais faite est très molle. Comprimez-la énergiquement dans son contenant de rangement ; couvrez-la et laissez-la plusieurs heures au congélateur : les arômes se développeront et sa texture sera plus ferme.

Crème glacée à la vanille en gousse

1¾ tasse de lait
2¼ tasses de crème épaisse
1 tasse de sucre
1 gousse de vanille, fendue en deux sur la longueur
¼ c. à thé de sel
6 jaunes d'œufs

1 Dans une grande casserole, faites frémir à feu modéré le lait, la crème, ½ tasse de sucre, la gousse de vanille et le sel jusqu'à ce qu'il apparaisse des petites bulles.

2 Dans un bol moyen, fouettez les jaunes d'œufs avec le reste du sucre (½ tasse). Incorporez-leur au fouet un peu de la crème sucrée et versez le tout dans la casserole.

Faites cuire à feu doux en fouettant sans arrêt jusqu'à ce que la crème nappe la cuiller – environ 15 minutes.

3 Laissez tiédir. Retirez la gousse et les graines qu'elle a laissé échapper. Couvrez et réfrigérez 1 à 2 heures.

4 Versez le mélange dans le gobelet de la sorbetière et, à partir de là, suivez les instructions du fabricant. Donne 1 litre, soit 8 portions.

Par portion de ½ tasse :
Calories 405 ; Gras total 30 g ;
Gras saturé 18 g ; Protéines 5 g ;
Hydrates de carbone 30 g ; Fibres 0 g ;
Sodium 124 mg ; Cholestérol 259 mg

Préparation : 10 minutes • Cuisson : 15 minutes

CRÈME GLACÉE LÉGÈRE

Dans chacune des recettes précédentes, remplacez le lait entier par du **lait écrémé évaporé** et les jaunes d'œufs par ¾ **tasse de succédané d'œufs.** Donne 1 litre, soit 8 portions.

DESSERTS GLACÉS

Glaces, parfaits, sorbets ou granités, tous les desserts glacés sont un délice quand la canicule sévit... ou ne sévit pas.

LA GAMME DES DESSERTS GLACÉS

Les desserts glacés se rangent dans cinq catégories : il y a les crèmes glacées, qui figurent aux pages 314-315, les glaces, les sorbets, les parfaits et les granités. Il est parfois difficile de faire une distinction nette ; toutefois, parfaits et granités n'exigent pas de sorbetière.

Glaces. Les glaces peuvent renfermer ou non des œufs. Mais à la différence de la crème glacée, elles sont à base de lait ou de yogourt.

Sorbets. Les sorbets ne contiennent ni jaunes d'œufs ni laitage. À l'origine, on leur incorporait des blancs d'œufs montés en neige et sucrés. Mais de nos jours, ce ne sont plus que des purées de fruits additionnées de sucre et d'eau.

Parfaits. Parfois appelés biscuits glacés ou bombes, ils sont à base de jaunes d'œufs, de sucre, de crème fouettée et d'aromates divers et se font au congélateur, sans sorbetière.

Granités. Le granité est un sorbet à texture grossière, composé d'un sirop de sucre aromatisé au café, au thé, au jus de fruit ou même au vin.

EN SORBETIÈRE

Crèmes glacées, glaces et sorbets se font dans une sorbetière : l'action des pales ralentit la congélation et inhibe la formation de gros cristaux.

SANS SORBETIÈRE

Parfaits et granités se font au congélateur. Dans le cas du parfait, la présence de crème fouettée permet au mélange de congeler sans cristaux. Quant aux granités (voir l'encadré ci-contre), leur texture, dans une sorbetière, deviendrait celle du sorbet ; or, elle doit demeurer grossière.

SORBET SANS SORBETIÈRE

Versez le mélange dans un moule, comme s'il s'agissait d'un granité. Quand il commence à congeler, fouettez-le au batteur électrique pour briser les cristaux. Vous pouvez lui ajouter un ou deux blancs d'œufs en neige.

Remettez-le au congélateur jusqu'à ce qu'il soit ferme. Sa texture sera plus fine si vous le fouettez deux ou trois fois.

QUELQUES CONSEILS

Lorsque vous aromatisez une glace avec un jus de fruits, attendez que le mélange à base de laitage soit tiède ; autrement, il risque de cailler.

Employez des jus de fruits partiellement décongelés dans les glaces ; la congélation sera plus rapide.

Pelez et parez les pommes, les poires, les abricots, les pêches et les nectarines avant de les réduire en purée au robot ou à la moulinette. Durant le procédé, ajoutez un peu de jus de citron ou de lime pour inhiber l'oxydation et faire ressortir la saveur des fruits.

Vous obtenez une glace, un sorbet ou un granité d'un rouge exceptionnellement brillant quand vous les préparez avec du jus de grenade. Coupez le fruit en deux transversalement. Retirez la membrane blanche qui cloisonne les graines charnues et passez les deux moitiés au presse-jus.

PETITS FRUITS

Filtrez le jus des framboises ou des mûres à travers un tamis très fin pour éliminer les petits grains avant de l'utiliser.

Pour réduire en purée des baies fraîches ou surgelées, forcez-les à travers un tamis fin avec le dos d'une cuiller.

UN ATOUT
La sorbetière

Aujourd'hui, on trouve des sorbetières dans une vaste gamme de prix et de qualités. Certaines exigent beaucoup de glace ; d'autres, pas du tout. Toutes servent à fabriquer les sorbets et les crèmes glacées.

SORBET AUX FRAMBOISES

Suivez la recette ci-contre, en remplaçant les fraises par la même quantité de **framboises décongelées** et le lait par **1 tasse d'eau.** À l'étape 3, ajoutez **1 c. à soupe de jus de citron.** Donne 4 portions.

SORBET AU CASSIS

Suivez la recette ci-contre, en remplaçant le lait par **1½ tasse d'eau** et coupez le sucre de moitié. Supprimez les fraises et, à l'étape 3, ajoutez **1 tasse de liqueur de cassis.** Donne 4 portions.

SORBET AUX AGRUMES

Suivez la recette ci-contre, en remplaçant le lait par **1 tasse d'eau.** Supprimez les fraises. À l'étape 3, ajoutez **1¼ tasse de jus d'orange, ¼ tasse de jus de citron** et **3 c. à soupe de jus de lime.** Donne 4 portions.

GRANITÉ ORANGE-CAFÉ

Dans la recette ci-contre, remplacez le lait par **1½ tasse d'eau** et supprimez les fraises. À l'étape 3, ajoutez au sirop **2 c. à soupe de café espresso en poudre** et **2 c. à soupe de jus d'orange.** Supprimez l'étape 4. Versez plutôt le mélange dans un moule carré de 20 x 20 x 5 cm (8 x 8 x 2 po) et congelez. Quand il se forme des cristaux, remuez à la fourchette ; recommencez après 10 minutes. Congelez jusqu'à formation de gros cristaux. (Pour servir, voir l'encadré de la page ci-contre.) Donne 4 portions.

Lait glacé aux fraises

- **2 tasses de fraises, lavées et équeutées**
- **1 tasse de lait**
- **1 tasse de sucre**

1 Au robot, défaites les fraises en purée lisse.

2 À feu vif, amenez le lait et le sucre à ébullition dans une casserole moyenne. Retirez la casserole du feu et laissez tiédir le lait.

3 Dans un bol moyen, fouettez le lait sucré avec la purée de fraises.

4 Versez l'appareil dans une sorbetière et suivez les instructions du fabricant. Donne 2 tasses, soit 4 portions.

Par portion de ½ tasse :
Calories 253 ; Gras total 2 g ;
Gras saturé 1 g ; Protéines 2 g ;
Hydrates de carbone 58 g ; Fibres 1 g ;
Sodium 31 mg ; Cholestérol 8 mg

Préparation : 10 minutes

MOUSSES EXQUISES

Les mousses sont des desserts de grande qualité. Elles se composent toujours d'une meringue additionnée de crème fouettée et aromatisée.

MERINGUE CUITE

Une meringue cuite, faite de blancs d'œufs fouettés au bain-marie avec un sirop de sucre bouillant, est à la base de notre mousse au chocolat, moins dangereuse à servir en été que s'il y entrait des œufs crus.

La cuisson amène les blancs d'œufs fouettés à une température de 71 °C (160 °F), ce qui détruit tout danger d'intoxication alimentaire. Le procédé sert en outre à stabiliser la meringue qui ne court plus le risque de retomber. Le glaçage sept-minutes est fait de la même façon.

Note : Vous pouvez également préparer la meringue avec des blancs d'œufs pasteurisés et déshydratés.

DESSERT LÉGER

La crème ultrapasteurisée ne se fouette pas aussi bien que la crème à fouetter ordinaire et elle ne gonfle pas autant. Autant que possible, utilisez cette dernière.

La crème épaisse doit sortir du réfrigérateur si vous voulez qu'elle monte bien. Réfrigérez également le bol et les fouets : les résultats seront meilleurs. Si vous utilisez une mixette,

placez le bol sur un torchon mouillé pour le stabiliser.

Fouettez la crème juste avant de l'incorporer aux œufs. Vous pouvez, pour vous assurer qu'elle tiendra bien, l'additionner d'abord de gélatine. Mettez ½ c. à thé de gélatine et 1 c. à soupe d'eau dans un ramequin placé dans une casserole d'eau chaude et faites fondre la géla-

tine à feu modéré. Ajoutez-la à 1 tasse de crème épaisse très froide et fouettez.

CHOCOLAT

Plus le chocolat est fin, mieux il parfume la mousse. Choisissez un bon chocolat mi-sucré : vous ne le regretterez pas.

Le chocolat se dénature aisément. Faites-le fondre au bain-marie ou glissez un diffuseur de chaleur sous la casserole.

UN BON COMPLÉMENT

La mousse sert à garnir les gâteaux étagés, les fonds de meringue, les tartelettes et les éclairs. Allongez-la d'un peu de crème et nappez-en le gâteau des anges.

MOUSSE AU CAPPUCCINO

Dans la recette de la page ci-contre, ajoutez **½ c. à thé de cannelle** au chocolat fondu et remplacez l'eau du sirop de sucre par **¼ tasse d'espresso** fraîchement infusé. Pour garnir la mousse, fouettez **½ tasse de crème** en plus. Donne 8 portions.

PRÉPARATION

1 Fouettez les blancs d'œufs dans un bol calorifuge. Quand ils sont mousseux, mettez le bol sur une casserole d'eau bouillante et versez en filet le sirop de sucre bouillant sans cesser de fouetter.

2 Fouettez le tiers de la meringue avec le chocolat. Incorporez le reste en soulevant.

3 Avec une spatule de caoutchouc, ajoutez la crème fouettée à la préparation au chocolat.

DESSERTS GOURMANDS

Mousse au chocolat

- **250** g (8 oz) de chocolat mi-sucré, râpé
- **3** œufs, blanc et jaune séparés
- **¾** tasse de crème épaisse
- **½** tasse de sucre
- **¼** tasse d'eau
- **1** c. à thé d'essence de vanille

1 Faites fondre le chocolat au bain-marie sur de l'eau frissonnante (ou au micro-ondes). Par ailleurs, fouettez les jaunes d'œufs en mousse épaisse. Ajoutez-leur au fouet un peu de chocolat fondu et versez le tout dans le bain-marie. Incorporez au fouet ¼ tasse de crème. Faites cuire en remuant jusqu'à ce que le thermomètre marque 71 °C (160 °F) – environ 4 minutes. Retirez du feu et laissez tiédir en remuant souvent.

2 Dans une petite casserole, amenez l'eau et le sucre à ébullition à feu modéré. Avec un pinceau à pâtisserie, badigeonnez d'eau froide la paroi de la casserole et laissez cuire le sirop 5 minutes ou jusqu'à ce que le thermomètre à sucre marque 115 °C (238 °F).

3 Dans un bol calorifuge moyen, fouettez les blancs d'œufs au batteur électrique réglé à vitesse moyenne. Quand ils sont mousseux, mettez le bol sur une casserole d'eau bouillante. À faible vitesse, incorporez peu à peu le sirop de sucre et fouettez jusqu'à ce que les blancs forment des pics fermes et que le thermomètre marque 71 °C (160 °F). Faites entrer ⅓ tasse de meringue chaude dans la préparation au chocolat puis incorporez le reste en soulevant avec la spatule.

4 Fouettez le reste de la crème (½ tasse) jusqu'à formation de pics souples ; ajoutez la vanille. Incorporez-la à la mousse au chocolat. Couvrez et réfrigérez au moins 1 heure avant de servir. Donne 8 portions.

Par portion : Calories 278 ;
Gras total 16 g ; Gras saturé 3 g ;
Protéines 5 g ;
Hydrates de carbone 30 g ; Fibres 0 g ;
Sodium 33 mg ; Cholestérol 95 mg

Préparation : 9 minutes • Cuisson : 12 minutes
Réfrigération : 1 heure

SOUFFLÉS SUCRÉS

Les soufflés de dessert sont souvent servis avec de la crème anglaise. Celui-ci est aux abricots et s'accompagne d'une crème anglaise à la vanille.

UN BON DÉPART

L'élément le plus important, dans un soufflé, ce sont les blancs d'œufs qui doivent être fouettés en neige ferme, mais non sèche. Prenez des œufs frais et laissez-les tiédir avant de les fouetter : ils acquerront plus de volume.

Ne fouettez jamais les blancs d'œufs dans un bol de plastique. Il y reste toujours des traces d'huile et cela les empêchera de bien monter (autres détails, page 288).

DOUX ET MOELLEUX

Tous les soufflés, qu'ils soient sucrés ou salés, commencent avec une béchamel épaisse. Ici, on la sucre pendant qu'elle épaissit et on la parfume avec une purée d'abricots.

Pour les soufflés sucrés, aux fruits, au chocolat ou à la vanille, attendez que l'appareil de base ait un peu refroidi avant d'y ajouter les parfums.

Il y a deux façons d'éviter que les jaunes d'œufs cuisent quand on les ajoute à la béchamel. On peut attendre que celle-ci ait refroidi avant d'incorporer les œufs : c'est la méthode la plus simple. Mais on peut aussi introduire dans les jaunes fouettés un peu de béchamel chaude pour les réchauffer à leur tour ; dès lors on peut les ajouter à la sauce sans crainte qu'ils tournent.

Il est possible de préparer d'avance l'appareil à soufflé jusqu'au point où les jaunes ont été incorporés à la béchamel. Pour qu'il ne se forme pas de pellicule en surface, appliquez directement sur la sauce de la pellicule plastique et réfrigérez.

L'ADDITION DES BLANCS

Faire entrer des blancs d'œufs en neige dans un appareil de base épais et lourd sans qu'ils retombent : voilà qui constitue un autre moment crucial.

La meilleure technique consiste à les ajouter en plusieurs étapes. D'abord, vous en incorporez le quart ou le tiers et vous fouettez énergiquement avec un fouet ballon. Cette opération fait entrer de l'air dans l'appareil, l'allège et le rend plus malléable.

Ensuite, déposez sur la préparation des monticules d'œufs battus. Avec une spatule de caoutchouc, recouvrez-les de préparation : enfoncez la spatule au centre et faites-la remonter le long de la paroi.

PLONGEZ, SERVEZ

Pour empêcher le soufflé de tomber à plat sitôt que vous le coupez, plongez la fourchette et la cuiller de service à la verticale, au centre, et retirez la portion par-dessous.

SOUFFLÉS FRUITÉS

Suivez la recette de la page ci-contre, mais remplacez les abricots par **1 tasse de purée de fruits** : pêches, framboises ou fraises, par exemple. Donne 4 portions.

Tournez le bol et répétez l'opération jusqu'à ce que les blancs soient tous incorporés.

TOUJOURS PLUS HAUT

Pour que le soufflé monte davantage, versez la préparation dans le moule et, avec une spatule, dessinez un cercle à

CRÈME ANGLAISE

1½ tasse de lait
¼ tasse de sucre
⅛ c. à thé de sel
3 jaunes d'œufs, légèrement battus
¾ c. à thé de vanille

1 Dans une casserole moyenne, faites frémir le lait avec le sucre et le sel sur un feu doux. Dans un bol moyen, fouettez les jaunes d'œufs ; ajoutez-leur ¼ tasse de lait frémi et versez-les dans la casserole. Faites cuire à feu doux, en fouettant sans arrêt, jusqu'à ce que la crème nappe la cuiller – environ 10 minutes.

2 Retirez du feu et passez la préparation au tamis fin. Recueillez-la dans un bol, ajoutez la vanille et laissez tiédir. Couvrez et réfrigérez jusqu'au service.

Note : La crème anglaise peut être préparée la veille et réfrigérée.

2,5 cm (1 po) du bord. Après la cuisson, la partie centrale sera plus haute que le bord de 4 à 5 cm (1½-2 po) : c'est ce qu'on surnomme le « chapeau ».

CHIMIE ALIMENTAIRE

Pourquoi les soufflés montent-ils ? Lorsqu'on les fouette, les blancs d'œufs se gonflent de mille et une petites bulles d'air. Durant la cuisson, ces petites bulles prennent de l'expansion et font monter le soufflé. À la sortie du four, le phénomène inverse se produit : les bulles se contractent et le soufflé se met à baisser. Voilà pourquoi il faut le servir aussitôt sorti du four.

Soufflé aux abricots nappé de crème anglaise

- **3** c. à soupe et 1 c. à thé de beurre ou de margarine
- **½** tasse et 1 c. à soupe de sucre
- **2** tasses d'abricots dénoyautés en conserve, égouttés
- **3** c. à soupe de farine
- **1** tasse de lait
- **½** c. à thé de zeste de citron râpé
- **⅛** c. à thé de sel
- **3** œufs entiers, jaunes et blancs séparés, plus 1 blanc d'œuf
- **2** c. à soupe de jus de citron
- **2** c. à soupe de Grand Marnier
- **1** portion de crème anglaise (voir page ci-contre)

1 Préchauffez le four à 190 °C (375 °F). Beurrez un moule à soufflé de six tasses avec 1 c. à thé de beurre. Chemisez-le parfaitement de 1 c. à soupe de sucre; faites tomber l'excédent en tournant le moule à l'envers et en tapotant le fond.

2 Au robot, réduisez les abricots en purée et réservez-les.

3 Dans une casserole moyenne, faites fondre le reste du beurre (3 c. à soupe) à feu modéré. Ajoutez la farine, mélangez et laissez cuire 2 minutes en remuant. Incorporez peu à peu le lait, le zeste de citron, le sel et le reste du sucre (½ tasse); laissez cuire 4 minutes environ en remuant constamment: la préparation va épaissir.

4 Dans un bol moyen, fouettez les jaunes d'œufs pour les mélanger, sans plus. Au fouet, ajoutez-leur ½ tasse du lait chaud et reversez ce mélange dans la casserole. Faites cuire à feu doux environ 3 minutes en remuant constamment: la préparation sera onctueuse. Hors du feu, ajoutez le jus de citron, le Grand Marnier et la purée d'abricots.

5 Fouettez les blancs d'œufs au batteur électrique jusqu'à formation de pics fermes, sans plus. Ajoutez le quart des blancs à la préparation de base pour l'alléger; incorporez délicatement le reste des blancs en soulevant la préparation, jusqu'à ce qu'ils soient tous complètement absorbés.

6 Versez l'appareil dans le moule beurré, déposez-le sur une plaque placée dans le tiers inférieur du four et faites cuire à découvert 35 à 40 minutes ou jusqu'à ce que le soufflé soit bien gonflé et doré, mais encore mollet au centre. Servez immédiatement en nappant les portions de crème anglaise froide. Donne 4 portions.

Par portion : Calories 538 ; Gras total 22 g ; Gras saturé 12 g ; Protéines 14 g ; Hydrates de carbone 69 g ; Fibres 1 g ; Sodium 279 mg ; Cholestérol 366 mg

Préparation : 9 minutes • Cuisson : 57 minutes

FLANS SUCRÉS

*L*a crème caramel et la crème brûlée sont sans doute les flans les plus populaires. Voici quelques conseils pour les réussir sans grumeaux.

GÉNÉRALITÉS

Le flan est un dessert facile à préparer pourvu que l'on respecte certaines règles.

Fouettez les œufs sans excès pour ne pas y faire naître des bulles : elles se maintiendraient dans la crème même durant la cuisson.

ŒUF POUR ŒUF

Plus il y a de jaunes d'œufs dans le flan, plus sa texture sera moelleuse, mais, par contre, plus il mettra de temps à cuire. (Les blancs d'œufs cuisent plus vite que les jaunes.) Pour diminuer la teneur de la recette en lipides et en calories, vous pouvez très bien remplacer les jaunes par des œufs entiers (un œuf entier au lieu de deux jaunes), mais le flan cuira plus vite.

TEMPS DE CUISSON

On fait cuire les flans dans de petits moules en verre à feu ou en céramique. Il y en a de toutes les formes et de toutes les tailles. Mais si vous en choisissez qui n'ont pas les dimensions des moules recommandés dans la recette, rappelez-vous de modifier aussi le temps de cuisson.

Les flans montés dans des petits ramequins doivent cuire 45 minutes à 160 °C (325 °F) ; dans un moule de 20 cm (8 po), prévoyez 50 à 55 minutes, et 70 minutes dans un moule de six tasses.

PRÉPARATION

Ne faites pas cuire le flan avec excès. Sitôt que les œufs sont coagulés, retirez-le du four ; autrement, il va se séparer en grumeaux et en eau.

Le flan n'est pas encore totalement pris quand vous le sortez du four ; il se solidifiera en refroidissant. Il est à point quand un couteau, inséré au centre à une profondeur de 1 cm (½ po), en ressort humide mais propre.

PAS DE GRUMEAUX

Le flan risque de grumeler s'il cuit à une température supérieure à 160 °C (325 °F). Même à cette température, il se fissure et « pleure » s'il reste au four trop longtemps.

Les flans doivent cuire au bain-marie. Étendez un linge à vaisselle dans le fond d'une lèchefrite pour que les ramequins ne glissent pas durant les manipulations. Mettez-y huit ramequins côte à côte sans qu'ils se touchent. Remplissez-les de préparation aux œufs. Enfournez la lèchefrite et mettez-y de l'eau bouillante jusqu'à mi-hauteur des moules.

Dès la fin de la cuisson, retirez les ramequins de leur bain pour arrêter la cuisson ; attendez qu'ils soient tièdes avant de les réfrigérer.

LE CARAMEL

Surveillez le sucre durant sa caramélisation : il peut brûler très rapidement. Au besoin, ajoutez-lui un peu d'eau pour ralentir le procédé.

DÉMOULER OU NON

S'il a cuit dans des ramequins, le flan se sert démoulé. Passez un couteau tout autour pour faire entrer un peu d'air. Déposez l'assiette de service dessus et retournez rapidement l'assiette et le ramequin. Retirez ce dernier et servez.

Si le flan comporte un caramel, démoulez-le, selon la dimension du moule, dans une petite assiette à dessert creuse ou dans un compotier pour retenir le liquide qui se trouve dessous.

CARAMÉLISATION

Quand le sucre commence à dorer, remuez-le ou agitez le plat lentement de façon que la caramélisation soit uniforme.

CRÈME CARAMEL ALLÉGÉE

Dans la recette de la page ci-contre, remplacez le lait entier par **3 tasses de lait écrémé évaporé**, les œufs et les jaunes d'œufs par **1½ tasse de succédané d'œufs**. Ne mettez que ⅔ tasse de sucre. Donne 8 portions.

DOUBLE CARAMEL

Dans la recette de la page ci-contre, remplacez le sucre par de la **cassonade**. Donne 8 portions.

CRÈME BRÛLÉE

Préparez la crème caramel ci-contre dans des ramequins pouvant supporter la chaleur du four. Supprimez le caramel à l'étape 1. Saupoudrez chaque flan de **1½ c. à thé de cassonade**. Glissez les moules sous le gril, à 15 ou 20 cm (6-8 po) de l'élément, et attendez 45 secondes que le sucre fonde et se caramélise. Laissez refroidir ; servez la crème brûlée tiède ou froide. Une réfrigération trop longue ramollit la croûte. Donne 8 portions.

EN UN MOULE

Toutes les variantes de la crème caramel peuvent être réalisées dans un moule à soufflé de six tasses ; faites cuire 1 h 10 à 160 °C (325 °F).

Crème caramel

Caramel :

- $\frac{1}{2}$ tasse de sucre
- $\frac{1}{3}$ tasse d'eau

Flan :

- 3 tasses de lait
- $\frac{3}{4}$ tasse de sucre
- 1 gousse de vanille, fendue en deux sur la longueur
- 4 lanières de 7 x 1 cm (3 x $\frac{1}{2}$ po) de zeste d'orange
- 3 lanières de 5 x 1 cm (2 x $\frac{1}{2}$ po) de zeste de citron
- 3 lanières de 5 x 1 cm (2 x $\frac{1}{2}$ po) de zeste de lime
- $\frac{1}{4}$ c. à thé de sel
- 3 œufs et 3 jaunes d'œufs

1 Caramel. Dans une petite casserole, amenez le sucre et l'eau à ébullition à feu modérément vif. Laissez bouillir jusqu'à ce que le sucre soit couleur d'ambre – environ 5 minutes. Versez le caramel dans huit ramequins non graissés de 170 ml (6 oz) et faites-les tourner pour caraméliser le fond et 2,5 cm (1 po) de la paroi. Étendez un linge de cuisine dans le fond d'une lèchefrite et mettez-y les ramequins côte à côte sans qu'ils se touchent.

2 Flan. Dans une casserole inoxydable moyenne, faites mijoter ensemble le lait, $\frac{1}{4}$ tasse de sucre, la gousse de vanille, les zestes d'orange, de citron et de lime ainsi que le sel. Retirez du feu, couvrez et laissez infuser 30 minutes.

3 Préchauffez le four à 160 °C (325 °F). Dans un grand bol, fouettez sans excès les œufs et les jaunes d'œufs avec le reste du sucre ($\frac{1}{2}$ tasse). Quand ils sont à point, incorporez peu à peu le lait au fouet en le filtrant à travers un tamis. Dressez la préparation avec une louche dans les ramequins caramélisés.

4 Enfournez la lèchefrite et mettez-y de l'eau bouillante jusqu'à mi-hauteur des ramequins. Ne les couvrez pas. Faites cuire 45 minutes environ ou jusqu'à ce qu'un couteau inséré au centre d'un ramequin en ressorte humide mais propre.

5 Retirez les ramequins du bain d'eau et laissez-les tiédir sur une grille. Gardez-les au réfrigérateur jusqu'au service.

6 Pour servir, dégagez la crème caramel avec un couteau et démoulez les ramequins dans de petites assiettes creuses. Donne 8 portions.

Par portion : Calories 209 ;
Gras total 7 g ; Gras saturé 3 g ;
Protéines 6 g ;
Hydrates de carbone 31 g ; Fibres 0 g ;
Sodium 138 mg ; Cholestérol 172 mg

*Préparation : 20 minutes
Cuisson : 45 minutes
Attente : 1 h 30*

POUDING D'ÉTÉ

Voici un pouding typiquement anglais, facile à faire et débordant de fruits frais. Avec des fruits surgelés, il se métamorphose en pouding hivernal.

MINICUISSON

Le pouding d'été ressemble un peu à une génoise généreusement fourrée de fruits. C'est un dessert léger, frais, coloré et savoureux, dans lequel seuls les fruits ont besoin de cuire brièvement.

Tapissez un moule de pain beurré ou de génoise et remplissez-le de fruits juteux. Tassez le pouding en mettant un poids dessus et réfrigérez. Démoulez-le et nappez chaque portion de chantilly ou de crème anglaise.

C'est un dessert que vous devez planifier d'avance puisqu'il doit passer au moins huit heures au réfrigérateur.

LE PAIN

Pour le pouding d'été, il faut un pain à mie robuste et bien serrée. Le jus des fruits détrempera du pain trop tendre et le transformera en bouillie.

Éliminez la croûte. Pour accélérer l'opération, empilez trois ou quatre tranches sur une planche et retranchez les quatre côtés. Certaines personnes préfèrent garder les croûtes, mais si elles ne sont pas bien imbibées de jus, elles restent dures sous la dent.

Dans les moules très profonds, le pain se dispose plus facilement si les tranches sont détaillées en triangles. Réservez quelques tranches pour couvrir le dessus.

LE MOULE

Choisissez un moule à paroi lisse. Un moule à charlotte, à pain ou à soufflé de cinq ou six tasses convient très bien.

LE POUDING

Comptez environ 1,5 kg (3 lb) de fruits pour un pouding d'été. Si vous vous servez de fruits décongelés, mélangez-leur une partie des rognures de pain pour absorber un peu du jus en excès.

Réservez une petite quantité de jus et de fruits pour arroser et décorer le pouding au démoulage.

Au moment de servir, plongez le moule 30 à 45 secondes dans un plat d'eau chaude pour ramollir le beurre.

TOUCHE FINALE

Vous pouvez napper ce pouding d'une chantilly, de crème glacée, de sorbet aux fruits ou de la crème anglaise décrite à la page 320.

POUDING AUX PÊCHES

Dans la recette de la page ci-contre, remplacez les baies par **6 tasses de pêches,** pelées et tranchées mince, et ajoutez ½ tasse d'eau. Mettez **3 c. à soupe de jus de citron** et **1 c. à thé de zeste de citron râpé** dans l'eau et faites cuire les fruits 10 à 12 minutes. Hors du feu, ajoutez **1 tasse de framboises.** Foncez le moule avec des tranches de gâteau **(génoise de 375 g/ 12 oz).** Parez le pouding et détaillez-le en 14 tranches. Donne 8 portions.

CHANTILLY AUX FRAMBOISES

Fouettez **1 tasse de crème épaisse** très froide. Dès qu'elle se met à mousser, ajoutez **2 c. à soupe de sucre, 1 c. à thé de vanille** et **2 c. à soupe de liqueur à la framboise.** Fouettez jusqu'à formation de pics fermes. Donne 2 tasses.

CHANTILLY À LA CRÈME SURE

Fouettez **½ tasse de crème épaisse** très froide. Dès qu'elle se met à mousser, ajoutez **2 c. à soupe de sucre** et **½ c. à thé de vanille.** Incorporez délicatement **½ tasse de crème sure.** Donne 1⅓ tasse.

PRÉPARATION DU POUDING D'ÉTÉ EN MOULE

1 Foncez parfaitement le moule avec du pain à mie serrée, écrouté et beurré.

2 Avec une cuiller à trous, mettez les fruits cuits sur le pain ; remplissez le moule.

3 Disposez le reste du pain sur les fruits.

4 Mettez une assiette par-dessus ; lestez-la d'un objet lourd. Réfrigérez. Réservez le jus en excès.

DESSERTS GOURMANDS

Pouding d'été aux petits fruits

9 tasses de petits fruits mélangés : fraises, framboises, mûres, bleuets, cassis

½ à ¾ tasse de sucre

2 c. à soupe d'eau

3 c. à soupe de beurre fondu ou de margarine

1 pain blanc (500 g/16 oz) à mie serrée, tranché et écroûté

1 Lavez les petits fruits ; équeutez-les au besoin. Coupez les fraises en quatre ; laissez les autres petits fruits entiers.

2 Mettez les fruits dans une casserole inoxydable de 3 litres ; ajoutez ½ tasse de sucre et l'eau. Portez à ébullition à feu assez vif en remuant de temps à autre. Faites mijoter 3 minutes à feu doux pour faire fondre le sucre et sortir le jus. Retirez du feu et laissez refroidir 10 minutes. Goûtez et ajoutez du sucre au besoin.

3 Beurrez le pain d'un seul côté. Tapissez de pain le fond et la paroi d'un moule de six tasses en plaçant le côté beurré contre le moule. Ajustez les tranches au besoin pour bien couvrir le moule.

4 Avec une cuiller à trous, dressez les fruits dans le moule en réservant 1 tasse de jus. Couvrez-les avec le reste du pain paré en conséquence. Sur le pain, posez une assiette lestée d'un objet pesant. Réfrigérez 8 heures ou davantage.

5 Retirez le poids et l'assiette. Plongez le moule dans un bain d'eau chaude et laissez-le en place 30 secondes pour ramollir le beurre. Passez la lame mince d'un couteau contre la paroi du moule et dégagez délicatement le pouding. Mettez un plat de service à l'envers sur le moule et tournez d'un geste rapide pour démouler le pouding. À la cuiller, nappez avec le jus réservé le pain qui n'aurait pas été suffisamment imbibé. Donne 8 portions.

Par portion : Calories 252 ; Gras total 7 g ;
Gras saturé 3 g ; Protéines 5 g ;
Hydrates de carbone 45 g ; Fibres 3 g ;
Sodium 256 mg ; Cholestérol 13 mg

Préparation : 45 minutes
Cuisson : 10 minutes
Réfrigération : au moins 8 heures

GÂTEAU AU FROMAGE

Certains le préfèrent au naturel, d'autres garni de fruits frais ou en sirop. Mais rares sont ceux qui n'en raffolent pas.

GÉNÉRALITÉS

Il est spécifiquement question ici du gâteau au fromage. Mais on trouvera un complément d'information à la page 298 consacrée aux tourtes au fromage.

LE FROMAGE

On utilise d'habitude du fromage à la crème commercial. Mais si votre fromager vous en propose du frais, sautez sur l'occasion. Et pour diminuer la teneur du gâteau en matières grasses, prenez du fromage fermier à petits grains ou du neufchâtel.

LE MÉLANGE

Si vous n'avez pas de robot, vous pouvez sans problème utiliser un mélangeur électrique à petite vitesse.

Laissez d'abord tiédir le fromage une ou deux heures ou ramollissez-le au four micro-ondes réglé à *Maximum* en comptant 1 à 1½ minute par paquet de 250 g (8 oz). (N'oubliez pas de retirer l'emballage d'aluminium !)

Avant d'enfourner le gâteau, éliminez les bulles d'air en laissant tomber le moule de quelques centimètres.

CROÛTE DE BISCUIT

La croûte aux miettes de biscuit est traditionnelle pour le gâteau au fromage. Elle est décrite à la page 308.

Mettez les miettes de biscuit beurrées dans le moule et tassez-les avec les doigts ou une cuiller. Placez le moule quelques minutes au congélateur avant d'y verser la garniture.

SURFACE FENDILLÉE

Réglez le four à la température spécifiée. Si la chaleur est trop forte, le gâteau fendillera. Il peut même fendiller à la bonne température à cause du poids de la garniture. Dans ce cas, masquez le dessus avec une garniture aux fruits.

REFROIDISSEMENT

Le gâteau au fromage ne se sert jamais chaud car c'est en refroidissant qu'il prend sa texture typique. Laissez-le d'abord tiédir sur une grille ; enveloppez-le de papier d'aluminium ou de pellicule plastique et réfrigérez-le au moins 12 heures, au plus deux ou trois jours.

Pour le découper, plongez votre couteau dans de l'eau chaude avant chaque tranche.

GÂTEAU AU FROMAGE GARNI DE FRAISES

1 Badigeonnez le dessus du gâteau au fromage avec la glace aux fraises légèrement tiédie.

2 Faites chevaucher les tranches de fraises en cercles concentriques à partir de la périphérie. Badigeonnez-les de glace aux fraises.

GARNITURES AU CHOCOLAT

Frisons. Avec un couteau à lame pivotante, prélevez de minces tranches sur une épaisse tablette de chocolat un peu tiède.

Noix au chocolat. Faites fondre le chocolat au lait à feu très doux ou au bain-marie. Trempez à demi la noix (ou pacane ou amande de macadamia). Laissez sécher.

GÂTEAU AU FROMAGE AU CHOCOLAT

Garniture : Suivez la recette ci-contre. À l'étape 1, ajoutez en même temps que la crème sure ¼ **tasse de cacao hollandais amer** dissous dans ¼ **tasse d'eau bouillante. Croûte :** Remplacez les biscuits graham par des **gaufrettes au chocolat.** Décorez d'une **garniture au chocolat** (ci-dessus). Donne 6 portions.

GÂTEAU AU FROMAGE À LA CITROUILLE

Garniture : Remplacez le sucre par **1½ tasse de cassonade** et la crème sure par **3½ tasses de purée de citrouille,** non sucrée. Parfumez de ¼ c. à thé de cannelle, ¼ c. à thé de clou de girofle et ¼ c. à thé de muscade. **Croûte :** Remplacez les biscuits graham par des **biscuits au gingembre.** Donne 6 portions.

Gâteau au fromage et aux fraises

Garniture :

- 3 paquets (250 g/8 oz chacun) de fromage à la crème
- 1 tasse de sucre
- 3 œufs
- 1 tasse de crème sure

Croûte :

- 1¼ tasse de biscuits graham pulvérisés
- 5 c. à soupe de beurre fondu ou de margarine
- ¼ tasse de sucre

Glace :

- ¼ tasse de gelée de fraise
- 1 c. à soupe d'eau
- 2 tasses de fraises, lavées, équeutées et tranchées mince

1 Garniture. Préchauffez le four à 160 °C (325 °F). Au robot, mélangez le fromage à la crème et le sucre. L'appareil toujours en marche, ajoutez les œufs un à la fois. Raclez la paroi du gobelet, ajoutez la crème sure et travaillez jusqu'à homogénéité.

2 Croûte. Dans un bol moyen, mélangez à la fourchette les biscuits pulvérisés, le beurre et le sucre. Mettez la préparation dans le fond d'un moule à paroi amovible de 22 cm (9 po). Tassez-la avec les doigts.

3 Dressez la garniture sur la croûte, enfournez et laissez cuire 50 minutes environ : le gâteau est à point quand la garniture tremble au centre seulement. Mettez le moule sur une grille et laissez tiédir.

4 Glace. Dans une petite casserole, amenez la gelée et l'eau à ébullition à feu assez vif. Retirez du feu et laissez tiédir. Avec un pinceau à pâtisserie, appliquez un tiers de cette glace sur le dessus du gâteau au fromage ; disposez les fraises tranchées et badigeonnez-les avec le reste de la glace (voir page ci-contre). Donne 6 portions.

Par portion : Calories 911 ; Gras total 68 g ; Gras saturé 41 g ; Protéines 15 g ; Hydrates de carbone 66 g ; Fibres 1 g ; Sodium 670 mg ; Cholestérol 290 mg

Préparation : 20 minutes • Cuisson : 50 minutes

Carrés au chocolat

C es carrés sont plus connus sous leur nom anglais de brownies. *Selon la proportion de farine, ils auront la consistance d'une friandise ou d'un gâteau.*

LE CHOCOLAT

Modifiez le goût des brownies à votre guise en remplaçant le chocolat non sucré par du chocolat mi-sucré ou par des grains de chocolat.

CONSEILS

Si vous aimez les brownies fondants, vous mettrez un peu moins de farine pour que la proportion de beurre et de chocolat soit plus élevée.

Normalement, on fait fondre ensemble le beurre et le chocolat avant de les ajouter au sucre, aux œufs et aux aromates. Les ingrédients secs sont incorporés à la main.

Pour des brownies à consistance de gâteau, il faut battre le beurre avec le sucre et ajouter de la levure à la farine.

LE MOULE

Employez le moule spécifié dans la recette. S'il est plus grand ou plus petit, l'épaisseur de la pâte change et, avec elle, la durée de la cuisson.

Graissez et farinez le moule : c'est essentiel pour les pâtes à base de fruits et de noix qui ont tendance à attacher dans le fond. Vous pouvez remplacer la farine par du cacao non

sucré : vous obtiendrez ainsi un brownie plus foncé.

Ou bien tapissez le moule de papier d'aluminium graissé et fariné, en le faisant remonter sur le gâteau. Vous n'aurez qu'à soulever le papier pour démouler le gâteau en bloc.

PRÉPARATION

Avant de faire fondre le chocolat, détaillez-le en tout petits morceaux ou râpez-le avec un éplucheur à lame pivotante.

Faites fondre le chocolat à feu très doux. Une chaleur trop vive le fait brûler ou entraîne la formation de grumeaux impossibles à éliminer.

La vapeur condensée provoque les mêmes ennuis : ne couvrez pas la casserole.

Si, malgré toutes ces précautions, les choses se gâtent, essayez de récupérer le chocolat en lui incorporant 1 c. à thé d'huile à salade par 30 g (1 oz) de chocolat.

Faites preuve de prudence. Utilisez plutôt un bain-marie. Vous n'en avez pas ? Qu'à cela ne tienne. Installez une petite casserole dans une grande ou un petit bol dans un grand et mettez de l'eau mijotante dans l'ustensile du bas.

DU MOELLEUX

Pour donner du moelleux aux carrés au chocolat, ne menez pas la cuisson tout à fait à son terme : le centre sera délicieusement mou, le pourtour, bien ferme. Piquez un cure-dent au centre ; il doit s'y coller une miette ou deux quand vous le retirez. La cuisson se poursuit une minute ou deux à la sortie du four.

DÉCOUPAGE

Quand les brownies sont cuits, déposez le moule sur une grille. Si vous l'avez doublé de papier d'aluminium, attendez que le gâteau ait refroidi pour le découper. Mais vous pouvez les découper tout de suite si vous servez les carrés chauds avec de la crème glacée.

Pour obtenir 24 carrés, coupez la masse trois fois sur la longueur et cinq sur la largeur avec une roulette à pizza ou un couteau à lame dentée. Essuyez la lame après chaque coupe.

Si les carrés ont cuit directement dans le moule, dégagez et retirez un carré d'angle en premier lieu.

Une fois les carrés refroidis, enveloppez-les dans du papier d'aluminium ; ils se garderont 7 à 10 jours au réfrigérateur et deux à trois mois au congélateur ; ils se décongèlent en 15 minutes.

BROWNIES FONDANTS GLACÉS

Suivez la recette de la page ci-contre, mais supprimez l'étape 3. En 4, incorporez 3 œufs seulement, tous en même temps. Utilisez un peu plus de farine – 1¼ tasse – mais pas de levure chimique. Pour la cuisson, 25 à 30 minutes suffiront. Au sortir du four, couvrez la surface de **minigrains de chocolat.** Attendez 5 minutes, puis étalez-les à la spatule. Laissez refroidir avant de servir. Donne 24 carrés de 6 cm (2¼ po).

BLONDIES

Préparez les brownies comme ci-dessus, mais supprimez le chocolat. Augmentez la farine à 1¾ tasse et ajoutez-y **1 c. à thé de levure chimique.** Faites cuire 35 minutes et ne les glacez pas. Donne 24 carrés de 6 cm (2¼ po).

BROWNIES DEUX-TONS

Séparez la pâte des blondies en deux ; dans une moitié, mettez **2 carrés de chocolat** de 30 g (1 oz) chacun, fondus et refroidis. Étalez-la dans le fond du moule et mettez le reste de la pâte par-dessus. Ne mélangez pas les pâtes. Donne 24 carrés de 6 cm (2¼ po).

1. Préchauffez le four à 180 °C (350 °F). Doublez de papier d'aluminium un moule de 33 x 22 x 5 cm (13 x 9 x 2 po). Graissez et farinez le papier. Réservez.

2. Dans une petite casse- role, faites fondre le chocolat à feu très doux en le remuant de temps à autre. Laissez-le tiédir.

3. Sur un carré de papier ciré, mélangez la farine, la levure chimique et le sel.

4. Dans un grand bol, défaites le beurre en crème au batteur électrique à vitesse moyenne pendant 2 minutes. Ajoutez le sucre et fouettez 2 minutes de plus. Ajoutez les œufs un à un en battant bien après chaque addition. Incor- porez la vanille et le choco- lat refroidi. À la main, faites entrer les ingrédients secs, puis les noix.

5. Versez la pâte dans le moule préparé, enfour- nez et faites cuire environ 35 minutes ou jusqu'à ce qu'un cure-dent introduit au centre de la pâte en ressorte propre. Mettez le moule à refroidir sur une grille avant de découper les carrés. Donne 24 carrés de 6 cm (2¼ po).

Brownies classiques

5 carrés (30 g/1 oz chacun) de chocolat non sucré, hachés grossièrement
1⅓ tasse de farine non tamisée
1 c. à thé de levure chimique
½ c. à thé de sel

¾ tasse (1½ bâtonnet) de beurre ramolli, ou de margarine
1½ tasse de sucre
4 œufs
2 c. à thé d'essence de vanille
2 tasses de noix ou de pacanes, grossièrement hachées

**Par carré : Calories 244 ;
Gras total 16 g ;
Gras saturé 6 g ;
Protéines 4 g ;
Hydrates de carbone 23 g ;
Fibres 2 g ; Sodium 81 mg ;
Cholestérol 60 mg**

*Préparation : 30 minutes
Cuisson : 35 minutes*

GÂTEAU AU BEURRE VITE FAIT

U n excellent dessert de dernière minute : tout se mélange en même temps dans le même bol.

BON ET VITE FAIT

Le gâteau au beurre classique exige plusieurs opérations effectuées séparément sur les ingrédients secs et les ingrédients liquides avant de les mélanger les uns aux autres. Le gâteau vite fait – simple ou étagé – a été mis au point pour le batteur électrique. Tout ce qu'il y a à faire, c'est de réunir les ingrédients dans un même bol et de les battre ensemble. L'ordre de leur introduction est important si l'on veut que les ingrédients soient suffisamment battus... mais pas trop.

SUBSTITUTIONS

On peut remplacer la farine à gâteau de la recette par de la farine tout usage en réduisant les quantités de 2 c. à soupe par tasse. La texture du gâteau est cependant moins fine.

Notre recette se fait également avec du babeurre, plus acide que le lait, qui rend le bicarbonate de soude actif : on obtient ainsi un gâteau plus léger. Faites vous-même un babeurre maison en versant 1 c. à soupe de jus de citron ou de vinaigre dans 1 tasse de lait ; il vous faudra attendre 10 à 15 minutes que le mélange épaississe.

DÉMOULAGE

Le gâteau au beurre est à point quand il se décolle de la paroi du moule et qu'il est spongieux au toucher.

Foncez le moule de papier ciré : le gâteau se démoulera plus facilement. Pliez un carré de papier ciré quatre ou cinq fois à la diagonale pour former un triangle. Mettez la pointe au centre du moule ; découpez le côté opposé en arc de cercle en suivant la paroi. Déplié, ce morceau tapissera le fond.

CAUSES D'ÉCHEC

Le gâteau lève-t-il plus d'un côté que de l'autre ? La température du four n'est pas la même partout ; ou la cuisinière n'est pas de niveau. Il y a des poches d'air dans le gâteau ? La pâte a été surmanipulée ; ou il y a trop de farine. Le centre se dégonfle ? Il y a trop de sucre. Le dessus se fendille ? Vous avez mis trop de farine. Le gâteau est caoutchouteux ? Vous avez mis trop d'œufs.

POUR GLACER UN GÂTEAU

1 Mettez des morceaux de papier ciré sur une assiette avant d'y poser le gâteau ; masquez-le avec le quart du glaçage.

2 S'il y a lieu, mettez un peu de glaçage sur l'autre étage de gâteau et renversez-le par-dessus le premier.

3 Avec le reste du glaçage, masquez parfaitement le dessus et le tour du gâteau assemblé. Retirez les papiers cirés.

GÂTEAU PRALINÉ AU CHOCOLAT

Dans la recette de la page ci-contre, chemisez le moule de **farine** plutôt que de cacao. Remplacez le sucre par de la **cassonade blonde,** bien tassée ; incorporez à la pâte **½ tasse de pacanes,** grillées et hachées. Donne 12 portions.

GÂTEAU AUX ÉPICES

Dans la recette de la page ci-contre, chemisez le moule de **farine** plutôt que de cacao. Remplacez le sucre par de la **cassonade blonde ;** supprimez le chocolat ; ajoutez **1 c. à thé de cannelle, ½ c. à thé de gingembre, ½ c. à thé de muscade, ¼ c. à thé de piment de la Jamaïque** et **¼ c. à thé de clou de girofle moulu.** Donne 12 portions.

GLAÇAGE AU BEURRE AU CHOCOLAT

Préparez un glaçage au beurre (recette page ci-contre) en y ajoutant **90 g (3 oz) de chocolat mi-sucré,** fondu, ou **½ tasse de cacao non sucré,** tamisé. Donne la même quantité de glaçage que la recette principale.

GLAÇAGE AU BEURRE À L'ORANGE

Préparez un glaçage au beurre (recette page ci-contre), mais remplacez la crème par **¼ tasse de jus d'orange** et ajoutez **1 c. à soupe de zeste d'orange râpé.** Donne la même quantité de glaçage que la recette principale.

Gâteau au chocolat

- 1 c. à soupe de cacao non sucré (pour chemiser le moule)
- 2 tasses de farine à gâteau tamisée
- 1½ c. à thé de bicarbonate de soude
- 1 c. à thé de sel
- ½ c. à thé de levure chimique
- 1½ tasse de sucre
- 1 tasse de babeurre, à la température ambiante
- ½ tasse (1 bâtonnet) de beurre ramolli, ou de margarine
- 1 c. à thé d'essence de vanille
- 3 œufs, à la température ambiante
- 90 g (3 oz) de chocolat mi-sucré, fondu

1 Préchauffez le four à 180 °C (350 °F). Graissez deux moules ronds de 22 cm (9 po) ; poudrez-les de chocolat.

2 Au batteur électrique réglé à basse vitesse, mélangez ensemble tous les autres ingrédients pendant 1 minute ; raclez la paroi du bol de temps à autre. Passez à une vitesse assez élevée et battez 2 minutes de plus ; raclez deux fois la paroi du bol.

3 Versez la pâte dans les moules, enfournez et prévoyez 30 minutes de cuisson : un cure-dent enfoncé dans la pâte doit en ressortir propre. Attendez 10 minutes avant de démouler les gâteaux sur une grille. Quand ils ont refroidi, garnissez-les de glaçage au beurre. Donne 12 portions.

Par portion (incluant le glaçage) :
Calories 477 ; Gras total 16 g ;
Gras saturé 10 g ; Protéines 5 g ;
Hydrates de carbone 73 g ; Fibres 0 g ;
Sodium 513 mg ; Cholestérol 91 mg

Préparation : 25 minutes • Cuisson : 30 minutes

Avec deux gouttes de colorant végétal rouge et une goutte de jaune, le glaçage au beurre aura une jolie teinte rose pâle. La garniture festonnée se réalise en dernier lieu avec une poche à pâtisserie.

Glaçage au beurre

- ⅓ tasse de beurre ramolli, ou de margarine
- 500 g (16 oz) de sucre glace, tamisé
- ¼ tasse de crème légère
- 2 c. à thé d'essence de vanille
- 1 ou 2 gouttes de colorant végétal (facultatif)

1 Au batteur électrique, défaites le beurre en crème à vitesse modérément élevée.

2 À vitesse moyenne, ajoutez alternativement le sucre et la crème, peu à la fois, ainsi que la vanille et le colorant, s'il y a lieu. Suffit à garnir complètement un gâteau étagé de 22 cm (9 po), un gâteau à cheminée de 25 cm (10 po), un gâteau de 33 x 22 x 5 cm (13 x 9 x 2 po) ou 24 petits gâteaux.

Pour deux cuillerées à soupe : Calories 160 ; Gras total 6 g ; Gras saturé 4 g ;
Protéines 0 g ; Hydrates de carbone 28 g ; Fibres 0 g ;
Sodium 21 mg ; Cholestérol 8 mg

Préparation : 8 minutes

GÂTEAU DES ANGES

Le gâteau des anges doit sa légèreté à la présence exclusive de blancs d'œufs, ce qui lui vaut également sa réputation de gâteau santé.

GÉNÉRALITÉS

Dans ce type de gâteau, le volume des blancs d'œufs est le point critique. Il faut les battre avec le plus grand soin.

Séparez les blancs des jaunes quand les œufs sont bien froids. Retirez avec un coin de serviette de papier ou le bout d'une cuiller toute trace de jaune dans les blancs car ils ne monteront pas s'il y a si peu de gras soit-il.

Laissez les blancs prendre la température ambiante avant de les fouetter. Utilisez un grand bol à fond arrondi, propre et sec, en métal et non en plastique. Fouettez-les avec un accessoire propre et sec : batteur électrique ou fouet ballon.

Commencez par fouetter les blancs en mousse. En ajoutant le sucre peu à peu, continuez à fouetter jusqu'à formation de pics souples : ceux-ci doivent basculer sur le côté quand vous retirez le fouet.

LE SUCRE

Nous utilisons du sucre granulé ; vous pouvez en remplacer la moitié par du sucre glace, si vous voulez. Tamisez-le cependant deux ou trois fois avant de l'incorporer à la pâte pour supprimer tout grumeau et permettre une parfaite intégration aux blancs. Dans un cas comme dans l'autre, ajoutez le sucre à la pâte graduellement, quelques cuillerées à soupe à la fois.

(suite à la page 334)

GÂTEAU DES ANGES

Ce gâteau se fait en règle générale dans un moule à cheminée. Accompagnez-le de petits fruits écrasés ou d'une crème Chantilly, fouettée et sucrée.

1½ tasse de blancs d'œufs (environ 15)	1 tasse de farine à gâteau tamisée
1½ c. à thé de crème de tartre	2 c. à thé d'essence de vanille
¼ c. à thé de sel	¼ c. à thé d'essence d'amande
1½ tasse de sucre	

1 Mettez la grille du four au niveau le plus bas. Préchauffez le four à 160 °C (325 °F). Au batteur électrique, fouettez les blancs d'œufs à vitesse modérée avec la crème de tartre et le sel. Quand ils sont mousseux, ajoutez le sucre, deux cuillerées à soupe à la fois, en fouettant à grande vitesse jusqu'à formation de pics souples.

2 Incorporez la farine en quatre fois ; ajoutez ensuite l'essence de vanille et l'essence d'amande.

3 Avec une cuiller, déposez la pâte dans un moule à cheminée de 25 cm (10 po) non graissé ; égalisez la surface doucement avec une spatule. Enfoncez la spatule une fois dans la pâte de façon à dégager les grosses bulles d'air.

4 Enfournez et faites cuire le gâteau jusqu'à ce que le dessus reprenne sa forme lorsqu'on y enfonce le doigt – 50 à 60 minutes. Inversez le moule en faisant tenir la cheminée sur le goulot d'une bouteille. Attendez que le gâteau soit complètement refroidi pour le démouler. Donne 12 portions.

COMMENT ROULER UN GÂTEAU DES ANGES

1 Mettez le gâteau encore chaud sur une serviette et roulez les deux ensemble. Laissez tiédir sur une grille.

2 Déroulez le gâteau quand il est froid. Masquez-le de garniture jusqu'à 1 cm (½ po) des bords.

3 Roulez le gâteau de nouveau. Poudrez-le de sucre glace. Tranchez-le avec un couteau à lame dentée.

Roulé des anges au citron

Garniture :
- ½ **tasse de sucre**
- 2 **c. à soupe de fécule de maïs**
- 1 **pincée de sel**
- ¾ **tasse d'eau froide**
- 2 **jaunes d'œufs, légèrement battus**
- 1 **c. à thé de zeste de citron râpé**
- 2½ **c. à soupe de jus de citron**
- 1½ **c. à thé de beurre ou de margarine**

Gâteau roulé :
- ½ **recette de Gâteau des anges (page ci-contre) sucre glace**

1 Garniture. Dans une petite casserole, mélangez le sucre, la fécule et le sel. Ajoutez peu à peu l'eau ; faites cuire à feu modéré jusqu'à ébullition et épaississement en remuant sans arrêt – environ 3 minutes.

2 Hors du feu, versez un peu de cette préparation dans les jaunes d'œufs. Remettez le tout dans la casserole. Incorporez le zeste et le jus de citron, ainsi que le beurre. Versez dans un bol et laissez refroidir 30 minutes. Couvrez et réfrigérez.

3 Gâteau. Préchauffez le four à 160 °C (325 °F). Préparez une demi-recette du gâteau des anges jusqu'à l'étape 3.

4 Versez la pâte dans un moule à gâteau roulé de 38 x 25 cm (15 x 10 po), doublé de papier ciré graissé. Enfournez et faites cuire 20 à 25 minutes ou jusqu'à ce que le gâteau soit spongieux. Tamisez du sucre glace sur un linge à vaisselle propre.

5 Dégagez le gâteau encore chaud et démoulez-le sur la serviette. Ôtez

le papier ciré. Parez les côtés du gâteau avec un couteau à lame dentée. Tamisez du sucre glace sur le gâteau pendant qu'il est encore chaud et roulez-le en même temps que la serviette.

6 Laissez refroidir le gâteau 30 minutes sur une grille. Déroulez-le et retirez la serviette. Étalez la garniture en laissant une marge de 1 cm (½ po) de tous les côtés. Roulez-le cette fois sur lui-même et saupoudrez le dessus de sucre glace. Donne 12 portions.

**Par portion : Calories 135 ;
Gras total 1 g ; Gras saturé 1 g ;
Protéines 3 g ;
Hydrates de carbone 28 g ; Fibres 0 g ;
Sodium 85 mg ; Cholestérol 37 mg**

*Préparation : 45 minutes
Cuisson : 25 minutes
Refroidissement et montage : 40 minutes*

(suite de la page 332)

LA FARINE

La farine à gâteau tamisée donne au gâteau des anges la texture la plus légère et la plus fine. À défaut, prenez de la farine tout usage tamisée.

Tamisez la farine avant de la mesurer. Ajoutez-la aux blancs d'œufs, un quart à la fois, en la tamisant de nouveau sur le bol. Incorporez-la avec soin.

MANIPULATION

Travaillez la pâte avec délicatesse. Utilisez une spatule de caoutchouc ou un fouet plat et adoptez un mouvement rotatif : glissez la spatule vers le fond du bol, le long de la paroi et ramenez les blancs d'œufs sur le dessus en faisant entrer la farine. Faites tourner le bol à chaque mouvement.

Gare à la surmanipulation ! La farine doit être parfaitement mélangée, mais au-delà de ce point, vous risquez de faire tomber les blancs.

LE MOULE

Le gâteau des anges se fait dans un moule à cheminée (encadré ci-contre). Mais pour en faire un gâteau roulé (recette de la page précédente), il faut, bien sûr, une grande plaque à rebords.

Ne graissez pas le moule. La pâte doit prendre appui sur la paroi du moule si on veut que le gâteau lève.

Assurez-vous qu'il n'y a pas de grosses bulles d'air dans la pâte une fois qu'elle est dans le moule. Avec une spatule de métal, lissez le dessus, puis faites lentement le tour de la cheminée pour chasser les bulles qui s'y trouveraient.

LA BONNE CUISSON

Pour bien lever, le gâteau des anges doit cuire lentement dans le bas du four.

Dès que vous le sortez du four, tournez le moule à l'envers et déposez-le sur ses pattes : le gâteau se trouve suspendu. S'il n'y a pas de pattes, placez la cheminée du moule sur le goulot d'une bouteille et laissez le gâteau refroidir ainsi.

PRÉSENTATION

Glissez une spatule tout autour du moule et de la cheminée pour dégager le gâteau ; démoulez-le avec précaution.

Le gâteau des anges n'est pas masqué de glaçage. Il est saupoudré de sucre glace ou garni de fruits tranchés ou concassés dans leur jus, de crème Chantilly ou d'une sauce légère.

Au moment de servir, découpez-le avec un couteau à lame dentée et un mouvement de va-et-vient. Ou rompez-le avec deux fourchettes, fourchons vers l'extérieur, que vous écartez l'une de l'autre.

GAGNEZ DU TEMPS

Le gâteau des anges se congèle très bien. Mettez-le dans un sac de plastique, faites sortir l'air, fermez parfaitement et congelez ; il se gardera trois mois.

ET LES JAUNES ?

Voici diverses façons d'utiliser les jaunes d'œufs que vous laisse le gâteau des anges.

Battez-en quelques-uns avec du lait et du fromage râpé ; étalez ce mélange sur un mets à gratiner ou servez-vous-en comme élément de liaison.

ROULÉ DES ANGES AUX FRAMBOISES OU AUX FRAISES

Préparez un gâteau roulé comme à la page 333, mais pas la garniture au citron. Fouettez **½ tasse de crème épaisse** avec **1 c. à soupe de sucre glace** et **¼ c. à thé d'essence de vanille.** Ajoutez **¼ tasse de confiture de framboises,** ou de fraises, sans graines. Terminez le gâteau. Donne 12 portions.

Battez-en un ou deux avec un peu d'eau ; enrobez-en les escalopes de veau ou de poulet avant de les panner.

Mettez-en d'autres dans une frittata (page 286).

C'est le bon moment pour préparer la soupe grecque à l'œuf et au citron (page 38).

C'est aussi l'occasion de faire de la mayonnaise (page 366).

GÂTEAU DES ANGES À LA CASSONADE

Dans la recette du gâteau des anges de la page 332, remplacez le sucre par de la **cassonade blonde** et l'essence de vanille par de l'**essence d'érable.** Supprimez l'essence d'amande. Donne 12 portions.

GÂTEAU DES ANGES AU CHOCOLAT

Préparez un gâteau des anges comme à la page 332, mais tamisez **½ tasse de cacao non sucré** avec la farine et incorporez **1 c. à soupe de poudre d'espresso instantané** avec l'essence de vanille. Supprimez l'essence d'amande. Donne 12 portions.

Dans les recettes de flan, remplacez chaque œuf entier par deux jaunes d'œufs.

UN ATOUT
Le moule à cheminée

Le moule à cheminée convient aux gâteaux qui lèvent haut, la pâte prenant appui sur la paroi et sur la cheminée centrale. La cheminée permet aussi au gâteau de cuire dans le centre en même temps qu'il cuit autour : la cuisson est plus rapide. Le moule est généralement muni de pattes qui le supportent quand on le tourne à l'envers : sous l'effet de la gravité, le gâteau peut refroidir sans

FÊTES ET RÉCEPTIONS

REPAS FAMILIAL DES GRANDS JOURS

Quand la famille se réunit au grand complet, on est toujours sûr du succès en servant une belle dinde bien dodue.

LE MENU

Les plats du menu ci-contre sont tous décrits, soit dans les deux pages qui suivent, soit ailleurs dans le livre. Vous trouverez, par exemple, une mine de renseignements sur l'art de farcir la dinde et de la faire rôtir aux pages 280 à 282.

Les recettes ont été choisies parce qu'elles sont excellentes, bien sûr, mais aussi avec l'intention de vous éviter un surcroît de travail à la dernière minute. La soupe est servie froide. Toutes les farces suggérées peuvent cuire à part, ce qui raccourcit le temps de cuisson de la dinde. Et la plupart des autres plats peuvent être faits à l'avance. Il ne restera qu'à les décongeler et à les réchauffer.

Vous pouvez aussi préparer tout ce menu chez vous et le transporter ailleurs, au besoin.

(suite à la page 338)

MENU

Dinde rôtie avec sauce aux abats, farce au riz sauvage relevé de bacon et d'oignon, gratin de haricots verts, relish à l'orange et aux canneberges, petits pains au lait, cocktail rosé : un vrai repas de fête !

FARCE AU RIZ SAUVAGE RELEVÉE DE BACON ET D'OIGNON

125 g (¼ lb) de lard maigre, en petits lardons	½ c. à thé de poivre noir
2 gros oignons, hachés	1 c. à soupe de sauge séchée
2 côtes de céleri avec les feuilles, hachées	2 c. à thé de thym séché
2 tasses de riz sauvage, rincé	1 c. à thé de marjolaine séchée
4½ tasses d'eau	½ tasse de persil frais, haché
1 c. à thé de sel	

1 Dans une grande casserole, faites revenir les lardons pendant 5 minutes à feu assez vif. Épongez-les sur de l'essuie-tout. Videz le gras dans une tasse à mesurer.

2 Versez ¼ tasse de ce gras dans la casserole. Faites-y revenir les oignons et le céleri à feu modéré pendant 8 à 10 minutes en remuant de temps à autre.

3 Ajoutez le riz sauvage, l'eau, le sel, le poivre, la sauge, le thym et la marjolaine. Lancez l'ébullition à feu vif. Couvrez et laissez mijoter à feu doux jusqu'à ce que le riz soit cuit et ait absorbé le liquide – environ 50 à 60 minutes. Incorporez les lardons réservés et le persil. Si vous faites cuire la farce séparément, préchauffez le four à 160 °C (325 °F).

4 Farcissez la dinde et bridez-la ou dressez la farce dans un plat de 2 litres légèrement graissé. Couvrez de papier d'aluminium et laissez cuire 45 minutes. Donne 14 portions.

Par portion de ½ tasse : Calories 155 ; Gras total 6 g ; Gras saturé 2 g ; Protéines 5 g ; Hydrates de carbone 22g ; Fibres 2 g ; Sodium 232 mg ; Cholestérol 6 mg

Préparation : 40 minutes • Cuisson : 1 h 50

FARCE AU PAIN DE MAÏS ET AUX HUÎTRES

¼ tasse (½ bâtonnet) de beurre ou de margarine	½ tasse de bouillon de poulet
2 côtes de céleri avec les feuilles, hachées	½ tasse de persil frais, haché
1 gros oignon, haché	1 c. à soupe de sauge séchée
1 tasse de mélange à farce au maïs	2 c. à thé de thym séché
4 tranches de pain complet, en dés de 1 cm (½ po)	1 c. à thé de marjolaine séchée
1 casseau d'huîtres, égouttées et hachées, leur eau réservée	½ c. à thé de sel
	½ c. à thé de poivre noir

1 Préchauffez le four à 160 °C (325 °F). Dans un grand faitout, faites fondre le beurre à feu modéré. Ajoutez le céleri et l'oignon et faites-les attendrir 8 à 10 minutes en remuant de temps à autre. Retirez du feu.

2 Ajoutez le mélange à farce au maïs, les dés de pain, les huîtres, ½ tasse de l'eau des huîtres, le bouillon, le persil, la sauge, le thym, la marjolaine, le sel et le poivre.

3 Dressez la farce dans un plat à four de 2 litres, légèrement graissé. Couvrez de papier d'aluminium, enfournez et faites cuire 45 minutes. Donne 12 portions.

Par portion de ½ tasse : Calories 165 ; Gras total 6 g ; Gras saturé 3 g ; Protéines 6 g ; Hydrates de carbone 22 g ; Fibres 1 g ; Sodium 504 mg ; Cholestérol 32 mg

Préparation : 40 minutes • Cuisson : 55 minutes

(suite de la page 336)

Vous trouverez dans ce livre bien d'autres recettes dignes d'être servies aux grandes occasions. Feuilletez-le tout à loisir, déterminez un menu, prenez de l'avance et profitez vous aussi de la fête.

DURANT LA SEMAINE QUI PRÉCÈDE

Composez un menu détaillé et commandez ce qui doit l'être. Inscrivez sur le calendrier la date de la cueillette.

Préparez les mets qui se congèlent : généralement la soupe, le pain ou les petits pains, et les desserts. Dans notre menu, cela inclut les Pailles au fromage, les Petits pains au lait et la pâte de la Tarte aux pommes à l'américaine.

Vérifiez que vous avez bien le nombre de couverts dont vous aurez besoin. Assurez-vous de disposer de tous les ustensiles nécessaires à la préparation des plats. Empruntez ou achetez ce qui vous manque.

Choisissez un centre de table approprié. Vérifiez que la nappe et les serviettes sont propres et bien repassées, et que l'argenterie rutile.

METS À EMPORTER

Si vous préparez, en tout ou en partie, un repas prévu pour être pris ailleurs, les plats suivants sont recommandés : Boissons aux canneberges, Pailles au fromage, Vichyssoise aux patates douces, Farce au riz sauvage relevée

d'oignon, Gratin de haricots verts, Maïs à la normande, Petits pains au lait, Relish à l'orange et aux canneberges, Tarte mousseline à la citrouille et Tarte aux pommes à l'américaine.

UNE SEMAINE AVANT

Achetez les articles d'épicerie, sauf les denrées périssables. Commencez la préparation des mets et des boissons qui se gardent à la température ambiante ou au réfrigérateur,

COCKTAIL ROSÉ

- 3 tasses de vin blanc froid ou de jus de canneberge, bien froid
- 1½ tasse de cocktail de canneberge et framboise, bien froid
- 1½ tasse de soda à la framboise glacé
- Garnitures facultatives : feuilles de menthe framboises fraîches ou surgelées

1 Mélangez le vin, le cocktail et le soda dans un pichet de 2 litres.

2 Servez froid ou sur des glaçons. Décorez de menthe ou de framboises. Donne 8 portions.

> **Par portion de ¾ tasse :**
> Calories 106 ;
> Gras total 0 g ;
> Gras saturé 0 g ;
> Protéines 0 g ;
> Hydrates de carbone 12 g ;
> Fibres 0 g ;
> Sodium 6 mg ;
> Cholestérol 0 mg
>
> *Préparation : 10 minutes*

comme la Relish à l'orange et aux canneberges.

Faites ou achetez des glaçons.

La décongélation d'une dinde demande 24 heures par 2,25 kg (5 lb). Notez le jour où vous devez la sortir du congélateur.

LA VEILLE

Faites les courses de dernière minute.

Préparez la table ; dressez les couverts et disposez les

CANNEBERGEADE À L'ORANGE

Dans une casserole inoxydable, portez à ébullition à feu doux **1 litre de cocktail de canneberge et framboise**, **½ tasse de sucre** et le **zeste de 1 orange** en lanières. Faites mijoter 10 minutes sans couvrir ; remuez de temps à autre. Hors du feu, ajoutez **⅔ tasse de jus d'orange** et laissez tiédir. Versez dans un pichet couvert et réfrigérez. Au moment de servir, ôtez le zeste, versez ½ tasse dans chaque verre, complétez de soda et décorez de sorbet. Donne 8 portions.

chaises. Sortez tous les plats et les couverts de service.

Retirez la dinde de son emballage, lavez-la, séchez-la et remettez-la au réfrigérateur.

Décongelez la pâte. Préparez et réfrigérez les abaisses. Préparez la croûte aux miettes de biscuit pour la Tarte mousseline à la citrouille. Réfrigérez.

Préparez les crudités et réfrigérez-les dans du plastique.

Préparez la Vichyssoise aux patates douces. Réfrigérez.

Parez les haricots verts et les oignons. Quand ils sont cuits, égouttés et froids, réfrigérez-les dans du plastique.

Préparez le Maïs à la normande sans y mettre la garniture ; couvrez et réfrigérez.

Préparez le mélange de la Cannebergeade à l'orange ; couvrez et réfrigérez.

LE JOUR J

Finissez de mettre la table.

Préparez la farce ; farcissez la dinde et faites-la rôtir.

Quand la dinde est à point et pendant qu'elle repose avant le découpage, préparez la sauce (voir l'encadré sur la Sauce aux abats, page 280).

Cuisez la tarte aux pommes.

Retirez les pailles au fromage et les petits pains du congélateur et faites-les décongeler à l'air libre. Au moment de servir, vous envelopperez les petits pains dans du papier d'aluminium pour les réchauffer 5 à 8 minutes à 160 °C (325 °F), ou 5 minutes au micro-ondes réglé à *Medium* dans une serviette de table.

Terminez le Gratin de haricots verts et le Maïs à la normande ; glacez les petits oignons.

POUR ARROSER

En règle générale, il n'y a pas de grands repas sans bons vins. Avec la dinde, choisissez un vin rouge, souple et évolué, de France, d'Espagne ou d'Italie. N'oubliez pas qu'on trouve maintenant d'excellents rouges américains. N'hésitez pas à servir un vin blanc si certains de vos convives le souhaitent ; choisissez-le souple et corsé, sans acidité marquée.

Les vins blancs sont servis très frais, mais non frappés comme on le fait trop souvent. Servez les vins rouges très légèrement rafraîchis, c'est-à-dire environ 15 à 18 °C (60-65 °F). Et débouchez-les au moins une heure d'avance pour qu'ils aient la chance de s'oxygéner.

À ceux qui ne boivent pas de vin, servez des eaux minérales pétillantes, non aromatisées.

Aux enfants, vous pouvez offrir du jus de pomme pétillant ou du Cocktail rosé coupé d'eau pétillante.

REPAS DE FÊTE POUR PETITES FAMILLES

Si votre famille est très petite, vous pouvez quand même servir de la poitrine de dinde ou un tout petit dindonneau : on en trouve qui pèsent aussi peu que 3 kg (6 lb). Reportez-vous à la page 276 pour les conseils sur le rôtissage d'une poitrine de dinde.

Un menu simplifié devrait néanmoins, pour rester dans la tradition, inclure une farce que vous servirez à part, une purée de pommes de terre, une sauce et une compote de canneberges. Et les restes de dinde s'apprêtent de mille et une façons !

BUFFET HIVERNAL

L'hiver est ponctué de fêtes dont on profite pour se réunir entre parents et amis dans la joie et la gastronomie.

LE MENU

Si vous planifiez une réception au temps des Fêtes, vous risquez de regrouper des gens au profil fort différent : parents, amis et collègues de travail, enfants, adolescents, adultes, personnes âgées.

Le buffet est la formule idéale pour que les invités se mêlent les uns aux autres et que chacun trouve de quoi se régaler.

Toutes les recettes du menu proposé se retrouvent dans ce livre. Ce sont des plats qui se mangent facilement avec les doigts ou avec une fourchette seulement.

ANIMATION ET BONS PLATS

Un buffet réussi, c'est celui où les invités peuvent circuler facilement tout en mangeant. Montez le bar et le buffet le *(suite à la page 342)*

MENU

Cidre chaud aux épices
Punch aux fruits
(page 342)

Café viennois
(page 11)

Tourte au fromage de
chèvre *(page 298)*

Pâté de campagne
(page 346)

Triangles de filo
aux épinards
(page 25)

Petits choux à l'indienne
(page 343)

Tourtes de tomates
à l'oignon *(page 157)*

Crevettes bouillies aux
cinq sauces *(page 219)*

Légumes marinés
et grillés
(page 201)

Tarte aux fruits secs
(page 304)

Gâteau au fromage
et à la citrouille
(page 326)

Voici un menu fait pour plaire à tous vos invités : cidre chaud aux épices, tourte au fromage de chèvre, petits choux à l'indienne et légumes marinés et grillés.

CIDRE CHAUD AUX ÉPICES

1 bâton de cannelle	10 grains de poivre noir
1 gousse de vanille	4 lanières de zeste
4 tasses de cidre	d'orange de 7 x 1 cm
10 clous de girofle	(3 x ½ po)

1 Fragmentez le bâton de cannelle, fendez la gousse de vanille. Mettez tous les ingrédients dans une casserole et faites bouillir 5 minutes à feu modéré. Retirez du feu et laissez macérer 30 minutes. Passez, réchauffez, versez dans des gobelets et laissez reposer 3 à 5 minutes. Donne 4 portions.

Par portion de 1 tasse : Calories 112 ; Gras total 0 g ; Gras saturé 0 g ; Protéines 0 g ; Hydrates de carbone 28 g ; Fibres 0 g ; Sodium 17 mg ; Cholestérol 0 mg

Préparation : 6 minutes • Macération : 30 minutes Cuisson : 5 minutes

PUNCH AUX FRUITS

2 paquets (425 g/15 oz chacun) de fraises ou framboises surgelées	6 lanières de zeste d'orange de 7 x 1 cm (3 x ½ po)
6 tasses d'eau	1 gousse de vanille
1½ tasse de sucre	2 tasses de jus d'orange
10 clous de girofle	2 tasses de soda nature
½ c. à thé de cardamome	

1 Dans une casserole inoxydable, faites bouillir les fraises, l'eau, le sucre, les clous de girofle, la cardamome, le zeste d'orange et la gousse de vanille fendue en deux. Laissez mijoter 10 minutes à petit feu, sans couvrir. Remuez un peu.

2 Passez le punch sans écraser les éléments solides et laissez tiédir. Ajoutez le jus d'orange. Au moment de servir, versez le soda nature. Servez sur glace. Donne 10 portions.

Par portion de 1 tasse : Calories 167 ; Gras total 0 g ; Gras saturé 0 g ; Protéines 1 g ; Hydrates de carbone 42 g ; Fibres 2 g ; Sodium 11 mg ; Cholestérol 0 mg

Préparation : 10 minutes • Cuisson : 10 minutes

(suite de la page 340)
plus loin possible l'un de l'autre et apportez constamment des plats nouveaux. De cette façon, les invités sont sans cesse sollicités ; ils se lèvent, circulent, vont se servir et peuvent ainsi rencontrer tout le monde.

PETITS CHOUX

Ce sont des bouchées garnies de poulet en sauce crème au cari. Les invités peuvent les déguster avec les doigts d'autant plus facilement que la pâte à choux, moins fragile qu'un feuilletage, ne s'émiette pas.

PRÉPARATION DES PETITS CHOUX

1 Préparez la pâte comme aux étapes 2 et 3, page ci-contre. Incorporez les œufs un à un. À la fin du procédé, la pâte doit être épaisse et conserver sa forme sans couler de la cuiller.

2 Avec une poche à douille de 2 cm (¾ po), couchez la pâte sur une plaque en monticules de 2,5 cm (1 po) de diamètre, espacés de 5 cm (2 po). Lissez le dessus et dorez à l'œuf. Enfournez.

3 Faites cuire 10 minutes à 230 °C (450 °F) et 10 minutes à 180 °C (350 °F). Réglez le thermostat à 160 °C (325 °F) ; en 15 minutes environ, les choux seront dorés.

4 Éteignez le four. Percez les choux sur le côté pour que la vapeur s'échappe. Laissez-les 10 minutes dans le four éteint. Mettez-les à refroidir sur une grille.

Une fois mélangée, la pâte est couchée sur une plaque avec la poche à douille. Au sortir du four, les choux sont dorés, légers et faciles à garnir. Si vous les remplissez de crabe ou de salade niçoise, vous aurez de délicieux amuse-gueules. Fourrez-les de crème pâtissière et vous aurez des petits choux à la crème. Garnis de crème glacée ou de crème fouettée et masqués de sauce au chocolat, ils vous donnent des profiteroles. Vous pouvez aussi faire des choux plus gros et les couper en deux.

PÂTE À CHOUX

Pour les petits choux à l'indienne, la pâte est condimentée de 1 c. à thé de sel et ¼ c. à thé de cayenne. Si vous la destinez à un dessert, mettez seulement ⅛ c. à thé de sel et remplacez le cayenne par 1 c. à soupe de sucre.

Préparez la pâte à feu doux; la farine et le beurre ne doivent pas colorer.

La cuiller en bois est l'accessoire idéal pour mélanger le beurre et la farine et incorporer les œufs.

La pâte ne doit pas être trop chaude quand vous y incorporez les œufs, lesquels doivent être à la température ambiante.

Prenez une poche à pâtisserie pour coucher les choux sur une plaque et faites-les cuire sans tarder: la pâte crue a tendance à durcir en refroidissant, ce qui l'empêche de gonfler.

DE L'AIDE

Si vous attendez 12 à 15 invités, il vous faudra de l'aide à la cuisine pour monter les plats et ranger. Par groupe de 15 invités, comptez qu'il vous faut une personne pour le bar et une autre à la cuisine.

BOISSONS

Si vous voulez ouvrir le bar aux invités plutôt que d'offrir seulement du vin, voici une liste qui vous guidera. Pour réduire les coûts, prévoyez des punchs, avec et sans alcool, en plus des alcools forts et des boissons gazeuses.

Pour recevoir 20 personnes, ayez au moins une bouteille de chacune des boissons suivantes: scotch, gin, vodka, vermouth blanc, vermouth rouge, vin apéritif (Dubonnet, St-Raphaël ou Pineau des Charentes), sherry ou porto. Prévoyez 8 à 10 bouteilles de vin blanc, 8 à 10 bouteilles de vin rouge, deux ou trois douzaines de bière, 2 litres de soda au gingembre, 2 litres de soda tonique, 4 litres d'eau minérale gazeuse et 10 à 15 kg (20-30 lb) de glace. Il vous en

restera, mais vous ne serez pas pris de court si beaucoup d'invités décidaient de boire la même chose.

À cet assortiment de base, vous pouvez ajouter: une bouteille de cognac, une fine liqueur, 1 litre de soda au citron ou à la lime, 1 litre de jus d'orange, 1 litre de cocktail de canneberge et 1 litre de jus de tomate.

PETITS CHOUX À L'INDIENNE

Pâte à chou :

½	**tasse (1 bâtonnet) de beurre doux**
1	**tasse d'eau**
1	**tasse de farine non tamisée**
4	**gros œufs**
1	**c. à thé de sel**
¾	**c. à thé de moutarde sèche**
¼	**c. à thé de cayenne**
1	**tasse de gruyère râpé**
½	**tasse de parmesan râpé**
1	**jaune d'œuf mélangé à 1 c. à soupe de crème épaisse (dorure)**

Poulet en sauce crème au cari :

1	**c. à soupe d'huile d'arachide**
1	**gros oignon, haché fin**
3	**gousses d'ail, hachées fin**
1	**c. à thé de poudre de cari**
¼	**c. à thé de gingembre moulu**
¼	**c. à thé de paprika doux**
1	**grosse pomme granny smith, pelée, parée et hachée fin**
300 g	**(10 oz) de poitrine de poulet, désossée et sans la peau, en bouchées**
¾	**tasse de crème épaisse**
2	**c. à soupe de chutney aux mangues, haché fin**
½	**c. à thé de sel**
½	**c. à thé de poivre noir**

1 **Pâte à choux.** Chauffez le four à 230 °C (450 °F). Graissez et farinez une plaque ou foncez-la de papier sulfurisé. Réservez.

2 Coupez le beurre en petits morceaux. Mettez-le avec l'eau dans une casserole moyenne et amenez à ébullition à feu modéré. Hors du feu, ajoutez la farine et mélangez parfaitement à la cuiller de bois. Remettez sur le feu et remuez jusqu'à ce que la pâte soit lisse et se détache de la casserole.

3 Hors du feu, creusez le centre de la pâte et cassez-y un œuf; battez jusqu'à ce qu'il soit absorbé. Faites de même pour les trois autres œufs. Ajoutez le sel, la moutarde, le cayenne, le gruyère et tout le parmesan moins 2 c. à soupe. Couchez la pâte, étalez la dorure et faites cuire les choux (voir l'encadré de la page ci-contre).

4 **Poulet en sauce.** Dans une sauteuse antiadhésive, réchauffez l'huile à feu modéré 1½ à 2 minutes. Faites-y revenir l'oignon et l'ail 5 minutes en remuant. Incorporez le cari, le gingembre et le paprika; ajoutez la pomme et laissez cuire 4 minutes. Ajoutez le poulet et, après 2 minutes, la crème, le chutney, le sel, le poivre et le reste du parmesan. Quand l'ébullition est prise, faites mijoter au petit feu 5 à 7 minutes pour que la sauce épaississe; remuez. Retirez du feu et laissez tiédir.

5 Coupez chaque petit chou en deux pour y insérer 1 c. à thé de poulet au cari. Donne environ 40 petits choux.

Par portion : Calories 83 ; Gras total 6 g ; Gras saturé 3 g ; Protéines 3 g ; Hydrates de carbone 5 g ; Fibres 0 g ; Sodium 60 mg ; Cholestérol 47 mg

Préparation : 45 minutes
Cuisson : 45 minutes

DES CHIFFRES

1 bouteille de vin de 750 ml = 7 coupes de vin de 100 ml (3½ oz) environ

1 bouteille d'alcool de 750 ml = 17 mesures de 45 ml (1½ oz)

1 litre d'alcool = 22 mesures de 45 ml (1½ oz)

1 litre de soda = 7 verres de 350 ml (12 oz) avec 1 mesure d'alcool et des glaçons

2,5 kg (5 lb) de glace = 20 verres de 350 ml (12 oz)

PIQUE-NIQUE

Les repas champêtres sont l'un des grands plaisirs de l'été. Mais avant de fermer le panier à pique-nique, il y a certaines précautions à prendre.

UN CHOIX JUDICIEUX

Il est possible de transporter n'importe quel plat sur n'importe quelle distance à la condition de bien l'emballer : les récipients isolants, par exemple, gardent les aliments délicieusement frais. Néanmoins, en choisissant des ingrédients moins fragiles, vous minimisez les risques.

BONS VOYAGEURS

Il existe des aliments de tout repos : fromages fermes, viandes fumées ou traitées comme le jambon, volailles cuites et refroidies, pains de viande et pâtés, œufs cuits dur, légumes crus, cuits ou rôtis, salades de chou ou de haricots secs, marinades, vinaigrettes, pains, petits pains et craquelins font partie de cette catégorie.

Au chapitre des desserts, poudings aux fruits, carrés au chocolat, gaufrettes, gâteaux masqués de fondant, gâteaux

(suite à la page 346)

MENU

Notre panier de pique-nique renferme des trésors : crudités, pâté de campagne et marinades sucrées, poulet sauté à l'huile, œufs à la diable, salade de pommes de terre chaude, gâteau blanc et fondant caramélisé à la noix de coco.

UN ATOUT

La glacière de camping

Il existe une grande variété de glacières isothermes de camping, les unes en plastique ou en métal, les autres en fibre de verre ou en polystyrène. Choisissez un modèle léger, bien isolant et imperméable, muni de poignées solides et d'une bonne fermeture.

(suite de la page 344)
des anges, génoise et gâteaux de Savoie non glacés constituent un bon éventail.

LES SALADES

Évitez d'emporter en pique-nique des salades liées à la mayonnaise. Notre Salade de pommes de terre chaude et notre Salade aigre-douce au chou et aux carottes n'en contiennent pas. Vous trouverez d'autres idées de salades de pommes de terre sans mayonnaise aux pages 170 et 171.

LES VIANDES

Le Pâté de campagne sera le clou de votre pique-nique. C'est une recette simple qui entre bien dans un panier de victuailles ; pourtant ce pâté est assez raffiné pour figurer au menu d'un buffet.

Les pâtés sont toujours un excellent choix puisqu'ils se mangent froid et voyagent bien. Avec du pain croûté, de la moutarde, des cornichons et du fromage, vous ferez le bonheur de vos convives.

QUELQUES CONSEILS

Le pâté est meilleur lorsqu'il a eu la chance de vieillir. Faites-le un jour ou deux d'avance.

Mettez un moule et un objet pesant sur le pâté pour le tasser : sa texture sera plus lisse et il se tranchera mieux.

GÂTEAU PLAT

Le fondant qui masque notre gâteau blanc est caramélisé au gril : il adhère à la pâtisserie. Ce type de gâteau est idéal en pique-nique puisqu'il peut se transporter dans le moule.

Il existe des moules à gâteaux plats munis d'un couvercle pour permettre le transport. À défaut, couvrez le moule de pellicule plastique ou de papier d'aluminium et placez-le sur le dessus du panier.

POUR NE RIEN OUBLIER

Bien des pique-niques ont été gâtés parce qu'on avait laissé derrière des choses essentiel-les. Faites une liste de tout ce qu'il vous faut et, à la dernière minute, vous pourrez la passer en revue.

Si vous allez souvent en pique-nique, ayez un panier ou une boîte dans laquelle vous prendrez l'habitude de laisser les articles incontournables : tire-bouchon, décapsuleur, couteau, serviettes, pince pour le sac de croustilles, produit anti-moustiques et petite trousse de premiers soins.

Apportez plusieurs sacs à ordures de taille moyenne pour y mettre les déchets de table et laisser le site propre.

PÂTÉ DE CAMPAGNE

3 feuilles de laurier	450 g (1 lb) d'épaule de veau hachée
500 g (1 lb) de bacon, tranché mince	3 œufs
1 c. à soupe d'huile d'olive	$\frac{1}{3}$ tasse de porto
1 gros oignon, haché fin	2 c. à thé de sauge séchée
2 gousses d'ail, hachées fin	1 c. à thé de thym séché
700 g (1½ lb) d'épaule de porc hachée	2 c. à thé de sel
	1 c. à thé de poivre noir

1 Préchauffez le four à 180 °C (350 °F). Mettez les feuilles de laurier bout à bout au centre d'un moule à pain non graissé de 22 x 12 x 7 cm (9 x 5 x 3 po). Tapissez le moule de bacon ; dressez les tranches transversalement pour qu'elles montent sur les côtés. Avec 6 demi-tranches, tapissez les deux petits côtés.

2 Dans une grande sauteuse, réchauffez l'huile 1½ à 2 minutes à feu modéré. Faites-y revenir l'oignon et l'ail 5 minutes en remuant. Versez-les dans un grand bol. Quand ils sont tièdes, ajoutez le reste des ingrédients. Dressez la préparation dans le moule et tassez-la en frappant le moule sur le comptoir. Lissez le dessus et ramenez le bacon par-dessus. Avec les tranches qui restent, couvrez le dessus. Enveloppez dans une double feuille de papier d'aluminium.

3 Enfournez et faites cuire 1 h 30 ou jusqu'à ce qu'un thermomètre électronique introduit au centre du pâté marque 71 °C (160 °F). Retirez du four et laissez tiédir.

4 Mettez un autre moule par-dessus le pâté, dans lequel vous déposerez un objet lourd. Réfrigérez au moins 8 heures. Délestez et découvrez le pâté ; faites-en le tour avec un couteau et démoulez-le. Après avoir jeté les feuilles de laurier, détaillez-le en tranches minces. Donne 12 portions.

Par portion : Calories 274 ; Gras total 19 g ; Gras saturé 7 g ; Protéines 21 g ; Hydrates de carbone 2 g ; Fibres 0 g ; Sodium 530 mg ; Cholestérol 125 mg

Préparation : 16 minutes • Cuisson : 1 h 37

GÂTEAU BLANC ET FONDANT CARAMÉLISÉ À LA NOIX DE COCO

Gâteau :

2½ tasses de farine à gâteau tamisée

3 c. à thé de levure chimique

½ c. à thé de sel

⅔ tasse de beurre mou ou de margarine

1½ tasse de sucre

1 c. à thé d'essence de vanille

½ c. à thé d'essence d'amande

¾ tasse de lait

4 blancs d'œufs, à la température ambiante

Fondant :

⅔ tasse de cassonade bien tassée

¼ tasse (½ bâtonnet) de beurre mou ou de margarine

¼ tasse de crème épaisse

½ tasse de noix de coco en flocons

1 Gâteau. Préchauffez le four à 190 °C (375 °F). Graissez et farinez un moule de 33 x 22 x 5 cm (13 x 9 x 2 po).

2 Tamisez ensemble la farine, la levure chimique et le sel sur du papier ciré. Réservez. Au batteur électrique, défaites le beurre en crème à vitesse modérée ; ajoutez peu à peu 1¼ tasse de sucre. Quand la préparation a acquis de la légèreté, réduisez la vitesse de l'appareil et incorporez les essences de vanille et d'amande. En alternant avec le lait, ajoutez les ingrédients secs ; commencez et finissez par ceux-ci et ajoutez-en le tiers à la fois.

3 Dans un autre bol, fouettez les œufs jusqu'à ce qu'ils soient mousseux. Ajoutez peu à peu le reste du sucre (¼ tasse) et fouettez jusqu'à formation de pics fermes. Incorporez les blancs à la pâte et versez-la dans le moule.

4 Faites cuire 25 à 30 minutes : le gâteau doit être spongieux au toucher. Laissez-le tiédir 5 minutes sur une grille.

5 Fondant. Allumez le gril. Dans un grand bol, mélangez tous les ingrédients à la cuiller de bois. Masquez le gâteau de fondant. Faites griller à 12 cm (5 po) de l'élément 3 à 4 minutes ou jusqu'à ce que le fondant bouillonne. Laissez tiédir sur une grille avant de trancher. Donne 20 portions.

Par portion : Calories 240 ; Gras total 12 g ; Gras saturé 6 g ; Protéines 2 g ; Hydrates de carbone 33 g ; Fibres 0 g ; Sodium 243 mg ; Cholestérol 23 mg

Préparation : 40 minutes • Cuisson : 34 minutes

UNE BONNE GLACIÈRE

Pas de pique-nique sans une glacière bien isolée. Refroidissez parfaitement les aliments avant de les y ranger. Réfrigérez aussi les récipients isolants avant de les remplir. Entassez-les dans la glacière avec des produits réfrigérants,

POUR CARAMÉLISER LE FONDANT

1 Masquez uniformément de fondant un gâteau chaud. Lissez à la spatule.

2 Préchauffez le gril. Faites caraméliser le fondant à 12 cm (5 po) de l'élément.

sortis du congélateur à la dernière minute.

Pour ne pas encombrer la glacière, placez les boissons dans un coffret isolant rempli de glace. Si vous ne l'ouvrez pas inutilement, la glace se garde longtemps. N'oubliez pas qu'un bloc de glace dure plus longtemps que des glaçons.

LE SERVICE

Sortez les aliments périssables à la dernière minute et gardez-les à l'ombre.

Plus il fait chaud, plus il faut être prudent. Servez de petites portions ; laissez le reste dans la glacière et invitez vos convives à en reprendre.

Jetez les restes d'aliments périssables. Ne vous fiez ni à vos yeux, ni à votre nez, ni à votre palais pour juger qu'ils sont encore bons.

GARE AUX INSECTES !

Un repas sur l'herbe, c'est une très jolie image. La réalité est moins drôle quand une ribambelle de pique-assiettes rampants ou trottinants s'invitent à votre pique-nique. Apportez une table pliante, dressez-y les plats et couvrez-les pour éviter les intrus.

Bougies à la citronnelle et produits antimoustiques sont utiles ; mais suivez les instructions à la lettre quand il y a des aliments à proximité.

UN ATOUT

Les récipients isolants

Qu'ils soient à goulot large ou étroit, les récipients isolants sont idéals pour transporter soupes, boissons et même salades. Mettez-y de l'eau glacée ou bouillante, selon le cas, et attendez 15 minutes avant d'y verser les aliments.

BRUNCH ESTIVAL

Voici une version estivale du brunch dominical, contraction de breakfast, *petit déjeuner, et de* lunch.

LE MENU

Le menu de ce brunch permet de tout préparer à l'avance. La plupart des plats sont servis froids ou réchauffés à la dernière minute, au moment où les invités sont prêts à passer à table.

Vous pouvez présenter ce brunch en buffet, sur la terrasse ou au jardin, et chacun se servira lui-même, ou asseoir vos invités à table.

Les plats sont savoureux mais peu relevés car il ne faut pas oublier qu'il s'agit d'un repas servi au début de la journée.

AMUSE-GUEULES

Si vous avez invité beaucoup de personnes, offrez aux premiers arrivés des bouchées à déguster en attendant les autres et pendant que vous mettez la dernière main au menu et à la table.

Les bouchées à la niçoise et le bavarois au roquefort servi

(suite à la page 350)

MENU

*Boissons variées
(page 350)*

*Bouchées feuilletées
garnies à la niçoise
(page 30)*

*Bavarois au roquefort
et toasts melba
(page 293)*

*Strata au fromage
(page 351)*

*Gratin de champignons
(page 153)*

*Aspic en ruban
rouge et blanc
(page 165)*

*Salade tiède
d'épinards au sésame
(page 167)*

*Pain de maïs
de Santa Fe
(page 73)*

*Shortcake aux fraises
fait avec des
Scones à la crème
(page 65)*

*Café au lait
(pages 10-11)
ou café ordinaire
et thé*

Le menu parfait d'un brunch estival : strata au fromage, salade tiède d'épinards au sésame, shortcake aux fraises fait avec des scones à la crème, jus frais et café chaud.

COCKTAILS MATINAUX

Mélange à bloody mary. Dans un bocal de 4 tasses, mettez **2¼ tasses de jus de tomate**, **¼ tasse de jus de citron**, **½ c. à thé** chacun de **poivre noir**, de **sel** et de **graines de céleri**, **1 c. à thé de sauce Worcestershire** et **½ c. à thé de Tabasco**. Agitez vigoureusement. Ce mélange peut se garder une semaine au réfrigérateur. Donne 6 portions.

Bloody mary. Dans un shaker, versez **45 ml (1½ oz) de vodka** et **100 ml (3½ oz) du mélange précédent** sur **½ tasse de glace concassée**. Agitez et passez dans un verre glacé. Décorez d'une côte de céleri. Donne 1 portion.

Virgin mary. Supprimez la vodka.

Screwdriver. Versez **45 ml (1½ oz) de vodka** et **140 ml (5 oz) de jus d'orange** sur **½ tasse de glace** dans un mélangeur et travaillez 5 secondes. Passez dans un verre glacé. Servez avec un zeste d'orange. Donne 1 portion.

Orange blossom. Frottez avec du zeste d'orange le bord d'un verre à dry martini glacé et enduisez-le de sucre. Versez **45 ml (1½ oz) de gin**, **45 ml (1½ oz) de jus d'orange** et **1 c. à thé de sucre superfin** dans le shaker. Agitez et passez dans le verre. Décorez avec une tranche d'orange. Donne 1 portion.

Cocktail de pamplemousse. Dans un grand verre, mettez **4 glaçons** et **1 brin de menthe**. Versez **115 ml (4 oz) de jus de pamplemousse** et **115 ml (4 oz) de soda au gingembre** ou nature. Servez avec menthe ou zeste de citron. Donne 1 portion.

SHORTCAKES DU MATIN

Les desserts aux fruits sont fort appréciés à l'heure du brunch. Avec une recette de Scones à la crème, page 65, préparez huit gâteaux individuels. Vous pouvez les faire d'avance et les congeler. Sortez-les à peu près une heure d'avance et laissez-les décongeler dans leur sac.

1 Mélangez 6 tasses de fraises parées et coupées en deux – ou un mélange de fraises, framboises et bleuets – avec ½ tasse de sucre; faites macérer 30 minutes.

2 Écrasez légèrement les fruits à la fourchette. Ouvrez les scones; remplissez et décorez de fruits et de crème fouettée. Servez avec une fourchette ou une cuiller.

(suite de la page 348)

avec des toasts melba se mangent bien avec les doigts et permettent d'attendre agréablement que le vrai repas commence.

LE CLOU DU REPAS

Le clou du menu est la strata au fromage. Quoique le nom de ce plat ait une consonance italienne, il s'agit d'une spécialité anglaise. La strata est un plat élégant qui se fait comme un charme. C'est une façon de servir le duo « œufs et toasts » sans avoir à les préparer individuellement.

La strata doit être montée à l'avance – ce qui est un grand atout – si l'on veut la réussir. Autrement, elle se défait et perd beaucoup d'eau. Œufs, fromage et pain sont étalés dans le moule et macèrent toute la nuit au réfrigérateur.

Cette attente au froid permet au pain d'absorber les œufs complètement. Quand vient le moment d'enfourner la strata, elle gonfle délicieusement, se dore et devient toute légère.

AUTRE OPTION

On peut aussi construire un menu autour des omelettes. Dans ce cas, cependant, il faut les cuire à la demande; mais quand tout le reste est prêt d'avance, la cuisson de l'omelette peut devenir un point d'attraction. Quelques invités se porteront peut-être volontaires à la cuisine et d'autres s'offriront pour leur tenir compagnie.

AVEC L'OMELETTE

Mettez sur la table des corbeilles chargées de petits pains, bagels, muffins et pain croûté, des plateaux où s'alignent un vaste choix de confitures, du beurre et du fromage à la crème. Ajoutez des bols de fruits en morceaux et des pichets de jus de fruits. Complétez avec une salade verte et un choix de vinaigrettes.

Par ailleurs, préparez le poste des omelettes en y dressant tout ce qu'on peut souhaiter leur ajouter: gruyère ou cheddar râpés et fromage de chèvre émietté; champignons, oignons et poivrons verts sautés; salsa; fines herbes ciselées; épinards cuits, égouttés et hachés; jambon de campagne ou prosciutto en lanières. Laissez parler votre gourmandise; devinez ce qui serait susceptible de plaire à vos invités.

Sortez les œufs du réfrigérateur à l'avance pour qu'ils soient tièdes. Si deux de vos invités sont passés maîtres dans l'art de faire l'omelette, prévoyez deux sauteuses pour qu'ils travaillent de concert.

LES GAUFRES

Vous pouvez aussi axer le brunch sur des gaufres fraîches. Vous trouverez une mine de détails à la page 66.

Préparez la pâte avant l'arrivée des invités. Il est d'ailleurs recommandé de faire le mélange au moins une heure d'avance; la farine a ainsi tout le temps voulu pour absorber le liquide et atteindre une consistance parfaite.

Si la pâte épaississait plus qu'il ne faut, ajoutez-lui simplement un peu d'eau ou de lait au fouet. Rappelez-vous cependant qu'il est préférable de travailler avec une pâte un peu trop épaisse qu'un peu trop claire.

Si c'est possible, installez le gaufrier près de la table ; les gaufres peuvent cuire sans interrompre les conversations entre invités.

Mettez sur la table un bel assortiment de garnitures : beurre nature ou relevé de fruits, sirops, miel, confitures, fruits hachés ou en purée et sucre glace.

Jambon, bacon ou saucisse sont des accompagnements plus substantiels ; faites-les cuire d'avance et gardez-les au chaud dans le four jusqu'au moment de servir.

À BOIRE

Les cocktails décrits dans la page ci-contre, dont deux sans alcool, sont des classiques à base de jus de tomate, de pamplemousse ou d'orange.

Offrez par ailleurs un bel assortiment de jus de fruits froids, du café chaud ou glacé, du thé chaud ou glacé et des tisanes.

Un vin blanc mousseux – ou du champagne si vous pouvez vous le permettre – donnera de l'élégance à votre fête ; vous n'aurez que la tâche de refroidir les bouteilles. Pour les ouvrir, les bénévoles ne manqueront pas !

Préparez les cocktails individuellement, jamais d'avance.

Pour concasser rapidement de la glace, mettez les glaçons dans une serviette et frappez-les avec un marteau.

MONTAGE DE LA STRATA

1 Mettez la moitié du pain dans le fond du plat. Recouvrez avec la moitié des légumes mélangés au bacon.

2 Saupoudrez ¾ tasse de fromage ; recouvrez avec le reste du pain.

3 Étalez par-dessus le reste des légumes au bacon et ¾ tasse de fromage. Mélangez crème, lait, œufs et assaisonnements. Versez sur la strata, couvrez et réfrigérez.

STRATA AU FROMAGE

Voici un délicieux plat pour le brunch. Facile à faire, il demande tout simplement un peu de planification. Préparez la strata la veille, réfrigérez-la durant la nuit et enfournez-la en temps voulu pour la servir chaude.

- 8 tranches de bacon
- 1 tasse d'oignon, haché
- 1 tasse de poivron vert, haché
- 2 gousses d'ail, hachées
- ½ c. à thé de thym séché, écrasé
- 3 tomates italiennes, pelées et hachées
- 8 tranches de pain blanc de la veille à mie

serrée, écroûtées et coupées en quatre
- 2 tasses de cheddar fort, râpé
- 1 tasse de crème légère
- ½ tasse de lait
- 6 œufs
- 2 c. à thé de moutarde de Dijon
- ½ c. à thé de sel
- ¼ c. à thé de poivre noir

1 Dans une sauteuse antiadhésive de 30 cm (12 po), faites revenir le bacon 8 à 10 minutes pour le rendre croustillant. Émiettez-le sur de l'essuie-tout et réservez.

2 Ne gardez que 2 c. à soupe de gras de bacon dans la sauteuse. Faites-y revenir l'oignon, le poivron vert, l'ail et le thym 5 minutes. Retirez du feu ; ajoutez les tomates et le bacon réservé.

3 Graissez un plat à four peu profond de 2 litres ; dressez-y la strata en suivant les indications de l'encadré ci-contre.

4 Dans un grand bol, fouettez ensemble la crème, le lait, les œufs, la moutarde, le sel et le poivre noir. Versez sur la strata et recouvrez complètement avec du papier d'aluminium légèrement graissé. Réfrigérez jusqu'au lendemain.

5 Retirez la strata du réfrigérateur 30 minutes avant de l'enfourner ; ne la découvrez pas. Préchauffez le four à 180 °C (350 °F). Faites cuire la strata pendant 1 heure sans la découvrir.

6 Allumez le gril, découvrez la strata et saupoudrez-la avec le reste du fromage (½ tasse). Faites gratiner 2 minutes environ à 10 cm (4 po) de l'élément. Donne 8 portions.

Par portion : Calories 448 ; Gras total 33 g ; Gras saturé 16 g ; Protéines 21 g ; Hydrates de carbone 16 g ; Fibres 1 g ; Sodium 836 mg ; Cholestérol 231 mg

Préparation : 30 minutes • Réfrigération : une nuit Cuisson : 1 h 15

BUFFET TÉLÉVISION

A déguster devant le petit écran les soirs de Super Bowl, de Coupe Stanley, de Formule 1... ou d'élections.

PRÉPARATIFS

Il vous faut des plats qui se préparent d'avance. Un menu comme celui-ci associe des plats chauds et froids.

Distribuez des petites tables ou des plateaux pour que chacun soit à son aise. Gardez les boissons à portée de la main dans une glacière. Au besoin, louez une grande cafetière.

MAÏS SOUFFLÉ

Pour obtenir 16 tasses de maïs soufflé, vous avez besoin de ½ tasse de maïs à souffler. Préparez-le la veille ou l'avant-veille et rangez-le dans un récipient bien fermé. Assaisonnez à la dernière minute

Maïs soufflé Sonoma. Aspergez 8 tasses de maïs soufflé avec ¼ tasse d'huile d'olive extra vierge. Ajoutez ½ tasse de fragments de tomates séchées et remuez.

Maïs soufflé au parmesan. Aspergez 8 tasses de maïs soufflé avec ¼ tasse de beurre

fondu. Saupoudrez aussitôt ½ tasse de parmesan râpé et remuez bien.

Maïs soufflé aux fines herbes. Aspergez 8 tasses de maïs soufflé avec ¼ tasse de beurre fondu, 1 c. à thé de thym séché, ½ c. à thé de basilic séché, autant d'origan séché et de romarin séché. Mélangez bien.

MENU

Crudités (pages 16-17)

Ailes de poulet au fromage bleu (page ci-contre)

Quesadillas au poivron rouge et au fromage (page 15)

Guacamole (page ci-contre) et croustilles de tortilla

Croustilles à l'ail (page 150)

Sorbet aux framboises (page 317)

Blondies (page 328)

Un menu parfait : crudités, ailes de poulet au fromage bleu, guacamole, croustilles à l'ail, maïs soufflé et blondies.

AILES DE POULET AU FROMAGE BLEU

Ailes de poulet :
- 1 kg (2¼ lb) d'ailes de poulet, sans aileron
- ½ c. à thé de sel
- ½ c. à thé de poivre noir
- ¼ c. à thé de cayenne
- ¼ tasse de Tabasco
- 2 c. à soupe d'huile d'olive

Sauce au fromage bleu :
- 60 g (2 oz) de fromage bleu, émietté
- ⅔ tasse de crème sure allégée
- ½ c. à thé de sauce Worcestershire

Facultatifs :
- côtes de céleri
- bâtonnets de carotte

1 Ailes de poulet. Préchauffez le four à 230 °C (450 °F). Saupoudrez les ailes de sel, de poivre et de cayenne. Déposez-les côte à côte, sans qu'elles se touchent, sur une plaque légèrement graissée et faites cuire 30 minutes environ.

2 Sauce. Au robot, travaillez tous les ingrédients de la sauce jusqu'à ce que le mélange soit homogène.

3 Dans un grand bol, mélangez le Tabasco et l'huile. Plongez-y les ailes chaudes et mélangez. Servez les ailes avec la sauce et, s'il y a lieu, le céleri et les carottes. Donne 4 portions.

Par portion : Calories 564 ; Gras total 44 g ;
Gras saturé 16 g ; Protéines 40 g ; Hydrates de carbone 1 g ;
Fibres 0 g ; Sodium 173 mg ; Cholestérol 35 mg

Préparation : 7 minutes • Cuisson : 30 minutes

GUACAMOLE À LA CORIANDRE

- 2 avocats, coupés en deux et dénoyautés (gardez 1 noyau)
- 1 tomate moyenne, pelée, épépinée et hachée
- ½ tasse d'oignon rouge, haché fin
- ⅓ tasse de coriandre fraîche, ciselée
- 2 c. à soupe de jus de lime
- ¾ c. à thé de cumin
- ¾ c. à thé de sel
- ¾ c. à thé de Tabasco

Retirez la chair des avocats. Écrasez-la à la fourchette dans un bol. Ajoutez les autres ingrédients et mélangez. Mettez le noyau réservé au milieu du bol (pour empêcher le guacamole de s'oxyder), couvrez de pellicule plastique et réfrigérez. Ôtez le noyau avant de servir. Donne 2½ tasses.

Par cuillerée à soupe : Calories 18 ; Gras total 2 g ;
Gras saturé 0 g ; Protéines 0 g ; Hydrates de carbone 1 g ;
Fibres 0 g ; Sodium 42 mg ; Cholestérol 0 mg

Préparation : 12 minutes

PIZZA EN FÊTE

*F*aites de la pizza le thème de votre fête. Vous offrez les ingrédients et vos invités composent, selon leur fantaisie, la pizza, le calzone ou le frico de leur choix.

PIZZA ATOUT

La pizza est un mets dont les adultes raffolent autant que les enfants. Faites-en le thème d'une réception familiale et vous aurez le plus grand des succès.

TOUTE UNE FAMILLE

La croûte à pizza est faite avec une pâte à la levure, comme le pain. On la laisse lever une fois, après quoi on l'abaisse, on la garnit et on la fait cuire.

Les calzones sont des chaussons en pâte à pizza garnis des mêmes ingrédients. Néanmoins, on y met plus de mozzarella et de ricotta et moins de sauce tomate que dans la pizza.

Les calzones se mangent soit chauds, soit tièdes, et détaillés en tranches. Dans le premier cas, soyez prudent : le fromage de la garniture peut être dangereusement brûlant.

Le frico est une petite pizza garnie, cuite dans une sauteuse de fonte noire au lieu du four comme la pizza.

MENU

Crudités (pages 16-17)

Pizza au pepperoni et aux champignons (page 356)

Fricos et Calzones (page 357)

Granité orange-café (page 317)

Gâteau au fromage et aux fraises (page 327)

Thé glacé (page 13)

Citronnade (page 13)

PRÉPARATIFS

Préparez la pâte d'avance et réfrigérez-la. Sortez-la en temps voulu pour que l'équipe puisse se mettre au travail.

Réfrigérez aussi les ingrédients de la garniture dans des bols couverts, mais sortez-les à temps pour qu'ils soient, eux aussi, à la température ambiante.

(suite à la page 356)

Notre menu de pizza comprend la pizza au pepperoni et aux champignons, les calzones en chausson et les fricos.

PIZZA AU PEPPERONI ET AUX CHAMPIGNONS

Pâte :

- ¼ **tasse d'eau chaude (43-46 °C/110-115 °F)**
- 1 **sachet (7 g/¼ oz) de levure sèche**
- 1½ **tasse de farine non tamisée**
- ¼ **tasse d'eau tiède**
- 3 **c. à soupe d'huile d'olive**
- ½ **c. à thé de sel**

Garniture :

- ½ **tasse de sauce à pizza aux tomates**
- 170 **g (6 oz) de mozzarella, râpée**
- 60 **g (2 oz) de pepperoni, tranché**
- ⅔ **tasse de champignons, tranchés**

1 Pâte. Dans un grand bol, mélangez l'eau, la levure et ¼ tasse de farine. Couvrez. Laissez fermenter 30 minutes.

2 Dégonflez le levain, ajoutez l'eau tiède, le reste de la farine, l'huile et le sel. Pétrissez 10 minutes à la main ou 5 minutes au batteur électrique muni du crochet à pâte.

3 Mettez la grille du four au plus bas, enfournez la pierre à four et préchauffez à 230 °C (450 °F). Poudrez de farine de maïs l'envers d'une plaque ou une pelle de boulanger. Farinez la planche et le rouleau ; abaissez un cercle de 30 cm (12 po) avec un petit renflement autour. Enroulez l'abaisse sur le rouleau et déroulez-la sur la plaque ou la pelle.

4 Garniture. Étalez la sauce sur l'abaisse ; n'en mettez pas sur la bordure. Disposez par-dessus le fromage, le pepperoni et les champignons.

5 Faites glisser la pizza sur la pierre à four et laissez-la cuire 20 minutes ou jusqu'à ce qu'elle soit dorée. Servez immédiatement. Donne 6 portions.

Par portion : Calories 304 ; Gras total 16 g ; Gras saturé 5 g ; Protéines 13 g ; Hydrates de carbone 27 g ; Fibres 2 g ; Sodium 628 mg ; Cholestérol 24 mg

Préparation : 60 minutes • Cuisson : 20 minutes

UN ATOUT

La pelle de boulanger

Si vous faites cuire la pizza sur une pierre à four ou un carreau de céramique, la pelle vous sera utile pour y glisser la pizza et l'en retirer. Les pelles se font en plusieurs grandeurs ; le choix dépend du diamètre de la pizza que vous avez coutume de préparer et, bien sûr, de la largeur de votre four.

PIZZA

1 Repoussez la bordure avec vos doigts pour former une crête de 1 cm (½ po). Mettez la pizza sur la pelle farinée.

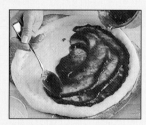

2 Masquez-la de sauce sans en mettre sur la crête. Disposez par-dessus les éléments de votre choix. Saupoudrez de fromage.

3 Posez le bord de la pelle de boulanger sur la pierre à four. Redressez-la en l'agitant. Si elle est bien poudrée de farine de maïs, la pizza glissera sans encombre sur la pierre. Faites cuire 20 minutes environ.

(suite de la page 354)

L'UNION FAIT LA PIZZA

Quand sonne l'heure de se mettre au travail, divisez les tâches. Une personne abaissera la pâte en cercle de 30 cm (12 po) ; une autre masquera l'abaisse de sauce. Et chacun contribuera à la garnir.

RÉFRIGÉRATEUR OU CONGÉLATEUR

Il n'y a aucun inconvénient à tout préparer d'avance car la pâte à base de levure peut attendre facilement tout un jour. Enveloppez-la dans de la pellicule plastique et conservez-la au réfrigérateur. Mais n'oubliez pas de la ressortir une bonne heure à l'avance.

Vous pouvez aussi congeler cette pâte : elle se conserve ainsi trois mois. Décongelez-la au réfrigérateur dans son emballage – cela demandera plusieurs heures – puis placez-la sur le comptoir pour l'amener à la température ambiante.

À la rigueur, vous pouvez vous servir de pâte à pain surgelée, achetée au supermarché.

QUELQUES CONSEILS

Allumez le four au moins 20 minutes d'avance : il doit être très chaud quand vous y mettez la pizza.

Farinez-vous légèrement les mains pour que la pâte ne colle pas à vos doigts.

Si la pâte devient élastique pendant que vous l'abaissez, laissez-la reposer 5 minutes.

Si vous utilisez de la pâte à pain du commerce, piquez l'abaisse un peu partout pour qu'elle ne boursoufle pas.

CALZONES

Suivez la recette de pizza page ci-contre. À l'étape 3, divisez la pâte en quatre pâtons et abaissez des cercles de 15 cm (6 po). À l'étape 4, supprimez la sauce, le pepperoni et les champignons ; étalez, sur une moitié de chaque cercle, la mozzarella, **1½ tasse de ricotta et 500 g (1 lb) de saucisse italienne cuite,** en laissant une bordure libre de 2 cm (1 po). Pliez en deux, pincez les bords et faites cuire 25 minutes au four. Servez très chaud. Donne 4 portions.

FRICOS

Préparez la pâte en suivant les étapes 1 et 2 de la recette de pizza (page ci-contre). Divisez-la en huit pâtons et abaissez des cercles de 7 cm (3 po). Étalez, sur quatre abaisses, **2 c. à soupe de parmesan** et **2 c. à soupe de prosciutto,** haché fin. Couvrez avec les quatre autres abaisses et soudez les bords. Faites griller 7 minutes de chaque côté à feu modéré dans une sauteuse en fonte vaporisée d'enduit antiadhésif. Donne 4 portions.

UNE CROÛTE CROUSTILLANTE

Vous pouvez utiliser un moule à tarte ordinaire ou un cercle à pizza poudré de farine de maïs. N'oubliez pas que, pen-

FAÇONNAGE DES CALZONES ET DES FRICOS

Calzones. 1. Sur des cercles de pâte de 15 cm (6 po), mettez garnitures et fromages de votre choix. **2.** Repliez, pincez les bords et faites cuire sur une plaque non graissée.

Fricos. 1. Abaissez la pâte en huit cercles de 7 cm (3 po). Garnissez-en quatre. Mettez les quatre autres par-dessus. Pincez les bords. **2.** Dans une sauteuse en fonte noire, faites griller à feu modéré 7 minutes de chaque côté.

dant la cuisson, la pâte dégage de la vapeur ; cela peut détremper la garniture.

Il existe heureusement plusieurs façons de résoudre ce problème et d'avoir une croûte bien croustillante.

Si vous prenez plaisir à faire vous-même la pizza ou des pains plats comme la fouace,

vous ne regretterez pas d'avoir investi dans l'achat d'une pierre à four ou d'un carreau en céramique que vous enfournez en allumant le four (voir l'encadré de la page ci-contre). Suivez les instructions du fabricant.

Comme la pierre est brûlante au moment où vous y placez l'abaisse, la pâte est saisie et devient croustillante.

AUTRES OPTIONS

Vous pouvez également prendre un cercle à pizza perforé ; il s'en fait en 33, 35 et 38 cm (13, 14 et 15 po) de diamètre : la vapeur s'échappe par les petits trous.

Si vous utilisez un ustensile ordinaire, glissez la pizza sur la grille du four pour les 10 dernières minutes de cuisson.

SAUCE ÉPAISSE

La sauce tomate qu'on étend sur la pizza est plus épaisse que celle dont on garnit les pâtes. Vous pouvez l'acheter ou la faire vous-même : il suffit de faire un peu réduire votre sauce maison pour lui donner la consistance voulue.

Certains étalent la sauce directement sur l'abaisse. D'autres préfèrent d'abord badigeonner la pâte d'huile d'olive et la parsemer de fromage dur râpé, comme du parmesan.

LA FOUACE : UNE GALETTE EN PÂTE À PIZZA

La fouace, ou fougasse (en italien, *focacia*), était autrefois cuite sous la cendre. Faite de pâte à pain, comme la croûte à pizza, elle est toutefois plus tendre et plus épaisse.

Abaissez la pâte pour former un cercle ou un rectangle de 2 à 2,5 cm (¾-1 po) d'épaisseur. Enfoncez-y légèrement le doigt ici et là. Badigeonnez-la d'huile d'olive, nature ou aillée, et saupoudrez-la de sel à marinade ainsi que de fines herbes séchées : romarin ou basilic, par exemple.

Enfournez la fouace dans un four préchauffé à 230 °C (450 °F) et laissez cuire 20 à 25 minutes : elle doit rester tendre. Ce pain plat se sert nature avec une salade ou fendu en deux et garni. En guise de garniture, la plus classique est constituée de tomates en tranches, fromage, jambon de Parme et basilic.

À L'HEURE DU THÉ

C omme il s'agit d'un goûter et non d'un repas, il faut s'en tenir à des petites portions.

LE MENU

Une réception l'après-midi – un shower par exemple – est l'occasion rêvée de déguster toute une variété de petits sandwichs. Vous pouvez aussi préparer des sandwichs ordinaires et leur donner des formes fantaisistes avec un emporte-pièce. Choisissez un pain à mie serrée, tranché mince ; associez pain blanc et pain complet. Mettez peu de garniture : ce n'est pas bien beau quand elle déborde. Beurrez un peu l'extérieur des sandwichs et passez-les dans le persil haché pour les décorer.

À L'AVANCE

Préparez les garnitures un jour ou deux d'avance et montez les sandwichs quelques heures avant la réception. Disposez-les sur des assiettes de service, couvrez de pellicule plastique et réfrigérez. Servez-les plutôt frais.

THÉ EN QUANTITÉ

On peut infuser de l'excellent thé pour plusieurs personnes en même temps. Il faut d'abord toujours réchauffer la théière à l'eau chaude. Pour 20 invités, versez-y 3 tasses d'eau bouillante sur 20 sachets de thé et laissez infuser 5 minutes ; retirez les sachets. Remplissez une autre théière d'eau bouillante.

Versez 2 c. à soupe d'infusion concentrée dans la tasse de chaque invité et complétez avec de l'eau bouillante.

MENU

*Roulades au cresson
(page ci-contre)*

*Rubans d'anchois
(page 360)*

*Petits choux
à l'indienne
(page 343)*

Danoises (page 76)

*Pain aux courgettes
(page 71)*

*Roulé des anges au
citron (page 333)*

*Gâteau au chocolat,
glaçage au beurre
(page 331)*

Thé

L'heure du thé est celle de déguster des petits sandwichs et des gâteaux : roulades au cresson, rubans d'anchois et gâteau au chocolat, garni et décoré de glaçage au beurre.

ROULADES AU CRESSON

- **4** gousses d'ail, non pelées
- **1** grosse botte de cresson, épongé, équeuté et haché
- **¼** tasse (½ bâtonnet) de beurre doux, en pommade
- **¼** c. à thé de sel
- **⅛** c. à thé de poivre noir
- **7** tranches de pain blanc à mie serrée, écroûtées

1 Préchauffez le four à 180 °C (350 °F). Vaporisez un petit carré de papier d'aluminium d'enduit antiadhésif ; enfermez-y l'ail et placez-le 30 minutes au four. Faites jaillir la chair des gousses en les pressant et déposez-la au fond d'un bol.

2 Ajoutez le cresson haché, le beurre, le sel et le poivre ; mélangez bien. Couvrez et laissez reposer 30 minutes.

3 Avec un rouleau à pâtisserie, aplatissez le pain en carrés de 12 cm (4½ po). Égouttez soigneusement le beurre au cresson ; tartinez les carrés. Enroulez-les et détaillez chacun en six (voir l'encadré, page suivante). Donne 42 roulades.

Par portion de 2 roulades : Calories 35 ; Gras total 2 g ; Gras saturé 1 g ; Protéines 1 g ; Hydrates de carbone 4 g ; Fibres 0 g ; Sodium 55 mg ; Cholestérol 5 mg

Préparation : 50 minutes • Cuisson : 30 minutes

GARNITURES À SANDWICHS FINS

Au caviar. Dans un bol moyen, mélangez **½ tasse de fromage à la crème fouetté et 1½ c. à soupe de caviar de lompe noir.** Donne ½ à ¾ tasse.

Aux pignons grillés. Faites comme ci-dessus en remplaçant le caviar par **½ tasse de pignons grillés,** hachés fin. Donne ½ à ¾ tasse.

Au piment doux rôti. Faites comme ci-dessus, en remplaçant le caviar par **¼ tasse de piment doux rôti,** égoutté, éponté et haché fin. Ajoutez **1 échalote,** hachée fin, **¼ c. à thé de poivre noir** et **⅛ c. à thé de sel.** Mélangez bien. Donne ¾ tasse environ.

Aux crevettes et à la ciboulette. Dans un bol moyen, mélangez **½ tasse de fromage à la crème fouetté, ½ tasse de crevettes cuites,** hachées fin, **2 c. à soupe de ciboulette ciselée** et **¼ c. à thé de poivre noir.** Donne ¾ tasse environ.

Au beurre abricoté. Dans un bol moyen, battez en crème **½ tasse de beurre doux.** Ajoutez **2 c. à soupe de gingembre râpé** et **2 c. à soupe de confiture d'abricots.** Donne ½ à ¾ tasse.

RUBANS D'ANCHOIS

- ½ **tasse de fromage à la crème fouetté**
- 3 **c. à soupe de persil, haché fin**
- ⅓ **tasse de crème sure**
- ¼ **tasse d'oignon rouge, haché fin**
- 1 **boîte (60 g/2 oz) de filets d'anchois plats ou enroulés, égouttés et hachés**
- ⅛ **c. à thé de poivre noir**
- 1 **pain blanc (500 g/1 lb) à mie serrée non tranché, écroûté**

1 Mélangez le fromage à la crème et le persil. Dans un autre bol, mélangez la crème sure, l'oignon, les anchois et le poivre.

2 Avec un couteau à lame dentée, détaillez le pain sur l'épaisseur en six tranches égales. Tartinez une tranche avec le quart du fromage au persil. Mettez une tranche par-dessus et tartinez-la avec la moitié de la crème aux anchois. Tartinez une troisième tranche avec un tiers de fromage au persil et placez-la à l'envers sur la précédente. Recommencez avec le reste des tranches et des garnitures.

3 Enveloppez les sandwichs de pellicule plastique et réfrigérez-les trois heures environ. Détaillez chacun en tranches de 1 cm (½ po) d'épaisseur et découpez-les en deux transversalement. Donne 30 petits sandwichs.

Par sandwich : Calories 55 ; Gras total 3 g ; Gras saturé 1 g ; Protéines 2 g ; Hydrates de carbone 6 g ; Fibres 0 g ; Sodium 140 mg ; Cholestérol 7 mg

Préparation : 1 heure • Réfrigération : 3 heures

ROULADES, RUBANS ET DÉCOUPES

1 **Roulades.** Écroûtez le pain ; aplatissez les tranches au rouleau.

1 **Rubans.** Écroûtez le pain ; détaillez-le en six tranches sur l'épaisseur.

1 **Découpes.** Écroûtez le pain. Aplatissez les tranches au rouleau.

2 Garnissez, roulez, réfrigérez et détaillez chaque rouleau en six roulades.

2 Tartinez deux grands sandwichs de trois tranches en alternant les garnitures.

2 Garnissez les sandwichs ; découpez-les à l'emporte-pièce.

SAUCES ET CONDIMENTS

SAUCES BRUNES

Mélange raffiné d'un roux noisette, d'un fond corsé et d'aromates, les sauces brunes rehaussent avec éclat les viandes et les volailles.

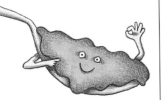

LES CLASSIQUES

La plus simple des sauces brunes est la sauce espagnole ; sans autre apprêt, elle accompagne tous les plats de viande.

Dès que vous maîtrisez la technique de la sauce espagnole, vous pouvez aborder les sauces composées qui en sont des variantes.

Sauce bigarade. Légèrement sucrée, elle convient spécialement au canard rôti, mais aussi à la volaille et au porc.

Sauce demi-glace. Enrichie de vin et épaissie par réduction, elle accompagne le bœuf et le gibier.

Sauce marchand de vin. Additionnée de champignons, elle est tout indiquée avec le bifteck grillé.

Sauce poivrade. Au poivre noir, elle donne du piquant aux viandes de boucherie grillées.

LE BOUILLON

Les grandes sauces commencent par un excellent bouillon, de préférence fait à la maison. Si vous prenez du bouillon en boîte, goûtez à la sauce avant d'ajouter du sel : il est souvent assez salé pour l'assaisonner.

LE ROUX

La plupart des sauces sont à base de roux blanc ou brun. Fait de beurre et de farine, le roux est un agent épaississant et un élément sapide. Le beurre rend la farine apte à absorber les liquides.

Pour les sauces brunes, le roux est cuit à chaleur modérée jusqu'à ce qu'il prenne une teinte noisette. Pour les sauces blanches, il ne faut pas que le roux se colore.

Pour la sauce espagnole, on fait sauter du jambon, des carottes et de l'oignon dans le beurre avant d'y ajouter la farine. En fin de cuisson, on filtre la sauce à travers un tamis.

La sauce est à point quand elle nappe la cuiller. Goûtez-y avant de rectifier les assaisonnements.

ALLEZ-Y LENTEMENT

Pour réussir une sauce, il faut prendre son temps. Le roux, surtout, doit se colorer très doucement. Dès que le beurre a cessé de bouillonner, remuez à la cuiller de bois pour que la farine ne brûle pas avant de cuire.

Ajoutez le liquide progressivement, toujours en remuant. Faites réduire la sauce à découvert sur un feu modéré pour concentrer les saveurs. Ajustez le feu au besoin pour qu'elle mijote sans bouillir.

DÉPOUILLEMENT

Dépouiller une sauce, c'est enlever avec une pipette ou une cuiller le gras qui remonte à la surface. Il est plus facile de réfrigérer la sauce et de retirer le gras figé à la surface quand il est solide. Vous la réchaufferez au moment de servir ou en ferez la base d'une sauce brune composée.

GAGNEZ DU TEMPS

La sauce espagnole se garde deux ou trois jours au réfrigérateur dans un récipient couvert. Elle se conserve aussi trois mois au congélateur : ayez-en toujours sous la main.

À l'aide

Voici comment épaissir une sauce trop claire. À la fourchette, malaxez 1 c. à soupe de beurre et 1 c. à soupe de farine. Façonnez cette pâte en petites boules. Mettez-en une dans la sauce qui mijote et remuez. Ajoutez-en jusqu'à ce que la sauce ait acquis la consistance désirée.

SAUCE MARCHAND DE VIN

Préparez d'abord une sauce espagnole (page ci-contre). À feu modéré, faites fondre **2 échalotes,** hachées fin, dans **3 c. à soupe de beurre.** Ajoutez **1 tasse de champignons blancs,** ou autres, tranchés finement. Quand ils sont attendris, mouillez avec **⅔ tasse de vin rouge** et laissez bouillir pour réduire de moitié. Versez dans la sauce espagnole filtrée. Donne 3½ tasses.

SAUCE DEMI-GLACE

Préparez une sauce espagnole (page ci-contre). Après l'avoir passée, ajoutez-y **1 tasse de Bouillon de bœuf maison** (page 32) et **½ tasse de vin rouge.** Laissez réduire pour qu'il vous reste 3½ tasses de sauce.

Vous pouvez la congeler dans un bac à glaçons et réunir les petits cubes dans un sac. Il suffit parfois d'un cube ou deux pour enrichir un plat.

Servez-vous-en pour déglacer la lèchefrite ou la sauteuse quand vous faites cuire un rôti ou des champignons sautés.

Réchauffez un cube de sauce avec ¼ tasse de vin rouge ou de madère sec : rien de mieux pour relever les biftecks et les côtelettes.

Un cube ou deux de sauce donnera du goût à votre soupe maison ou votre sauce tomate.

Sauce espagnole

- ¼ tasse (½ bâtonnet) de beurre doux ou de margarine non salée
- 60 g (2 oz) de jambon Forêt-Noire ou de prosciutto, hachés fin
- 1 oignon moyen, haché fin
- 1 carotte, épluchée, coupée en deux sur la longueur et tranchée mince
- ¼ tasse de farine non tamisée
- 3 tasses de Bouillon de bœuf maison (page 32)
- 1½ tasse de Fond de poulet (page 39)
- 2 c. à soupe de concentré de tomate
- ½ c. à thé de sel
- ¼ c. à thé de thym séché
- ¼ c. à thé de poivre noir

1 Dans une grande casserole à fond épais, faites fondre le beurre à feu modéré. Mettez le jambon et faites-le blondir 5 minutes environ en remuant souvent. Ajoutez l'oignon et quand il est tendre, au bout d'environ 5 minutes, ajoutez la carotte. Toujours en remuant, prolongez la cuisson d'environ 5 minutes pour les attendrir.

2 Ajoutez la farine et remuez pour bien l'incorporer. Mouillez peu à peu avec les bouillons de bœuf et de poulet. Incorporez le concentré de tomate, le sel, le thym et le poivre noir. Faites cuire environ 30 minutes en remuant de temps à autre. Enlevez le gras à mesure qu'il monte à la surface et laissez épaissir la sauce. Elle est à point quand elle nappe bien la cuiller. Passez-la à travers un tamis pour ôter les menus morceaux de jambon, d'oignon et de carotte. Donne 3 tasses.

Par cuillerée à soupe : Calories 18 ;
Gras total 1 g ; Gras saturé 1 g ; Protéines 0 g ;
Hydrates de carbone 2 g ; Fibres 0 g ;
Sodium 51 mg ; Cholestérol 5 mg

Préparation : 10 minutes
Cuisson : 52 minutes

Sauce poivrade

Suivez la recette ci-contre, mais utilisez 1¼ c. à thé de poivre noir. Dans une petite casserole, faites réduire à feu modéré ¼ **tasse de vin blanc sec** et **2 c. à soupe de vinaigre de vin blanc** de façon à avoir en tout 3 c. à soupe de liquide. Versez dans la sauce espagnole filtrée. Donne 3 tasses.

Sauce bigarade

Préparez une sauce espagnole (ci-contre). Faites bouillir à feu modéré, sans remuer, ⅓ **tasse de sucre** et ¼ **tasse d'eau** jusqu'à obtention d'un sirop doré. Ajoutez ½ **tasse de vin blanc sec** et ½ **tasse de jus d'orange**. Faites cuire en remuant pour que le sucre fonde. Versez dans la sauce avec **1 c. à soupe de jus de citron.** (Si vous faites rôtir de la volaille, déglacez la lèchefrite avec ½ **tasse de vin** et versez-le dans le sirop.) Avant de servir, ajoutez **2 c. à soupe de zeste d'orange,** blanchi et coupé en julienne. Donne 4 tasses.

SAUCE BLANCHE

Aussi appelée béchamel, la sauce blanche est l'autre grande sauce de la cuisine française, base de plusieurs sauces composées et de nombreux plats.

CLAIRE OU ÉPAISSE

La sauce blanche – ou sauce béchamel – est celle qui s'utilise le plus en cuisine. Sa saveur discrète la rend compatible avec une foule d'ingrédients et sa consistance variable forme la base d'une vaste gamme de plats.

Béchamel claire. Elle sert à préparer des soupes et certains plats cuisinés comme l'émincé de bœuf en crème.

Béchamel moyenne. On la retrouve dans les plats gratinés et les légumes à la normande, ainsi que dans plusieurs sauces composées.

Béchamel épaisse. C'est la base des soufflés et l'élément liant des croquettes.

CONSEILS DE BASE

Le roux – mélange de beurre et de farine qui constitue la base de la sauce blanche – ne doit jamais se colorer. Si cela arrive, son goût sera acceptable, bien sûr, mais la sauce ne sera plus blanche.

Faites cuire le roux à feu doux dans une casserole à fond épais en le remuant constamment avec une cuiller de bois. Il lui faut deux ou trois minutes pour perdre son goût de farine crue.

Retirez la casserole si le roux blondit et baissez le feu avant de poursuivre sa cuisson.

ASSAISONNEMENTS

Remplacez le poivre noir par du poivre blanc à moins de vouloir ponctuer la sauce de petits points. Ajoutez un peu de muscade fraîchement râpée : c'est un condiment classique de la béchamel.

À LA NORMANDE

Dans les plats de légumes à la normande, gardez les légumes croquants et épongez-les bien avant de leur ajouter la béchamel. Les épinards ont particulièrement besoin d'être essorés avec soin.

On peut remplacer la moitié du lait de la recette par l'eau de cuisson des légumes s'ils sont peu colorés comme les oignons et le chou-fleur. Comptez 1 tasse de béchamel claire ou moyenne pour 1½ tasse de légumes cuits.

CONSEIL DE CHEF

Sara Moulton

« Pour que la sauce blanche ne fasse pas de grumeaux, les éléments liquides doivent être à la même température que le roux. Réchauffez le lait ou le bouillon séparément et ajoutez-les petit à petit en battant au fouet. Le bain-marie est recommandé, mais pas indispensable. »

PLATS GRATINÉS

Mélangez en égale quantité de la béchamel moyenne et l'un des ingrédients suivants : poulet, dinde, thon, saumon ou fruits de mer, cuits et hachés. Versez dans un plat à gratin, recouvrez de chapelure beurrée ou de fromage râpé et faites cuire à découvert 15 à 18 minutes dans un four préchauffé à 220 °C (425 °F). Servez sur des toasts ou du riz.

SAUCE MORNAY

À la fin de l'étape 2, dans la recette de la page ci-contre, ajoutez **½ c. à thé de moutarde sèche** à la farine et **½ à ¾ tasse de cheddar fort**, râpé. Remuez pour faire fondre le fromage. Cette sauce nappe les légumes. Donne 1¼ tasse.

SAUCE PERSILLÉE

À la fin de l'étape 2, dans la recette de la page ci-contre, ajoutez **1 c. à soupe de persil**, haché fin. Sert à napper les filets de poisson, les carottes et les betteraves. Donne 1 tasse.

SAUCE FORESTIÈRE

À la fin de l'étape 1, dans la recette de la page ci-contre, faites sauter dans le beurre **½ tasse de champignons**, tranchés mince. Vous pouvez remplacer le lait par du **Bouillon de bœuf maison** (page 32). Sert à napper la viande ou le poulet rôti et entre dans les plats gratinés. Donne 1 tasse.

SAUCE MOUTARDE

À la fin de l'étape 2, dans la recette de la page ci-contre, ajoutez **2 c. à soupe de moutarde de Dijon** et **1 c. à thé de vinaigre de vin blanc.** Accompagne le jambon et le poisson poché ou grillé. Donne 1 tasse.

PROPORTIONS POUR 1 TASSE DE BÉCHAMEL

	Beurre	Farine	Lait
Claire	1 c. à soupe	1 c. à soupe	1 tasse
Moyenne	2 c. à soupe	2 c. à soupe	1 tasse
Épaisse	3 c. à soupe	3 c. à soupe	1 tasse

Béchamel claire

- **1** **c. à soupe de beurre ou de margarine**
- **1** **c. à soupe de farine**
- **1** **tasse de lait chaud**
- **¼** **c. à thé de sel**
- **⅛** **c. à thé de poivre blanc ou noir**

1 Dans une petite casserole, faites fondre le beurre à feu doux. Incorporez la farine et remuez sans arrêt pendant 2 à 3 minutes ou jusqu'à consistance homogène. Ajoutez peu à peu le lait au fouet.

2 À feu modéré, laissez cuire jusqu'à ce que la sauce soit lisse et épaisse et ne goûte plus la farine crue – environ 3 à 5 minutes ; remuez constamment. Retirez du feu, ajoutez le sel et le poivre.

3 Si vous n'utilisez pas la sauce immédiatement, déposez de la pellicule plastique directement dessus pour qu'il ne se forme pas de peau. Laissez refroidir à la température de la pièce et réfrigérez. Réchauffez au bain-marie. Cette sauce sert à napper les légumes, le poulet ou le poisson ; elle est aussi la base de plusieurs sauces composées. (Pour les gratins et les soufflés, voir le tableau des proportions, page ci-contre). Donne 1 tasse.

Par cuillerée à soupe : Calories 18 ; Gras total 1 g ; Gras saturé 1 g ; Protéines 1 g ; Hydrates de carbone 1 g ; Fibres 0 g ; Sodium 48 mg ; Cholestérol 4 mg

Préparation : 5 minutes • Cuisson : 8 minutes

HOLLANDAISE ET MAYONNAISE

La hollandaise et la mayonnaise sont deux sauces émulsionnées qui font honneur à la cuisinière.

CUISSON LENTE

La sauce hollandaise est réussie quand elle cuit sans grumeler. Le beurre clarifié (voir Clarification du beurre, page 128) présente l'avantage de mieux se lier aux œufs. Assurez-vous qu'il est liquide sans être chaud.

LES JAUNES D'ŒUFS

La hollandaise classique se fait au bain-marie pour éviter les grumeaux. Mais, dans ce cas, la chaleur est insuffisante pour porter la sauce à 71 °C (160 °F) et éliminer tout risque de salmonellose. La recette de la page ci-contre propose une alternative à ceux que ce risque inquiète. Il s'agit d'amener les jaunes d'œufs à ébullition directement sur le feu et d'ajouter le beurre hors du feu en fouettant énergiquement pour rendre la sauce homogène.

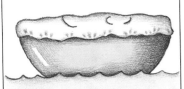

À l'aide

Si la hollandaise se met à grumeler, retirez-la du feu et ajoutez 1 c. à soupe d'eau chaude en fouettant jusqu'à ce qu'elle redevienne lisse. Vous pouvez aussi la rendre homogène au robot ou au mélangeur.

SERVICE

La hollandaise se sert non pas chaude, mais tiède. Versez la sauce dans un bol épais et couvrez-la de pellicule plastique. Déposez le bol dans une casserole d'eau chaude (mais non bouillante) ; elle peut attendre 20 minutes. Si la sauce refroidit, réchauffez-la sur de l'eau à peine frémissante.

Les restes ne se réchauffent pas. Ne les jetez pas pour autant. Mettez-les dans les œufs brouillés, les omelettes, le riz ou la purée de légumes.

SAUCE DIJONNAISE

Dans la sauce hollandaise (page ci-contre), ajoutez **2 c. à soupe de moutarde de Dijon** en même temps que le poivre. Donne 3⅓ tasses.

SAUCE BÉARNAISE

Faites mijoter 1 à 2 minutes à feu assez doux ⅓ **tasse d'estragon,** ciselé, **2 c. à soupe de vinaigre de vin blanc** et **1 c. à soupe d'échalote,** hachée ; laissez tiédir. Remplacez le jus de citron par cette infusion dans la recette de sauce hollandaise, page ci-contre. Donne 3½ tasses.

MAYONNAISE CUITE

Travaillez au robot **4 jaunes d'œufs, 2 c. à soupe d'eau** et **1 c. à soupe de vinaigre de vin blanc.** L'appareil toujours en marche, ajoutez en filet **1½ tasse d'huile.** Faites cuire cette préparation au bain-marie jusqu'à ce qu'un thermomètre plongé dans la sauce marque 71 °C (160 °F). Ajoutez une **pincée de poivre blanc.** Donne 2⅓ tasses.

AÏOLI CUIT

Dans la mayonnaise cuite (ci-dessus), ajoutez, en la travaillant au robot, **1 gousse d'ail,** hachée, et ½ **tasse de mie de pain blanc,** émiettée. Utilisez de l'huile d'olive extra vierge et du poivre de Cayenne. Donne 3 tasses.

UTILISATION

Masquez asperges, brocoli ou chou-fleur cuits à la vapeur de 2 c. à soupe de hollandaise. Mettez-en 2 à 3 c. à soupe sur des filets de poisson pochés.

ŒUFS BENEDICT

Fendez, grillez et beurrez des moufflets ; garnissez chacun de jambon, d'un œuf et d'une généreuse cuillerée de hollandaise gardée au chaud pendant la préparation du plat.

MAYONNAISE

La mayonnaise est habituellement faite avec des jaunes d'œufs crus. Pour diminuer les risques de salmonellose, nous proposons ici une mayonnaise cuite et un aïoli cuit.

La première s'emploie comme toute garniture à salade. L'aïoli est une mayonnaise à l'ail utilisée comme sauce à salade ou comme sauce trempette pour des légumes ou des fruits de mer cuits à la vapeur.

Travaillez la mayonnaise crue au robot. Quand les œufs et le vinaigre sont mélangés, ajoutez l'huile goutte à goutte pendant que l'appareil est en marche. De cette façon, l'huile s'émulsifie et donne une sauce crémeuse (autres détails à la page 176). Si l'huile est versée trop vite, la sauce devient liquide.

Servez en entrée des artichauts vapeur accompagnés de hollandaise ou d'aïoli.

1 Rasez la queue, ôtez le premier rang de feuilles et rognez 2 cm (1 po) au sommet. Cuisez debout 30 à 40 minutes dans 2 cm (1 po) d'eau et 1 à 2 c. à soupe de jus de citron.

2 Servez la sauce à part. Arrachez les feuilles une à une, saucez-en la partie qui est charnue et raclez-la avec les incisives.

3 Quand toutes les feuilles sont parties, vous arrivez au cœur. Ôtez le foin. Coupez le fond en morceaux et trempez ceux-ci dans la sauce.

Sauce hollandaise

- 2 jaunes d'œufs
- 2 c. à soupe d'eau
- ¼ c. à thé de sel
- 1 c. à soupe de jus de citron

- 6 c. à soupe de beurre doux clarifié
- ⅛ c. à thé de poivre blanc

1 Dans une petite casserole placée à feu assez vif, amenez à ébullition les jaunes d'œufs, l'eau, le sel et le jus de citron en fouettant constamment.

2 Retirez du feu. La sauce semblera avoir tourné ; continuez à fouetter jusqu'à ce qu'elle redevienne lisse. Incorporez le beurre, une cuillerée à soupe à la fois, puis le poivre. Servez avec artichauts, asperges, œufs Benedict ou filets de poisson pochés. Donne 1 tasse.

Par cuillerée à soupe : Calories 134 ; Gras total 15 g ; Gras saturé 9 g ; Protéines 1 g ; Hydrates de carbone 0 g ; Fibres 0 g ; Sodium 46 mg ; Cholestérol 72 mg

Préparation : 5 minutes • Cuisson : 10 minutes

COMPOTES DE FRUITS

*C*haudes ou tièdes, les compotes de fruits composent un dessert élégant et sain. Elles peuvent aussi accompagner certaines viandes rôties ou grillées.

UN BON CHOIX

Prenez des fruits dont les couleurs et les saveurs s'harmonisent et qui restent fermes après cuisson, alors même qu'ils sont mûrs. Autrement, le plat perd de son élégance.

Si certains fruits sont moins fermes que d'autres, retirez-les du sirop de pochage dès qu'ils sont à point et laissez les autres poursuivre leur cuisson.

LES PELURES

Utilisez un couteau éplucheur à lame pivotante pour peler les poires. Blanchissez les pêches et les abricots 1 à 2 minutes dans l'eau bouillante, retirez-les avec une cuiller à trous et plongez-les tout de suite dans de l'eau glacée : la peau fendille et s'enlève comme un charme. C'est d'ailleurs ainsi qu'on pèle les tomates (voir page 94).

Pour savoir comment peler les fruits tropicaux, reportez-vous à la page 162.

FRUITS SÉCHÉS

Pruneaux, abricots et raisins séchés enrichissent la compote de fruits. Essayez aussi d'ajouter 2 tasses de mangue, de papaye ou d'ananas séchés.

Faites pocher les fruits séchés jusqu'à ce qu'ils redeviennent dodus et tendres. Ne vous étonnez pas s'ils doivent rester plus longtemps que les fruits crus dans le sirop de pochage.

DÉLICE D'ÉPICES

Préférez la cannelle en bâton et les clous de girofle entiers aux épices moulues qui ont le défaut de brouiller le sirop et de tamiser les vives et fraîches couleurs des fruits.

Un conseil : brisez le bâton de cannelle et mettez les frag-

ments et les clous de girofle dans une grande boule à thé qui ferme bien ou dans un nouet fait d'étamine de coton lié avec de la ficelle ; plongez boule ou nouet dans le sirop avec les fruits.

De cette façon, vous retirez facilement les épices quand la cuisson est terminée.

UN BON DESSERT

Plusieurs compotes se servent chaudes sur une boule de crème glacée à la vanille, ou froides avec du yogourt nature ou à la vanille, une boule de ricotta ou un ramequin de flan (page 322).

Les fruits qu'on fait pocher entiers, comme les poires bartlett ou bosc, se présentent bien en dessert si vous les dressez dans une petite assiette creuse et les nappez de crème anglaise (voir page 320).

CONSEILS

Faites pocher les fruits dans des ustensiles inoxydables, en acier émaillé ou en fonte émaillée. L'acidité des fruits réagit devant certains métaux comme l'aluminium ou la fonte non émaillée ; la compote prend alors un goût métallique et sa couleur se gâte.

UN ATOUT
Le compotier

Le compotier est un plat en forme de coupe, monté sur un pied. C'est une pièce élégante qui met bien les fruits en valeur. On en trouve dans une vaste gamme de formes, de tailles, de couleurs et de prix, en verre ordinaire ou en cristal, uni ou taillé à l'ancienne.

CADEAU GOURMAND

Dressez la compote dans un joli bocal, mettez-y un ruban et une étiquette décorative : ce sera un cadeau très apprécié. Mais attention : il faut le garder réfrigéré.

PÊCHES AU BRANDY

Dans la recette de la page ci-contre, remplacez 1 tasse d'eau par **1 tasse de brandy** et les fruits par **4 pêches,** pelées, dénoyautées et coupées en deux. Piquez-les en plusieurs endroits et faites-les pocher 20 minutes. Donne 4 portions.

PÊCHES AU POIVRE

Suivez la recette ci-dessus, mais pochez les pêches dans **3½ tasses d'eau** et ½ tasse de **vinaigre de vin blanc.** Ajoutez **2 feuilles de laurier,** ½ c. à thé de **grains de poivre blanc** et ½ c. à thé de **grains de poivre noir.** Couvrez et réfrigérez deux jours. Donne 4 portions.

FRUITS TROPICAUX AU CARI

Suivez la recette ci-contre, mais ajoutez au sirop de pochage **¼ tasse de gingembre frais,** coupé en tranches minces, et **1 c. à soupe de poudre de cari.** Remplacez les fruits de la recette par **1 mangue,** pelée, dénoyautée et tranchée, **1 ananas,** pelé, paré et tranché mince, et **1 papaye,** pelée, épépinée et tranchée. Ne pochez que 15 minutes. Donne 4 portions.

POIRES POCHÉES AUX FRAISES

Dans la recette ci-contre, remplacez le clou de girofle par **¼ tasse de gingembre frais,** tranché mince, et l'eau par du **vin rouge.** Ne mettez que 1 tasse de sucre. Prenez **4 poires bartlett** entières avec la queue, pelées et parées par-dessous, et pochez-les 15 minutes. Laissez tiédir 5 minutes avant d'ajouter **2 tasses de fraises,** équeutées. Filtrez le sirop de pochage dans une casserole, faites-le réduire à 1½ tasse et versez sur les fruits. Donne 4 portions.

Compote de fruits chaude

4 **tasses d'eau**	4 **poires bosc ou bartlett, pelées, parées et coupées en deux**
2 **tasses de sucre**	1 **tasse de raisins de Smyrne**
2 **bâtons de cannelle**	1 **tasse de pruneaux dénoyautés**
1 **c. à soupe de clous de girofle**	1 **tasse d'abricots pelés, dénoyautés et coupés en deux**
zeste de 1 citron, en lamelles	
zeste de 1 orange, en lamelles	

1 Dans une grande casserole, amenez à ébullition à feu vif l'eau, le sucre, la cannelle, les clous de girofle entiers et les zestes de citron et d'orange. Quand l'ébullition est prise, ajoutez les poires, le raisin, les pruneaux et les abricots.

2 Couvrez et faites pocher à feu modéré jusqu'à ce que les poires soient cuites, mais encore fermes; comptez 20 à 25 minutes. Servez la compote chaude ou froide. Donne 4 portions.

Par portion : Calories 606 ; Gras total 1 g ; Gras saturé 0 g ; Protéines 4 g ; Hydrates de carbone 158 g ; Fibres 12 g ; Sodium 11 mg ; Cholestérol 0 mg

Préparation : 10 minutes
Cuisson :
35 minutes

MARMELADES

Les marmelades sont des confitures dans lesquelles la pulpe des fruits est réduite en purée et agrémentée de copeaux de zeste. Dans les confitures, le fruit est entier ou en morceaux.

LES BONS AGRUMES

Les agrumes doivent être mûrs, sans excès ; la peau, modérément épaisse pour donner saveur et texture.

Il n'est pas nécessaire d'ajouter de la pectine aux marmelades d'agrumes. Le zeste et la membrane blanche qui le double en contiennent déjà beaucoup. Pour en avoir davantage, enfermez les pépins dans de l'étamine de coton avec les morceaux de pelure en excès et faites-les bouillir avec les fruits. Retirez le nouet avant de mettre la marmelade en bocal.

TECHNIQUE

Respectez fidèlement les proportions. Le sucre, par exemple, est essentiel à la gélification de la marmelade : n'en mettez ni moins, ni plus.

Faites d'abord cuire la marmelade brièvement. Laissez-la reposer jusqu'au lendemain pour que le zeste se ramollisse et dégage ses principes sapides. Une seconde cuisson à feu doux lui permettra d'atteindre le degré de gélification.

Écumez à la fin de la cuisson pour que le sirop soit limpide.

Pour répartir le zeste, remuez à quelques reprises la marmelade pendant la mise en bocal.

LA MARMELADE EST-ELLE PRÊTE ?

Quand le thermomètre marque 104 °C (220 °F), la marmelade est à point.

Si vous n'avez pas de thermomètre, employez la méthode de la cuiller. Prenez une cuillerée de sirop. Laissez tiédir un peu, puis tournez la cuiller. Si le sirop la nappe d'une couche gélatineuse, la marmelade est à point. S'il tombe en petites gouttes ou en filaments fins, la cuisson n'est pas suffisante.

SIROP D'AGRUMES

Le sirop qui renferme un excès de sucre ou n'est pas cuit à point reste liquide : servez-vous-en pour sucrer des crêpes ou arroser un dessert.

DEUX USTENSILES

Pour la cuisson, il faut une marmite en matière inoxydable, trois fois plus grande que le volume total des ingrédients afin que l'évaporation se fasse rapidement. Il en faut une deuxième pour stériliser les bocaux et les couvercles.

LES BOCAUX

Les bocaux munis de joints d'étanchéité en caoutchouc sont les plus recommandables. Ils peuvent servir plusieurs fois à condition d'être impeccables. Les couvercles composés d'un disque et d'une rondelle vissée ne sont pas réutilisables ; le caoutchouc du disque perd son étanchéité.

STÉRILISATION

Avant la cuisson finale, mettez les bocaux propres dans une grande marmite, couvrez-les d'eau, lancez l'ébullition et laissez bouillir 10 minutes. Retirez-les avec une pince et gardez-les au four à 120 °C (250 °F).

Stérilisez les couvercles et les joints d'étanchéité dans de l'eau bouillante ou suivez les instructions du fabricant. Mais ne les faites pas attendre au four : la matière isolante risque de fondre.

FERMETURE HERMÉTIQUE

Essuyez les bocaux pour qu'ils soient propres ; mettez les couvercles et les joints d'étanchéité et laissez refroidir. Les disques métalliques doivent être légèrement concaves.

Si un bocal n'est pas fermé hermétiquement, gardez-le au réfrigérateur et consommez la marmelade dans l'intervalle d'une semaine ou deux.

PRÉPARATION DE LA MARMELADE

1 Lavez les agrumes. Tranchez le zeste en copeaux de 2 cm (¾ po) de longueur. Pressez le jus et hachez la pulpe.

2 Mettez le zeste, le jus et la pulpe des fruits dans une marmite inoxydable. Ajoutez l'eau et faites bouillir. Le lendemain, ajoutez le sucre et laissez cuire jusqu'à 104 °C (220 °F). Retirez du feu et écumez.

3 Versez la marmelade dans les bocaux stérilisés ; remuez-la de temps à autre pour bien répartir les copeaux de zeste.

Marmelade de pamplemousses

- 2 gros pamplemousses à peau épaisse
- 1 gros citron à peau épaisse
- 2 tasses d'eau
- 4 tasses de sucre

1 Pelez les pamplemousses et le citron. Amincissez les pelures pour qu'elles aient 1 cm (³⁄₈ po) d'épaisseur. Détaillez-les en copeaux de 2 cm (³⁄₄ po) de longueur et 3 mm (¹⁄₈ po) de largeur. Vous pouvez mettre ce qui reste de la pelure, avec les pépins, dans un nouet (voir Les bons agrumes, page ci-contre).

2 Dans une marmite de 8 litres en matière inoxydable, mettez les pelures, la pulpe des fruits hachée fin, le jus réservé, le nouet s'il y a lieu et l'eau. Laissez mijoter 10 minutes à feu modéré, sans couvrir. Versez dans un bol et laissez reposer pour la nuit.

3 Remettez la préparation dans la marmite, ajoutez le sucre, posez le thermomètre et, à feu modéré, portez à ébullition en remuant sans arrêt pour faire fondre le sucre. Poursuivez la cuisson en remuant de temps à autre jusqu'à ce que le thermomètre marque 104 °C (220 °F).

4 Retirez du feu, écumez et versez la marmelade dans des bocaux stérilisés en laissant un vide de 6 mm (¹⁄₄ po). Essuyez le bord des pots et fermez hermétiquement. Donne 4 bocaux de 1 tasse.

Par cuillerée à soupe : Calories 52 ; Gras total 0 g ; Gras saturé 0 g ; Protéines 0 g ; Hydrates de carbone 14 g ; Fibres 0 g ; Sodium 0 mg ; Cholestérol 0 mg

Préparation : 40 minutes
Repos : une nuit
Cuisson : 50 minutes

La marmelade d'oranges, belle pulpe de fruit égayée de copeaux de zeste, met en valeur les moufflets ou les toasts du petit déjeuner.

Marmelade d'oranges

Suivez la recette ci-contre, mais remplacez les pamplemousses par **2 grosses oranges de Valence ou navel.** Mettez les pépins dans un nouet d'étamine de coton et faites-les bouillir avec la pelure en copeaux et la pulpe hachée. Ôtez le nouet avant de laisser reposer la marmelade pour la nuit. Donne 4 bocaux de 1 tasse.

Marmelade de limes au gingembre

Suivez la recette ci-contre, mais remplacez les pamplemousses par **6 grosses limes** et calculez 1½ tasse de sucre par tasse de fruits. À l'étape 3, quand le sucre a fondu, ajoutez ⅓ **tasse de gingembre confit,** haché. Donne 4 bocaux de 1 tasse.

CHUTNEYS AUX FRUITS

D'une grande finesse, ces condiments aigres-doux d'origine orientale peuvent associer des fruits aussi éloignés l'un de l'autre que la tomate et la papaye.

LE CHUTNEY

Originaire de l'Inde, le chutney classique associe des fruits, des légumes et des épices présents dans plusieurs plats indiens : la mangue, le tamarin, la papaye, le gingembre et la cannelle. En s'occidentalisant, le chutney s'est enrichi de tomates, de pêches, de groseilles à maquereau, de pommes et de canneberges.

AIGRE-DOUX

Les chutneys empruntent leur douceur aux fruits frais ou séchés et au sucre, et leur piquant au vinaigre, aux oignons, à l'ail, aux poivrons, aux chilis, à l'assaisonnement au chile, à des zestes râpés et à des baies acides.

Avec leurs saveurs très contrastées, ils accompagnent parfaitement les plats au cari et au fromage, les viandes et les volailles rôties ou grillées et bien d'autres mets.

Mélangez du chutney et du fromage à la crème pour garnir de petits toasts à l'heure de l'apéritif. Mettez-en dans les sandwichs au jambon, au rosbif ou à la salade de poulet.

LES FRUITS

Ces condiments se font avec des fruits mûrs et doux, mais aussi avec des fruits verts et acides. On trouve, par exemple, autant de chutneys aux tomates vertes qu'aux tomates rouges. Si, à l'intérieur d'une recette, vous remplacez des tomates rouges par des vertes, goûtez au chutney avant de le mettre en bocal : vous devrez peut-être rajouter du sucre et du vinaigre.

GINGEMBRE

Le gingembre frais se vend au poids. Dans la plupart des marchés, il n'est pas emballé ; vous pouvez détacher la partie que vous voulez.

S'il vous en reste après avoir préparé le chutney, vous pouvez l'emballer dans un sac de plastique et le congeler : il se gardera plusieurs semaines.

UN RIEN DE VINAIGRE

Le vinaigre blanc ou le vinaigre de cidre sont classiques dans le chutney. Le second est plus riche ; le premier ne modifie pas la couleur du mélange. Le vinaigre de vin ou le vinaigre balsamique ne sont pas recommandés ; ils ont un goût très marqué qui nuirait à celui du condiment.

BOCAUX STÉRILISÉS

Les bocaux à confiture et leurs couvercles doivent être stérilisés avant d'être remplis. Lavez-les dans l'eau savonneuse, rincez-les et stérilisez-les 10 minutes dans l'eau bouillante qui doit les recouvrir d'au moins 2,5 cm (1 po). Gardez-les dans l'eau ou au four (voir page 370) : ils craqueront s'ils sont froids au moment de les remplir.

DES ATOUTS

Les bocaux à confiture et l'entonnoir à tube large

Les meilleurs bocaux sont en verre, à couvercles vissants et disques remplaçables ou à attaches métalliques et joints en caoutchouc remplaçables. L'entonnoir est en métal ou en plastique.

Chutney de poires

1 c. à soupe d'huile d'olive

1 oignon rouge moyen, haché fin

1 petit poivron rouge, paré, épépiné et haché fin

1 tasse de sucre

1 tasse de vinaigre de cidre

¾ c. à thé de graines de moutarde

¼ c. à thé de sel

3 grosses poires mûres, pelées, parées et détaillées en dés de 1 cm (½ po)

1 Dans une grande casserole inoxydable, réchauffez l'huile 1 minute à feu modéré. Mettez-y l'oignon et le poivron et faites cuire 5 minutes en remuant souvent. Quand ils sont tendres, incorporez le sucre, le vinaigre, les graines de moutarde et le sel; amenez à ébullition. Ajoutez les poires et faites-les cuire 5 minutes. Quand elles sont tendres, retirez la casserole du feu. Filtrez la préparation à travers un tamis; réservez les poires et remettez le liquide dans la casserole.

2 À feu vif, lancez l'ébullition et, sans couvrir, laissez réduire le liquide pendant 12 minutes, ou jusqu'à ce qu'il soit épais et sirupeux. Remettez les poires dans la casserole et tournez-les dans le sirop. Versez dans des bocaux stériles de 1 tasse en laissant un vide de 6 mm (¼ po). Essuyez le bord des bocaux et fermez-les hermétiquement. Étiquetez-les et gardez-les dans un endroit frais et sombre. Donne 3 bocaux de 1 tasse.

**Par cuillerée à soupe : Calories 30 ;
Gras total 0 g ; Gras saturé 0 g ;
Protéines 0 g ; Hydrates de carbone 7 g ;
Fibres 0 g ; Sodium 11 mg ;
Cholestérol 0 mg**

*Préparation : 12 minutes
Cuisson : 20 minutes*

Un bel éventail de condiments aux fruits : de gauche à droite, chutney de pommes, chutney de poires et gingembre et chutney d'oranges et canneberges.

GELÉES AROMATIQUES

Les gelées aux fines herbes accompagnent les viandes, les volailles et bien d'autres plats. Associées au fromage, elles donnent d'attrayantes bouchées.

UN PRODUIT NOUVEAU

Dans la préparation des gelées aux fines herbes, il faut recourir à la pectine commerciale. En principe, les nouvelles marques exigent moins de sucre qu'autrefois.

Mesurez la pectine avec précision et suivez les directives de l'emballage. Choisissez le type de pectine en fonction de la recette. Les gelées aromatiques se font avec de la pectine à faible teneur en sucre.

HERBES FRAÎCHES

Cueillez les fines herbes tôt le matin, quand la rosée ne s'est pas encore évaporée. Au jardin comme à l'épicerie, choisissez des feuilles tendres et jeunes : elles donnent les couleurs et les saveurs les plus vives.

VARIÉTÉS

Une grande variété de fines herbes servent à aromatiser les gelées : basilic, sauge, rose, géranium au citron, verveine au citron, lemon-grass, aneth ou romarin.

MENTHE

Laissez l'infusion à la menthe reposer 1 heure avant d'y goûter. Si elle est faible, mettez des flocons de menthe verte 10 minutes dans ½ tasse d'eau bouillante. Filtrez cette infusion et utilisez-la pour remplacer ½ tasse d'eau de la recette.

Certaines fines herbes séchées peuvent s'ajouter aux fraîches, mais écartez les produits en poudre qui brouillent et assombrissent la gelée.

ESTHÉTIQUE

Écumez la gelée dès qu'elle a fini de cuire pour supprimer les bulles et la garder limpide.

Ajoutez un brin de la fine herbe de base : c'est une jolie façon d'identifier la gelée.

PLUS VRAI QUE VRAI

L'herbe la plus verte devient terne sitôt qu'on la fait bouillir. Ajoutez quelques gouttes de colorant vert (et peut-être une de colorant jaune) à la gelée de menthe.

LES BOCAUX

On se sert généralement de petits bocaux de 1 tasse, stérilisés à l'eau bouillante (voir pages 270 et 272) et maintenus au chaud jusqu'au remplissage. Après les avoir fermés, scellez-les dans un bain d'eau bouillante (voir l'encadré à droite).

PRÉPARATION ET MISE EN BOCAL DES GELÉES

1 Préparez une infusion de menthe et d'eau. Laissez reposer 1 heure.

2 Passez l'infusion à travers une passoire doublée d'étamine de coton.

3 Faites-la cuire avec du sucre, de la pectine et du colorant. Écumez.

4 Versez la gelée dans des bocaux stérilisés ; laissez un vide de 1 cm (½ po).

5 Mettez sur la gelée un brin de menthe – ou de l'herbe fine avec laquelle la gelée est faite. Vissez bien le couvercle.

6 Immergez les bocaux sur une grille dans une marmite ; il doit y avoir 2,5 cm (1 po) d'eau mijotante au-dessus. Lancez l'ébullition.

7 Faites bouillir 15 minutes. Retirez les bocaux avec une pince. Laissez refroidir : il se fait un vide sous les couvercles. Appuyez au centre de chaque couvercle ; si rien ne bouge, le vide a été créé. Sinon, recommencez le traitement ou réfrigérez le bocal et consommez la gelée sans attendre.

Gelée à la menthe

- **3** tasses de jeunes feuilles de menthe bien tassées, hachées fin
- **4½** tasses d'eau
- **3** tasses de sucre
- **1** boîte (54 g/2 oz) de pectine de fruits en cristaux
- **½** c. à thé de beurre
- **2** gouttes de colorant végétal vert (facultatif)

1 Mettez les feuilles de menthe et l'eau dans une grande casserole et amenez au point d'ébullition à feu vif. Retirez du feu, remuez bien, couvrez et laissez infuser 1 heure.

2 Doublez une grande passoire de quatre épaisseurs d'étamine de coton et posez-la sur un grand bol. Versez-y l'infusion de menthe. Quand les feuilles ne gouttent plus, jetez-les sans les comprimer pour en extraire plus de jus. Mesurez l'infusion et ajoutez ce qu'il faut d'eau pour avoir 4½ tasses de liquide. Versez-le dans la casserole.

3 Dans un petit bol, mélangez 1 tasse de sucre et la pectine. Versez lentement ce mélange dans l'infusion de menthe. Incorporez le beurre pour réduire la formation d'écume et ajoutez le colorant végétal, s'il y a lieu.

GELÉE AU BASILIC PIMENTÉ

Suivez la recette, mais à l'étape 1, remplacez la menthe par du **basilic** et ajoutez **1 piment jalapeño,** haché fin. Donne 10 bocaux de 1 tasse.

GELÉE AU ROMARIN

Suivez la recette, mais remplacez la menthe par du **romarin.** Donne 10 bocaux de 1 tasse.

À feu vif, amenez la préparation à une ébullition stable en remuant constamment.

4 Incorporez rapidement les deux dernières tasses de sucre et faites reprendre l'ébullition, sans cesser de remuer. Laissez la préparation bouillir exactement 1 minute – ni plus, ni moins – en remuant sans arrêt.

5 Retirez du feu. Écumez. Remplissez à la louche des bocaux stérilisés de 1 tasse en laissant un vide de 1 cm (½ po). Essuyez les bords, fermez les bocaux hermétiquement et faites-les bouillir pendant 15 minutes (voir l'encadré, page ci-contre). Vérifiez l'étanchéité. Étiquetez et rangez dans un endroit frais et sombre. Donne 10 bocaux de 1 tasse.

Par cuillerée à soupe : Calories 27 ; Gras total 0 g ; Gras saturé 0 g ; Protéines 0 g ; Hydrates de carbone 7 g ; Fibres 0 g ; Sodium 2 mg ; Cholestérol 0 mg

Préparation : 2 heures • Cuisson : 30 minutes Repos : 1 h 15

CORNICHONS ET ACHARDS

Les marinades faites à la maison mettent un peu des saveurs de l'été sur la table durant toute l'année.

CORNICHONS

Choisissez des cornichons moyens ou de petits concombres non paraffinés.

Prenez du sel à marinade : le sel iodé laisse une pellicule désagréable.

Dans la plupart des cas, on emploie du sucre, parfois mélangé de cassonade.

Le vinaigre blanc n'altère pas la couleur, mais le vinaigre de cidre est plus goûteux.

PRÉPARATION

Faites d'abord tremper les légumes dans de l'eau salée pour les ramollir et débarrasser les concombres de leur amertume. Égouttez-les et rincez-les à l'eau claire.

QUELQUES CONSEILS

Commencez par choisir une bonne recette. Les quantités de vinaigre, de sel et de sucre par rapport aux légumes sont importantes et assurent une bonne conservation.

Choisissez des légumes mûrs qui sont encore bien fermes. Pour que les légumes restent

LE NOUET D'ÉPICES

Mettez les épices entières dans un nouet d'étamine de coton. Ainsi, le liquide restera limpide.

croquants, faites-les tremper au préalable dans de la glace pendant 3 à 4 heures.

DE L'ESPACE

Quand les bocaux sont mis sous vide, il se produit de l'expansion à l'intérieur. Voilà pourquoi il faut laisser un espace libre de 1 cm ($\frac{1}{2}$ po).

MISE SOUS VIDE

Le bain d'eau bouillante (voir l'encadré, page 374) est le meilleur moyen d'assurer l'étanchéité des bocaux. Quand ils sont étanches, les disques métalliques deviennent légèrement concaves.

CORNICHONS SUCRÉS

- 30 **cornichons moyens (10 à 12 cm/ 4 à 5 po), non pelés, en tranches de 6 mm ($\frac{1}{4}$ po)**
- 8 **gros oignons, coupés en deux et tranchés transversalement**
- 1 **poivron rouge moyen, paré et haché**
- $\frac{1}{2}$ **tasse de sel à marinade**
- 4 **tasses de glace concassée (environ)**
- 4 **tasses de vinaigre blanc**
- 4$\frac{1}{2}$ **tasses de sucre**
- 2 **c. à soupe de graines de moutarde**
- 2 **c. à thé de graines de céleri**
- 1 **c. à soupe de curcuma moulu**
- 1 **c. à thé de gingembre moulu**
- 1 **c. à thé de grains de poivre noir**

1 Dans une grande passoire posée sur un bol, mettez les cornichons, les oignons et le poivron rouge. Saupoudrez de sel et remuez. Couvrez de 5 cm (2 po) de glace concassée. Réfrigérez 3 à 4 heures. Ajoutez de la glace au besoin.

2 Dans un grand faitout inoxydable, faites bouillir 10 minutes à feu modéré le vinaigre, le sucre, les graines de moutarde et de céleri, le curcuma, le gingembre et les grains de poivre. Ajoutez les cornichons et relancez l'ébullition.

3 Versez dans des bocaux stérilisés de 2 tasses en laissant un espace vide de 1 cm ($\frac{1}{2}$ po). Passez une spatule longue et fine contre le bocal, à l'intérieur, pour faire sortir les bulles d'air. Essuyez les bords, fermez les bocaux et faites-les bouillir 10 minutes dans un bain d'eau. Laissez tiédir, vérifiez l'étanchéité, étiquetez et laissez mûrir 4 à 6 semaines dans un endroit frais et sombre. Donne 8 bocaux de 2 tasses.

Par cuillerée à soupe : Calories 36 ; Gras total 0 g ; Gras saturé 0 g ; Protéines 0 g ; Hydrates de carbone 9 g ; Fibres 0 g ; Sodium 101 mg ; Cholestérol 0 mg

Préparation : 2 heures • Réfrigération : 3 heures Cuisson : 20 minutes • Repos : 4 à 6 semaines

ACHARD DE POIVRON DOUX

Dans la recette de la page ci-contre, remplacez les concombres par **4 poivrons rouges** et **4 poivrons verts**. Ajoutez **2 tasses de céleri**, en dés. Donne 6 bocaux de 1 tasse.

ACHARD DE PIMENT FORT

Suivez la recette ci-dessus, mais ajoutez **4 piments jalapeños**, épépinés et en dés. Donne 6 bocaux de 1 tasse.

1 Dans un grand faitout inoxydable, mettez les concombres, les poivrons rouges et verts et l'oignon. Saupoudrez de curcuma, arrosez de saumure, couvrez à demi et laissez macérer 6 à 8 heures. Rincez les légumes plusieurs fois, égouttez-les et placez-les dans le faitout.

2 Enfermez la cannelle, les graines de moutarde, le piment de la Jamaïque et les clous de girofle dans de l'étamine de coton ; mettez ce nouet dans le faitout avec le sucre et le vinaigre. Lancez l'ébullition à feu vif et faites bouillir jusqu'à ce que le sucre soit fondu. Sans couvrir, laissez mijoter 10 minutes à feu modéré. Ôtez et jetez le nouet.

3 Versez l'achard dans des bocaux stérilisés de 1 tasse en laissant un espace libre de 1 cm (½ po). Essuyez les bords, fermez les bocaux et faites-les bouillir 10 minutes dans un bain d'eau. Laissez-les tiédir et vérifiez leur étanchéité. Étiquetez et gardez dans un endroit frais et sombre. Donne 8 bocaux de 1 tasse.

Par cuillerée à soupe :
Calories 15 ; Gras total 0 g ;
Gras saturé 0 g ;
Protéines 0 g ;
Hydrates de carbone 4 g ;
Fibres 0 g ; Sodium 40 mg ;
Cholestérol 0 mg

Préparation : 45 minutes
Saumurage : 6 à 8 heures
Cuisson : 15 minutes

Achard de concombres et poivrons

4	concombres moyens, non pelés et détaillés en petits dés	
2	gros poivrons rouges, parés, épépinés et hachés	
2	gros poivrons verts, parés, épépinés et hachés	
1	oignon moyen, haché	
1	c. à soupe de curcuma moulu	
½	tasse de sel à marinade dissous dans 6 tasses d'eau (saumure)	

2 bâtons de cannelle, brisés en deux
1 c. à soupe de graines de moutarde
2 c. à thé de piments de la Jamaïque entiers
1 c. à thé de clous de girofle entiers
2 tasses de sucre
2 tasses de vinaigre de cidre

A

Abaisser Étaler une pâte, à l'aide d'un rouleau à pâtisserie, en une couche plus ou moins épaisse dite abaisse.

Achard Terme d'origine malaise désignant un mélange de légumes ou de fruits, ou les deux, hachés et macérés dans une sauce épicée au vinaigre et souvent sucrée. On dit aussi relish.

Additifs Substance naturelle ou synthétique que l'on ajoute aux aliments pour en améliorer la saveur, la conservation, la texture ou l'aspect.

Aïoli Mayonnaise à laquelle on incorpore de l'ail pilé et de la mie de pain blanc déchiquetée. Spécialité du Midi de la France.

Aiguillettes Tranches de chair étroites et longues, levées de part et d'autre du bréchet des volailles (canard, en particulier) et du gibier à plumes. Se dit aussi d'une mince tranche de bifteck.

Amidon Glucide d'origine végétale qui augmente de volume à la chaleur humide. On dit aussi fécule.

Appareil Mélange des divers ingrédients d'une préparation.

B

Badigeonner Enduire un aliment d'un liquide ou d'un corps gras pour qu'il ne s'assèche pas.

Béarnaise Sauce hollandaise dans laquelle on remplace le jus de citron par une infusion d'estragon, de vinaigre de vin blanc et d'échalote hachée.

Béchamel Sauce blanche faite avec un roux et du lait.

GLOSSAIRE

Biscuit À l'origine, le biscuit était « cuit deux fois », la deuxième cuisson ayant pour but de lui assurer une longue conservation. De nos jours, le terme désigne en pâtisserie française une pâte additionnée de levure chimique ou de blancs d'œufs et destinée à être fourrée d'une crème au beurre. On parle plutôt chez nous d'un gâteau « étagé ».

Blanchir Plonger un aliment pendant quelques minutes dans l'eau bouillante, pour en enlever l'âcreté, en faciliter l'épluchage ou l'attendrir.

Bouquet garni Petit bouquet composé de laurier, de thym et de persil liés ensemble ou placés dans un carré d'étamine.

Braiser Cuire à feu doux un aliment – viande, volaille ou légume – avec très peu de liquide, dans un récipient couvert placé au four ou sur la surface de cuisson.

C

Canapé Tranche de pain, frite ou grillée, de forme et d'épaisseur variable, sur laquelle on dresse certains mets. Les canapés se mangent chauds ou froids.

Céréales Grains tirés d'une plante, la plupart du temps une graminée. Avoine, blé, maïs, riz, millet, orge, seigle et sorgho sont les céréales les plus courantes. Le sarrasin, pour sa part, provient d'une polygonacée.

Chapelure Pain sec ou grillé au four et finement émietté dont on enrobe ou saupoudre certains mets.

Chiffonnade On défait la laitue en chiffonnade en la coupant au couteau, généralement pour y dresser d'autres aliments.

Chutney Condiment d'origine indienne, qui associe fruits ou légumes à des épices, du vinaigre et du sucre.

Corail Partie comestible de l'estomac qui se trouve dans la carapace de certains crustacés, notamment le homard.

Corser Relever la saveur d'une sauce en la faisant réduire.

Coulis 1. Sauce résultant de la cuisson concentrée de substances alimentaires passées au tamis (un coulis de tomate). 2. Purée de fruits crus, passée au tamis, dont on se sert pour napper un dessert (un coulis de framboise).

Coupe-pâte Ustensile qui sert à fragmenter un corps gras tout en y amalgamant la farine.

Court-bouillon Liquide aromatique acidulé dans lequel on met à mijoter un poisson, une volaille ou des abats. Le court-bouillon se prépare d'avance. Les aliments qu'on y plonge se parfument par osmose.

Crème 1. Matières grasses du lait. La crème légère ou de table contient de 10 à 15 p. 100 de matières grasses et la crème épaisse ou à fouetter en renferme au moins 35 p. 100. 2. Potage lié à une farine délayée dans du lait et parfois additionné de crème. 3. Variété de desserts composés principalement de lait et d'œufs (crème pâtissière, crème anglaise, crème renversée). 4. Préparation molle et lisse qu'on obtient en battant assez longuement un ou plusieurs ingrédients combinés.

Cuire à blanc Se dit d'une abaisse de tarte qu'on fait cuire sans garniture et sans la laisser colorer.

Cuire à l'étuvée Cuire à feu très doux un aliment dans son propre jus, avec très peu de liquide et de matière grasse, dans un récipient couvert. On dit aussi cuire à l'étouffée.

Cuire à la vapeur Cuire un aliment au-dessus de l'eau bouillante ou frémissante, dans un récipient couvert.

D

Darne Tranche épaisse de poisson.

Décortiquer Débarrasser de leur enveloppe un grain, une graine ou une noix ou retirer un crustacé de sa carapace.

Déglacer Dissoudre à l'aide d'un liquide les sucs qui ont attaché au fond d'un plat de viande ou de légumes en cours de cuisson.

Dégorger Faire tremper dans de l'eau froide, vinaigrée ou non, une viande, une volaille ou des abats pour en éliminer le sang ou un poisson de rivière pour en éliminer le goût de vase. On fait dégorger certains légumes (aubergine et concombre, par exemple) pour réduire leur eau de végétation et les rendre plus digestes.

Dégraisser 1. Enlever le gras d'une pièce de viande. 2. Ôter la graisse à la surface d'une préparation culinaire, refroidie ou non.

Délayer Détremper un ingrédient sec dans un liquide ou réduire la consistance d'une sauce.

Dépouiller Enlever la peau – d'une volaille ou d'un poisson – avant de les faire cuire.

Dessaler Faire tremper dans l'eau froide, en la renouvelant plusieurs fois, une viande ou un poisson qui ont été conservés dans le sel ou la saumure.

Dresser Disposer une préparation culinaire sur un plat de service avant de la présenter à table.

E

Ébarber Couper et enlever les nageoires d'un poisson avant la cuisson.

Écaler Dépouiller de leur enveloppe ou de leur coquille les noix ou les œufs.

Écosser Dépouiller de leur enveloppe les graines de légumineuses.

Écumer Enlever, à l'aide d'une cuiller trouée (écumoi-

re), l'écume qui se forme à la surface d'un liquide en cours d'ébullition.

Écumoire Cuiller trouée, plate ou recourbée, servant à écumer ou à retirer des aliments d'un liquide.

Effeuiller S'applique à la chair d'un poisson qui est suffisamment cuite pour qu'on puisse la séparer en gros flocons à la fourchette.

Émincer Couper en tranches ou en lamelles.

Émulsion Préparation obtenue en dispersant un liquide dans un autre avec lequel il ne se mélange pas. Le lait est une émulsion naturelle ; la mayonnaise et la hollandaise sont des sauces émulsionnées.

Enchilada Tortilla garnie puis roulée qu'on sert avec une sauce piquante.

Enrobage En cuisine, pâte légère servant à isoler un aliment pendant qu'il cuit en grande friture. En pâtisserie, chocolat, fondant ou sucre cuit dont on recouvre les petites pièces.

Escalope Fine tranche de viande, et plus particulièrement de veau ou de volaille, qu'on aplatit davantage en la frappant avec le plat d'un couteau du chef.

Étamine Tissu à mailles lâches servant à passer un coulis ou une gelée, ou à enfermer un bouquet garni. Sous l'influence de l'anglais, on dit aussi coton à fromage.

Étuveuse 1. Récipient muni d'une prise de courant et d'un thermostat, dans lequel on fait cuire les aliments longtemps et à faible chaleur (voir Cuire à l'étuvée). 2. Autre nom donné à la marguerite (voir Marguerite).

Évider Enlever une partie de la chair ou de la pulpe d'un fruit ou d'un légume en vue de le farcir ou de le garnir.

F

Fanes Tiges et feuilles qu'on laisse sur un légume après l'avoir récolté. On parle de fanes de carottes, de radis, de navets.

Farine Produit de la mouture des grains, principalement de blé, qui va du blanc au brun selon qu'il contient plus ou moins de son. La farine tout usage est faite de blé dur ou d'un mélange de blé dur et de blé mou et est souvent blanchie ; on l'emploie surtout en boulangerie et pour épaissir les sauces. La farine à pâtisserie, qui sert à la confection de gâteaux et de pâtisseries fines, provient de blé tendre blanchi et très finement moulu. La farine de blé entier contient le son et le germe des grains ; elle est moins légère que les autres et ne peut pas leur être substituée dans une recette.

Fécule Voir Amidon.

Féculent Légume ou fruit riche en amidon. Avec les céréales, les féculents constituent une des bases de l'alimentation. Pommes de terre, patates douces, ignames, châtaignes, bananes et manioc sont des féculents, riches en vitamine C et en glucides, mais pauvres en protéines et en sels minéraux. Ce sont des aliments énergétiques.

Filet 1. Partie charnue et tendre qu'on lève le long de l'épine dorsale des animaux de boucherie. 2. Chaque morceau de chair prélevé de part et d'autre de l'arête d'un poisson.

Filtrer Passer un liquide à travers un tamis à mailles fines pour le débarrasser de ses impuretés.

Foncer Tapisser un moule ou un plat d'un appareil, et plus particulièrement d'une pâte.

Fond Jus restant après la cuisson de divers aliments et dont on se sert pour confectionner des sauces.

Fond de pochage Liquide dans lequel on a fait pocher un aliment. Après l'avoir filtré, on s'en sert parfois pour préparer une sauce.

Fondre Faire cuire à petit feu dans une matière grasse sans laisser prendre couleur.

Frémir Se dit d'un liquide dont la surface fait des petites bulles – stade juste avant le point d'ébullition.

Fumet Bouillon concentré, généralement à base de poisson, mais aussi de viande ou de légumes, qui sert à parfumer ou à corser des sauces.

G

Garniture Ensemble des éléments qui accompagnent ou complètent un plat.

Gâteau des anges Gâteau fin qui doit sa grande légèreté aux nombreux blancs d'œufs qu'on y incorpore.

Gélatine Substance protéinique inodore et sans goût, extraite de tissus animaux. La gélatine forme une gelée épaississante et stabilisatrice lorsqu'on la chauffe.

Glucide Principe énergétique présent dans de nombreux aliments – céréales, fruits, légumes, sucreries, lait, etc. On distingue les glucides absorbés en moins de 30 minutes (saccharose, fructose, glucose) et les glucides lents (2 à 6 heures), représentés essentiellement par les féculents. Glucide est synonyme de hydrate de carbone.

Graisser Enduire un ustensile de graisse végétale ou de beurre pour empêcher la préparation de coller en cuisant.

Gratin Mets saupoudré de fromage râpé, de noisettes de beurre ou de chapelure et cuit au four jusqu'à ce qu'il se forme une croûte à la surface.

Gratiner Passer un plat au four ou sous le gril pour qu'il se forme du gratin.

Hollandaise Sauce émulsionnée chaude à base de jaunes d'œufs et de beurre clarifié. Se sert tiède avec des œufs (œufs bénédict), des légumes (asperges ou artichauts) ou du poisson poché.

Hydrate de carbone Voir glucide.

Infusion Macération d'une substance aromatique dans un liquide bouillant. Désigne aussi la boisson obtenue, thé et tisanes en particulier. (Ne pas confondre avec la décoction, où la substance aromatique est soumise à l'ébullition.)

Julienne Préparation d'un ou de plusieurs légumes coupés en fins bâtonnets.

Liaison Préparation à base de féculents, de jaunes d'œufs,

de beurre ou de crème qui sert à épaissir un potage ou une sauce.

Magret Filet de chair prélevé sur la poitrine d'un canard qui a été engraissé pour le foie gras. Le magret peut être préparé en confit, mais aussi grillé (d'abord sur le côté de la peau, pour que la graisse imprègne la chair) pour être servi saignant ou rosé, avec la peau croustillante.

Marguerite Ustensile rond et troué, muni de lamelles qui se referment sur les légumes et qu'on plonge dans un récipient avec très peu d'eau bouillante pour les cuire à la vapeur.

Masquer Recouvrir un mets de sauce, de gelée ou de crème.

Mijoter Faire cuire à feu doux (ou au four à température modérée) au-dessous du point d'ébullition et généralement à couvert.

Monder Se dit de l'opération qui consiste à enlever la peau des noix, noisettes, amandes ou pistaches. On les plonge en général dans de l'eau bouillante, puis on les refroidit et on les presse entre les doigts pour en dégager la peau.

Mouiller Ajouter un liquide, dit de mouillement, à un mets en cours de cuisson.

Napper Couvrir une préparation de sauce ou de crème.

Paner Rouler dans la farine, l'œuf et la chapelure, ou simplement dans la chapelure, un

mets destiné à être frit, grillé ou poêlé.

Papillote Papier beurré ou huilé enveloppant des poissons, des légumes ou des viandes à griller.

Parer Préparer une viande ou une volaille en ôtant la peau, les nerfs et la graisse superflue ou préparer les légumes et les fruits en enlevant les parties non comestibles. On pare une pomme en l'évidant, un poivron en l'épépinant et en le débarrassant de ses côtes.

Paupiette Tranche de viande roulée et farcie.

Pétrir Plier et travailler une pâte pour la rendre élastique.

Pilaf Riz revenu dans le beurre, puis cuit dans un liquide aromatisé.

Pilon Partie inférieure d'une cuisse de volaille, l'autre étant le haut-de-cuisse.

Ramequin Petit récipient rond à bord droit, de 6 à 10 cm (2¼-4 po) de diamètre, allant au four.

Réduire Faire évaporer un liquide pour le concentrer.

Revenir (faire) Faire cuire un aliment dans un corps gras à température assez élevée, en remuant sans cesse, pour qu'il s'attendrisse ou se dore en surface.

Roux Mélange de beurre et de farine plus ou moins coloré, servant à la préparation de sauces.

Saumure Solution saline dans laquelle sont plongés des

viandes, des poissons ou des légumes pour les conserver ; le mélange d'eau et de sel est parfois additionné de nitrite, de sucre et d'aromates.

Scone Pain éclair traditionnellement cuit sur une plaque de fer chauffée sur la cuisinière, mais qu'on peut aussi passer au four.

Sel Le sel marin, grisâtre, résulte de l'évaporation dans les marais salants. Le sel gemme, sous forme de cristaux, provient de mines constituées par le retrait de la mer. Parfois mélange des deux, le sel de table est souvent iodé, c'est-à-dire additionné d'iodure de potassium. Le sel sans sodium, où le chlorure de potassium remplace le sodium, peut être dommageable à la santé.

Soja (sauce) Sauce confectionnée à partir de soja, de sel, de levure, d'anchois et de gingembre.

Suprême Blanc de volaille ou filet de gibier cuit.

Tabasco Sauce mexicaine composée de piments forts macérés et additionnés de sel et de vinaigre.

Trousser Ficeler une volaille.

Worcestershire (sauce) Sauce relevée, composée de vinaigre, de soja, de tamarin, de caramel, d'ail et d'épices.

Zeste Peau extérieure d'un agrume, contenant l'essence parfumée du fruit.

INDEX

TOUT RÉUSSIR EN CUISINE
publié par Sélection du Reader's Digest

Photogravure : StanMont Inc.
Impression : Imprimerie Interglobe Inc. (Beauceville)
Reliure : Imprimerie Transcontinental Inc.
Division Metropole Litho
Papier : Westvaco

IMPRIMÉ AU CANADA